CW01083524

LA MYSTÉRIEUSE FLAMME
DE LA REINE LOANA

UMBERTO ECO

La Mystérieuse Flamme de la reine Loana

ROMAN ILLUSTRÉ TRADUIT DE L'ITALIEN
PAR JEAN-NOËL SCHIFANO

GRASSET

Titre original :

LA MISTERIOSA FIAMMA DELLA REGINA LOANA
Éditions Bompiani, 2004.

PREMIÈRE PARTIE
L'accident

1. LE PLUS CRUEL DES MOIS

« Et comment vous appelez-vous ?
– Attendez, je l'ai sur le bout de la langue. »

Tout a débuté comme ça.

Je m'étais comme réveillé d'un long sommeil, et pourtant j'étais encore suspendu dans un gris laiteux. Ou bien, je n'étais pas réveillé mais en train de rêver. C'était un rêve étrange, dénué d'images, peuplé de sons. Comme si je ne voyais pas, mais entendais des voix qui me racontaient ce que je devais voir. Et elles me racontaient que je ne voyais encore rien, sauf une exhalaison de fumées le long des canaux, là où le paysage se dissolvait. Bruges, m'étais-je dit, je me trouvais à Bruges. Étais-je jamais allé à Bruges-la-morte ? *Où le brouillard flotte entre les tours comme un encens songeur ? Une cité grise, triste comme une tombe fleurie de chrysanthèmes où la floche effilochée pend des façades telle une tapisserie…*

Mon âme détergeait les vitres du tram pour se noyer dans le brouillard mobile des réverbères. Brouillard,

*mon frère incontaminé… Un brouillard épais, opaque,
qui emmitouflait les bruits, et faisait surgir des fantômes sans forme…* À la fin, j'arrivais à un ravin
immense et je voyais une silhouette très grande, enveloppée dans un suaire, le visage d'une blancheur
immaculée de neige. *Je m'appelle Arthur Gordon Pym.*

*Je mâchais le brouillard. Les fantômes passaient,
m'effleuraient, s'évanouissaient. Au loin, les quinquets
luisaient comme les feux follets dans un cimetière…*

*À mes côtés quelqu'un marche sans bruit, comme s'il
avait les pieds nus, il marche sans talons, sans chaussures, sans sandales, un pan de brouillard rampe sur sa
joue, une troupe d'ivrognes hurle là-bas, au fond du bac.*
Le bac ? Ce n'est pas moi qui le dis, ce sont les voix.

*Le brouillard arrive sur des petites pattes de chat…
Il y avait un brouillard qui donnait l'impression qu'on
avait enlevé le monde.*

Et pourtant, de temps à autre, c'était comme si j'ou-
vrais les yeux et voyais des éclairs. J'entendais des
voix : « Ce n'est pas, à proprement parler, un coma,
madame… Non, ne pensez pas à l'encéphalogramme
plat, je vous en prie… Il y a réactivité… »

Quelqu'un me projetait une lumière dans les yeux,
mais après la lumière, il faisait de nouveau nuit. Je
sentais la piqûre d'une aiguille, quelque part. « Vous
voyez, il y a motricité… »

*Maigret plonge dans une brume tellement dense qu'il
ne voit pas où il pose les pieds… Le brouillard est plein
de formes humaines, il grouille intensément d'une vie
mystérieuse.* Maigret ? Élémentaire, mon cher Watson,
ce sont dix petits Indiens, c'est dans le brouillard que
disparaît le mâtin des Baskerville.

*Le rideau de vapeurs grises perdait graduellement sa
nuance grisâtre. La chaleur de l'eau était excessive, et sa*

nuance laiteuse plus évidente que jamais… Puis nous avons été entraînés dans les gorges d'une cataracte où un énorme gouffre s'ouvrait pour nous engloutir.

J'entendais des gens qui parlaient autour de moi, je voulais crier et les avertir que j'étais ici. Il y avait un bourdonnement continu, comme si j'étais dévoré par des machines célibataires aux dents pointues. J'étais dans la colonie pénitentiaire. Je sentais un poids sur la tête, comme si on m'avait enfilé le masque de fer. J'avais l'impression de voir des lumières bleues.

« Il y a asymétrie des diamètres pupillaires. »

J'avais des fragments de pensée, j'étais certes en train de me réveiller, mais je ne pouvais pas bouger. Si seulement je pouvais rester éveillé. J'ai dormi de nouveau ? Des heures, des jours, des siècles ?

Le brouillard était revenu, les voix dans le brouillard, les voix sur le brouillard. *Seltsam, im Nebel zu wandern !* C'est en quelle langue ? J'ai l'impression de nager dans la mer, je me sentais près de la plage mais je ne parvenais pas à l'atteindre. Personne ne me voyait et la marée me remportait au loin.

S'il vous plaît, dites-moi quelque chose, s'il vous plaît, touchez-moi. J'ai perçu une main sur mon front. Quel soulagement. Une autre voix : « Madame, il y a des histoires de patients qui se réveillent d'un coup et s'en vont sur leurs jambes. »

Quelqu'un me gênait avec une lumière intermittente, avec la vibration d'un diapason, c'était comme si on m'avait placé sous le nez un pot de moutarde, et ensuite une gousse d'ail. *La terre a une odeur de champignons.*

D'autres voix, mais celles-ci de l'intérieur : *des plaintes longues de locomotive à vapeur, des prêtres dans le brouillard, qui vont informes en file à San Michele in Bosco.*

Le ciel est de cendre. Brouillard en haut sur le fleuve,
brouillard en bas sur le fleuve, brouillard qui mord les
mains de la petite marchande d'allumettes. Les passants
du haut des ponts de l'Île aux Chiens regardent un
infime ciel de brouillard, eux-mêmes enveloppés dans
le brouillard comme dans une montgolfière suspendue
sous le brouillard brun, et point ne croyais que mort en
eût tant défait. Odeur de gare et de suie.

Une autre lumière, plus légère. *Il me semble en-*
tendre, à travers le brouillard, le son des cornemuses écos-
saises se répéter sur les bruyères.

Un autre long sommeil, peut-être. Puis une éclair-
cie, *on dirait qu'on est dans un verre d'eau et d'anis…*

Lui était devant moi, même si je le voyais encore
comme une ombre. Je me sentais la tête dans le cul,
comme si je m'étais réveillé après avoir trop bu. Je
crois avoir murmuré quelque chose avec peine,
comme si je commençais à parler en cet instant pour
la première fois : « *Posco reposco flagito* régissent l'infini futur ? *Cujus regio ejus religio…* c'est la paix
d'Augsbourg ou la défenestration de Prague ? » et
puis : « Brouillard aussi sur l'Autoroute du Soleil,
dans les Appenins, entre Roncobilaccio et Barberino
del Mugello… »

Il m'a souri avec compréhension : « Mais à présent
ouvrez bien les yeux et essayez de regarder autour de
vous. Vous comprenez où nous sommes ? » À présent,
je le voyais mieux, il avait une blouse – comment dit-
on ? – *blanche.* J'ai tourné le regard, et j'arrivais même
à remuer la tête : la chambre était sobre et propre,
peu de petits meubles de métal et des couleurs claires,
moi j'étais au lit, une canule enfilée dans le bras. Par
la fenêtre, entre les stores baissés, passait une lame de
soleil, *le printemps tout autour brille dans l'air et exulte*

à travers les champs. J'ai murmuré : « Nous sommes…
dans un hôpital et vous… vous êtes un médecin. J'ai
été mal ?

– Oui, vous avez été mal, je vous expliquerai. Mais
pour l'instant vous avez repris connaissance. Courage.
Je suis le docteur Gratarolo. Pardon si je vous pose
quelques questions. Combien de doigts je vous
montre ?

– Ça, c'est une main et ça, les doigts. Il y en a
quatre. Il y en a quatre ?

– Bien sûr. Et combien fait six par six ?

– Trente-six, naturellement. » Les pensées retentis-
saient dans ma tête mais elles venaient presque toutes
seules. « Le carré de l'hypoténuse est égal à la
somme… des carrés… des deux autres côtés.

– Compliments. Je crois que c'est le théorème de
Pythagore, mais au lycée j'avais six sur dix en maths…

– Pythagore de Samos. Les éléments d'Euclide. La
solitude désespérée des parallèles qui ne se rencon-
trent jamais.

– On dirait que votre mémoire est dans un excellent état. À propos, et comment vous appelez-vous ? »

Là, j'ai hésité. Et pourtant je l'avais sur le bout de
la langue. Après un court laps de temps, j'ai répondu
de la façon la plus évidente.

« Je m'appelle Arthur Gordon Pym.

– Vous, vous ne vous appelez pas comme ça. »

Gordon Pym était certainement un autre. Lui
n'était plus revenu. J'ai cherché à composer avec le
docteur.

« Appelez-moi… Ismaël ?

– Non, vous ne vous appelez pas Ismaël. Faites un
effort. »

Vite dit. Comme se heurter à un mur. Répondre Euclide ou Ismaël m'était facile, comme répondre am, stram, gram, pic et pic et colégram. Par contre, dire qui j'étais équivalait à se retourner et tomber sur le mur. Non, pas un mur, j'essayais d'expliquer : « Je ne sens pas vraiment quelque chose de solide, c'est comme aller dans le brouillard.

– Il est comment, le brouillard ? a-t-il demandé.

– *Le brouillard aux cillines hérissées monte en bruinant et sous le noroît hurle et blanchit la mer...* Il est comment, le brouillard ?

– Ne me mettez pas dans l'embarras, je ne suis qu'un médecin. Et puis nous sommes en avril, je ne peux pas vous le faire voir. Aujourd'hui, on est le 25 avril.

– *Avril est le plus cruel des mois.*

– Je ne suis pas très cultivé, mais je crois que c'est une citation. Vous pouviez dire qu'aujourd'hui c'est le jour de la Libération. Savez-vous en quelle année nous sommes ?

– À coup sûr, après la découverte de l'Amérique...

– Vous n'avez pas souvenir d'une date, n'importe quelle date avant... votre réveil ?

– N'importe laquelle ? Mille neuf cent quarante-cinq, fin de la deuxième guerre mondiale.

– C'est trop peu. Non, aujourd'hui nous sommes le 25 avril 1991. Vous êtes né, je crois fin 1931, et voilà pourquoi vous allez maintenant sur vos soixante ans.

– Cinquante-neuf et demi, même pas.

– Excellent, en ce qui concerne les capacités de calcul. Voyez-vous, comment dire, vous avez eu un accident. Vous en êtes ressorti vivant, mes félicitations. Mais d'évidence il y a quelque chose encore qui ne va pas. Une petite forme d'amnésie rétrograde. Ne vous inquiétez pas, parfois cela dure peu. Soyez gentil, répondez encore à quelques questions. Êtes-vous marié ?

– Dites-le-moi, vous.

– Oui, vous êtes marié, avec une très aimable dame qui s'appelle Paola, et qui vous a assisté jour et nuit, hier soir seulement je l'ai obligée à rentrer chez elle, sinon elle s'écroulait. À présent que vous êtes réveillé, je vais l'appeler, mais il faudra que je la prépare, et avant nous devons faire encore d'autres contrôles.

– Et puis, si je la prends pour un chapeau ?

– Que dites-vous ?

– Il y a un homme qui a pris sa femme pour un chapeau.

– Ah, le livre de Sacks. Un cas classique. Je vois que vous êtes un lecteur bien à jour. Mais ce n'est pas votre cas à vous, autrement vous m'auriez déjà pris, moi, pour un poêle. Ne vous inquiétez pas, vous ne la reconnaîtrez peut-être pas mais vous ne la prendrez pas pour un chapeau. Revenons-en à vous. Donc, vous vous appelez Giambattista Bodoni. Ça ne vous dit rien ? »

À présent ma mémoire volait, tel un planeur entre monts et vallées, sur l'horizon infini. « Giambattista Bodoni était un célèbre typographe. Mais je suis certain que ce n'est pas moi. Je pourrais même être Napoléon et ce serait comme Bodoni.

– Pourquoi avez-vous dit Napoléon ?

– Parce que Bodoni était plus ou moins de l'époque napoléonienne. Napoléon Bonaparte, né en Corse, premier consul, épouse Joséphine, devient empereur, conquiert la moitié de l'Europe, perd à Waterloo, il meurt à Sainte-Hélène, cinq mai 1821, *il fut comme immobile.*

– Il faudra que je revienne auprès de vous avec une encyclopédie, mais pour autant qu'il m'en souvienne, vous vous souvenez bien. Cependant, vous ne vous souvenez pas de qui vous êtes ?

– C'est grave, docteur ?

– Pour être honnête, ce n'est pas très bon. Mais vous n'êtes pas le premier à qui arrive une chose de ce genre, on s'en sortira. »

Il m'a demandé de lever la main droite, et de me toucher le nez. Je comprenais parfaitement ce qu'étaient la droite, et mon nez. Dans le mille. Mais la sensation était toute neuve. Se toucher le nez c'est comme avoir un œil sur le bout de l'index et se regarder nez à nez. J'ai un nez. Gratarolo m'a donné un petit coup sur le genou et puis çà et là, sur la jambe et sur les pieds, avec une sorte de marteau. Les docteurs testent les réflexes. Paraît que les réflexes étaient bons. À la fin, je me sentais épuisé, et je crois m'être rendormi.

Je me suis éveillé dans un endroit et j'ai murmuré qu'on aurait dit la cabine d'un navire spatial, comme dans les films (quels films, a demandé Gratarolo, tous, j'ai répondu, en général, puis j'ai nommé *Star Trek*). Ils m'ont fait des choses que je ne comprenais pas, avec des machines que je n'avais jamais vues. Je crois qu'ils observaient à l'intérieur de ma tête, mais je laissais faire sans penser, bercé par de légers bourdonnements, et, de temps en temps, je m'assoupissais de nouveau.

Plus tard (ou le lendemain ?), quand Gratarolo est revenu, j'étais en train d'explorer le lit. Je tâtais les draps, légers, lisses, agréables au toucher ; sauf la couverture, qui piquait un peu le bout des doigts ; je me retournais et j'abattais ma main sur l'oreiller, jouissant du fait qu'elle s'y enfonçât. Je faisais tchak tchak et je m'amusais beaucoup. Gratarolo m'a demandé si j'arrivais à me lever du lit. Avec l'aide d'une infirmière, j'y suis arrivé, j'étais debout, même si la tête me tournait encore. Je sentais mes pieds presser sur le marmoléum, et ma tête en haut. C'est comme ça qu'on se tient debout. Sur un fil tendu. Comme la petite sirène.

« Courage, essayez de vous rendre dans la salle de bain et de vous laver les dents. Il devrait y avoir la brosse de votre femme. » Je lui ai dit qu'on ne se lave jamais les dents avec la brosse d'un étranger, et il a observé qu'une épouse n'est pas une étrangère. Dans la salle de bain, je me suis vu. Du moins, j'étais suffisamment sûr d'être moi, car les miroirs, *on le sait*, reflètent ce qu'ils ont devant eux. Une face blanche et creusée, la barbe longue, deux cernes comme ça. Tout va bien, je ne sais pas qui je suis mais je découvre que je suis un monstre. Je ne voudrais pas me rencontrer le soir dans une rue déserte. Mister Hyde. J'ai identifié deux objets, l'un se nomme certainement dentifrice et l'autre brosse à dents. Il faut commencer par le dentifrice et presser le tube. Fort agréable sensation, je devrais le faire souvent, mais à un moment donné il faut s'arrêter, cette pâte blanche au début fait plop, comme une bulle, mais ensuite elle sort toute comme *le serpent qui danse*. Ne presse plus, sinon tu vas faire comme Broglio avec les stracchini. Qui est Broglio ?

La pâte a une saveur excellente. *Excellent, dit le duc.* C'est un wellerism. Ce sont donc là les saveurs : quelque chose qui te caresse la langue, mais aussi le palais, il semble cependant que c'est la langue qui perçoit les saveurs. Saveur de menthe – *y la hierbabuena, a las cinco de la tarde…* Je me suis décidé et j'ai fait ce que tout le monde fait dans ces cas-là, rapidement sans y penser à deux fois : je me suis brossé d'abord en haut et en bas, puis de gauche à droite, puis l'arcade dentaire. C'est intéressant de sentir les soies qui pénètrent entre deux dents, je crois que dorénavant je me laverai les dents tous les jours, c'est bon. J'ai passé les soies sur ma langue aussi. On sent comme un frisson mais à la fin si on n'appuie pas trop ça va, et il fallait bien ça parce que j'avais vraiment la bouche pâteuse. À présent, je me suis dit, on se rince. J'ai versé de l'eau du robinet dans un verre et je l'ai mise dans ma bouche, gaiement étonné du bruit que ça faisait, encore mieux si on renverse la tête et qu'on la fait… gargouiller ? Le gargouillis est bon. J'ai gonflé les joues, et puis tout dehors. Tout craché. Sfroussch… cataracte. Avec les lèvres on peut tout faire, elles sont immensément mobiles. Je me suis retourné, Gratarolo était là qui m'observait *comme si j'étais un phénomène de foire*, et je lui ai demandé si ça allait comme ça.

Parfait, m'a-t-il dit. Mes automatismes, a-t-il expliqué, sont bien en place.

« On dirait qu'il y a ici une personne presque normale, ai-je observé, sauf que ce n'est peut-être pas moi.

– Beau trait d'esprit, et ça aussi c'est un bon signe. Rallongez-vous, voilà, je vais vous aider. Dites-moi : que venez-vous de faire ?

– Je me suis lavé les dents, c'est vous qui me l'avez demandé.

– Certes, et avant de vous laver les dents ?

– J'étais sur ce lit et vous me parliez. Vous m'avez dit que nous sommes en avril, 1991.

– Exact. La mémoire à court terme fonctionne. Dites-moi, vous rappelez-vous par hasard la marque du dentifrice ?

– Non. Je devrais ?

– Aucunement. Vous avez sûrement vu la marque
en prenant le tube dans la main, mais si nous devions
enregistrer et conserver tous les stimuli que nous rece-
vons, notre mémoire serait un enfer. C'est pourquoi
nous choisissons, nous filtrons. Vous avez fait ce que
tout le monde fait. Pourtant, essayez de vous rappeler la chose la plus significative qui vous soit arrivée
quand vous vous laviez les dents.

– Quand je me suis passé la brosse sur la langue.

– Pourquoi ?

– Parce que j'avais la bouche pâteuse, et qu'après
je me suis senti mieux.

– Vous voyez ? Vous avez filtré l'élément le plus
directement associé à vos émotions, à vos désirs, à vos
buts. Vous avez de nouveau des émotions.

– Drôle d'émotion, se brosser la langue. Mais je
n'ai pas souvenir de me l'être jamais brossée auparavant.

– On y arrive. Vous voyez, monsieur Bodoni, je
cherche à m'expliquer sans employer des mots com-
pliqués, mais l'accident a sûrement concerné certaines
parties de votre cerveau. Or, bien que chaque jour
sorte une nouvelle étude, nous, sur les localisations
cérébrales, nous n'en savons pas encore autant que
nous voudrions. Surtout pour ce qui est des différentes sortes de mémoire. J'oserais dire que si ce qui
vous est arrivé était arrivé dans dix ans, nous saurions
comment mieux gérer votre situation. Ne m'inter-
rompez pas, j'ai compris, si par contre cela vous était
arrivé il y a cent ans, vous seriez déjà à l'asile et on
n'en parlerait plus. Aujourd'hui, nous en savons
davantage, mais pas suffisamment. Par exemple, si
vous ne parveniez pas à parler, je saurais tout de suite
quelle aire a été intéressée...

– L'aire de Broca.

– Bravo ! Mais l'aire de Broca a plus de cent ans. Par contre, le lieu où le cerveau conserverait les souvenirs est encore matière à débats, les choses ne dépendent certainement pas d'une seule aire. Je ne veux pas vous ennuyer avec des termes scientifiques, qui ne feraient qu'augmenter d'abord la confusion qui règne dans votre tête – vous savez, quand un dentiste vous a fait quelque chose à une dent, pendant quelques jours vous continuez à vous tâter la dent avec la langue, mais si je vous disais, mettons, que je suis moins inquiet pour votre hippocampe que pour vos lobes frontaux, et peut-être pour le cortex orbito-frontal droit, vous chercheriez à vous tâter là, et ce n'est pas comme explorer sa bouche avec sa langue. Des frustrations à n'en plus finir. Oubliez donc ce que je viens de vous dire. D'autre part, il n'y a pas deux cerveaux qui se ressemblent, et notre cerveau a une extraordinaire plasticité, il peut arriver qu'en l'espace de quelque temps il soit capable de confier à une autre aire ce que l'aire touchée ne parvenait plus à faire. Vous me suivez, je suis suffisamment clair ?

– Très clair, poursuivez. Mais vous ne feriez pas plus vite en disant que je suis Martin Guerre ?

– Vous voyez que vous vous rappelez Martin Guerre, dont Montaigne a fait un cas classique ? C'est seulement vous, qui n'êtes pas classique, dont vous ne vous souvenez pas.

– Je préférerais avoir oublié Martin Guerre et me rappeler où je suis né.

– Vous seriez alors un cas plus rare. Vous voyez, vous avez reconnu aussitôt le tube de dentifrice, mais vous n'avez pas souvenir d'être marié – et de fait, se rappeler le jour de son mariage et reconnaître le dentifrice dépendent de deux réseaux cérébraux différents. Nous avons divers types de mémoire. L'une

s'appelle implicite, et elle nous permet de suivre sans
effort une série de choses que nous avons apprises,
comme se laver les dents, allumer la radio ou nouer
sa cravate. Après l'expérience des dents, je suis prêt
à parier que vous savez écrire, et peut-être même
savez-vous conduire votre voiture. Quand la mémoire
implicite nous aide, nous ne sommes même pas
conscients de nous souvenir, nous agissons automati-
quement. Et puis il y a une mémoire explicite, par
laquelle nous nous souvenons et savons que nous
sommes en train de nous souvenir. Mais cette
mémoire explicite est double. L'une est celle qu'on
tend à appeler maintenant mémoire sémantique, une
mémoire publique, par laquelle on sait qu'une hiron-
delle est un oiseau, et que les oiseaux volent et ont des
plumes, mais aussi que Napoléon est mort quand...
quand vous l'avez dit. Et celle-là, il me semble que
vous l'avez en ordre, mon Dieu, sans doute même
trop, car je vois qu'il suffit de vous donner un input
et vous commencez à relier des souvenirs que je défi-
nirais scolaires, ou vous avez recours à des phrases
toutes faites. Mais celle-là est la première qui se forme
chez l'enfant aussi, l'enfant apprend vite à reconnaître
une voiture, un chien, et à se former des schémas
généraux : si une fois il a vu un chien-loup et qu'on
lui a dit que c'est un chien, il dira chien même quand
il voit un labrador. Par contre, l'enfant met plus de
temps pour élaborer le second type de mémoire explicite, que nous appelons épisodique, ou autobiographique. Il n'est pas tout de suite capable de se
rappeler, mettons en voyant un chien, que le mois précédent il avait été dans le jardin de sa grand-mère et
qu'il avait vu un chien, et que c'est toujours lui qui a
eu les deux expériences. C'est à la mémoire épisodique d'établir un lien entre ce que nous sommes

aujourd'hui et ce que nous avons été, sinon quand nous disons *je* nous nous référons seulement à ce que nous sentons maintenant, non pas à ce que nous sentions avant, qui se perd justement dans le brouillard. Vous n'avez pas perdu la mémoire sémantique mais l'épisodique, c'est-à-dire les épisodes de votre vie. En somme, je dirais que vous savez tout ce que savent aussi les autres, et j'imagine que si je vous demandais de me dire quelle est la capitale du Japon…

– Tokyo. Bombe atomique sur Hiroshima. Le général MacArthur…

– Ça va, ça va. C'est comme si vous vous rappeliez tout ce qu'on apprend pour l'avoir lu quelque part, ou entendu dire, mais pas ce qui est associé à vos expériences directes. Vous savez que Napoléon a été battu à Waterloo, mais essayez de me dire si vous vous rappelez votre mère.

– *On n'a qu'une mère, une mère est toujours une mère…* Mais ma mère, je ne m'en souviens pas. J'imagine avoir eu une mère parce que c'est une loi de l'espèce, mais… voilà… c'est le brouillard. Je me sens mal, docteur. C'est horrible. Donnez-moi quelque chose pour m'endormir de nouveau.

– Je vais vous donner quelque chose, j'ai déjà trop exigé de vous. Allongez-vous bien, voilà, comme ça… Je vous le répète, ça arrive, mais on guérit. Avec beaucoup de patience. Je vous ferai apporter quelque chose à boire, un thé, par exemple. Vous aimez le thé ?

– *Peut-être que oui peut-être que non.* »

On m'a apporté le thé. L'infirmière m'a fait asseoir, le dos appuyé aux oreillers, et elle a placé une table roulante devant moi. Elle a versé de l'eau fumante

dans une tasse avec un sachet dedans. Faites doucement, ça brûle, a-t-elle dit. Doucement comment ? Je
flairais la tasse et je sentais une odeur, j'avais envie de
dire, de fumée. Je voulais éprouver la saveur du thé,
j'ai saisi la tasse et j'ai avalé. Atroce. Un feu, une
flamme, une gifle en bouche. Le thé bouillant c'est
donc ça. C'est sans doute la même chose avec le café
ou la camomille, dont tout le monde parle. À présent,
je sais ce que veut dire se brûler. Tout le monde sait
qu'il ne faut pas toucher le feu, mais je ne savais
pas à quel moment on peut toucher l'eau chaude. Je
dois apprendre à comprendre les limites, le moment
où avant tu ne pouvais pas et après tu peux. Machinalement, j'ai soufflé sur le liquide, puis j'y ai
tourné la petite cuillère jusqu'à ce que je décide que
je pouvais faire une nouvelle tentative. À présent, le
thé était tiède et c'était bon de le boire. Je n'étais pas
certain de distinguer la saveur du thé de celle du
sucre, l'un devait être *âpre* et l'autre *doux*, mais quel
est le doux et quel l'âpre ? Cependant, l'ensemble me
plaisait. Je boirai toujours le thé avec du sucre. Mais
pas bouillant.

Le thé m'a procuré une impression de paix et de
détente, je me suis endormi.

Je me suis réveillé de nouveau. Peut-être parce que
dans mon sommeil je me grattais l'aine et le scrotum.
Sous les couvertures j'ai transpiré. *Escarres de décubi-
tus* ? Mon aine est humide, mais à y passer les mains
de manière trop énergique, après une première sensation de plaisir violent, on sent une friction désagréable. Avec mon scrotum, c'est meilleur : on le
passe entre les doigts, je dirais délicatement, sans aller
jusqu'à presser sur les testicules, et on sent quelque
chose de granuleux, et de légèrement poilu : c'est bon
de se gratter le scrotum, non que la démangeaison

s'en aille tout de suite, au contraire elle devient plus forte, mais ça augmente ainsi l'envie de continuer. *Le plaisir est la cessation de la douleur*, mais la démangeaison n'est pas une douleur, c'est une invite à se procurer du plaisir. *L'aiguillon de la chair.* À y céder on commet un péché. Le jeune homme avisé s'endort sur le dos, les mains croisées sur la poitrine pour ne pas commettre d'actes impurs dans son sommeil. Drôle d'histoire, la démangeaison. Et les couilles. *Tu es un couillon. Lui, il a une paire de couilles comme ça.*

J'ai ouvert les yeux. Devant moi il y avait une femme, pas toute jeune, la bonne cinquantaine, m'a-t-il semblé, vu les ridules autour des yeux, mais au visage lumineux, encore frais. Quelques mèches blanches, presque imperceptibles, comme si elle les avait fait éclaircir à dessein, une coquetterie, genre : je ne veux pas passer pour une jeune fille mais je porte bien mon âge. Elle était belle ; jeune, elle devait avoir été très belle. Elle me caressait le front.

« Yambo, me dit-elle.

– Iambo qui, madame ?

– Toi, tu es Yambo, on t'appelle tous ainsi. Et moi je suis Paola. Je suis ta femme. Tu me reconnais ?

– Non, madame, pardon, non Paola, je regrette tellement, le docteur a dû t'expliquer.

– Il m'a expliqué. Tu ne sais plus ce qui t'est arrivé à toi, mais tu sais encore très bien ce qui est arrivé aux autres. Puisque je fais partie de ton histoire personnelle, tu ne sais plus que nous sommes mariés depuis plus de trente ans, mon Yambo. Et nous avons deux filles, Carla et Nicoletta, et trois merveilleux petits-fils. Carla s'est mariée tôt et elle a eu deux enfants, Alessandro, qui a cinq ans, et Luca, trois ans. Giangio, Giangiacomo, le fils de Nicoletta, a lui aussi trois ans. Des cousins jumeaux, disais-tu. Et tu as

été… tu es… tu seras encore un grand-père merveilleux. Tu as été un bon père aussi.

– Et… je suis un bon mari ? »

Paola a levé les yeux au ciel : « Nous sommes
encore là, non ? Disons qu'en trente ans de vie, il y a
des hauts et des bas. Tout le monde t'a toujours considéré bel homme…

– Ce matin, hier, il y a dix ans dans le miroir j'ai vu
un visage horrible.

– Avec ce qui t'est arrivé, c'est le minimum. Mais
tu as été, tu es encore un bel homme, tu as un sourire
irrésistible, et quelques-unes n'y ont pas résisté. Toi
non plus, tu disais toujours qu'on peut résister à tout
sauf aux tentations.

– Je m'excuse.

– Voilà, comme ceux qui tiraient des missiles intel-
ligents sur Bagdad et puis s'excusaient s'il mourait un
peu de civils.

– Des missiles à Bagdad ? Il n'y en a pas dans les
Mille et Une Nuits.

– Il y a eu une guerre, la guerre du Golfe, elle est
finie à présent, ou peut-être pas. L'Irak a envahi le
Koweït, les États occidentaux sont intervenus. Tu ne
te rappelles rien ?

– Le docteur a dit que la mémoire épisodique –
celle qui, chez moi, à ce qu'il paraît, a fait tilt – est
liée aux émotions. Les missiles sur Bagdad ont peut-
être été une chose qui m'a émotionné.

– Et comment donc ! Tu as toujours été un paci-
fiste convaincu, et cette guerre t'avait accablé. Il y a
presque deux cents ans, Maine de Biran faisait la distinction entre trois types de mémoire, idées, sensations et habitudes. Tu te souviens des idées et des
habitudes, mais pas des sensations qui au final ont été
ce qui t'appartient le plus.

– Comment fais-tu pour savoir toutes ces belles choses ?

– Je suis psychologue, de métier. Mais attends voir : tu viens de dire que ta mémoire épisodique a fait tilt. Pourquoi as-tu utilisé cette expression ?

– On dit comme ça.

– Oui, mais c'est une chose qui arrive avec un flipper, et tu es… tu étais fou de flippers, comme un enfant.

– Je sais ce qu'est un flipper. Mais je ne sais pas qui je suis, tu comprends ? Brouillard dans la plaine du Pô. À propos, où sommes-nous ?

– Dans la plaine du Pô. Nous vivons à Milan. Pendant les mois d'hiver, de chez nous on voit le brouillard dans le parc. Tu vis à Milan et tu es libraire antiquaire, tu as un cabinet de livres anciens.

– La malédiction du pharaon. Si mon nom était Bodoni et qu'ils m'ont baptisé Giambattista, ça ne pouvait finir que comme ça.

– Et ça a justement bien fini. Tu es considéré comme un bon dans ton métier, nous ne sommes pas milliardaires mais nous vivons bien. Je t'aiderai, tu te remettras peu à peu. Mon Dieu, quand j'y pense tu pouvais ne plus te réveiller et ces docteurs ont été très forts, ils t'ont pris à temps. Mon amour, puis-je te souhaiter la bienvenue ? On dirait que tu me rencontres pour la première fois. Bien, si je te rencontrais moi, maintenant, pour la première fois, je t'épouserais quand même. D'accord ?

– Tu es adorable. J'ai besoin de toi. Tu es la seule qui peut me raconter mes trente dernières années.

– Trente-cinq. Nous nous sommes rencontrés à l'université de Turin, tu allais passer ta maîtrise et moi j'étais la bizute paumée dans les couloirs du Palazzo Campana. Je t'ai demandé où était une salle, tu m'as tout de suite draguée et tu as séduit la lycéenne sans défense. Et puis, entre une chose et l'autre, moi j'étais trop jeune, tu as ensuite passé trois années à l'étranger. Après, on s'est mis ensemble en disant que c'était à l'essai, à la fin je suis tombée enceinte et on s'est mariés, parce que tu étais un gentleman. Non, excuse-moi, c'est aussi que nous nous aimions, vraiment, et puis devenir père te plaisait. Courage, papa, je te ferai souvenir de tout, tu verras.

– À moins que tout ça ne soit un complot, moi, en vérité, je m'appelle Felixino Rossignoli et je suis cambrioleur, toi et Gratarolo vous me racontez un tas de bobards, que sais-je, vous faites peut-être partie des services secrets, vous avez besoin de me construire une identité pour m'envoyer espionner derrière le mur de Berlin, *Ipcress File*, et…

– Il n'existe plus, le Mur de Berlin, ils l'ont abattu et l'Empire soviétique s'en va en eau de boudin…

– Mon Dieu, tourne la tête un instant et regarde ce qu'ils te fabriquent. Bon, bon, je plaisantais, j'ai confiance. C'est quoi les stracchini de Broglio ?

– Comment ? Le stracchino est un fromage mou, mais on l'appelle comme ça dans le Piémont ; ici, à Milan, on l'appelle crescenza. Pourquoi parles-tu de stracchini ?

– C'est en pressant mon tube de dentifrice. Attends. Il y avait un peintre qui s'appelait Broglio, il n'arrivait pas à vivre de ses tableaux mais il ne voulait pas travailler car, disait-il, il avait une névrose. Il paraît que c'était une excuse pour se faire entretenir par sa sœur. À la fin ses amis lui trouvent un emploi dans une entreprise qui fabriquait ou vendait des fromages. Lui, il passait devant une grande pile de stracchini, tous enveloppés dans des paquets de papier ciré semi-transparent, et il ne parvenait pas à résister à la tentation, à cause de sa névrose (qu'il disait) : il les prenait les uns après les autres et tchak, il les écrasait projetant ainsi le stracchino hors du paquet. Après avoir bousillé une centaine de stracchini, il a été licencié. Tout par la faute de la névrose, il disait que, pour lui, *gnaquer les stracchini* était pure lubricité. Bon Dieu, Paola, mais ça c'est une mémoire d'enfance ! Je n'ai pas perdu la mémoire de mes expériences passées ? »

Paola s'est mise à rire : « Pardon, ça me vient à l'esprit à présent. Bien sûr, c'est une chose que tu as sue, petit. Mais tu racontais souvent cette histoire, elle était devenue un morceau de ton répertoire, pour ainsi dire, tu faisais toujours rire tes commensaux avec l'histoire des stracchini du peintre, et eux ils la redisaient à d'autres. Tu n'es pas en train de te rappeler une expérience à toi, malheureusement, tu sais simplement une histoire que tu as racontée de nombreuses fois, et qui est devenue pour toi (comment je peux dire ?) un bien public, comme l'histoire du petit Chaperon rouge.

– Tu me deviens indispensable. Je suis content de t'avoir pour femme. Je te remercie d'exister, Paola.

– Mon Dieu, il y a encore un mois tu aurais dit que c'était une expression kitsch digne d'un feuilleton télévisé…

– Il faut que tu m'excuses. Je n'arrive à rien dire qui me vienne du cœur. Je n'ai pas de sentiments, je n'ai que des dits mémorables.

– Pauvre chéri.

– Voilà qui me semble aussi une expression toute faite.

– Que t'es con. »

Cette Paola m'aime vraiment.

J'ai passé une nuit tranquille, qui sait ce que Gratarolo m'avait mis dans la veine. J'ai émergé peu à peu du sommeil, et je devais avoir encore les yeux fermés parce que j'ai entendu la voix de Paola qui murmurait, par peur de me réveiller : « Mais ce ne pourrait pas être une amnésie psychogène ?

– Il ne faut jamais l'exclure, répondait Gratarolo, à l'origine de ces accidents il peut toujours y avoir des tensions impondérables. Mais vous avez vu les fiches médicales, il y a bel et bien des lésions. »

J'ai ouvert les yeux et j'ai dit bonjour. Il y avait aussi deux femmes et trois enfants, jamais vus, mais j'imaginais qui c'était. Ce fut terrible, parce que passe encore l'épouse, mais les filles, mon Dieu, sont le sang de ton sang et les petits-enfants plus encore, ces deux jeunes femmes avaient des yeux qui brillaient de bonheur, les enfants voulaient grimper sur mon lit, ils me prenaient la main et me disaient 'jour grand-père, et moi rien. Ce n'était même pas le brouillard, c'était, comment dire, l'apathie. Ou bien dit-on l'ataraxie ? Comme regarder des animaux au zoo, ce pouvait être des ouistitis ou des girafes. Certes, je souriais et disais d'aimables paroles, mais au-dedans j'étais vide. Il m'est venu à l'esprit le mot *sgurato*, mais je ne savais pas ce qu'il voulait dire. Je l'ai demandé à Paola : c'est un terme piémontais employé quand tu laves bien une casserole et puis que tu y passes et repasses cette sorte de paille métallique, pour la rendre comme neuve, super brillante et plus propre que ça tu meurs. Voilà, je me sentais complètement sgurato. Récuré. Gratarolo, Paola, les filles me fourraient dans la tête mille détails de ma vie, mais comme si c'étaient des haricots secs, à remuer la casserole ils y glissaient mais restaient crus, ils ne se diluaient dans aucun bouillon ni dans aucune crème, rien qui me flattât le goût, rien que je voulusse goûter *de nouveau*. J'apprenais des choses qui m'étaient arrivées à moi comme si elles s'étaient passées pour un autre.

Je caressais les enfants et je sentais leur odeur, sans pouvoir la définir, sauf qu'elle était très tendre. Il me venait seulement à l'esprit qu'*il y a des parfums frais comme des chairs d'enfants*. Et de fait ma tête n'était pas vide, y tourbillonnaient des mémoires qui n'étaient pas à moi, la marquise sortit à cinq heures au milieu du chemin de notre vie, Ernesto Sabato je suppose, Abraham engendra Isaac Isaac engendra Jacob Jacob engendra Judas et Rocco ses frères, pour qui le clocher de Chantemerle sonne la minuit sainte et ce fut alors que je vis le pendule, sur ce bras du lac de Côme dorment les oiseaux qui vont mourir au Pérou, *messieurs les Anglais je me suis couché de bonne heure*, ici on fait l'Italie ou on tue un homme mort, *tu quoque alea*, et d'un seul coup d'un seul il lui fend le cœur, frères d'Italie encore un effort, une souris blanche qui siffle sur nos têtes, la valeur n'attend pas, l'Italie est faite mais ne se rend pas, un quarteron de généraux, qu'allait-il faire dans ce Boeing, pas de printemps pour la conscience, le train sifflera avez-vous vu Mirza la cantatrice sur les ailes dorées, mais où sont les neiges d'antan, ô temps suspends ton vol mignonne allons voir si la rose, c'est nous les canuts, everybody is a star, prends ton luth et me donne cette galère, la fille de Minos avec ses enfants vêtus de peaux de bêtes, ô soldats de l'an Deux, bien dit reprend Zeno, passé les Alpes et le Rhin, mon nom est Personne et pourtant elle tourne, nous étions à l'étude quand le proviseur, cette fantaisie et cette raison, ô saisons ô châteaux, le nom grandit quand l'homme tombe, on signalait une dépression au-dessus de l'Atlantique, un crapaud regardait le ciel, aux armes ! un, personne et *de la musique où marchent les colombes*, cependant rien n'est perdu, face au peloton d'exécution je pourrais monter une faible dame, tous les jours c'était sur l'assassinat considéré comme tintarella di luna, loup y es-tu ? nous sommes tout nus où fleurit l'oranger, ici commence l'aventure d'Achille, monsieur le Corbeau, un paradis habité par des diables, *Licht mehr Licht über alles*, bon appétit messieurs, le petit chat est mort, que vaut une vie ? Des noms, des noms, des noms, Angelo Dall'Oca Bianca, lord Brummell, Pindare, Flaubert, Disraëli, Remigio Zena, Jurassic, Fattori, le Surréalisme et ses cadavres exquis, la Pompadour, Smith & Wesson, Rosa Luxemburg, Zeno Cosini, Palme le Vieux, Archéoptérix, Ovide, Matthieu Marc Luc Jean, Pinocchio, Justine, Maria Goretti, Taïde la putain aux ongles breneux, Ostéoporose, saint Honoré, Bacta Ecbatana Persépolis Suse Arbélès, Alexandre et le nœud gordien.

L'encyclopédie me tombait dessus en feuilles éparpillées, et je me mettais à frapper des mains comme au milieu d'un essaim d'abeilles. Pendant ce temps les enfants disaient grand-père, je savais que j'aurais dû les aimer plus que moi-même et je ne savais pas qui appeler Giangio, qui Alessandro et qui Luca. Je savais tout sur Alexandre le Grand, et rien d'Alessandro mon tout petit.

J'ai dit que je me sentais faible et que je voulais dormir. Ils sont sortis, et je pleurais. Les larmes sont salées. J'avais donc encore des sentiments. Oui, mais frais du jour. Ceux d'autrefois n'étaient plus à moi. Qui sait, me demandais-je, si j'ai un jour été pieux : d'évidence, quoi qu'il en fût, j'avais perdu mon âme.

Le lendemain matin, Paola aussi était là, Gratarolo m'a fait asseoir à une table et il m'a montré une série

de petits carrés colorés, une multitude. Il m'en tendait un et me demandait fermement sa couleur. *Un
deux trois Rose couche-toi, quatre cinq six Rose tu rosis,
sept huit neuf Rose t'es ma meuf, dix onze douze ça
devient tout rouge, treize quatorze quinze y sort un p'tit
singe !* J'ai reconnu à coup sûr les cinq ou six premières couleurs, rouge, jaune, vert et ainsi de suite.
J'ai dit naturellement que *A noir, E blanc, I rouge, U
vert, O bleu, voyelles, je dirai quelque jour vos nais-
sances latentes*, mais je me suis rendu compte que le
poète ou son double mentait. Qu'est-ce que ça signifie que A est noir ? C'était plutôt comme si je découvrais les couleurs pour la première fois : le rouge était
très gai, *rouge feu*, et même trop fort – non, le jaune
était sans doute plus fort, comme une lumière qui
s'éclairerait d'un coup devant les yeux. Le vert me
donnait un sentiment de paix. Les difficultés ont commencé avec les autres petits carrés. Et ça, c'est ? Vert,
disais-je, mais Gratarolo insistait, quel genre de vert,
dans quel sens est-il différent de cet autre ? Bof…
Paola m'expliquait que l'un était vert mauve et l'autre
vert petits pois. La mauve est une plante herbacée,
répondais-je, et les petits pois une plante légumineuse
qui se mange, ronds dans une gousse longue et toute
bosselée, mais je n'avais jamais vu ni mauves ni petits
pois. Ne vous inquiétez pas, disait Gratarolo, en
anglais il y a plus de trois mille termes de couleurs
mais d'ordinaire les gens savent en nommer huit au
maximum, en moyenne nous reconnaissons les couleurs de l'arc-en-ciel, rouge, orange, jaune, vert, bleu,
indigo et violet, mais déjà entre indigo et violet les
gens ne savent pas très bien distinguer. Il faut beaucoup d'expérience pour savoir discriminer et désigner
les teintes, et un peintre sait mieux le faire que, si vous

voulez, un chauffeur de taxi qui n'a qu'à reconnaître les trois couleurs des feux.

Gratarolo m'a donné du papier et un crayon-feutre. Écrivez, m'a-t-il dit. « Que diable dois-je écrire ? » ai-je écrit, et j'avais l'impression de n'avoir jamais rien fait d'autre, le feutre était doux et il filait bien sur le papier. « Écrivez ce qui vous passe par la tête », m'a dit Gratarolo.

Tête ? J'ai écrit : amour qui dans la tête me raisonne, l'amour qui meut le soleil et les autres étoiles, soleil cou coupé, fil à couper le beurre, le classement est le fil d'Ariane dans le dédale de la nature, le Minotaure, le Manifeste du surréalisme, naturalisme, réalisme, vérisme, la terre tremble, néoréalisme, voyage en Italie, doit se voir immédiatement après un mariage, voir Naples et mourir, Madame se meurt, Madame est morte, sans gêne pas de plaisir, les plaisirs et les jours, mille et une nuits, je vous le donne en mille, mille huit cent soixante, l'expédition des Mille, ils étaient cent, ils étaient mille, les merveilles de l'an Deux Mille, de merveilles sans nombre effrayer les humains.

« Écris quelque chose sur ta vie, a dit Paola. Que faisais-tu à vingt ans ? » J'ai écrit : « *J'avais vingt ans et je ne laisserai personne dire que c'est le plus bel âge de la vie.* » Le docteur m'a demandé quelle était la première chose qui me fût venue à l'esprit quand je me suis réveillé. J'ai écrit : « *Quand Gregor Samsa se réveilla un matin, il se trouva transformé dans son lit en un immense insecte.* »

« Ça suffit peut-être comme ça, docteur, a dit Paola. Ne lui laissez pas trop la bride sur le cou avec ces chaînes associatives, sinon il finira par me revenir fou.

– Ah bon, parce que je vous parais sain maintenant ? »

Presque tout d'un coup, Gratarolo m'a enjoint :
« Et à présent signez, comme si c'était un chèque. »

Sans y penser. J'ai tracé un « GBBodoni », avec le
paraphe final et puis un point rond sur le i.

« Vous voyez ? Votre tête ne sait pas qui vous êtes,
mais votre main, si. C'était prévisible. Faisons une
autre tentative. Vous m'avez parlé de Napoléon.
Comment était-il ?

– Je n'arrive pas à évoquer son image. Le mot suffit. »

Gratarolo a demandé à Paola si je savais dessiner.
Il semble que je ne suis pas un artiste mais que je peux
m'en tirer pour gribouiller quelque chose. Il m'a
demandé de lui dessiner Napoléon. J'ai fait quelque
chose de ce genre.

« Pas mal, a commenté Gratarolo, vous avez dessiné votre schéma mental de Napoléon, le bicorne, la
main dans son gilet. Maintenant, je vais vous montrer
une série d'images. Première série, des œuvres d'art. »

J'ai bien réagi : la Joconde, l'Olympia de Manet, ça
c'est un Picasso ou quelqu'un qui l'imite bien.

« Vous voyez que vous les reconnaissez ? Maintenant,
passons à des personnages contemporains. »

Deuxième série de photographies, et là aussi, sauf
quelques visages qui ne me disaient rien, j'ai répondu
de façon satisfaisante : Greta Garbo, Einstein, Totò,
Kennedy, Moravia, et quel métier ils exerçaient.
Gratarolo m'a demandé ce qu'ils avaient en commun.
Qu'ils étaient célèbres ? Non, ça ne suffit pas, autre
chose. J'hésitais.

« C'est qu'ils sont désormais tous morts, a dit
Gratarolo.

– Comment, Kennedy aussi et Moravia ?

– Moravia est mort à la fin de l'année dernière,
Kennedy a été assassiné à Dallas en 1963.

– Oh les pauvres, je suis désolé.

– Que vous ne vous souveniez pas de Moravia, c'est
presque normal, il est mort depuis peu, d'évidence
vous n'aviez pas eu le temps de consolider l'événement dans votre mémoire sémantique. En revanche,
je ne comprends pas pour Kennedy : c'est une vieille
histoire, pour encyclopédie.

– L'affaire Kennedy l'avait beaucoup touché, a dit
Paola. Kennedy est sans doute allé s'amalgamer à ses
mémoires personnelles. »

Gratarolo a exhibé d'autres photographies. Sur
l'une d'elles, il y avait deux personnes, et la première
c'était certainement moi, peigné et habillé convena-
blement, avec le sourire irrésistible dont avait parlé
Paola. L'autre aussi avait un visage sympathique, mais
j'ignorais qui c'était.

« C'est Gianni Laivelli, ton meilleur ami, a dit
Paola. Camarades d'école, des classes élémentaires au
lycée.

– Qui sont ceux-ci ? » a demandé Gratarolo en glissant une autre image. C'était une vieille photo, elle avec une coiffure années trente, une robe blanche pudiquement décolletée, un petit nez en patate nouvelle toute petite petiote, et lui avec une raie parfaite, sans doute un peu de brillantine, un nez prononcé, un sourire très ouvert. Je ne les ai pas reconnus (des artistes ? non, peu glamour et peu de mise en scène, des jeunes mariés peut-être), mais j'ai senti comme une contraction à l'entrée de mon estomac et – je ne sais comment dire – une délicate pâmoison.

Paola s'en est aperçue : « Yambo, c'est ton papa et ta maman le jour de leurs noces.

– Ils sont encore vivants ? ai-je demandé.

– Non, ils sont morts depuis longtemps. Dans un accident de voiture.

– Vous vous êtes troublé en observant cette photo, m'a dit Gratarolo. Certaines images éveillent quelque chose en vous. Ça, c'est une piste.

– Il s'agit bien de piste, si je ne suis pas même capable d'aller repêcher papa et maman dans ce trou noir du diable, me suis-je écrié. Vous me dites que ces deux-là étaient ma mère et mon père, à présent je le sais, mais c'est un souvenir que vous m'avez donné vous. Dorénavant, je me rappellerai cette photo, pas eux.

– Qui sait combien de fois, au cours de ces trente dernières années, vous vous êtes souvenu d'eux parce que vous continuiez aussi à voir cette photo. Ne pensez pas à la mémoire comme à un magasin où vous déposez vos souvenirs et puis les repêchez tels qu'ils s'étaient fixés la première fois, a dit Gratarolo. Je ne voudrais pas être trop technique, mais le souvenir est la construction d'un nouveau profil d'excitation neuronale. Supposons qu'en un certain endroit il vous soit arrivé une autre expérience désagréable. Quand, plus tard, vous vous rappelez cet endroit, vous réactivez ce premier pattern d'excitation neuronale, avec un profil d'excitation semblable mais pas égal à celui qui avait été stimulé à l'origine. Donc en vous souvenant vous éprouverez un sentiment de malaise. Bref, se rappeler c'est reconstruire, même sur la base de ce que nous avons su ou dit longtemps après. C'est normal, c'est comme ça que nous nous souvenons. Je vous dis ça pour vous encourager à réactiver des profils d'excitation, à ne pas vous mettre chaque fois à creuser comme un obsédé pour trouver quelque chose qui serait déjà là, tout frais ainsi que vous croyez l'avoir mis de côté la première fois. L'image des vôtres sur cette photo est celle que nous vous avons montrée nous et que nous voyons nous. Vous devez partir de cette image pour recomposer quelque chose d'autre, et cela seulement sera votre souvenir. Se souvenir est un travail, pas un luxe.

— *Les lugubres et durables souvenirs,* ai-je récité, *cette traînée de mort que nous laissons en vivant…*

— Se souvenir est aussi très beau, a dit Gratarolo. Quelqu'un a écrit que le souvenir agit comme une lentille convergente dans une chambre noire : il concentre tout, et l'image qui en résulte est beaucoup plus belle que l'original.

— J'ai envie de fumer, ai-je dit.

— Signe que votre organisme reprend un cours normal. Mais si vous ne fumez pas, c'est mieux. Et, de retour chez vous, buvez avec modération, pas plus d'un verre de vin par repas. Vous avez des problèmes de tension. Sinon, demain, je ne vous laisse pas sortir.

— Vous le laissez sortir ? a demandé Paola un peu effrayée.

– C'est le moment de faire le point. Madame, votre mari, sur le plan physique, me semble suffisamment autonome. Si on le laisse aller, il ne va pas dégringoler dans les escaliers. Si on le garde ici, nous l'épuisons avec une avalanche de tests, toutes des expériences artificielles, et désormais nous en savons les résultats. Je crois que ça lui fera du bien de retourner dans son environnement. Parfois, sentir de nouveau la saveur d'un mets familier, une odeur, que sais-je, aide davantage. Sur ces choses la littérature nous en a plus appris que la neurologie… »

Non que je voulusse faire le pédant, mais enfin, s'il ne me restait que cette maudite mémoire sémantique, qu'au moins je m'en servisse : « La madeleine de Proust, j'ai dit. Le goût de l'infusion de tilleul et de la madeleine le fait tressaillir, il éprouve une joie violente. Et réaffleure l'image des dimanches à Combray avec tante Léonie… *On dirait qu'il y a une mémoire involontaire des membres, les jambes et les bras sont pleins de souvenirs engourdis… Et qui était cet autre ? Rien qui contraint les souvenirs à se manifester comme les odeurs et la flamme.*

– Vous savez de quoi je parle. Même les scientifiques croient parfois davantage aux écrivains qu'à leurs machines. Vous, madame, vous êtes presque de la partie, vous n'êtes pas neurologue mais vous êtes psychologue. Je vous donnerai deux ou trois livres à lire, certains célèbres comptes rendus de cas cliniques, et vous comprendrez tout de suite quels sont les problèmes de votre mari. Je crois que rester près de vous et de ses filles, se remettre au travail, l'aidera plus que rester ici. Il suffit que vous passiez chez moi une fois par semaine et nous suivrons vos progrès. Retournez chez vous, monsieur Bodoni. Regardez autour de vous, touchez, flairez, lisez les journaux, regardez la télévision, allez à la chasse d'images.

– J'essaierai, mais je ne me souviens pas d'images ni d'odeurs ni de saveurs. Je ne me souviens que de mots.

– Ce n'est pas dit. Tenez un journal de vos réactions. Nous travaillerons dessus. »

J'ai commencé à tenir un journal.

Le lendemain, j'ai fait mes bagages. Je suis descendu avec Paola. Il devait y avoir évidemment de l'air conditionné dans l'hôpital, car j'ai compris d'un coup, et alors seulement, ce qu'est la chaleur du soleil. La tiédeur d'un soleil printanier encore vert. Et la lumière : j'ai dû serrer les yeux. On ne peut pas fixer le soleil : *Soleil, soleil, faute éclatante…*

Une fois arrivés devant la voiture (jamais vue), Paola m'a dit d'essayer. « Monte, mets vite le point mort, contact, allumage. Toujours au point mort, accélère. » Comme si je n'avais jamais rien fait d'autre, je savais tout de suite où placer les mains et les pieds. Paola s'est assise à côté de moi et elle m'a dit de passer la première, enlever le pied de la pédale de débrayage, appuyer légèrement sur l'accélérateur, de manière à ne me déplacer que d'un mètre ou deux, puis freiner et éteindre le moteur. De toute façon, si je m'étais trompé, au pire je finissais contre un buisson du jardin. Ça s'est bien passé. J'étais très fier. Par défi, j'ai fait aussi un mètre de marche arrière. Puis je suis descendu, j'ai laissé le volant à Paola, et zou !

« Comment te semble le monde ? m'a demandé Paola.

– Je ne sais pas. On dit que les chats, quand ils tombent de la fenêtre et tapent du nez, ne sentent plus les odeurs après et, comme ils vivent à l'odorat, ils ne savent plus reconnaître les choses. Je suis un chat qui a tapé du nez. Je vois des choses, je comprends de quoi il s'agit, bien sûr, là-bas des magasins, ici passe une bicyclette, voici des arbres, mais je… je ne me les sens pas sur moi, c'est comme si je cherchais à enfiler la veste d'un autre.

– Un chat qui cherche à enfiler sa veste avec son nez. Tu dois avoir encore les métaphores dérangées. Il faudra le dire à Gratarolo, mais ça passera. »

La voiture filait, je regardais autour de moi, je découvrais les couleurs et les formes d'une ville inconnue.

2. LE BRUISSEMENT QUE FONT LES FEUILLES

« Où allons-nous à présent, Paola ?

– À la maison, chez nous.

– Et puis ?

– Et puis nous y entrons, et tu te mets à l'aise.

– Et puis ?

– Et puis tu prends une bonne douche, tu te fais la barbe, et tu t'habilles d'une manière décente, et puis nous mangeons, et puis… qu'est-ce que tu voudrais faire ?

– C'est précisément ce que je ne sais pas. Je me souviens de tout ce qui est arrivé après mon réveil, je sais tout de Jules César, mais je ne parviens pas à penser à ce qui vient après. Jusqu'à ce matin, je ne me souciais pas de l'après, éventuellement de l'avant que je ne réussissais pas à me rappeler. Mais à présent que nous allons à… vers quelque chose, je vois du brouillard devant aussi, pas seulement derrière. Non, ce n'est pas un brouillard devant, c'est comme si j'avais des jambes de coton et que je ne pouvais pas marcher. C'est comme sauter.

– Sauter ?

– Oui, pour sauter tu dois faire un bond en avant, mais pour ce faire tu dois prendre ton élan, et donc retourner en arrière. Si tu ne retournes pas en arrière, tu ne vas pas en avant. Voilà, j'ai l'impression que pour dire ce que je fais après, il faut que j'aie beaucoup d'idées sur ce que je faisais avant. Tu te prépares à faire une chose pour changer quelque chose qui était là avant. Maintenant, si tu me dis que je dois me faire la barbe je sais pourquoi, je passe la main sur mon menton, je sens les poils hirsutes que je dois enlever. De même si tu dis que je dois manger, je me souviens que la dernière fois que j'ai mangé c'était hier soir, potage, jambon et poire cuite. Mais une chose est de dire que je me fais la barbe ou que je mange et une autre de dire ce que je ferai après, à la longue, j'entends. Je ne comprends pas ce que peut signifier à la longue, parce qu'il me manque quelque chose à la longue qui existait avant. Est-ce clair ?

– Tu es en train de me dire que tu ne vis plus dans le temps. Nous sommes, nous, le temps où nous vivons. Tu aimais beaucoup les pages de saint Augustin sur le temps. Tu as toujours dit qu'il a été l'homme le plus intelligent d'entre tous ceux qui ont jamais vécu. Il enseigne quantité de choses même à nous, psychologues d'aujourd'hui. Nous vivons dans les trois moments de l'attente, de l'attention et de la mémoire, et l'un ne peut se passer de l'autre. Tu ne parviens pas à tendre vers le futur parce que tu as perdu ton passé. Et savoir ce qu'a fait Jules César ne te sert pas pour savoir ce que toi tu devras faire. »

Paola a vu que je contractais les mâchoires. Elle a changé de discours : « Tu reconnais Milan ?

– Jamais vu. » Mais quand nous sommes arrivés à un endroit où la rue s'est élargie, j'ai dit : « Château

Sforza. Et puis il y a le Dôme. Et la Cène, et la Pinacothèque de Brera.

– Et à Venise ?

– À Venise, il y a le Grand Canal, et le pont du Rialto, et Saint-Marc, et les gondoles. Je sais tout ce qui est écrit dans les guides. Possible que je ne sois jamais allé à Venise et que je vive à Milan depuis trente ans, mais pour moi Milan est comme Venise. Ou comme Vienne : Kunsthistorisches Museum, le troisième homme, Harry Lime sur la roue du Prater dit que les Suisses ont inventé le coucou. Il mentait : la pendule à coucou est bavaroise. »

Nous sommes entrés à la maison. Un bel appartement, avec des balcons sur le parc. J'ai vraiment vu *une étendue d'arbres.* La nature est belle, comme on dit. Des meubles anciens, d'évidence je suis une personne aisée. Je ne sais pas comment me diriger, où peut se trouver la salle de séjour, où la cuisine. Paola me présente Anita, la Péruvienne qui nous aide à la maison, la pauvre ne sait pas si elle doit fêter mon retour ou me saluer comme un visiteur, elle court de droite et de gauche, elle me montre la porte de la salle de bains, elle continue à dire « Pobrecito el señor Yambo, aï Jesusmaria, voici les serviettes toutes propres signor Yambo. »

Après l'agitation du départ de l'hôpital, le premier contact avec le soleil, le trajet, je me sentais en sueur. J'ai voulu flairer mes aisselles : l'odeur de ma transpiration ne m'a pas dérangé, je ne crois pas qu'elle était très forte mais elle me faisait éprouver ma vivante animalité. Trois jours avant de revenir à Paris, Napoléon envoyait un message à Joséphine lui disant de ne pas se laver. Me suis jamais lavé avant de faire l'amour ? Je n'oserai pas le demander à Paola et puis

qui sait, possible que oui avec elle et non avec d'autres
– ou vice versa. J'ai pris une bonne douche, je me suis
savonné le visage et rasé avec lenteur, il y avait une
lotion après-rasage au parfum léger et frais, je me suis
peigné. J'ai déjà un air plus convenable. Paola m'a
conduit dans le dressing-room : de toute évidence,
j'aime les pantalons de velours, les vestes un peu
rêches, les cravates de laine aux couleurs pâles
(mauve, petit-pois, émeraude ? les noms je les sais,
mais je ne sais pas encore les appliquer), les chemises
à carreaux. Il me semble que j'ai aussi un complet
sombre pour mariages ou funérailles. « Tu es beau
comme avant », a dit Paola quand je me suis mis en
tenue décontractée.

Elle m'a fait passer par un long couloir couvert
d'étagères pleines de livres. J'en regardais les dos, et,
pour la plupart, je les reconnaissais. Je veux dire : je
reconnaissais les titres, *Les Fiancés*, le *Roland furieux,
Le Jeune Holden.* Pour la première fois, j'avais l'impression de me trouver dans un lieu où je me sentais
à mon aise. J'ai sorti un volume, mais encore avant de
regarder la couverture je l'ai pris aux coiffes de la
main droite et du pouce gauche je l'ai rapidement
feuilleté à l'envers. J'aimais ce bruit, je l'ai fait plusieurs fois, et j'ai demandé à Paola si je n'aurais pas
dû voir un footballeur qui shootait. Paola a ri, il paraît
que c'étaient des petits livres qui circulaient dans
notre enfance, une sorte de cinéma pour les pauvres,
le footballeur changeait de position à chaque page et,
en feuilletant les pages à vive allure, on le voyait bouger. Je me suis assuré que tout le monde était au courant : je voulais clairement signifier qu'il ne s'agissait
pas d'un souvenir, mais juste d'une notion.

Le livre, c'était *Le Père Goriot*, Balzac. Sans l'ouvrir, j'ai dit : « Le père Goriot se sacrifiait pour ses

filles, l'une d'elles s'appelait Delphine, il me semble, entrent en scène Vautrin alias Collin et l'ambitieux Rastignac, à nous deux Paris. Je lisais beaucoup ?

– Tu es un lecteur infatigable. Avec une mémoire d'éléphant. Tu sais un tas de poésies par cœur.

– J'écrivais ?

– Rien de personnel. Je suis un génie stérile, disais-tu, en ce monde ou on lit ou on écrit, les écrivains écrivent par mépris envers leurs collègues, pour avoir de temps en temps quelque chose de bon à lire.

– J'ai vraiment beaucoup de livres. Pardon, nous avons.

– Cinq mille, ici. Et il y a toujours le même imbécile qui entre et dit quelle quantité de livres vous avez, vous les avez tous lus ?

– Et moi je réponds quoi ?

– D'habitude, tu réponds : aucun, sinon pourquoi je les garderais ici, vous mettez peut-être de côté les boîtes de conserve de viande après les avoir vidées ? Les cinquante mille que j'ai déjà lus, j'en ai fait cadeau aux prisons et aux hôpitaux. Et l'imbécile chancelle.

– Je vois beaucoup de livres étrangers. Je crois savoir quelques langues. » Les vers me sont venus tout seuls : « *Le brouillard indolent de l'automne est épars... Unreal City, – under the brown fog of a winter dawn, – a crowd flowed over London Bridge, so many, had not thought death had undone so many... Spätherbstnebel, kalte Träume, – überfloren Berg und Tal, – Sturm entblättert schon die Bäume, – und sie schaun gespenstig kahl... Más el doctor no sabía*, j'ai conclu, *que hoy es siempre todavía...*

– Curieux, sur quatre poésies, trois parlent du brouillard.

– Tu le sais, je me sens dans le brouillard. Sauf que je n'arrive pas à le voir. Je sais comment les autres l'ont vu : *S'illumine à un tournant l'éphémère soleil, une touffe de mimosas dans le tout blanc du brouillard.*

– Tu étais fasciné par le brouillard. Tu disais que tu étais né dedans. Et, depuis des années, quand tu tombais dans un livre sur une description du brouillard, tu la notais dans la marge. Ensuite, au fur et à mesure, tu te faisais photocopier la page au bureau. Je crois que là-bas tu retrouveras ton dossier brouillard. Et puis, il suffit d'attendre, le brouillard reviendra. Même si ce n'est plus celui d'autrefois, à Milan il y a trop de lumière, trop de vitrines éclairées même le soir, le brouillard glisse le long des murs.

– *Le brouillard jaune qui frotte son dos contre les vitres, la fumée jaune qui frotte son museau le long des vitres, de sa langue lécha les coins du soir, s'attarda sur les flaques qui stagnent dans les canaux d'écoulement, attendit que tombe sur son échine la suie qui tombe des cheminées, se recourba autour de la maison et s'abîma dans le sommeil.*

– Celle-là je la savais moi aussi. Tu te plaignais que les brouillards de ton enfance n'existent plus.

– Mon enfance. Il y a un endroit ici où je garde les livres du temps que j'étais petit ?

– Pas ici. Ils doivent être à Solara, dans la maison de campagne. »

J'ai donc appris l'histoire de la maison de Solara, et de ma famille. C'est là que je suis né, par erreur, pendant les vacances de Noël de l'année 1931. Comme l'Enfant Jésus. Des grands-parents maternels morts avant que je naisse, une grand-mère paternelle disparue quand j'avais cinq ans. Restait le père de mon père, et nous, nous étions la seule chose qui lui fût restée, à lui. Grand-père était un étrange personnage. Dans la ville où j'ai vécu, il tenait une boutique, presque un magasin de vieux livres. Pas des livres anciens et de valeur, comme moi, rien que des livres usagés, et beaucoup de choses du XIXe siècle. En plus, il aimait voyager et il allait souvent à l'étranger. À cette époque, aller à l'étranger voulait dire Lugano, au grand maximum Paris ou Munich. Et là, il faisait sa cueillette aux éventaires, non seulement des livres mais aussi des affiches de cinéma, des figurines, des cartes postales, de vieilles revues. À l'époque, il n'y avait pas tous ces collectionneurs de nostalgies, comme aujourd'hui, disait Paola, mais il avait quelques clients affectionnés, ou peut-être collectionnait-il par goût personnel. Il ne gagnait pas beaucoup, mais il s'amusait. Et puis, dès les années 1920, il avait reçu en héritage d'un grand-oncle la maison de Solara. Une maison immense, si tu voyais Yambo, rien que les greniers on dirait les grottes de Postumia. Il y avait beaucoup de terres autour, données en métayage, et mon grand-père en tirait suffisamment pour vivre sans se fatiguer à vendre trop de livres.

Il paraît que j'ai passé là-bas tous les étés de mon enfance, et les vacances de Noël et de Pâques, et nombre de jours fériés, et deux années de suite entre 1943 et 1945, quand sur la ville avaient commencé les bombardements. Et là, il devait y avoir encore toutes les choses de mon grand-père, et mes livres d'écolier et mes jouets.

« Je ne sais pas où, car c'était comme si tu ne voulais plus les voir. Tes rapports avec cette maison ont toujours été bizarres. Grand-père est mort de chagrin lorsque tes parents ont disparu dans l'accident de voiture, plus ou moins quand tu terminais le lycée…

– Qu'est-ce qu'ils faisaient mon père et ma mère ?

– Ton père travaillait dans une entreprise d'importation, à la fin il en était devenu le directeur. Ta mère restait à la maison, ce que faisaient les dames comme il faut. Ton père avait enfin réussi à s'acheter une voiture, une Lancia, rien de moins, et il est arrivé ce qui est arrivé. Tu n'as jamais été trop explicite sur cette histoire. Tu étais sur le point d'entrer à l'université et toi et ta sœur Ada vous perdiez d'un seul coup toute votre famille.

– J'ai une sœur ?

– Plus jeune que toi. Elle a été accueillie chez le frère et la belle-sœur de ta mère, parce que cet oncle et cette tante étaient devenus vos tuteurs légaux. Mais Ada s'est mariée tôt, à dix-huit ans, avec un type qui l'a tout de suite emmenée en Australie. Vous vous voyez peu, elle passe par l'Italie tous les trente-six du mois. L'oncle avait vendu votre maison en ville, et presque toute la terre de Solara. Avec le produit des ventes, tu as pu subvenir à tes études, mais tu t'étais rendu tout de suite indépendant de ton oncle et ta tante en remportant une bourse pour le collège universitaire, et tu es allé vivre à Turin. Dès lors, tu as commencé à oublier Solara. C'est moi qui t'ai contraint, après la naissance de Carla et de Nicoletta, à y aller l'été, l'air y était bon pour les enfants, j'ai sué sang et eau pour remettre en état l'aile où nous sommes. Et tu t'y rendais de mauvais gré. Les filles l'adorent, c'est leur enfance, même maintenant elles y passent tout le temps qu'elles peuvent, avec les petits. Toi tu y revenais pour eux, tu restais deux ou trois jours mais tu ne remettais pas les pieds dans ce que tu nommais les sanctuaires, ta chambre d'autrefois, celles des grands-parents et des parents, les greniers… D'ailleurs, avec toutes les pièces qu'il y a, trois familles peuvent y vivre sans jamais se rencontrer. Tu te promenais un peu dans les collines et puis il y avait toujours quelque chose d'urgent qui t'obligeait à retourner à Milan. C'est compréhensible, la mort des tiens a comme scindé ta vie en deux parties, avant et après, sans doute la maison de Solara évoquait-elle pour toi un monde qui avait disparu à jamais, tu as tiré un trait dessus. J'ai toujours essayé de respecter ton embarras, même si parfois la jalousie m'a fait penser que c'était une excuse, que tu regagnais Milan tout seul pour d'autres histoires. Mais glissons.

– Le sourire irrésistible. Alors pourquoi as-tu épousé l'homme qui rit ?

– Parce que tu riais bien, et que tu me faisais rire. Petite, j'avais toujours à la bouche le nom d'un de mes compagnons d'école, et Luigino par-ci et Luigino par-là, chaque jour je revenais à la maison en racontant quelque chose qu'avait fait Luigino. Et ma mère soupçonnait qu'il devait y avoir quelque chose entre nous deux, si bien qu'un jour elle m'a demandé pourquoi Luigino me plaisait tant. Et j'ai répondu : parce qu'il me fait rire. »

Les expériences se récupèrent vite. J'ai essayé la saveur de certains aliments – ceux de l'hôpital avaient tous le même goût. La moutarde sur la viande bouillie aiguise l'appétit, mais la viande est filandreuse et elle s'enfile entre les dents. Connaître (reconnaître ?) l'action du cure-dent. Pouvoir se fouiller les lobes frontaux, ôter les scories… Paola m'a fait déguster deux vins, et j'ai dit que le second était incomparablement le meilleur. Je le crois bien, a-t-elle dit, le premier est un vin de cuisine, au mieux il sert pour la daube, le second est un Brunello. Bon, ai-je dit, ma tête est sans doute ce qu'elle est, mais mon palais fonctionne.

J'ai passé l'après-midi à tâter les choses, à éprouver la pression de la main sur un verre de cognac, à suivre comment monte le café dans la cafetière, à toucher de la langue deux qualités de miel et trois types de confiture (j'ai une prédilection pour celle à l'abricot), à chiffonner les rideaux de la salle de séjour, à presser un citron, à plonger les mains dans un sachet de semoule. Ensuite, Paola m'a emmené faire un petit tour dans le parc, j'ai caressé l'écorce des arbres, j'ai ressenti *le bruissement que font les feuilles (du mûrier ?) dans la main de qui les cueille.* En passant chez un fleuriste sur le largo Cairoli, Paola s'est fait confectionner un bouquet qui avait un air d'arlequin, et le fleuriste disait que ça ne se fait pas, mais à la maison j'ai cherché à distinguer le parfum de fleurs et d'herbes différentes. *Et Il vit que cela était bon*, ai-je dit avec soulagement. Paola m'a demandé si je me sentais Dieu, j'ai répondu que je citais pour citer, mais que j'étais certainement un Adam qui découvrait son jardin d'Eden. Cependant on dirait que je suis un Adam qui apprend vite, de fait sur une étagère j'ai vu des flacons et des boîtes de détergent et j'ai tout de suite compris que je ne devais pas toucher à l'arbre du bien et du mal.

Après le dîner, je me suis assis dans le séjour. Il y a une chaise à bascule et d'instinct je m'y suis laissé aller. « Tu le faisais toujours, a dit Paola, et là tu sirotais ton whisky du soir. Je crois que Gratarolo te l'accorderait. » Elle m'a apporté une bouteille, Laphroaig, et elle m'en a versé une bonne ration, sans glace. J'ai fait tourner le liquide dans ma bouche avant de l'avaler. « Excellent, sauf qu'il a un peu un goût de pétrole. » Paola était enthousiaste : « Tu sais qu'après la guerre, au début des années 1950, on a commencé, et seulement alors, à boire du whisky, bon il se peut qu'avant, à Riccione, les hiérarques fascistes en buvaient, mais pas les gens normaux. Et nous on a commencé à boire du whisky autour de nos vingt ans, rarement : parce qu'il était cher, mais comme un rite de passage. Et nos vieux nous regardaient et disaient comment peut-on boire ce machin-là qui a le goût du pétrole.

– Note bien que les saveurs ne m'évoquent aucun Combray.

– Ça dépend des saveurs. Continue donc de vivre, et tu découvriras la bonne. »

Sur une tablette il y avait un paquet de Gitanes, *papier maïs*. J'ai allumé, j'ai aspiré goulûment, j'ai toussé. J'ai tiré encore quelques bouffées et j'ai éteint.

Je me suis laissé bercer lentement, jusqu'à ce que je commence à m'endormir. M'ont réveillé les coups retentissants d'une pendule, et pour un peu je renversais mon whisky. La pendule se trouvait derrière moi, mais avant de l'avoir identifiée, les coups étaient terminés et j'ai dit : « Il est neuf heures. » Puis, à Paola : « Tu sais ce qui m'est arrivé ? J'étais assoupi, la pendule m'a réveillé. Les premiers coups, je ne les ai pas entendus distinctement, je veux dire que je ne les ai pas comptés. Mais à peine j'ai décidé de compter, je me suis aperçu qu'il y en avait déjà eu trois, et j'ai pu dénombrer quatre, cinq, etc. J'ai compris que j'ai pu dire quatre, et attendre le cinquième, parce qu'il y avait eu un, deux et trois, et en quelque sorte je le savais. Si le quatrième coup avait été le premier dont j'eusse eu conscience, j'aurais cru qu'il était six heures. Je crois qu'ainsi va notre vie, ce n'est qu'en rappelant le passé à ton esprit que tu peux anticiper ce qui adviendra. Moi je ne peux compter les tintements de ma vie car je ne sais pas combien il y en a eu avant. D'autre part, je me suis assoupi parce que la chaise se balançait depuis longtemps. Et je me suis assoupi à un certain moment, parce qu'il y avait eu des moments précédents, et que je me laissais aller en attendant le moment suivant. Mais s'il n'y avait pas eu les premiers moments pour me mettre dans la bonne disposition, si j'avais commencé à un moment quelconque, je n'aurais pas attendu ce qui devait venir. Je serais resté éveillé. Même pour s'endormir, il faut se rappeler. Ou pas ?

– C'est l'effet boule de neige. L'avalanche va vers l'aval, mais elle descend de plus en plus vite au fur et à mesure qu'elle grossit et emporte avec elle le poids de ce qu'elle était avant. Autrement, il n'y a pas d'avalanche, il demeure toujours une petite boule de neige qui ne descend jamais.

– Hier soir… à l'hôpital, je m'ennuyais, et je me suis mis à chantonner une chansonnette. Elle sortait toute seule de ma bouche, comme se laver les dents… J'ai essayé de comprendre pourquoi je la savais. J'ai recommencé à la chanter, mais à y réfléchir ainsi, la chanson ne sortait plus toute seule, et je me suis arrêté sur une note. Je l'ai tenue longtemps, pendant au moins cinq secondes, comme si c'était une sirène, ou une mélopée. Bon, après je ne savais plus aller de l'avant, et je ne savais pas aller de l'avant parce que j'avais perdu ce qui venait avant. Voilà, je suis comme ça. Je me suis arrêté sur une note longue, comme un disque rayé, et puisque je ne peux pas me rappeler les notes du début, je n'arrive pas à finir la chanson. Je me demande ce que diable il faudrait finir, et pourquoi. Tandis que je chantais sans y penser, moi j'étais moi précisément dans la durée de ma mémoire, qui en ce cas-là était la mémoire… comment dire, de ma gorge, avec les avant et les après qui se liaient ensemble, et moi j'étais la chanson complète, et, chaque fois que je la commençais, mes cordes vocales se préparaient déjà à faire vibrer les sons qui devaient venir. Je crois qu'un pianiste aussi procède de la sorte, il joue une note et prépare déjà ses doigts pour taper sur la touche qui viendra ensuite. Sans les premières notes, on n'arrive pas aux dernières, on détonne, et l'on va des premières aux dernières seulement si à l'intérieur de nous il y a déjà en quelque façon la chanson complète. Moi, la chanson complète, je ne la sais plus. Je suis… comme du bois qui brûle. Le bois brûle mais il n'a pas conscience de l'époque où il était un tronc intact, il n'a pas non plus le moyen de savoir qu'il l'était, et quand il a dû commencer à prendre feu. Donc il se consume et voilà tout. Je vis en pure perte.

– N'exagérons pas avec la philosophie, a murmuré Paola.

– Si, exagérons. Où ai-je rangé les *Confessions* de saint Augustin ?

– Sur cette étagère, il y a les encyclopédies, la Bible, le Coran, Lao-tseu et les livres de philosophie. »

Je suis allé repérer les *Confessions* et j'ai cherché dans l'index les pages sur la mémoire. Je devais les avoir lues parce qu'elles étaient toutes soulignées. J'arrive alors aux champs et aux vastes quartiers de la mémoire, quand je suis là-dedans j'évoque toutes les images que je veux, certaines se présentent à l'instant, d'autres se font plus longuement désirer, comme si on les retirait des resserres les plus secrètes… Toutes ces choses, la mémoire les accueille dans sa vaste caverne, dans ses plis secrets et ineffables, dans l'énorme palais de ma mémoire je dispose de ciel et terre et mer à la fois, là je me rencontre aussi moi-même… La faculté de la mémoire est grandiose, mon Dieu, sa complexité infinie et profonde inspire presque un sentiment de terreur, et cela est l'esprit, et cela est moi-même… Dans les champs et dans les antres, dans les cavernes incalculables de la mémoire, incalculablement peuplées d'espèces incalculables de choses, à travers ces lieux je passe, maintenant je vole ici et là, sans trouver de bornes où que ce soit… « Tu vois, Paola, ai-je dit, tu m'as parlé de mon grand-père, de la maison de campagne, vous essayez tous de me restituer des nouvelles, mais pour les recueillir ainsi, afin de peupler vraiment ces cavernes, je devrais y mettre toutes les soixante années que j'ai vécues jusqu'à présent. Non, on ne peut pas comme ça. Je dois pénétrer tout seul dans la caverne. Comme Tom Sawyer. »

Je ne sais pas ce que Paola m'a répondu : je continuais à me balancer sur ma chaise et j'ai de nouveau piqué un somme.

De courte durée, je crois, car j'ai entendu sonner, et c'était Gianni Laivelli. Mon camarade d'école et moi, nous étions les dioscures. Il m'a embrassé comme un frère, il était ému, il savait déjà comment me traiter. T'inquiète, m'a-t-il dit, j'en sais plus que toi sur ta vie. Je te la raconterai par le menu. Je lui ai dit non merci, mais pour l'instant Paola m'a expliqué notre histoire. Ensemble depuis le primaire jusqu'au lycée. Ensuite je suis allé étudier à Turin, et lui les sciences économiques à Milan. Mais à ce qu'il paraît nous ne nous sommes pas perdus de vue, moi je vends des livres anciens, lui il aide les gens à payer leurs impôts, ou à ne pas les payer, nous aurions dû nous en aller chacun de notre côté, en revanche nous sommes comme une famille, ses deux petits-enfants jouent avec les miens, nous passons Noël et le Jour de l'An toujours ensemble.

Je lui avais dit non merci, mais Gianni ne pouvait s'empêcher de parler. Et comme il se souvenait lui, il paraissait ne pas comprendre que moi je ne me souvenais pas. Tu te rappelles, disait-il, le jour où nous avons apporté un rat en classe pour faire peur à la prof

de maths, et quand nous avons fait la promenade à
Asti pour voir Vittorio Alfieri et qu'au retour nous
avons appris que l'avion de l'équipe de Turin s'était
crashé, et la fois où...

« Non, je ne me souviens pas, Gianni, mais tu
racontes si bien que c'est comme si je me souvenais.
Qui de nous deux était le meilleur en classe ?

– Toi naturellement en italien et en philosophie et
moi en maths, tu vois comme on a fini.

– Eh oui ; Paola, j'ai une licence de quoi ?

– De lettres, avec un travail de recherche sur l'*Hypnerotomachia Poliphili*. Illisible, du moins pour moi.
Ensuite tu es allé te spécialiser dans l'histoire du livre
ancien en Allemagne. Tu disais qu'avec le nom qu'on
t'avait collé, tu ne pouvais faire autrement ; et puis il
y avait l'exemple de ton grand-père, une vie au milieu
des livres abîmés. À ton retour, tu as monté ton cabinet bibliographique, d'abord dans une petite pièce et
avec le peu de capital qui t'était resté. Et ça a marché
pour toi.

– Mais tu sais que tu vends des livres qui coûtent
plus cher qu'une Porsche ? disait Gianni. Ils sont
magnifiques, les prendre en main et savoir qu'ils ont
cinq cents ans et le papier qui fait encore crac crac
sous tes doigts comme s'ils venaient de sortir de la
presse...

– Doucement, doucement, disait Paola, du travail
on en parlera les jours prochains. Pour le moment,
laisse-le se familiariser avec la maison. Un whisky, au
goût de pétrole ?

– De pétrole, quoi ?

– C'est une histoire entre Yambo et moi, Gianni.
Nous recommençons à avoir des secrets. »

Quand j'ai raccompagné Gianni à la porte, il m'a pris par le bras et m'a susurré d'un ton complice : « Et comme ça, tu n'as pas encore revu la belle Sibilla…. »

Sibilla qui ?

Hier, Carla et Nicoletta sont venues, famille au complet, même les maris. Sympathiques. J'ai passé l'après-midi avec les enfants. Ils sont tendres, je commence à me prendre d'affection. Mais c'est embarrassant, à un moment donné je me suis rendu compte que je les bécotais, je les serrais au cou contre moi, je sentais leur odeur de propre, lait et talc, et je me suis demandé ce que je faisais avec ces enfants inconnus. Je ne serais tout de même pas un pédophile ? Je les ai tenus à distance, nous avons joué ensemble, ils m'avaient demandé de faire l'ours, que diable fait un grand-père ours, puis je me suis mis à quatre pattes en faisant arowf roarr roarr, et eux me sautaient dessus. Du calme, j'ai un certain âge, j'ai mal au dos. Luca m'a fait poum poum avec un pistolet à eau, et j'ai pensé qu'il était sage de mourir, ventre en l'air. J'ai risqué un tour de reins mais ce fut un succès. Je suis encore faible et, en me relevant, la tête me tournait. Il ne faut pas que tu fasses comme ça, m'a dit Nicoletta, tu sais que tu as une tension orthostatique. Puis elle s'est corrigée : « Pardon, tu ne le savais plus. Bon, à présent tu le sais de nouveau. » Nouveau chapitre pour ma vie écrite par lui. Non, mieux, par eux.

Je continue à vivre d'encyclopédie. Je parle comme si j'étais appuyé au mur, et je ne peux jamais me retourner. Mes mémoires ont la profondeur d'une poignée de semaines. Celle des autres s'étendent sur des siècles. Il y a quelques soirs de cela, j'ai goûté un brou de noix. J'ai dit : « *Odeur caractéristique d'amandes*

amères.» Dans le parc, j'ai vu deux policiers à cheval :
«*Adieu, le cheval blanc que César éperonne!*» J'ai
heurté un angle de la main, et tandis que je suçais une
petite griffure et cherchais à goûter la saveur de mon
sang, j'ai dit : «*Souvent le mal de vivre ai rencontré.*»
Il y a eu une averse et à la fin j'ai jubilé : «*Et comme
les lions aspirent la tempête.*» Je vais d'ordinaire dormir tôt et je commente : «*Longtemps je me suis couché de bonne heure.*»

Je m'en tire avec les feux tricolores, mais l'autre
jour j'ai traversé la rue à un point qui paraissait tranquille, et Paola a pu juste à temps me retenir par le
bras, car une voiture approchait. «Mais j'ai calculé la
distance, ai-je dit, j'y arrivais.

– Non, tu n'y arrivais pas, elle allait trop vite.

– Allons, je ne suis tout de même pas un poulet,
ai-je réagi. Je sais parfaitement que les voitures renversent les piétons, et les poules aussi, et pour les éviter on freine, ce qui produit une fumée noire ;
ensuite, on est obligé de descendre pour remettre le
moteur en marche avec la manivelle. Deux hommes
en cache-poussière avec de grandes lunettes noires,
et moi des oreilles qui arrivent au ciel.» Où avais-je
pris cette image ?

Paola m'a regardé : «Mais tu sais à quelle vitesse
maximum peut aller une voiture ?

– Eh bien, ai-je dit, même à quatre-vingts à
l'heure…» En revanche, il paraît qu'à présent elles
vont beaucoup plus vite. Je ne conserve d'évidence que
les notions de l'époque où j'avais passé mon permis.

Je suis étonné parce que, en traversant le largo
Cairoli, je rencontre tous les deux pas un nègre qui
veut me vendre un briquet. Paola m'a emmené faire
un tour à bicyclette dans le parc (je vais à bicyclette
sans problèmes) et je me suis étonné de voir autour

d'un petit lac tellement de nègres qui jouaient du tambour. « Mais où sommes-nous ? ai-je dit, à New York ? Depuis quand il y a tant de nègres à Milan ?

– Depuis un bon bout de temps, a répondu Paola. Mais on ne dit plus nègres, on dit Noirs.

– Quelle différence ça fait ? Ils vendent des briquets, ils viennent ici jouer du tambour parce qu'ils ne doivent pas avoir une lire pour aller au bar, ou peut-être ne les veut-on pas là, j'ai l'impression que ces Noirs sont désespérés comme des nègres.

– En tout cas, maintenant on dit comme ça. Toi aussi tu le disais. »

Paola a remarqué que quand j'essaie de parler anglais je fais des fautes, et je n'en fais pas quand je parle allemand ou français. « Ça me semble évident, a-t-elle dit, le français tu dois l'avoir assimilé dès ton enfance et il t'est resté dans la langue comme la bicyclette dans les jambes, l'allemand tu l'avais étudié dans les manuels quand tu fréquentais l'université, et toi des manuels tu sais tout, l'anglais par contre tu l'as appris en voyageant, après, il fait partie de tes expériences personnelles des trente dernières années, et il s'est fixé sur ta langue en partie seulement. »

Je me sens seulement encore faible, je parviens à m'appliquer à quelque chose pendant une demi-heure, une heure au plus, puis je vais m'allonger un petit moment. Paola m'emmène chaque jour chez le pharmacien pour prendre ma tension. Il faut aussi veiller au régime : peu de sel.

Je me suis mis à regarder la télévision, c'est la chose qui me fatigue le moins. Je vois des messieurs inconnus qui sont président du Conseil et ministre des Affaires étrangères, le roi d'Espagne (il n'y avait pas

Franco?), d'ex-terroristes (terroristes?) repentis et je ne comprends pas bien de quoi ils parlent, mais j'apprends un tas de choses. Moro, je m'en souviens, les convergences parallèles, mais qui l'a assassiné? Ou bien est-il tombé avec un avion à Ustica sur la Banca dell'Agricoltura? Certains chanteurs s'enfilent des anneaux dans le lobe de l'oreille. Et ce sont des hommes. J'aime les feuilletons avec des tragédies familiales au Texas, les vieux films avec John Wayne. Les films d'action me dérangent, parce qu'il y a des fusils-mitrailleurs qui, d'une rafale, envoient en l'air une pièce d'immeuble, font capoter une voiture qui explose, des types en maillot de corps qui font le coup de poing et l'autre va défoncer une baie vitrée et tombe à pic dans la mer, tout à la fois, pièce, voiture, baie vitrée, en quelques secondes. Trop rapides, mes yeux dansent. Et pourquoi tant de bruit?

L'autre soir, Paola m'a emmené au restaurant. « Ne t'inquiète pas, ils te connaissent, tu demandes : comme d'habitude. » Mille fêtes, comment allez-vous dottor Bodoni, il y a longtemps que vous ne vous êtes pas fait voir, qu'est-ce que nous prenons de bon ce soir. Comme d'habitude. Monsieur, oui, voilà quelqu'un qui s'y entend, a fredonné le patron. Spaghettis aux praires, grillade de poisson, sauvignon, et puis notre tarte aux pommes.

Paola a dû intervenir pour m'empêcher de redemander de la grillade. « Pourquoi, si j'aime? ai-je demandé. On peut se le permettre, il me semble, ça ne coûte pas une fortune. » Paola m'a regardé, soucieuse, puis, me prenant la main, elle m'a dit : « Tu vois, Yambo, tu as conservé tous tes automatismes, et tu sais parfaitement comment tenir couteau et four-

chette ou te verser à boire. Mais il y a quelque chose
que nous acquérons par expérience personnelle, au
fur et à mesure que nous devenons adultes. Un enfant
veut manger tout ce qui lui plaît, quitte à avoir mal au
ventre. Sa maman lui explique petit à petit qu'il doit
contrôler ses impulsions, comme ce qu'il doit faire
quand il a envie de faire pipi. Ainsi l'enfant qui, si ça
dépendait de lui, continuerait à faire caca dans ses
couches-culottes, et mangerait tant de Nutella qu'il
finirait à l'hôpital, apprend à reconnaître le moment
où, même s'il ne se sent pas rassasié, il doit s'arrêter
de manger. En devenant adulte, on apprend à s'arrêter, par exemple, après le deuxième ou le troisième
verre de vin, parce qu'on sait que la fois où on en avait
bu une bouteille entière, ensuite on n'était pas arrivé
à trouver le sommeil. Tu dois donc apprendre de nouveau à établir un rapport correct avec la nourriture.
Raisonne bien et tu l'apprendras en quelques jours.
En tout cas, ne plus se resservir.

– Naturellement, un calvados », a conclu le patron
en apportant la tarte. J'ai attendu un signe de consentement de la part de Paola, j'ai répondu « *Calva sans
dire* ». D'évidence, il connaissait déjà mon jeu de
mots, car il a répété « *Calva sans dire* ». Paola m'a
demandé ce que me rappelait le *calvados*, j'ai répondu
que c'était bon mais ça n'allait pas plus loin.

« Pourtant, tu t'en étais intoxiqué pendant le voyage
en Normandie… Patience, n'y pense pas… En tout
cas, *comme d'habitude* est une bonne formule, il y a un
tas d'endroits par là autour de nous où tu peux entrer
et dire comme d'habitude, ainsi tu te sentiras à l'aise. »

« Désormais il est clair qu'avec les feux tu sais t'en
tirer, a dit Paola, et tu as appris combien les voitures

vont vite. Il faut que tu tentes de te promener tout seul, autour du château et puis sur le largo Cairoli. Il y a un café-glacier au coin, tu adores les glaces et ils vivent pratiquement sur ton dos. Essaie avec comme d'habitude. »

Je n'ai même pas eu besoin de dire comme d'habitude, le glacier a aussitôt rempli le cornet de stracciatella, et voilà pour vous comme d'habitude, *dottore*. Si j'aimais la stracciatella, j'avais raison, elle est délicieuse. Il est plaisant de découvrir la stracciatella à soixante ans, comment disait la blague de Gianni sur l'Alzheimer ? Le plus beau c'est que chaque jour tu rencontres un tas de gens nouveaux…

Des gens nouveaux. Je venais de terminer ma glace, sans manger le cornet jusqu'au bout et en jetant le fond – pourquoi ? Paola m'a ensuite expliqué que c'était une vieille manie, tout petit maman m'avait appris qu'il ne faut pas manger la pointe parce que c'est ce que le marchand de glaces a tenu dans ses mains pas très propres, choses du temps jadis où les glaces se vendaient sur des triporteurs – quand j'ai vu s'approcher une femme. Élégante, sans doute sur la quarantaine, un minois un tantinet effronté, il m'est venu à l'esprit la Dame à l'Hermine. De loin elle m'a déjà souri et je me suis préparé, un beau sourire moi aussi parce que Paola dit que mon sourire est irrésistible.

Elle est venue à ma rencontre, m'a saisi aux deux bras : « Yambo, quelle surprise ! » Mais elle doit avoir appréhendé quelque chose de vague dans mon regard, le sourire ne suffit pas. « Yambo, tu ne me reconnais pas, j'ai donc tant vieilli ? Vanna, Vanna…

– Vanna ! Tu es toujours plus belle. C'est que je suis à peine sorti de chez l'oculiste et il m'a mis quelque chose dans les yeux pour dilater la pupille, pendant quelques heures, je vais avoir la vue brouillée. Comment vas-tu, dame à l'hermine ? » Je devais le lui avoir déjà dit, car j'ai eu l'impression que ses yeux devenaient humides.

« Yambo Yambo », m'a-t-elle susurré en me caressant le visage. Je sentais son parfum. « Yambo, nous nous sommes perdus. Je voulais toujours te revoir, pour te dire que ça a pu être bref, peut-être par ma faute, mais pour moi tu seras toujours un souvenir très doux. Ça a été… beau.

– Très beau », ai-je dit, en y mettant du sentiment, et avec l'air de qui évoque à nouveau un jardin des délices. Superbe interprétation. Elle m'a baisé sur la joue, m'a murmuré que son numéro n'avait pas changé, et s'en est allée. Vanna. D'évidence une tentation à laquelle je n'avais pas su résister. *Les hommes, quels mufles*. Avec De Sica. Malédiction, quel plaisir y a-t-il à avoir eu une histoire si après on ne peut, je ne dis pas la raconter aux amis, mais au moins la savourer de nouveau de temps en temps, dans les nuits de tempête tandis que tu te prélasses sous les couvertures ?

Dès le premier soir, sous les couvertures, Paola me faisait trouver le sommeil en me caressant la tête. J'aimais la sentir près de moi. Était-ce désir ? Enfin, j'ai surmonté ma pudeur et je lui ai demandé si nous faisions encore l'amour. « Avec modération, plutôt par habitude, m'a-t-elle dit. Tu en ressens l'envie ?

– Je ne sais pas, tu sais que j'ai encore peu d'envies. Mais je me demande si…

– Ne te demande pas, essaie de dormir. Tu es encore faible. Et puis, à aucun prix je voudrais que tu fasses l'amour avec une femme que tu viens tout juste de connaître.

   – Aventure sur l'Orient-Express.

   – Horreur, nous ne sommes pas dans un roman de Dekobra. »

3. QUELQU'UN PEUT-ÊTRE TE DÉFLORERA

Je sais circuler hors de la maison, j'ai aussi appris à me comporter avec qui me salue : on mesure le sourire, les gestes de surprise, la gaieté ou la courtoisie en observant sourires, gestes et courtoisies de l'autre. J'ai essayé avec les copropriétaires, dans l'ascenseur. Ce qui démontre que la vie sociale n'est que fiction, ai-je dit à Carla qui me complimentait. Elle dit que cette histoire me rend cynique. Forcément, si tu ne commences pas à penser que c'est toute une comédie, tu te flingues.

Bref, m'a dit Paola, il est temps que tu ailles au bureau. Seul ; tu vois Sibilla et tu vois ce que t'inspire ton lieu de travail. Il m'est revenu à l'esprit ce murmure de Gianni sur la belle Sibilla.

« Qui est Sibilla ?

– Ton assistante, ta factotum, elle est très compétente et a fait tourner le cabinet ces dernières semaines, je lui ai téléphoné aujourd'hui et elle était très fière pour je ne sais quelle excellente affaire menée à bien. Sibilla, ne me demande pas son patronyme parce que personne ne sait le prononcer. Une jeune Polonaise. Elle se spécialisait à Varsovie en bibliothéconomie, et quand là-bas le régime a commencé à vaciller, avant même la chute du mur de Berlin, elle a réussi à obtenir une autorisation pour un voyage d'étude à Rome. Elle est jolie, même trop, et elle doit avoir trouvé le moyen d'émouvoir une grosse légume. Le fait est qu'une fois arrivée ici, elle n'est plus repartie et elle a cherché un travail. Elle t'a trouvé toi, ou tu l'as trouvée elle, et il y a presque quatre ans qu'elle t'aide. Aujourd'hui, elle t'attend, elle sait ce qui t'est arrivé et comment elle doit se comporter. »

Elle m'a donné l'adresse et le numéro de téléphone du cabinet, après le largo Cairoli, on prend la via Dante et avant la Loggia dei Mercanti – que ce soit une loge on le voit à l'œil nu – on tourne à gauche et on est arrivé. « Si tu as un problème, tu entres dans un bar et tu lui téléphones, ou tu me téléphones, nous enverrons une escouade de pompiers, mais je ne crois pas qu'on en aura besoin. Ah, n'oublie pas qu'avec Sibilla vous aviez commencé à parler en français, quand elle ne savait pas encore l'italien, et vous n'avez jamais cessé. Un jeu entre vous deux. »

Que de gens dans la via Dante, c'est beau de passer à côté d'une succession d'étrangers sans être obligé de les reconnaître, ça te donne confiance, ça te fait comprendre que les autres aussi à soixante-dix pour cent sont dans les mêmes conditions que toi. Au fond, je pourrais être quelqu'un d'à peine arrivé dans cette ville, il se sent un peu seul mais il s'acclimate. Sauf que moi je suis à peine arrivé sur la planète. Quelqu'un m'a salué sur la porte d'un bar, aucune demande de reconnaissance dramatique, j'ai agité la main en signe de salut et ça a marché comme sur des roulettes.

J'ai repéré la rue et le cabinet comme un boy-scout qui remporte la chasse au trésor : une plaque sobre en bas, Cabinet Biblio, je ne devais pas avoir une grande imagination, mais au fond cela fait sérieux, comment pouvais-je l'appeler, À la Belle Naples ? J'ai sonné, je suis monté, au premier étage la porte était déjà ouverte, et Sibilla sur le seuil.

« Bonjour monsieur Yambo… pardon, monsieur Bodoni… » Comme si c'était elle qui avait perdu la mémoire. Elle était vraiment d'une grande beauté. Cheveux blonds lisses et longs qui *encadraient l'ovale très pur de son visage*. Pas un brin de maquillage, peut-être quelque chose d'extrêmement léger sur les yeux. L'unique adjectif qui me soit venu à l'esprit a été très douce (j'utilise des stéréotypes, je sais, mais c'est grâce à eux que je peux me diriger au milieu des autres). Elle portait des jeans et un haut de ceux avec quelque chose écrit dessus, *Smile* ou un truc du même genre, qui donnait du relief, avec pudeur, à deux seins adolescents.

Nous étions l'un et l'autre embarrassés. « Mademoiselle Sibilla ? ai-je demandé.

– Oui, a-t-elle répondu, puis rapidement, ohoui, houi. Entrez. »

Comme un délicat sanglot. Elle émettait le premier *oui* de façon presque normale puis aussitôt le deuxième comme en inspirant, avec un bref coup de gorge, et ensuite le troisième en inspirant à nouveau, avec un imperceptible ton interrogatif. Le tout faisait penser à un embarras enfantin et en même temps à une timidité sensuelle. Elle s'est effacée de côté pour me laisser entrer. Je sentais son parfum bien choisi.

Si j'avais dû dire comment était un cabinet biblio-graphique, j'aurais décrit quelque chose de très sem-blable à ce que je voyais.

Étagères de bois foncé, chargées de volumes anciens, et des volumes anciens jusque sur la table car-rée, lourde. Une tablette avec un ordinateur dans un coin. Deux cartes coloriées de chaque côté de la fenêtre aux vitres opaques. Lumière tamisée, larges lampes vertes. Derrière une porte, un long cagibi, qui m'a eu l'air d'un atelier pour empaquetage et expédi-tion de livres.

« Vous êtes donc Sibilla ? Ou dois-je dire made-moiselle chose, on me dit que vous avez un patronyme imprononçable…

– Sibilla Jasnorzewska, oui, ici en Italie il pose des problèmes. Mais vous m'avez toujours appelée Sibilla tout court. » Je la voyais sourire pour la première fois. Je lui ai dit que je voulais m'acclimater, je voulais voir les livres de plus grande valeur. Le mur là au fond, m'a-t-elle dit, et elle m'a précédé pour me montrer la bonne étagère. Elle marchait, silencieuse, effleurant le sol de ses tennis. Mais sans doute était-ce la moquette qui en amortissait les pas. *Sur toi, vierge adolescente, se trouve comme une ombre sacrée*, allais-je presque dire à haute voix. En revanche, j'ai dit : « Qui est Cardarelli ?

– Quoi ? » a-t-elle demandé en tournant la tête et en faisant ondoyer ses cheveux. « Rien, ai-je répondu. Faites-moi voir. »

De beaux volumes odorants et vétustes. Ils n'avaient pas tous une fiche sur le dos qui disait ce qu'ils étaient. J'en ai extrait un. Instinctivement je l'ai ouvert pour chercher la page de titre et je ne l'ai pas trouvée. « Incunable, donc. Reliure XVIe en peau de porc, impressions à froid. » Je passais les mains sur les plats, éprouvant un plaisir tactile. « Légèrement fatigué aux coiffes. » Je l'ai feuilleté pour voir si en les touchant les pages craquaient sous mes doigts comme disait Gianni. Elles craquaient. « Frais et à grandes marges. Ah, pâles rousseurs marginales aux derniers feuillets, piqûres à la dernière signature, qui n'affectent pas le texte. Bel exemplaire. » Je suis allé au colophon, sachant qu'il se nomme ainsi et j'ai articulé en détachant les syllabes : « Venetiis mense Septembri… mille quatre cent… quatre-vingt-dix-sept. Mais ce pourrait être… » Je suis revenu à la première page : *Iamblichus de mysteriis Aegyptiorum…* C'est la première édition du Jamblique de Ficin, non ?

– C'est la première… monsieur Bodoni. Vous la reconnaissez ?

– Non, je ne reconnais rien, il faut que vous le sachiez, Sibilla. Simplement je sais que le premier Jamblique traduit par Ficin est de mille quatre cent quatre-vingt-dix-sept.

– Je m'excuse, je dois m'habituer. C'est que vous étiez si fier de cet exemplaire, vraiment splendide. Et vous avez dit que pour le moment on ne le vend pas, il y en a très peu sur le marché, laissons-le apparaître dans une vente aux enchères ou dans un catalogue américain, c'est très bon pour faire monter les prix, et puis nous mettons en catalogue notre exemplaire.

– Je suis un habile marchand, alors.

– Moi je dis que c'était une excuse, que vous vouliez le garder un peu pour vous, pour le regarder de temps en temps. Mais comme vous étiez décidé à sacrifier l'Ortelius, je vous annonce une bonne nouvelle.

– Ortelius… Quelle… ?

– La Plantin 1606, 166 tables en couleur et le Parergon. Reliure d'époque. Vous étiez si content de l'avoir dénichée en achetant pour pas grand-chose l'entière bibliothèque du commendator Gambi. Vous vous étiez enfin décidé à la mettre au catalogue. Et tandis que vous… tandis que vous n'alliez pas bien, j'ai réussi à la vendre à un client, un nouveau, il n'avait pas l'air d'un vrai bibliophile, plutôt un de ceux qui achètent pour investir parce qu'on leur a dit que maintenant les livres anciens augmentent vite.

– Dommage, exemplaire gaspillé. Et… à combien ? »

Elle semblait avoir peur de dire le chiffre, elle a pris une fiche et me l'a fait voir. « Nous avions mis dans le catalogue Prix à la Demande et vous étiez disposé à traiter. Moi j'ai dit d'emblée le maximum et lui n'a même pas demandé une remise, il a signé son chèque et hop là. Sur l'ongle, comme on dit à Milan.

– Nous en sommes maintenant à ces niveaux… » Je n'avais plus la notion des prix courants. « Compliments, Sibilla ; à nous, il nous avait coûté combien ?

– Je pourrais dire : rien. En somme, avec le reste des livres de la bibliothèque Gambi, peu à peu nous rentrons tranquillement dans les dépenses que nous avions faites pour la totalité, à forfait. J'ai fait le nécessaire pour verser le chèque à la banque. Et comme dans le catalogue il n'y avait pas le prix, je crois qu'avec l'aide du dottor Laivelli, sur le plan fiscal on s'en sort vraiment bien.

– Je fais donc partie de ceux qui fraudent le fisc ?

– Non, monsieur Bodoni, vous faites ce que font vos collègues, en général vous devez tout payer mais sur certaines opérations heureuses on se donne, comme on dit, un coup de pouce. Vous êtes un contribuable honnête à quatre-vingt-quinze pour cent.

– Après cette affaire, je le serai à cinquante. J'ai lu quelque part qu'un citoyen doit payer ses impôts jusqu'au dernier centime. » Elle m'a semblé humiliée.

« N'y pensez pas, de toute façon, lui ai-je paternellement dit, j'en parlerai moi avec Laivelli. » Paternellement ? J'ai dit d'une manière presque brusque :
« À présent, laissez-moi voir un peu les autres livres. »
Elle a fait un pas en arrière et elle est allée s'asseoir à
l'ordinateur, silencieuse.

Je regardais les livres, les feuilletais : une *Commedia*
par Bernardino Benali 1491, un *Liber Phisionomiae*
de Scot, 1477, un *Quadripartitum* de Ptolémée, 1484,
un *Calendarium* de Regiomontanus de l'année 1482 –
mais aussi pour les siècles suivants je n'étais pas vraiment démuni, voici une belle première édition du
Nuovo teatro de Zonca, et un Ramelli qui était une
merveille… Je connaissais chacun de ces ouvrages,
comme chaque antiquaire qui connaîtrait par cœur les
grands catalogues, mais je ne savais pas que j'en avais
un exemplaire.

Paternellement ? Je sortais les livres et les remettais
en place, mais en réalité je pensais à Sibilla. Gianni
m'avait fait cette allusion, sans nul doute malicieuse,
Paola avait tardé à parler d'elle jusqu'au dernier
moment, et elle avait utilisé certaines expressions
presque sarcastiques, le ton fût-il neutre, jolie même
trop, un jeu entre vous deux, rien de particulièrement
rancunier, mais, m'avait-il semblé, elle faillit dire que
c'était une eau qui dort.

Est-il possible que j'aie eu une histoire avec Sibilla ?
La jeune fille désorientée qui arrive de l'Est, curieuse
de tout, rencontre un monsieur d'âge mûr – mais
quand elle est arrivée, j'avais quatre ans de moins –,
elle en sent l'autorité, au fond c'est le boss, il sait sur
les livres plus de choses qu'elle n'en sait, elle, elle
apprend, suspendue à ses lèvres, elle l'admire, lui, il
a rencontré l'élève idéale, belle, intelligente, avec ce
oui oui oui, vibrato sangloté, on commence à travailler

ensemble, tous les jours et toute la journée, seuls dans ce cabinet, complices en tant de petites et grandes *trouvailles*, un jour on s'effleure sur la porte, l'espace d'un instant et commence une histoire. Mais comment, à mon âge, tu es une fillette, trouve-toi un garçon de ton âge grand Dieu, ne me prends pas au sérieux, et elle, nenni, c'est la première fois que j'éprouve une chose pareille, Yambo. Étais-je en train de résumer un film que tout le monde connaît ? Alors cela se poursuit comme dans les films, ou dans les romans : Yambo, je t'aime mais je ne pourrais continuer à regarder ta femme en face, si aimable et si gentille, tu as deux filles et tu es grand-père – merci de me rappeler que je pue déjà le cadavre, non ne dis pas ça, tu es l'homme le plus… le plus… le plus que j'aie jamais connu, les garçons de mon âge me font rire, mais peut-être est-il juste que je m'en aille – attends, nous pouvons rester de bons amis, il suffit de nous voir tous les jours – mais tu ne comprends pas que c'est justement en nous voyant tous les jours que nous ne pourrons jamais rester des amis – Sibilla, ne dis pas ça, parlons-en. Elle, un jour, cesse de venir au cabinet, moi je lui téléphone que je me tue, elle me dit ne sois pas infantile, *tout passe*, mais à la fin c'est elle qui revient, elle n'a pas tenu le coup. Et c'est ainsi que cela dure pendant quatre ans. Ou ne dure plus ?

On dirait que je connais tous les clichés mais je ne sais pas les arranger de façon crédible. Ou bien ces histoires sont terribles et grandioses justement parce que tous les clichés s'entretissent d'une manière invraisemblable et que tu ne parviens plus à les démêler. Mais, quand tu vis un cliché, c'est comme la première fois, et tu n'éprouves pas de pudeur.

Serait-ce une histoire vraisemblable ? Ces jours-ci, il me semblait n'avoir plus de désirs, mais, à peine l'ai-

je vue, j'ai appris ce qu'est le désir. Je veux dire : avec
une fille à peine rencontrée pour la première fois.
Alors, tu parles, à la fréquenter, la suivre, la voir
devant toi glisser alentour comme si elle marchait sur
les eaux. Naturellement je dis ça pour dire, je ne com-
mencerais jamais, maintenant dans l'état où je suis,
une histoire de ce genre, et puis avec Paola je serais
réellement la dernière des charognes. Cette fille, pour
moi, c'est comme si c'était la Vierge immaculée,
même pas en pensée. Parfait. Mais elle ?

Elle pourrait être encore en plein dans notre histoire, peut-être voulait-elle me saluer en me tutoyant
ou de mon seul prénom, heureusement qu'en français
on utilise le *vous* même quand on couche, peut-être
voulait-elle me sauter au cou, qui sait ce que fut sa
peine à elle aussi, ces jours passés, et voilà qu'elle me
voit arriver beau comme le soleil, comment ça va
mademoiselle Sibilla, je vous en prie laissez-moi regarder les livres, merci c'est très gentil à vous. Et elle
comprend qu'elle ne pourra jamais me raconter la
vérité. Peut-être est-ce mieux ainsi, le moment est
venu pour qu'elle se trouve un copain. Et moi ?

Que je ne sois pas vraiment bien, c'est écrit dans
les fiches médicales. Qu'est-ce que je suis en train de
ruminer ? Avec une belle jeune fille dans mon bureau,
il est clair que Paola joue le rôle de l'épouse jalouse,
ce n'est qu'un jeu entre vieux conjoints. Et Gianni ?
Gianni a parlé de la belle Sibilla, peut-être est-ce lui
qui a perdu la tête, il vient toujours ici avec l'excuse
des impôts, et puis il s'attarde en faisant semblant de
s'extasier sur les pages craquantes. C'est lui qui a cra-
qué pour elle, moi je n'ai rien à y voir. C'est Gianni,
à un âge puant déjà le cadavre lui aussi, qui cherche
à m'enlever, qui m'a enlevé la femme de ma vie. Nous
y revoilà : la femme de ma vie ?

Je croyais que j'aurais réussi à vivre avec tous ces gens que je ne reconnais pas, mais c'est l'écueil le plus dur, au moins depuis que je me suis mis en tête ces imaginations séniles. Ce qui me fait mal, c'est que je pourrais lui faire du mal. Donc, tu vois… Non, il est normal qu'on ne veuille pas faire de mal à sa propre fille adoptive. Fille ? L'autre jour, je me sentais pédophile et à présent je me découvre incestueux ?

Et enfin, grand Dieu, mais qui a dit que nous avons fait l'amour ? Sans doute ne fut-ce qu'un baiser, une seule fois, sans doute une attirance platonique, l'un comprenait ce que l'autre ressentait et vice versa, mais aucun des deux n'en a jamais parlé. Des amants de Table ronde, nous avons dormi pendant quatre ans l'épée entre nous deux.

Oh, j'ai aussi une *Stultifera navis*, il ne me semble pas que ce soit la première édition, et puis ce n'est pas un très bel exemplaire. Et ce *De proprietatibus rerum* de Barthélemy l'Anglais ? Tout répertorié de fond en comble, dommage que la reliure soit moderne, à l'ancienne. Parlons affaires. « Sibilla, la *Stultifera navis*, ce n'est pas la première édition, n'est-ce pas ?

– Malheureusement non, monsieur Bodoni, la nôtre est la Olpe de mille quatre cent quatre-vingt-dix-sept. La première est toujours Olpe, Bâle, mais de 1494, et en allemand, *Das Narren Shyff*. La première édition latine, comme la nôtre, paraît en quatre-vingt-dix-sept, mais en mars, et la nôtre, si vous regardez dans le colophon, est d'août, et entre les deux, il y en a une en avril et une en juin. Mais ce n'est pas tant la date, c'est l'exemplaire, vous voyez qu'il n'est pas tellement appétissant. Je ne dis pas que c'est un exemplaire d'étude, mais il n'est pas digne d'être trompeté.

– Que de choses vous savez, Sibilla, que ferais-je sans vous ?

– C'est vous qui me les avez enseignées. Pour quitter Varsovie, je m'étais fait passer pour une *grande savante*, mais si je ne vous avais pas rencontré, je demeurais idiote comme quand je suis arrivée. »

Admiration, dévotion. Elle tente de me dire quelque chose ? Je murmure : « *Les amoureux fervents et les savants austères…* » Je la devance. « Rien rien, une poésie me venait à l'esprit. Sibilla, il vaut mieux clarifier nos idées. Peut-être que si nous continuons ainsi je vais vous paraître presque normal, mais je ne le suis pas. Tout ce qui m'est arrivé avant, tout, vous saisissez, vraiment tout, c'est comme si c'était un tableau noir où on a passé l'éponge. Je suis d'une noirceur immaculée, si vous me pardonnez la contradiction. Vous devrez m'entendre, ne pas vous désespérer et… être auprès de moi. » Me suis-je bien exprimé ? Cela me semblait parfait, ça pouvait être interprété dans les deux sens.

« Ne vous inquiétez pas, monsieur Bodoni, j'ai tout compris. Je suis ici et je ne m'en vais pas. J'attends… »

Tu es vraiment une eau qui dort ? Tu dis que tu attends que je me remette d'aplomb, vœu partagé évidemment par tous, ou que tu attends que je me rappelle de nouveau cette chose-là ? Et s'il en est ainsi, comment feras-tu pour me le rappeler, dans les jours à venir ? Ou bien tu voudrais de toute ton âme que je me souvienne, mais tu ne feras rien, parce que tu es une eau qui dort, tu es une femme qui aime, et se tait parce qu'elle ne veut pas me troubler ? Tu souffres, tu ne le laisses pas voir car tu es l'être merveilleux que tu es, mais tu te dis que c'est là enfin la bonne occasion de se remettre la tête sur les épaules, toi et moi ? Tu te sacrifies, tu ne feras rien pour susciter mes souvenirs, tu ne chercheras pas à me toucher presque par hasard la main, un soir, pour que je déguste ma *madeleine* – toi qui, avec l'orgueil de tous les amants, sais que peut-être les autres ne parviennent pas à me faire sentir des odeurs à la Sésame-ouvre-toi, mais qu'à le vouloir toi seule pourrais, il te suffirait de m'effleurer la joue de tes cheveux tandis que tu te penches pour me tendre une fiche. Ou de dire à nouveau, presque par hasard, cette phrase banale que tu m'as dite la première fois, sur laquelle nous avons brodé longuement pendant quatre mois, la citant comme une formule magique, celle dont toi et moi seulement connaissions la signification et le pouvoir, isolés dans notre secret ? Genre : *Et mon bureau ?* Mais ça, c'est Rimbaud.

Essayons au moins d'éclaircir une chose. « Sibilla, peut-être m'appelez-vous monsieur Bodoni parce que c'est comme si je vous rencontrais tout juste aujourd'hui, mais en travaillant ensemble nous nous sommes mis à nous tutoyer, comme il arrive dans ces cas-là. Comment m'appeliez-vous ? »

Elle a rougi, elle a émis encore ce sanglot tendre et modulé : « *Oui, oui, oui* en effet je t'appelais Yambo. Tu as tout de suite essayé de me mettre à l'aise. »

Les yeux lumineux de bonheur, comme si elle avait ôté un poids de son cœur. Cependant tutoyer ne veut rien dire, même Gianni et sa secrétaire – nous sommes allés l'autre jour dans son bureau avec Paola – se tutoient.

« Et alors ! ai-je dit avec allégresse, recommençons exactement comme avant. Tu sais que tout recommencer comme avant peut m'aider. »

Qu'aura-t-elle compris ? Que veut dire pour elle recommencer comme avant ?

À la maison j'ai passé une nuit sans sommeil, et Paola me caressait la tête. Je me sentais adultère, et pourtant je n'avais rien fait. D'ailleurs, je ne m'inquiétais pas pour Paola, mais pour moi. La beauté d'avoir aimé, je me disais, est dans le souvenir d'avoir aimé. Il y a des gens qui vivent d'un unique souvenir. Eugénie Grandet, par exemple. Mais penser avoir aimé et ne pas pouvoir se souvenir ? Pire encore, avoir peut-être aimé, ne pas s'en souvenir, et garder le soupçon de n'avoir pas aimé. Ou bien, dans ma vanité je n'avais pas pris en compte une autre histoire, moi follement amoureux qui fais une avance, et elle me remet à ma place, avec gentillesse, douceur et fermeté. Puis elle reste parce que je suis un honnête homme et depuis ce jour-là je me comporte comme s'il ne s'était rien passé, elle au fond se trouve bien au bureau, sans doute ne peut-elle se permettre de perdre un bon travail, peut-être même a-t-elle été flattée par mon geste, elle ne s'en rend même pas compte mais sa vanité féminine a été touchée, elle ne se l'avoue même pas à elle-même mais sent qu'elle a sur moi un certain pouvoir. Une *allumeuse*. Pire, cette eau qui dort m'a dévoré un tas d'argent, elle m'a fait faire ce qu'elle voulait, elle, il est évident que j'ai tout laissé entre ses mains, y compris les encaissements et les versements et peut-être les retraits bancaires, moi j'ai chanté le cocorico du professeur Unrath, j'étais un homme fini, désormais je n'en sortais plus – j'en sortirai peut-être avec cet heureux malheur, tout le mal ne vient pas pour nuire. Quel misérable je suis, comment puis-je salir à ce point ce que je touche, elle est même peut-être encore vierge et j'en fais une pute. Quoi qu'il en soit, même le seul soupçon, renié, ne fait que noircir le tableau : si tu ne te souviens pas d'avoir aimé, tu ne sais pas non plus si qui tu aimais était digne de ton amour. Cette Vanna, rencontrée quelques matins plus tôt, c'était un cas très clair, un flirt, une nuit ou deux, puis sans doute quelques jours de désillusion, et terminé. Mais ici, quatre ans de ma vie sont en jeu. Yambo, tu en tombes peut-être amoureux maintenant, peut-être bien qu'avant, rien, et à présent tu te précipites vers ta ruine ? Seulement parce que tu imagines t'être damné naguère et que tu veux retrouver ton paradis ? Et dire qu'il y a des fous qui boivent pour oublier, ou prennent des drogues, ah si je pouvais j'aimerais tout oublier, disent-ils. Moi seul sais la vérité : oublier est atroce. Il existe des drogues pour se souvenir ?

Peut-être Sibilla…

Voilà que je recommence. *Si je te vois passer à si royale distance, la chevelure dénouée et toi tout entière hastée, le vertige m'emporte sur ses ailes.*

Le lendemain matin, j'ai pris un taxi et je suis allé chez Gianni, dans son bureau. Je lui ai demandé sans mâcher mes mots ce qu'il savait de moi et de Sibilla. Il m'a semblé tomber des nues.

« Mais Yambo, nous sommes tous un peu entichés de Sibilla, moi, tes collègues, nombre de tes clients. Il y a des gens qui viennent chez toi rien que pour la voir. Mais c'est un badinage, un truc de collégiens. Nous nous charrions à tour de rôle, et souvent nous t'avons charrié toi, mon petit doigt me dit qu'il y a quelque chose entre toi et la belle Sibilla, disions-nous. Et toi tu riais, tantôt tu jouais les stupéfaits, laissant entendre que c'était à dormir debout, tantôt tu disais d'arrêter, qu'elle pourrait être ta fille. Des jeux. C'est pour ça que l'autre soir je me suis enquis de Sibilla, je croyais que tu l'avais déjà revue, je voulais savoir quelle impression elle t'avait faite.

– Je ne t'ai jamais rien raconté de moi et de Sibilla ?

– Pourquoi, il y a eu quelque chose ?

– Ne fais pas le malin, tu sais bien que je suis un sans-mémoire. Je suis ici pour te demander à toi si je t'ai jamais rien raconté ?

– Rien. Et dire que tu me parlais toujours de tes aventures, sans doute pour me faire envie. De la Cavassi, de Vanna, de l'Américaine au salon du livre de Londres, de la petite Hollandaise si belle que tu es allé trois fois exprès à Amsterdam, de Silvana…

– Allons, allons, combien d'histoires j'ai eues ?

– Des quantités. Trop pour moi qui ai toujours toujours été monogame. Mais de Sibilla, je te le jure, tu ne m'as jamais rien dit. Qu'est-ce que tu t'es mis en tête ? Hier tu l'as vue, elle t'a souri, et tu as pensé qu'il était impossible de l'avoir à côté de toi sans que ça te passe sous le bonnet. C'est humain, il ne manquait plus que tu dises qui est c't'épouvantail… Et puis, personne d'entre nous n'a jamais réussi à savoir si Sibilla a une vie à elle. Toujours sereine, prête à aider quiconque comme si elle rendait un service person-nel, on peut faire la coquette justement sans minau-der. La sphinge de glace. » Gianni était probablement sincère, mais ça ne voulait rien dire. Si avec Sibilla était née la chose la plus importante de toutes, la Chose, il est évident que même à Gianni je ne l'avais pas raconté. Ce devait rester un délicieux complot entre moi et Sibilla.

Ou bien non. La sphinge de glace, en dehors des horaires, a sa vie, il se peut qu'elle soit déjà avec quel-qu'un, ce sont ses affaires, elle est parfaite, elle ne mêle pas le travail et la vie privée. Mordu par la jalou-sie envers un rival inconnu. *Et pourtant quelqu'un te déflorera, lèvres de source, quelqu'un qui ne le saura, un pêcheur d'éponges aura cette perle rare.*

« J'ai une veuve pour toi, Yambo », m'a dit Sibilla en me faisant un clin d'œil. Merveille, elle devient familière. « Quoi, une veuve ? » ai-je demandé. Elle m'a expliqué que les libraires antiquaires de mon rang ont certaines façons de se procurer les livres. Il y a le type qui déboule dans le cabinet en te demandant si ce livre vaut quelque chose, et s'il vaut quelque chose dépend de ton degré d'honnêteté, mais bien sûr tu cherches à y gagner. Ou bien le mec est un collectionneur en difficulté, il connaît la valeur de ce qu'il t'offre, et au maximum tu peux un tantinet marchander. Une autre façon, c'est d'acheter aux enchères internationales, et là tu fais l'affaire si tu es le seul à t'être rendu compte de la valeur de ce livre, mais ne te fie pas trop à la sottise de tes concurrents. La marge est donc minime, et elle ne devient intéressante que si le livre vaut une fortune. Et puis tu achètes chez des collègues, parce que l'un d'eux peut avoir un livre qui n'intéresse guère son genre de clientèle, et il maintient un prix bas, et toi, par contre, tu connais l'amateur fanatique. Enfin, il y a la méthode du vautour. Tu repères les grandes familles déchues, avec ancien palais et bibliothèque vétuste, tu attends que meurent le père, le mari, l'oncle, que les héritiers aient déjà énormément de problèmes avec la vente des meubles et des bijoux et ne sachent comment évaluer cette masse de livres qu'ils n'ont jamais ouverts. On dit veuve pour dire, ce peut être le petit-fils qui veut réaliser, quelques maudites miettes mais tout de suite, encore mieux s'il a des histoires de femmes, ou de drogue. Alors, tu vas voir les livres, tu passes dans ces salles ombreuses deux ou trois jours, et tu décides de ta stratégie.

Cette fois-là, c'était vraiment une veuve, quelqu'un avait filé un tuyau à Sibilla (ce sont mes petits secrets, disait-elle malicieuse avec un air de satisfaction) et il paraît qu'avec les veuves je sais m'y prendre. J'ai demandé à Sibilla de m'accompagner, car tout seul je risquais de ne pas reconnaître *le* livre. Quelle belle maison, madame, merci oui, un cognac peut-être. Et puis hop, nous voilà à farfouiller, *bouquiner, browsing*... Sibilla me susurra les règles du jeu. La norme est que tu trouves deux ou trois cents volumes qui ne valent rien, tu reconnais tout de suite les différentes pandectes et dissertations de théologie, qui finissent sur les éventaires à la foire de Saint-Ambroise, ou les in-douze du XVIIIe avec les *Aventures de Télémaque* et les voyages utopiques, tous reliés à l'identique, parfaits pour les architectes d'intérieur qui les achètent au mètre. Et puis de multiples choses du XVIe en petit format, des Cicérons et rhétoriques à Herennius, menu fretin, qui finissent sur les éventaires de la piazza Fontanella Borghese à Rome, et les achètent pour le double de ce qu'ils valent ceux qui disent après qu'ils ont des éditions XVIe. Cependant, à force de chercher, et là je m'en suis aperçu moi aussi, voici un Cicéron, certes, mais en italiques aldines, et rien de moins qu'une *Chronique de Nuremberg* en parfait état, un Rolevinck, un *Ars magna lucis et umbrae* de Kircher avec ses splendides gravures et seulement quelques pages brunies, chose rare pour le papier de l'époque, et même un délicieux Rabelais Chez Jean Frédéric Bernard, 1741, trois volumes in-quarto avec les vignettes de Picart, magnifique reliure en maroquin rouge, plats gravés or, au dos nerfs et décorations or, contreplats en soie verte et dentelles en or – que le défunt avait recouvert avec empressement d'un papier bleu ciel pour ne pas les abîmer, et à première vue ils ne payaient pas de mine. Ce n'est certes pas la *Chronique de Nuremberg*, me murmurait Sibilla, la reliure est moderne, mais d'un amateur, signée Riviere & Son. Fossati le prendrait sur-le-champ – je te dirai qui c'est, il collectionne des reliures.

À la fin nous avions repéré dix volumes, et à les vendre bien nous en aurions tiré au moins cent millions estimation basse, rien que la *Chronique* toute seule pouvait en rapporter, mais vraiment au minimum, cinquante. Qui sait pourquoi ils se trouvaient là, le défunt était notaire et sa bibliothèque était un status symbol, mais il devait être radin et il n'achetait que s'il fallait peu dépenser. Les bons livres, il devait les avoir acquis par hasard quarante ans plus tôt, quand on te les balançait dans le dos. Sibilla m'a dit comment on procède dans ces cas-là, j'ai appelé la veuve, et c'était comme si j'avais toujours fait ce métier. Je lui ai dit qu'il y avait ici quantité de choses, mais toutes de faible valeur. Je lui ai flanqué sur la table les livres les plus mal en point, pages pleines de rousseurs, taches d'humidité, charnières faibles, le maroquin des plats comme s'il avait été passé au papier émeri, des vers comme une dentelle, regardez ça, disait Sibilla, aussi gondolé il ne revient plus à l'état normal même sous une presse, moi j'ai nommé la foire de Saint-Ambroise. « Je ne pourrais pas dire si je parviendrai à les placer tous, madame, et vous comprenez que s'ils restent à demeure les dépenses de magasinage grimpent vertigineusement. Je vous offre cinquante millions pour tout le lot.

— Vous l'appelez le lot ? ! » Ah, non, cinquante millions pour cette splendide bibliothèque, son mari y avait employé une vie à la rassembler, c'était une offense à sa mémoire. Passage à la seconde phase stratégique : « Alors madame, voyez-vous, au plus nous sommes intéressés par ces dix. Je vais essayer de vous donner satisfaction et je vous offre trente millions rien que pour ceux-ci. » La veuve calcule, cinquante millions pour une immense bibliothèque, c'est une offense à la sainte mémoire du disparu, trente pour dix livres seulement, c'est une bonne affaire, pour le reste elle trouvera un autre libraire moins chichiteux et plus munificent. Affaire faite.

Nous sommes revenus au cabinet, joyeux comme des gamins qui viendraient de faire une polissonnerie. « C'est malhonnête ? ai-je demandé.

– Mais non, Yambo, ils font tous la même chose, *cosi fan tutti.* » Elle cite elle aussi, comme moi. « Dans les pattes d'un de tes collègues, elle aurait touché encore moins. Et puis, tu as vu les meubles et les tableaux et l'argenterie, des gens pleins de fric qui n'ont rien à faire des livres. Nous, nous travaillons pour ceux qui aiment vraiment les livres. »

Comment ferais-je sans Sibilla. Dure et suave, futée comme la colombe. Et j'ai recommencé à fantasmer, rentrant dans la maudite spirale des jours précédents.

Mais, par chance, la visite à la veuve m'avait ôté toute force. Je suis de suite revenu à la maison. Paola a observé que, depuis quelques jours, je lui paraissais plus défait que d'habitude, je me fatiguais trop. Mieux valait aller au bureau un jour sur deux.

Je m'efforçais de penser à autre chose : « Sibilla, ma femme dit que je recueillais des textes sur le brouillard. Où sont-ils ?

– C'étaient des photocopies horribles, j'ai peu à peu tout transféré sur l'ordinateur. Ne me remercie pas, c'était très amusant. Regarde, je te cherche la fiche. »

Je savais que les ordinateurs existent (comme je savais qu'existent les aéroplanes), mais naturellement j'en touchais un pour la première fois. Ce fut comme la bicyclette, j'ai posé les mains dessus et le bout de mes doigts se souvenait tout seul.

Sur le brouillard, j'avais recueilli au moins cent cinquante pages de citations. Il devait vraiment me tenir
à cœur. Voici *Flatland* d'Abbott : un pays à deux
seules dimensions, où ne vivent que les figures planes,
triangles, carrés et polygones. Et comment se reconnaître entre elles si elles ne peuvent pas se voir d'en
haut et ne perçoivent que des lignes ? Grâce au
brouillard. « Partout où il y a une bonne dose de
Brouillard, voilà que les objets à une distance, disons,
d'un mètre, sont sensiblement moins nets que ceux
qui se trouvent à quatre-vingt-quinze centimètres ; par
conséquent, avec l'expérience d'une attentive et
constante observation de la plus forte ou de la plus
faible netteté, nous sommes en mesure de déduire
avec grande précision la configuration de l'objet
observé. » Bienheureux sont ces triangles qui errent
dans la brume et voient quelque chose, ici un hexa-
gone, là un parallélogramme. Bidimensionnels, mais
plus veinards que moi.

Je me sentais capable d'anticiper de mémoire la
plupart des citations.

« Comment se fait-il, ai-je demandé ensuite à Paola,
si j'ai oublié tout ce qui me concerne ? C'est moi qui
ai tout recueilli, avec un investissement personnel.

– Tu ne t'en souviens pas, m'a-t-elle dit, parce que
tu les avais rassemblées, tu les as rassemblées parce
que tu t'en souvenais. Elles font partie de l'encyclopédie, comme les autres poésies que tu m'as récitées
le premier jour à la maison. »

En tout cas, je les reconnaissais au premier coup
d'œil. À commencer par Dante :

Quand vient à se dissiper le brouillard
ce que cèle l'air de vapeurs lesté,

peu à peu va distinguant le regard
ainsi perçant l'épaisse obscurité...

D'Annunzio a de belles pages sur le brouillard dans son *Nocturne* : « Quelqu'un qui marche à mes côtés sans bruit, comme s'il avait les pieds nus... Le brouillard entre dans la bouche, occupe les poumons. Vers le Canalazzo, il ondoie et s'accumule. L'inconnu devient plus gris, plus léger ; il se fait ombre... Sous la maison où se trouve l'antiquaire, il disparaît soudain. » Voilà, l'antiquaire est comme un trou noir : ce qui tombe dedans ne refait plus surface.

Il y a Dickens, le début classique de *La Maison d'Âpre-Vent* : « Partout du brouillard. Brouillard en amont du fleuve, qui glisse entre îlots et prés verts ; brouillard en aval du fleuve, qui coule sali entre les rangées de bateaux et les ordures touchant aux rives d'une ville grande (et souillée)... » Je trouve Emily Dickinson : « *Let us go in ; the fog is rising.* »

« Je ne connaissais pas Pascoli, disait Sibilla. Écoute comme c'est beau... » Maintenant, elle était tout près de moi pour voir l'écran de l'ordinateur, elle aurait vraiment pu effleurer ma joue de ses cheveux. Mais elle ne l'a pas fait. Elle prononçait avec une molle cadence slave :

Immobiles dans la légère
brume les arbres : longues
plaintes d'une locomotive à vapeur.

Tu caches les choses lointaines,
toi brouillard impalpable et blafard,

toi fumée qui sourds encore,
sur l'aube...

Elle s'est arrêtée sur la troisième citation : «Le brouillard... dégoûte ?
– Dégoutte, deux t.
– Ah. » Elle paraissait excitée d'avoir appris un nouveau mot :

Le brouillard dégoutte, une bouffée de vent
emplit de feuilles stridentes le fossé;
dans l'aride haie plonge léger
le rouge-gorge;
sous le brouillard vibre la vocale
cannaie, frisson presque fébrile;
au-dessus du brouillard au loin
monte le campanile... »

Bon brouillard chez Pirandello, et dire qu'il était sicilien : «Le brouillard se coupait au couteau... Autour de chaque réverbère bâillait un halo.» Mieux vaut alors le Milan de Savinio : «Le brouillard est commode. Il transforme la ville en une énorme bonbonnière, et ses habitants en autant de fruits candis... Dans le brouillard passent des femmes et des jeunes filles encapuchonnées. Une légère fumée flotte autour de leurs narines et de leur bouche mi-close... Se retrouver dans le prolongement des miroirs d'un salon... s'embrasser encore sentant bon le brouillard, tandis que le brouillard dehors presse contre la fenêtre et, discret, silencieux, protecteur l'opacifie... »

Les brouillards milanais de Vittorio Sereni :

Les portières grandes ouvertes à vide sur le soir de
*   [brouillard*
personne qui monte ou descende sinon
un flot de smog la voix du crieur de journaux
– paradoxale – le Temps de Milan l'alibi
et le bénéfice du brouillard choses occultes
marchent à couvert se déplacent vers moi
s'écartent de moi passé comme histoire passé
comme mémoire : le vingt le treize le trente-trois
années comme chiffres des tramways…

J'ai recueilli de tout. Voici *King Lear* («Brouillards
que le puissant soleil dans les marais aspire et
suce !»). Et Campana ? «Par la brèche des bastions
rouges rongés dans le brouillard s'ouvrent silencieu-
sement les longues rues. La mauvaise vapeur du
brouillard s'acharne entre les immeubles, voilant le
sommet des tours, le long des rues silencieuses,
désertes comme après une mise à sac.»

Sibilla s'extasiait sur Flaubert : «Un jour blanchâtre passait par les fenêtres sans rideaux. On entrevoyait des cimes d'arbres, et plus loin la prairie, à
demi noyée dans le brouillard, qui fumait au clair de
la lune, selon le cours de la rivière.» Ou sur
Baudelaire : «Une mer de brouillards baignait les édi-
fices, – Et les agonisants dans le fond des hospices.»

Elle prononçait les mots des autres, mais pour moi
c'était comme s'ils jaillissaient d'une veine d'eau.
Peut-être quelqu'un te déflorera, lèvres de source…

Elle était là, pas le brouillard. D'autres l'avaient vu
et délié en sons. Peut-être un jour aurais-je pu le péné-

trer vraiment, le brouillard, si Sibilla m'avait conduit
par la main.

J'ai déjà eu quelques contrôles chez Gratarolo, mais
en général il a approuvé ce qu'a fait Paola. Il a appré-
cié que je sois désormais quasi autonome, on élimine
au moins les premières frustrations.

J'ai passé de nombreuses soirées avec Gianni, Paola
et les filles à jouer au scrabble, ils disent que c'était
mon jeu préféré. Je trouve facilement les mots, surtout les plus abscons comme *acrostiche* (me raccor-
dant sur un *acro*) ou *zeugma*. En incorporant un Y et
un O flottants en ouverture de deux mots verticaux,
en partant de la première case rouge de la première
ligne horizontale, j'ai rejoint la deuxième, formant
emphytéose. Vingt points multipliés par neuf, plus
cinquante de bonification pour avoir utilisé toutes
mes sept lettres, deux cent trente-neuf points d'un
seul coup. Gianni rageait, encore heureux que tu sois
un sans-mémoire, criait-il. Il le fait pour me donner
confiance.

Non seulement je suis un sans-mémoire, mais je
vis sans doute désormais des mémoires factices.
Gratarolo avait signalé le fait que, dans des cas comme
le mien, certains s'inventent des lambeaux de passé
jamais vécus, pour avoir au moins l'impression de se
souvenir. Peut-être ai-je pris Sibilla comme prétexte ?

Il fallait que je m'en tire, d'une façon ou d'une
autre. Rester au bureau était devenu un tourment. J'ai
dit à Paola : « *Travailler fatigue*. Je vois seulement et
toujours le même périmètre de Milan. Un voyage me
ferait peut-être du bien, le cabinet marche tout seul
et Sibilla est déjà en train de préparer le nouveau catalogue. Nous pourrions aller, que sais-je, à Paris.

– Paris est encore trop fatigant pour toi, voyage et tout. Laisse-moi y penser.

– Tu as raison, pas Paris, *à Moscou, à Moscou…*

– À Moscou ?

– C'est Tchekhov. Tu sais que les citations sont mes seules lanternes dans le brouillard. »

4. SEUL DANS LA VILLE JE M'EN VAIS

On m'a montré quantité de photos de famille, qui ne m'ont évidemment rien dit. D'ailleurs, il n'y a que celles tirées depuis que je connais Paola. Celles de mon enfance, s'il en existe, doivent être quelque part à Solara.

J'ai parlé au téléphone avec ma sœur, à Sydney. Quand elle a su que j'avais été mal elle aurait voulu venir sans délai, mais elle a tout juste subi une opération assez délicate et les docteurs lui ont interdit d'entreprendre un voyage aussi pénible.

Ada a tenté d'évoquer quelque chose, puis elle s'est arrêtée et elle s'est mise à pleurer. Je lui ai dit, quand elle viendra, de m'apporter en cadeau un ornithorynque à mettre dans le séjour, qui sait pourquoi. Pour autant que je m'y connaisse, j'aurais pu dire aussi un kangourou, mais évidemment je sais qu'en appartement ils salissent.

Je suis allé au bureau quelques heures par jour seulement. Sibilla prépare le catalogue et naturellement

elle se dirige à l'aise à travers les biographies. Je jette
un coup d'œil rapide, je dis que ça va à merveille, puis
je dis que j'ai rendez-vous avec le docteur. Elle me
regarde sortir avec appréhension. Elle me sait malade,
n'est-ce pas normal ? Ou bien pense-t-elle que je veux
la fuir ? Je ne peux tout de même pas lui dire « Je ne
veux pas te prendre comme un prétexte pour me
refaire une mémoire factice, mon pauvre cher
amour » ?

J'ai demandé à Paola quelles étaient mes positions
politiques : « Je ne voudrais pas me découvrir, que
sais-je, nazi.

– Tu es ce qu'on appelle un bon démocrate, a-t-elle
dit, mais davantage par instinct que par idéologie. Je
te disais toujours que toi, la politique, ça t'ennuie
– et toi, par polémique, tu m'appelais *la pasionaria*.
Comme si tu t'étais réfugié dans les livres anciens par
peur, ou par mépris du monde. Non, je suis injuste,
ce n'était pas du mépris parce que tu t'enflammais sur
les grands problèmes moraux. Tu signais les appels
pacifistes et non violents, tu t'indignais sur le racisme.
Tu es allé jusqu'à t'inscrire à une ligue contre la vivisection.

– Animale, j'imagine.

– Naturellement. La vivisection humaine s'appelle
guerre.

– Et j'ai été… toujours comme ça même avant de
te rencontrer ?

– Sur ton enfance et ton adolescence, tu glissais.
Par ailleurs, je n'ai jamais réussi à te comprendre pour
ces choses-là. Tu as toujours été un mélange de pitié
et de cynisme. S'il y avait une condamnation à mort
quelque part tu signais contre, tu envoyais de l'argent
pour une communauté anti-drogue, mais si on te
disait que dix mille enfants étaient morts, mettons,

dans une guerre tribale en Afrique centrale, tu haussais les épaules, comme pour dire que le monde a été
mal foutu et qu'il n'y a rien à faire. Tu as toujours été
un homme jovial, tu aimais les belles femmes, le bon
vin, la bonne musique, mais tu me donnais à moi l'impression que c'était là une croûte en surface, une
manière de te cacher. Quand tu te laissais aller, tu
disais que l'histoire est une énigme sanglante, et le
monde une erreur.

– *Rien ne pourra m'ôter de l'esprit que ce monde est
le fruit d'un dieu ténébreux dont je prolonge l'ombre.*

– Qui l'a dit ?

– Je ne le sais plus.

– Ce doit être quelque chose qui t'a concerné de
près. Pourtant tu t'es toujours mis en quatre si quelqu'un avait besoin de quelque chose, quand il y a eu
l'inondation à Florence tu t'es porté volontaire pour
tirer de la boue les livres de la Bibliothèque nationale.
Voilà, tu avais de la compassion pour les petites
choses et du cynisme pour les grandes.

– Ça me semble juste. On ne fait que ce qu'on peut.
Le reste est la faute de Dieu, comme disait Gragnola.

– Qui est Gragnola ?

– Ça aussi je ne le sais plus. Il est évident qu'autrefois je le savais. »

Qu'est-ce que je savais autrefois ?

Un matin je me suis éveillé, je suis allé me faire un
café (décaféiné) et je me suis mis à chanter *Rome ne
fais pas l'idiote ce soir*. Pourquoi cette chanson, *Roma
non far la stupida stasera*, m'est-elle venue à l'esprit ?
Bon signe, a dit Paola, tu recommences. Il paraît donc
que chaque matin en faisant le café je chantais une
chanson. Aucune raison que me fût venue à l'esprit

celle-là plutôt qu'une autre. Toutes les recherches (qu'as-tu rêvé cette nuit, de quoi avions-nous parlé hier soir, qu'est-ce que tu as dit avant de t'endormir ?) n'avaient jamais produit une explication plausible. Possible que la manière d'enfiler mes chaussettes, que sais-je, la couleur de ma chemise, un pot entrevu du coin de l'œil me réveillent une mémoire sonore.

« Avec cette réserve, a remarqué Paola, que tu n'as toujours chanté que des chansons des années cinquante et, au-delà, au plus tu régressais jusqu'à celles des premiers festivals de San Remo, *Vole ma colombe blanche vole* ou *Tu sais que les coquelicots.* Tu n'allais jamais en arrière, aucune chanson des années quarante ou trente, ou vingt. » Paola m'a ébauché le motif de *Seule dans la ville je m'en vais*, la grande chanson de l'après-guerre, et même elle qui, à l'époque, était vraiment une toute petite fille, elle l'avait dans les oreilles parce que la radio la diffusait sans arrêt. Certes, il me semblait la connaître, mais je n'ai pas réagi avec intérêt, c'était comme si on m'avait chanté casta diva, et de fait il paraît que je n'ai jamais été un fana d'opéra. Sans comparaison avec *Eleanor Rigby*, pour dire, ou *Que serà serà, whatever will be will be*, ou *Sono una donna non sono una santa, Je suis une femme je ne suis pas une sainte.* Quant aux plus anciennes, Paola attribuait mon désintérêt à ce qu'elle appelait le refoulé de l'enfance.

Elle avait aussi remarqué au cours des années que j'étais un fin connaisseur de musique classique et de jazz, j'allais volontiers aux concerts, j'écoutais des disques, mais je n'avais jamais l'envie d'allumer la radio. Au mieux, je l'entendais en fond sonore si quelqu'un d'autre l'avait allumée. D'évidence, la radio c'était comme la maison de campagne, vieilles lunes.

Mais le lendemain matin, à mon réveil et en faisant le café, j'ai chanté :

Seule dans la ville je m'en vais
Je passe dans la foule qui ne sait
qui ma douleur ne voit
te cherchant toi que je n'ai plus, rêvant de toi…

Je tente en vain de me délier
Du premier amour qu'on ne peut oublier
Un nom est écrit, un nom au fond du cœur toujours
Je t'ai connu et je sais là que tu es l'amour,
Le seul amour, le grand amour.

La mélodie sortait toute seule. Et mes yeux sont devenus humides.

« Pourquoi précisément celle-ci ? a demandé Paola.

– Comme ça. Peut-être parce qu'elle s'intitule *In cerca di te*, "à ta recherche". De qui, je l'ignore.

– Tu as franchi la barrière des années quarante, a réfléchi Paola, piquée de curiosité.

– C'est pas ça, ai-je répondu, c'est que je me suis senti quelque chose dedans. Comme un frisson. Non, pas comme un frisson. Comme si… Tu sais *Flatland*, tu l'as lu toi aussi. Bien, ces triangles et ces carrés vivent dans deux dimensions, ils ne savent ce qu'est l'épaisseur. Maintenant, tu imagines que l'un d'entre nous qui vivons en trois dimensions les touche d'en haut. Ils éprouveraient une sensation inconnue, et ils seraient incapables de dire ce que c'est. Comme si quelqu'un venait chez nous de la quatrième dimension et nous touchait de l'intérieur, mettons au pylore, délicatement. Qu'est-ce que tu ressens si quelqu'un te chatouille le pylore ? Moi je dirais… une mystérieuse flamme.

– Que veut dire une mystérieuse flamme ?

– Je ne sais pas, je l'ai dit comme ça m'est venu.

– C'est la même sensation que tu as eue quand tu as vu la photo de tes parents ?

– Presque. En somme non. Mais au fond pourquoi pas ? Presque la même.

– Voilà un signal qui est intéressant, Yambo, il faut en prendre note. »

Elle espère toujours me racheter. Et moi je sentais la mystérieuse flamme peut-être en pensant à Sibilla.

Dimanche. « Va faire un tour, m'a dit Paola, ça te fera du bien. Ne sors pas des rues que tu connais. Largo Cairoli, il y a le kiosque de fleurs qui normalement reste ouvert même les jours de fête. Fais-toi faire un beau bouquet de printemps, ou bien des roses, cette maison a un air funèbre. »

Je suis descendu sur le largo Cairoli et le kiosque était fermé. J'ai flâné dans la via Dante jusqu'au Cordusio, j'ai tourné à droite vers la Bourse, et j'ai vu que là, le dimanche, se donnent rendez-vous les collectionneurs de tout Milan. Dans la via Cordusio, des tréteaux de timbres, tout au long de la via Armorari, de vieilles cartes postales, des figurines, ensuite la croisée entière du Passage Central occupée par des vendeurs de monnaies, de soldats de plomb, d'images pieuses, de montres bracelets, et même de télécartes. Le collectionnisme est anal, je devrais le savoir, les gens sont prêts à tout collectionner, jusqu'à des capsules de Coca-Cola, au fond les télécartes coûtent moins que mes incunables. Piazza Edison, à gauche des bouquinistes avec leurs livres, des journaux, des affiches publicitaires et, en face, même des éventaires avec de la pacotille variée, des lampes Liberty, fausses à coup sûr, des plateaux à fleurs sur fond noir, des danseuses en biscuit.

Sur le présentoir d'un brocanteur, il y avait quatre récipients cylindriques, scellés, où, dans une solution aqueuse (formol ?), se trouvaient en suspension des silhouettes couleur ivoire, soit rondes, soit comme des haricots, liées par des filaments très blancs. C'étaient des créatures marines, des holothuries, des lambeaux de poulpes, des coraux décolorés, et elles auraient même pu être le fruit morbide de l'imagination tératologique d'un artiste. Yves Tanguy ?

Le propriétaire m'a expliqué que c'étaient des testicules : de chien, de chat, de coq et d'un autre animal, au complet avec reins et ces machins-là. « Regardez, c'est du matériel de laboratoire scientifique du dix-neuvième siècle. Quarante mille l'un. Les récipients seuls valent le double, c'est du matériel qui a au moins cent cinquante ans. Quatre fois quatre seize, moi je vous les donne tous les quatre pour cent vingt mille. Une affaire. »

Ces testicules me fascinaient. Pour une fois, c'était quelque chose que je n'aurais pas dû connaître par mémoire sémantique, comme disait Gratarolo, et ils n'avaient pas non plus fait partie de mon expérience passée. Qui a jamais vu des testicules de chien, je veux dire : sans le chien autour, à l'état pur ? J'ai fouillé dans mes poches, j'avais quarante mille en tout, et payer par chèque n'est pas possible dans la brocante.

« Je prends ceux du chien.

– Vous avez tort de laisser les autres, c'était une occasion unique. »

On ne peut pas tout avoir. Je suis revenu à la maison avec mes roustons de chien et Paola a blêmi.
« C'est curieux, on dirait vraiment une œuvre d'art,
mais où va-t-on le mettre ? Dans le séjour, et chaque
fois que tu offres à un hôte des anacardes ou des olives
d'Ascoli, il nous vomit tout sur le tapis ? Dans notre
chambre à coucher ? Pardon, mais c'est non. Tu le
mettras dans ton cabinet, si possible à côté de quelque
beau livre de sciences naturelles du XVIIᵉ.

– Je croyais avoir fait un beau coup.

– Mais tu te rends compte que tu es l'unique
homme au monde, l'unique sur la face de la terre
depuis Adam jusqu'à nos jours, que sa femme envoie
acheter des roses et qui revient à la maison avec une
paire de couilles de chien ?

– Au moins ce sera à inscrire dans le Livre
Guinness des records. Et puis tu le sais, je suis
malade.

– Des excuses. Tu étais fou même avant. Ce n'est
pas tout à fait un hasard si tu as demandé un ornithorynque à ta sœur. Un jour tu voulais nous instal-
ler un flipper des années soixante dans la maison, qui
coûtait autant qu'un tableau de Matisse et faisait un
bruit infernal. »

Mais cette brocante, Paola la connaissait déjà ; elle
dit même que j'aurais dû la connaître moi aussi : une
fois j'y avais trouvé la première édition du *Gog* de
Papini, couvertures originales, non coupé, pour dix
mille lires. C'est ainsi que le dimanche suivant elle a
voulu m'accompagner, on ne sait jamais, a-t-elle dit,
il y a des chances que tu reviennes chez nous avec des
testicules de dinosaure et qu'il nous faille appeler un
maçon qui élargisse la porte pour les faire entrer.

Non, pas les timbres ni les télécartes, mais elle se
montrait curieuse des vieux journaux. Des trucs de

notre enfance, a dit Paola. Et moi : « Alors laissons
tomber. » Mais à un moment donné j'ai vu un album
de Mickey. D'instinct, je l'ai pris en main. Il ne devait
pas être bien vieux, c'était une réimpression des
années soixante-dix, comme on le déduisait du dos de
la couverture et du prix. Je l'ai ouvert à moitié : « Ce
n'est pas un original parce qu'ils étaient imprimés en
deux couleurs avec une nuance de rouges brique et
de tannés, et celui-ci est imprimé en blanc et bleu.

– Comment le sais-tu ?
– Je ne sais pas, je le sais.
– Mais la couverture reproduit l'originale, regarde
la date et le prix, 1937, une lire cinquante. »

Le Trésor de Clarabelle campait sur la couverture
en différentes couleurs. « Et ils s'étaient trompés
d'arbre, ai-je dit.

– Dans quel sens ? »

J'ai feuilleté en hâte l'album, et je suis allé à coup
sûr vers les bonnes vignettes. Mais c'était comme si je
n'avais pas envie de lire ce qui était écrit dans les

bulles, comme si elles étaient écrites dans une autre langue, ou que les lettres avaient été barbouillées toutes ensemble. J'ai plutôt récité de mémoire.

« Tu vois, Mickey et Horace sont allés chercher avec une vieille carte le trésor enterré par le grand-père et par le grand-oncle de Clarabelle, en rivalité avec le visqueux monsieur Squinch et le perfide Pat Hibulaire. Ils sont arrivés sur les lieux, ils ont consulté la carte, on devait partir d'un grand arbre, tirer une ligne en direction d'un arbre plus petit, et trianguler. Creuse que je te creuse : rien. Jusqu'au moment où Mickey a une illumination : la carte est de 1863, plus de soixante-dix ans ont passé, impossible qu'il y eût déjà ce petit arbre, donc celui qui apparaît maintenant comme le gros arbre est le petit de jadis, et le grand est tombé, mais peut-être y a-t-il encore des restes alentour. Et de fait, cherche que je te cherche, voilà un morceau de tronc, ils refont les triangulations, recreusent et voici juste là, à ce point précis, le trésor.

– Mais toi, comment fais-tu pour le savoir ?

– Tout le monde le sait, non ?

– Bien sûr que non, tout le monde ne le sait pas, a dit Paola excitée. Ça, ce n'est pas la mémoire séman-tique. Ça, c'est la mémoire autobiographique. Tu es en train de te souvenir de quelque chose qui t'a impressionné, enfant ! Et cette couverture te l'a évoqué.

– Non, pas l'image. S'il se trouve, le nom, Clarabelle.

– *Rosebud*. »

Naturellement nous avons acheté l'album. J'ai passé la soirée sur cette histoire, mais je n'en tirais plus rien. Je la connaissais, un point c'est tout, aucune mystérieuse flamme.

« Je n'en sortirai plus, Paola. Je n'entrerai jamais dans la caverne.

– Mais tu t'es souvenu d'un coup de l'histoire des deux arbres.

– Proust au moins se souvenait de trois. Du papier, du papier, comme tous les livres dans cet appartement, et ceux du cabinet. J'ai une mémoire de papier.

– Exploite le papier, vu que les madeleines ne te disent rien. Tu n'es pas Proust, d'accord. Zasetskij non plus ne l'était pas.

– *Qu'est-ce que c'est que cet homme-là ?*

– Je l'avais presque oublié et Gratarolo me l'a fait venir à l'esprit. Avec le métier que je fais, je ne pouvais pas ne pas avoir lu *Un monde perdu et retrouvé*, un cas classique. Seulement ça avait été des années auparavant, et par intérêt universitaire. Aujourd'hui, je l'ai relu de connivence, c'est un délicieux petit livre qu'on parcourt en deux heures. Lurija, donc, le grand neuropsychologue russe, a suivi le cas de ce Zasetskij qui, pendant la dernière guerre mondiale, est touché par un éclat avec dommages à la région occipito-pariétale gauche du cerveau. Il se réveille, lui aussi, mais dans un chaos terrible, il ne parvient même pas à percevoir la position de son corps dans l'espace. Parfois, il pense que des parties de son corps ont changé, que sa tête est devenue démesurément grande, que son

tronc est extrêmement petit, que ses jambes se sont
déplacées sur sa tête.

– Je n'ai pas l'impression que c'est mon cas. Les
jambes sur la tête ? Et le pénis à la place du nez ?

– Attends. Les jambes sur la tête, soit, mais ça ne
lui arrivait que de temps en temps. Le pire était la
mémoire. Réduite en lambeaux, comme si elle s'était
pulvérisée, autre chose que la tienne. Lui non plus ne
se rappelait ni où il était né ni le nom de sa mère, mais
il ne savait même plus lire et écrire. Lurija se met à le
suivre, Zasetskij a une volonté de fer, il apprend de
nouveau à lire et il écrit, il écrit, il écrit. Pendant vingt-
cinq ans il enregistre non seulement tout ce qu'il
exhume dans la caverne dévastée de sa mémoire, mais
aussi ce qui lui arrive jour après jour. C'était comme
si sa main, avec ses automatismes, réussissait à mettre
en ordre ce que sa tête ne parvenait pas à faire.
Comme pour dire que celui qui écrivait était plus
intelligent que lui. Ainsi, sur le papier, peu à peu il
s'est retrouvé. Toi tu n'es pas lui, mais ce qui m'a frappée c'est que lui il s'est refait une mémoire de papier.
Et il y a mis vingt-cinq ans. Toi, le papier, tu l'as déjà,
mais d'évidence ce n'est pas celui qui se trouve ici. Ta
caverne est dans la maison de campagne. J'y ai beaucoup pensé ces jours derniers, tu sais. Tu as mis sous
clef trop résolument les papiers de ton enfance, et de
ton adolescence. Il y a peut-être là quelque chose qui
te touche de près. Maintenant tu vas me faire le plaisir d'aller à Solara. Tout seul, primo parce que je ne
peux pas quitter mon travail ; secundo parce que tu
dois tout faire tout seul. Toi et ton lointain passé. Tu
restes là-bas le temps qu'il faut, et tu vois ce qui t'arrive. Au pire tu auras perdu une semaine, peut-être
deux, et tu auras pris le bon air, ce qui ne te fait pas
de mal. J'ai déjà téléphoné à Amalia.

– Et qui est Amalia, la femme de Zasetskij ?

– Oui, sa grand-mère. Je suis loin de t'avoir tout raconté sur Solara. Dès l'époque de ton grand-père, il y avait là-bas les métayers, Maria et Tommaso dit Masulu, parce que la maison avait alors beaucoup de terres autour, surtout des vignes, et pas mal de bétail. Maria t'a vu grandir et elle t'aimait à s'en décrocher l'âme. Mais Amalia aussi, sa fille, elle devait avoir environ dix ans de plus que toi, et elle a été pour toi une sœur aînée, une nounou, tout quoi. Tu étais son idole. Quand tes oncles ont vendu les terres, y compris la ferme, envolée, il restait encore une petite vigne, le verger, le potager, la lapinière et le poulailler. Ça n'avait plus de sens de parler de métayage, et tu avais tout laissé à Masulu, comme si c'était son bien à lui, avec l'engagement que sa famille prendrait soin de la maison. Et puis, Masulu et Maria aussi sont partis, Amalia ne s'est jamais mariée – ça n'a jamais été une grande beauté – et elle a continué à vivre là, elle vend les œufs et les poulets au village, le saigneur de porcs vient au bon moment pour lui tuer le cochon, des cousins l'aident à sulfater les vignes et à faire sa petite vendange, en somme elle est contente, sauf qu'elle se sent un peu seule et elle est donc heureuse quand les filles y vont avec leurs enfants. On la paie pour ce qu'on consomme, œufs, poulets ou saucisson, pour les fruits et les légumes, pas moyen – ça vous appartient, dit-elle. Une femme en or ; une cuisinière, tu m'en diras des nouvelles. À l'idée que tu vas là-bas, elle ne se sent plus de joie, le jeune monsieur Yambo par ici, le jeune monsieur Yambo par-là, quel bonheur, il verra que sa maladie je vais la lui faire passer moi avec la petite salade qu'il aime lui…

– Le jeune monsieur Yambo. Quel luxe. À propos, pourquoi m'appelez-vous Yambo ?

– Pour Amalia, tu seras toujours le jeune monsieur,
même à quatre-vingts ans. Quant à Yambo, c'est justement Maria qui me l'avait expliqué. Tu l'avais
décidé toi, quand tu étais petit. Tu disais je m'appelle
Yambo, Yambo au toupet. Et pour tous tu es devenu
Yambo.

– Au toupet ?

– Preuve qu'à l'époque tu avais une belle touffe de
cheveux. Et tu n'aimais pas Giambattista, je peux
bien le comprendre. Mais laissons de côté les problèmes d'état civil. Toi tu pars. Il n'est pas possible
que tu y ailles en train parce que tu devrais changer
quatre fois, mais Nicoletta t'accompagnera, elle doit
de toute façon reprendre des affaires qu'elle avait
oubliées à Noël, un aller-retour et elle te laisse entre
les mains d'Amalia qui va être aux petits soins pour
toi, elle sait se trouver là quand tu en as besoin et disparaître quand tu veux rester seul. Depuis cinq ans,
il y a le téléphone dans la maison et nous pouvons
nous parler à tout moment. Essaie, je t'en prie. »

J'ai demandé quelques jours pour y penser. C'était
moi qui avais parlé le premier d'un voyage, pour
échapper aux après-midi dans mon bureau. Mais voulais-je vraiment échapper aux après-midi dans mon
bureau ?

Je me trouvais dans un labyrinthe. Quelque direction que je prenne, ce n'était pas la bonne. Et puis
d'où je voulais sortir ? Qui avait dit *Sésame ouvre-toi,
je veux sortir* ? Moi je voulais entrer, comme Ali Baba.
Dans les cavernes de la mémoire.

C'est Sibilla qui s'est chargée de résoudre mon problème. Un après-midi elle a émis un sanglot irrésistible, elle s'est couverte d'une légère rougeur (*dans le*

sang, qui propage une flamme sur ton visage, le cosmos rit aux anges), elle a tourmenté quelques secondes un jeu de fiches qu'elle avait devant elle, et elle a dit : «Yambo, tu dois être le premier à le savoir… Je me marie.

– Comment tu te maries ? ai-je réagi, comme pour dire : comment te permets-tu ?

– Je me marie. Tu as présent à l'esprit quand un homme et une femme échangent une bague et que les autres leur jettent du riz ?

– Non, je veux dire… et tu me quittes ?

– Et pourquoi ? Lui, il travaille dans un cabinet d'architectes mais il ne gagne pas encore énormément, il faudra que nous travaillions tous les deux. Et puis, moi, pourrais-je jamais te quitter ?»

L'autre lui enfonça le couteau dans le cœur et l'y retourna par deux fois. Fin du *Procès*, mieux, fin du processus. «Et… ça dure depuis longtemps ?

– Pas depuis longtemps. Nous nous sommes rencontrés il y a quelques semaines, tu sais comment vont ces choses-là. C'est un gentil garçon, tu feras sa connaissance.»

Comment vont ces choses-là. Peut-être y avait-il eu avant d'autres gentils garçons, peut-être a-t-elle profité de mon accident pour en finir avec une situation insoutenable. Il est bien possible qu'elle se soit jetée sur le premier qui est passé devant elle, un saut dans l'inconnu. En ce cas, je lui ai fait du mal par deux fois. Mais qui lui a fait du mal, imbécile ? Tout suit son cours, elle est jeune, elle rencontre un mec de son âge, tombe amoureuse pour la première fois… Pour la première fois, d'accord ? *Et pourtant quelqu'un te déflorera, lèvres de source, et ce sera pour lui grâce et fortune de ne pas t'avoir cherchée…*

«Il faudra que je te fasse un beau cadeau.

– Mais on a le temps. Nous l'avons décidé hier soir,
mais je voudrais attendre que tu te sois remis, comme
ça je peux prendre une semaine de vacances sans
remords. »

Sans remords. Quelle délicatesse.

Comment était-elle, la dernière fiche que j'avais vue
sur le brouillard ? *Quand nous arrivâmes à la gare de
Rome, le soir du Vendredi Saint, et qu'elle s'éloigna
dans la voiture au milieu du brouillard, j'eus l'impression de l'avoir perdue à jamais, sans remède.*

L'histoire finissait toute seule. Pour tout ce qui
avait pu se passer avant, coup d'éponge. Tableau noir,
flambant noir. Dorénavant, seul comme le volant d'un
registre.

Là, je pouvais partir. Mieux, je devais. J'ai dit à
Paola que j'irais à Solara. Elle était heureuse.

« Tu verras que tu t'y trouveras bien.

– *Gentil poisson du fond des mers* – Pardonne-moi
si je t'appelle. – *C'est ma femme, mon Isabelle* – *Qui
crie à tort et à travers.*

– Tu es vraiment perfide. À la campagne, à la campagne. »

Ce soir-là, tandis que Paola me faisait au lit les dernières recommandations avant mon départ, je lui ai
caressé le sein. Elle a geint de tendresse, et j'ai
éprouvé quelque chose qui ressemblait au désir, avec
cependant un mélange de douceur, et peut-être de
reconnaissance. Nous avons fait l'amour.

Comme avec la brosse à dents, mon corps avait évidemment conservé la mémoire de la façon de le faire.
Ce fut une chose calme, au rythme lent. Elle a eu son
orgasme la première (toujours comme ça, m'a-t-elle
dit ensuite), moi peu après. Au fond c'était pour moi

la première fois. C'est vraiment beau comme on dit. Je n'en étais pas étonné : mais c'était comme si je le savais déjà, dans ma tête, et qu'avec le corps je découvrais seulement alors que c'était vrai.

« Pas mal, ai-je dit en m'abandonnant sur le dos, maintenant je comprends pourquoi les gens y tiennent tant.

– Doux Jésus, a commenté Paola, il m'est aussi échu de dépuceler mon mari à soixante ans.

– Mieux vaut tard que jamais. »

Mais je n'ai pu éviter, en m'endormant ma main dans la main de Paola, de me demander si avec Sibilla ç'aurait été la même chose. Imbécile, me murmurais-je en perdant lentement conscience, aussi bien tu ne le sauras jamais.

Je suis parti. Nicoletta conduisait, et je la regardais, de profil. À en juger d'après mes photographies à l'époque du mariage, de moi elle avait le nez, et aussi la forme de la bouche. Elle était vraiment ma fille, on ne m'avait pas refilé le fruit de la faute.

(Son décolleté s'étant légèrement ouvert, j'aperçus soudain sur son sein un médaillon en or avec un Y finement ciselé. Grand Dieu, dit-il, qui vous l'a donné ? Je l'ai toujours eu avec moi, seigneur, et je l'avais déjà au cou quand je fus exposée, tout enfant, sur l'escalier du couvent des Clarisses de Saint-Auban, dit-elle. Le médaillon de la duchesse ta mère, m'exclamai-je ! As-tu par hasard quatre petits grains de beauté en forme de croix sur l'épaule gauche ? Oui, seigneur, mais comment vous, pouvez-vous savoir cela ? Mais alors, alors tu es ma fille et je suis ton père ! Père, mon père ! Non, que toi, chaste innocente, tu ne perdes maintenant les sens. Nous irions dans le décor !)

Nous ne parlions pas, mais j'avais déjà compris que Nicoletta est laconique de nature, et à ce moment-là elle était certainement embarrassée, elle craignait de toucher à quelque chose que j'avais oublié, et elle ne voulait pas me troubler. Je lui demandais seulement dans quelle direction nous allions : « Solara est à la limite des Langhe et du Montferrat, c'est un endroit très beau, tu verras, papa. » J'aimais m'entendre appeler papa.

Au début, une fois sortis de l'autoroute, je voyais une signalisation qui me parlait de villes connues, Turin, Asti, Alexandrie, Casale. Puis nous nous sommes engagés sur des routes secondaires où les panneaux citaient des patelins jamais entendu nommer. Après quelques kilomètres de plaine en cuvette, j'ai entrevu au loin le profil bleuté de quelques collines. D'un coup le profil a disparu parce que nous avions face à nous une muraille d'arbres, et la voiture s'y est enfilée, roulant dans un couloir feuillu qui me faisait penser à une forêt tropicale. *Que me font maintenant tes ombrages et tes lacs ?*

Mais, une fois le couloir parcouru, avec l'impression de toujours avancer en plaine, nous étions déjà dans un bassin dominé par des collines de chaque côté et derrière – de toute évidence nous avions pénétré dans le Montferrat moyennant une imperceptible montée continue, les hauteurs nous avaient entourés sans que je m'en aperçoive, déjà j'entrais dans un autre monde, dans une fête de vignobles encore jeunes. C'étaient, vu de loin, des buttes de différentes hauteurs, certaines pointant à peine entre des mamelons plus bas, d'autres plus abruptes, beaucoup surmontées de constructions – églises ou fermes, et des sortes de châteaux – qui s'y accrochaient en une prolifération excessive et, au lieu de les compléter avec douceur, leur donnaient comme une poussée vers le ciel.

Après une heure environ de voyage au milieu de ces collines où, à chaque tournant, s'ouvrait un paysage différent comme si, soudain, nous passions d'une région à une autre, à un moment donné j'ai vu un panneau qui annonçait Mongardello. J'ai dit : « Mongardello. Et puis Corseglio, Montevasco, Castelletto Vecchio, Lovezzolo, et on y est, non ?

– Comment fais-tu pour le savoir ?

– Tout le monde le sait », ai-je dit. Évidemment ce n'était pas vrai, dans quelle encyclopédie parlait-on de Lovezzolo ? Est-ce que par hasard je commençais à pénétrer dans la caverne ?

DEUXIÈME PARTIE
Une mémoire de papier

5. LE TRÉSOR DE CLARABELLE

Pourquoi, adulte, je n'allais pas volontiers à Solara, je ne le comprenais vraiment pas alors que je m'approchais des lieux de mon enfance. Ce n'était pas tant Solara en soi, à peine plus qu'un gros village, qu'on effleurait en le laissant dans sa cuvette au milieu des vignobles sur de basses collines, mais après, quand on montait. À un certain point, après des tournants et des tournants, Nicoletta avait pris une petite route secondaire et nous avions roulé pendant au moins deux kilomètres le long d'une crête tout juste assez large pour permettre aux voitures de se croiser, et qui présentait deux paysages différents. À droite, le Montferrat, fait de mamelons très doux festonnés de rangées de vigne qui mollement se multipliaient, vertes contre un ciel limpide de début d'été, à l'heure où (je le savais) sévissait le démon de midi. À gauche, déjà les premiers contreforts des Langhe, aux reliefs plus crus et moins modulés, comme une série de chaînes, l'une derrière l'autre, chacune en perspective marquée d'une teinte différente, jusqu'à s'évanouir dans le bleuâtre des plus lointaines.

Je découvrais ce paysage pour la première fois, et pourtant je le sentais mien et j'avais l'impression que, si je me précipitais dans une course folle à travers les vallées, je saurais où mettre les pieds et où aller. En un certain sens, c'était comme avoir réussi à conduire, à ma sortie de l'hôpital, cette voiture que je n'avais jamais vue. Je me sentais chez moi. J'étais en proie à une joie indéfinie, à un bonheur sans mémoire.

La crête se prolongeait en montée sur le flanc d'une colline qui tout à coup la dominait et voici, après une allée de marronniers, la maison. Nous nous sommes arrêtés dans une sorte de cour éclaboussée de parterres fleuris, et on entrevoyait derrière la construction une colline un peu plus haute où s'étendait ce qui devait être la petite vigne d'Amalia. Au débotté, il était difficile de caractériser la forme de ce bâtiment et ses grandes fenêtres du premier étage, qui se présentait avec un vaste corps central à la belle porte de chêne enchâssée dans un arc plein cintre, sous un balcon, immédiatement face à l'allée, et deux ailes latérales plus courtes, à l'entrée plus modeste. Mais on ne comprenait pas sur quelle surface la maison s'élargissait à l'arrière, vers la colline. La cour s'ouvrait, dans mon dos, sur les deux paysages que je venais d'admirer, et sur cent quatre-vingts degrés, car l'allée de notre arrivée s'était élevée petit à petit, et la route que nous avions parcourue disparaissait vers le bas, sans gêner la vue.

Ce fut une brève impression, car au milieu de hauts cris de jubilation aussitôt a surgi une femme qui, d'après ce qu'on m'avait décrit, ne pouvait être qu'Amalia, courte sur jambes, plutôt robuste, d'âge incertain (comme me l'avait annoncé Nicoletta, entre les vingt et les quatre-vingt-dix ans), le visage de châtaigne sèche illuminé par une joie irrépressible. En somme, cérémonie de la bienvenue, baisers et embrassades, gaffes pudiques sitôt suivies d'un petit cri étouffé par une main portée rapidement à la bouche (mon jeune monsieur Yambo se souvient-y de ceci et de cela, il reconnaît, n'est-ce pas… et ainsi de suite, avec Nicoletta derrière moi qui devait lui faire les gros yeux).

Un tourbillon, peu d'espace pour raisonner ou questionner, à peine le temps de déposer les bagages et de les porter dans l'aile gauche, qui était celle où s'était installée Paola avec les filles et où je pourrais dormir moi aussi, à moins que je ne veuille habiter le corps central, celui de mes grands-parents et de mon enfance, qui était toujours resté fermé, mais comme un sanctuaire («vous savez que j'y vas souvent pour faire la poussière et donner de l'air de temps en temps, mais juste de temps en temps, ça évite que les mauvaises odeurs se fassent, sans déranger ces pièces que pour moi c'est comme si c'était à l'église»). Cependant, au rez-de-chaussée, ces grandes salles vides demeuraient ouvertes car c'est là qu'on étalait les pommes, les tomates, et tant d'autres bonnes choses, pour qu'elles mûrissent et se conservent au frais. De fait, quelques pas à travers ces salles, et on sentait le parfum piquant d'épices et de fruits et de légumes, et sur une table massive se trouvaient déjà les premières figues, vraiment les premières, et je n'ai pu me refuser d'en goûter une et de hasarder que cet arbre était décidément toujours prodigieux – mais l'Amalia s'écriait : «comment, c't arbre, *ces* arbres, cinq qu'ils sont, vous savez ben, et y sont plus beaux les uns qu'les autres!» Pardon, Amalia, je m'étais distrait, – pensez donc avec toutes ces choses importantes que vous avez par la tête mon jeune monsieur Yambo, – Merci Amalia, le malheur c'est qu'elles se sont envolées, pfuittt, un matin de fin avril, et un figuier ou cinq figuiers pour moi c'est du pareil au même.

« Il y a déjà du raisin dans la vigne ? ai-je demandé, histoire de me montrer actif d'entendement et de sentiments.

– Mais le raisin maint'nant c'est encore des p'tites grappes, c'est tout maigrelet qu'on dirait un tout p'tiot dans le ventre à sa mère, même si cette année avec la chaleur qu'y fait ça mûrit tout plus tôt que d'habitude, et espérons qu'il pleuve. Vous le verrez à temps, le raisin, parce que resterez ben ici jusqu'à septembre. Donc vous avez été un peu malade et madame Paola m'a dit que je dois vous remonter, des choses saines et nourrissantes. Pour ce soir, j'ai préparé ce qui vous plaisait tant, petit garçon, la jolie salade avec la trempette d'huile et de jus de tomate, les p'tits morceaux de céleri et les oignons hachés très fins, et toutes les herbes que l'bon Dieu veut ben, et j'ai le pain qui vous plaît, ces belles miches qu'on y met des mouillettes pour tremper. Et puis un poulet, un des miens, pas de ceux du boutiquier qui les engraisse avec des saletés, ou si vous préférez un lapin au romarin. Lapin ? Lapin, je vas de suite flanquer un bon coup sur la nuque au plus beau, pauv' bestiole, mais c'est-y pas la vie ? Mon Dieu, vraiment Nicoletta vous vous en allez tout de suite ? C'est ben dommage. Tant pis, nous restons ici nous deux et vous, vous faites ce que vous voulez que moi j'y fourre pas mon nez. Vous me voyez seulement l'matin quand je vous apporte le café au lait, et à l'heure du manger, pour le reste vous allez, venez et faites comme y vous plaît. »

Tout en chargeant les choses qu'elle était venue chercher, Nicoletta m'a dit : « Bien papa, on dirait que Solara est isolée mais derrière la maison il y a un sentier qui va en bas directement au bourg en coupant droit tous les tournants de la route. La descente est un peu raide, mais avec une sorte d'escalier, et puis tu es aussitôt en plaine. Un quart d'heure pour aller et vingt minutes pour remonter, mais tu as toujours dit que ça fait du bien pour le cholestérol. Dans le bourg, tu trouves les journaux et les cigarettes, mais si tu le dis à Amalia, elle y va elle à huit heures du matin, de toutes les façons elle y va pour ses petites affaires et pour la messe. Mais il faut que tu lui écrives sur un bout de papier le nom des journaux, et chaque jour, sinon elle l'oublie et elle risque de t'apporter le même numéro de *Elle* ou de *Point de Vue* pendant sept jours. Tu n'as vraiment pas besoin d'autre chose ? Je voudrais rester avec toi mais maman dit que ça te fera du bien d'être seul au milieu de tes vieilles choses. »

Nicoletta est partie, Amalia m'a montré ma chambre, qui est celle de Paola aussi (odeur de lavande). J'ai rangé mes affaires, je me suis changé avec de vieilles fringues commodes que j'ai ramassées où j'ai pu, y compris des souliers éculés qui avaient au moins vingt ans, en vrai propriétaire terrien, et je me suis accoudé une demi-heure à la fenêtre en regardant les collines du versant des Langhe.

Sur la table de la cuisine, il y avait un journal de l'époque de Noël (nous avions été ici, la dernière fois, pour les fêtes), et je me suis mis à le lire tout en me versant un verre de muscat prêt dans un seau d'eau glacée du puits. Depuis la fin novembre, les Nations unies avaient autorisé l'usage de la force pour libérer le Koweït des Irakiens, les premiers équipements venaient de partir pour l'Arabie Saoudite, on parlait d'une ultime tentative des États-Unis pour traiter à Genève avec les ministres de Saddam et le convaincre de se retirer. Le journal m'aidait à reconstruire certains événements et je le lisais comme si c'étaient les dernières nouvelles.

Soudain j'ai réalisé que le matin, dans la tension du départ, je n'étais pas allé à la selle. Je me suis rendu dans la salle de bain, excellente occasion pour finir de regarder le journal, et par la fenêtre j'ai vu la vigne. Une pensée m'a saisi, mieux, une envie ancienne : faire mes besoins au milieu des rangées de ceps. J'ai mis le journal dans ma poche et j'ai ouvert, je ne sais si c'est par hasard ou par vertu d'un de mes radars intérieurs, une porte étroite donnant sur l'arrière de la maison. J'ai traversé un potager fort bien tenu. Du côté de l'aile réservée à la ferme, il y avait des clôtures en bois et, d'après les gloussements et les grognements qu'on entendait, ce devait être le poulailler avec les clapiers et la porcherie. Au fond du potager, se trouvait le sentier pour monter à la vigne.

Amalia avait raison, les feuilles des vignes étaient encore petites et les grains de raisin ressemblaient à des baies. Mais je me sentais dans une vigne, avec des mottes sous mes semelles mal en point, et des touffes de mauvaises herbes entre une rangée et l'autre. D'un coup d'œil, j'ai cherché instinctivement des pêchers, mais je n'en ai pas vu. Bizarre, j'avais lu dans un roman qu'entre les rangées de vigne – mais il faut y marcher pieds nus, le talon un peu calleux, dès la petite enfance – il y a des pêches jaunes qui ne poussent que dans les vignes, elles se fendent sous la pression du pouce, et le noyau en sort presque tout seul, propre comme après un traitement chimique, sauf quelques vermisseaux gras et blancs de pulpe qui y restent attachés par un atome. Tu peux les manger sans presque sentir le velours de la peau, qui te fait frissonner depuis la langue jusqu'à l'aine.

Je me suis accroupi, dans le grand silence méridien brisé par quelques cris d'oiseaux seulement et par la stridulation des cigales, et j'ai déféqué.

Silly season. He read on, seated calm above his own rising smell. Les êtres humains aiment le parfum de leurs propres excréments mais pas l'odeur de ceux des autres. Au fond, ils sont partie de notre corps.

J'étais en train d'éprouver une satisfaction ancienne. Le mouvement calme de mon sphincter, au milieu de tout ce vert, me rappelait de confuses expériences précédentes. Ou c'est un instinct de l'espèce. J'ai si peu d'individuel, et tant de spécifique (j'ai une mémoire d'humanité, pas de personne), que sans doute je jouissais simplement d'un plaisir déjà éprouvé par l'homme de Néandertal. Lui devait avoir moins de mémoire que moi, il ne savait même pas qui était Napoléon.

Quand j'ai eu fini, la pensée m'a traversé que j'aurais dû m'essuyer avec des feuilles, ce devait être un automatisme, parce que je ne l'avais certainement appris dans aucune encyclopédie. Mais j'avais sur moi le journal et j'ai arraché la page des programmes de télévision (à Solara, de toute façon, il n'y avait pas la télé).

Je me suis relevé et j'ai regardé mes déjections. Une belle architecture en colimaçon, encore fumante. Borromini. Je devais avoir l'intestin en ordre, car il est connu qu'on doit s'inquiéter seulement si les déjections sont trop molles ou a fortiori liquides.

Je voyais pour la première fois mon caca (en ville tu t'assois sur la cuvette et tu tires tout de suite l'eau sans regarder). Je l'appelais désormais caca, comme font les gens je crois. Le caca est la chose la plus personnelle et réservée que nous ayons. Le reste, tout le monde peut le connaître, l'attitude du visage, le regard, les gestes. Même ton corps nu, à la mer, chez le médecin, quand tu fais l'amour. Jusqu'aux pensées, car normalement tu les exprimes, ou bien les autres les devinent à la façon dont tu regardes ou tu te montres embarrassé. Certes, il doit exister aussi des pensées secrètes (Sibilla, par exemple, mais au fond je m'étais en partie trahi avec Gianni, et sans doute avait-elle de son côté eu l'intuition de quelque chose, peut-être se marie-t-elle justement pour ça), mais en général même les pensées se manifestent.

Pas le caca. Sauf pendant une très brève période de ta vie, quand c'est ta maman qui change tes couches, après il n'est plus qu'à toi. Et comme mon caca de ce moment-là ne devait pas être si différent de ceux que j'avais produits au cours de ma vie passée, voilà qu'en cet instant je me réunissais avec ce moi-même des temps oubliés, et que j'éprouvais la première expérience capable de s'ancrer aux innombrables autres qui avaient précédé, même à celles où, enfant, je faisais mes besoins dans les vignes.

Si j'observais attentivement alentour, peut-être trouverais-je encore les restes du caca que j'avais fait jadis et, en triangulant bien, le trésor de Clarabelle.

Mais je m'en tenais là. Le caca n'était pas encore mon infusion de tilleul – et j'aurais bien voulu voir comment je pouvais prétendre mener ma *recherche* avec mon sphincter ? Pour retrouver le temps perdu, il ne faut pas de la diarrhée mais de l'asthme. L'asthme est pneumatique, il est souffle (fût-il pénible) de l'esprit : il est pour les riches qui peuvent se permettre des chambres tapissées de liège. Les pauvres, dans les champs, n'en chient pas avec leur âme mais ils en chient avec leur corps.

Et pourtant, je ne me sentais pas déshérité mais bien au contraire content, je dis vraiment content, comme jamais depuis mon réveil. Les voies du Seigneur sont infinies, me suis-je dit, elles passent aussi à travers le trou du cul.

La journée s'est terminée ainsi. J'ai vagué pendant un moment dans les pièces de l'aile gauche, j'ai vu celle qui devait être la chambre des petits-enfants (une énorme pièce avec trois lits, des poupées et des tricycles abandonnés encore aux quatre coins), dans la chambre à coucher il y avait les derniers livres que j'avais laissés sur la table de nuit, rien de particulièrement significatif. Je ne me suis pas hasardé à entrer dans l'aile ancienne. Du calme, il fallait que je me familiarise avec les lieux.

J'ai mangé dans la cuisine d'Amalia, au milieu de vieux pétrins, des tables et des chaises de l'époque de ses parents, et de l'odeur des têtes d'ail suspendues aux poutres. Le lapin était exquis, mais la petite salade valait à elle seule le voyage. J'éprouvais du plaisir à tremper le pain dans cette sauce rosée, léopardée d'huile, mais c'était la délectation de la découverte, pas du souvenir. De mes papilles, je ne devais attendre aucune aide, je le savais déjà. J'ai bu abondamment : le vin de par là-bas vaut tous les vins français réunis.

J'ai fait connaissance avec les animaux domestiques : un vieux chien pelé, Pippo, excellent pour la garde, comme le soutenait Amalia, même s'il inspirait une confiance toute relative, sénile, aveugle d'un œil et gâteux ainsi qu'il apparaissait, et trois chats. Deux étaient revêches et teigneux ; le troisième, une sorte d'angora noir au poil touffu et moelleux, savait demander sa pitance avec grâce : il me grattait les pan-

talons tout en ébauchant un séduisant grommellement. J'aime tous les animaux, je crois (ne m'étais-je
pas inscrit à une ligue contre la vivisection ?), mais on
ne commande pas à la sympathie instinctive. J'ai préféré le troisième chat et je lui ai passé les meilleurs morceaux. J'ai demandé à Amalia comment s'appelaient
les chats, et elle a répondu que les chats ne s'appelaient
point, parce qu'ils ne sont pas des chrétiens comme les
chiens. J'ai demandé si je pouvais appeler le chat noir
Matou, et elle a répondu que je pouvais, s'il me suffisait pas de faire minet minet minet, mais elle avait l'air
de penser que ceux de la ville, même le jeune monsieur Yambo, avaient «un grillon dans le plafond».

Les grillons (les vrais) faisaient dehors un grand
vacarme, et je suis allé dans la cour les écouter. J'ai
regardé le ciel en espérant y découvrir des figures
connues. Des constellations, que des constellations
pour atlas astronomique. J'ai reconnu la Grande
Ourse, mais comme une de ces choses dont j'avais
tant entendu parler. J'étais venu jusque-là pour
apprendre que les encyclopédies ont raison. *Rede in
interiorem hominem* et tu trouveras le Larousse.

Je me suis dit : Yambo, tu as une mémoire de
papier. Pas de neurones, de pages. Peut-être un jour
inventeront-ils une diablerie électronique qui per-
mettra à l'ordinateur de voyager à travers toutes les
pages écrites depuis le début du monde jusqu'à
aujourd'hui, et de passer de l'une à l'autre d'un coup
d'index, sans plus comprendre où tu te trouves et qui
tu es, et alors tout le monde sera comme toi.

En attendant d'avoir tant de compagnons d'infor-
tune, je suis allé dormir.

Je m'étais à peine assoupi lorsque j'ai entendu quelqu'un qui m'appelait. On m'invitait à la fenêtre avec
un « psittt psittt » insistant et marmotté. Qui pouvait

bien m'appeler de l'extérieur, suspendu aux persiennes ? Je les ai ouvertes toutes grandes d'un coup
et j'ai vu dans la nuit s'enfuir une ombre blanchâtre.
Comme me l'a expliqué Amalia le lendemain matin,
c'était une effraie : quand les maisons sont vides, ces
bêtes aiment habiter je ne sais si ce sont les combles
ou les chéneaux, mais dès qu'elles s'aperçoivent qu'il
y a des gens à proximité, elles changent de refuge.
Dommage. Parce que cette effraie en fuite dans la nuit
m'a de nouveau fait ressentir ce qu'avec Paola j'avais
défini la mystérieuse flamme. Cette effraie, ou quelque
oiseau de sa confrérie, évidemment m'appartenait,
elle m'avait réveillé d'autres nuits, et d'autres nuits
elle s'était réfugiée dans l'obscurité, fantôme empoté
et bêtasson. *Bêtasson* ? Ce mot aussi je ne pouvais
l'avoir lu dans les encyclopédies. Il me venait donc de
l'intérieur, ou d'avant.

J'ai dormi des sommeils agités et à un certain point
je me suis éveillé avec une forte douleur à la poitrine.
Sur-le-champ j'ai pensé à un infarctus – on sait que
ça débute comme ça – puis je me suis levé et sans
réfléchir je suis allé chercher la trousse de médicaments que Paola m'avait donnée, et j'ai pris un
Maalox. Maalox, donc gastrite. On a une crise de gastrite quand on a mangé quelque chose qu'on ne devait
pas. En réalité, j'avais simplement trop mangé : Paola
me l'avait dit de me contrôler, tant qu'elle était près
de moi elle ne me lâchait pas, comme un chien de
garde, maintenant il fallait apprendre à mener sa
barque tout seul. Amalia ne m'aiderait pas, pour la
tradition paysanne manger autant fait toujours du
bien, c'est quand il n'y a rien à manger qu'on va mal.
    Que de choses il fallait que j'apprenne encore.

6. LE NOUVEAU MELZI UNIVERSEL

Je suis descendu au bourg. Un peu dur la remontée, mais ça a été une belle promenade, et tonifiante. Heureusement que j'ai emporté avec moi quelques cartouches de Gitanes parce qu'ici ils n'ont que des Marlboro Light. Gens des campagnes.

J'ai raconté à Amalia l'histoire de l'effraie. Elle n'a pas ri quand j'ai dit que je croyais que c'était un fantôme. Elle est devenue sérieuse : «Les effraies non, bonnes bêtes qui font point le mal, à personne. Mais là-bas – et elle faisait allusion au versant des Langhe – là-bas il y a encore les mâlesses. C'est quoi les mâlesses ? J'ai presque peur de le dire, mais vous, vous devez savoir pour ce que mon pauvre papa, à vous, il contait toujours ces histoires-là. Pouvez être tranquille qu'ici elles viennent point, vont entrouiller les paysans ignorants, pas les monsieurs qui savent même le mot juste pour les faire sauver avec les cheveux droits sur la tête. Les mâlesses, elles sont des femmes méchantes qui vont la nuit. Et s'il y a brouillard ou tempête c'est mieux encore, alors là elles se sentent dans leur jus. »

Elle n'a pas voulu en dire davantage, mais elle avait nommé le brouillard, et je lui ai demandé s'il y en avait beaucoup ici.

« Beaucoup ? Sainte Vierge, que trop même. Des fois, on voit point de ma porte, là, au début de l'allée, mais qu'est-ce tu dis Amalia, d'ici je voye pas le devant de la maison, et si y avait quelqu'un dedans le soir on distinguait juste juste la lumière qui venait d'une fenêtre, mais comme si c'était une bougie. Et même quand il arrive point jusqu'ici, si vous voyiez le spectacle vers les collines. On peut même rien voir jusqu'à un certain point, et puis quelque chose pointe, un bourricot, une chapelle, et puis encore blanc et blanc par-derrière. Comme si y avaient versé là-bas la seille de lait. Si vous êtes encore ici pour septembre, y a ben le risque que vous le voyiez déjà, pour la raison que de par chez nous, du brouillard, sauf entre juin et août, y en a toujours. Y a en bas au village le Salvatore, un napleux qu'est venu travailler ici voilà vingt années, vous savez, chez eux c'est grande misère, et il s'est point encore habitué, lui il dit que chez eux il fait beau même à la Piphanie. Si vous saviez les fois qu'il s'est perdu dans les champs qu'y s'en fallait peu qu'il tombe dans le torrent et ils sont allés à le chercher de nuit avec les piles. Bouais, c'est p'têt' ben des braves gens, moi je dis pas, mais sont point comme nous. »

Je me récitais en silence :

Et je regardais dans la vallée : tout évanoui !
Tout ! submergé ! C'était une mer d'huile, démesurée
Grise, sans vagues, sans plages, unie.
Et il y avait à peine ici et là le singulier
Brouhaha de cris petits et sauvages :

Oiseaux perdus dans ce monde délesté.
Et haut, dans le ciel, des squelettes de fages,
Comme suspendus, et rêves de ruines
et de silencieux ermitages.

Mais pour l'instant les ruines et les ermitages que j'allais cherchant, s'il y en avait, étaient là, en plein soleil, non moins invisibles, car le brouillard je l'avais en moi. Ou peut-être devais-je les chercher à l'ombre ? Le moment était venu. Il fallait que j'entre dans l'aile centrale.

J'ai dit à Amalia que je voulais y aller tout seul, elle a secoué la tête et m'a donné les clefs. Il paraît que les pièces sont nombreuses, l'Amalia les tient toutes fermées parce qu'on sait jamais, quelque rôdeur mal-intentionné. Alors elle m'a donné un trousseau de clefs grandes et petites, certaines rouillées, en me disant qu'elle les connaissait toutes par cœur mais si je tenais vraiment à y aller de mon côté, il fallait que je m'ingénie à les essayer toutes chaque fois. Comme pour dire : « Allez prends donc, vu que tu fais des caprices comme quand t'étais p'tit. »

Amalia devait être passée là-haut tôt le matin. La veille, les persiennes étaient closes et maintenant elles étaient mi-closes, juste ce qu'il faut pour laisser péné-trer la lumière dans les couloirs et dans les pièces, et voir où on met les pieds. Même si Amalia venait aérer de temps en temps, il était resté une odeur de ren-fermé. Pas mauvaise, comme si elle suintait des meubles anciens, des poutres au plafond, des toiles blanches étendues sur les fauteuils (Lénine ne devait-il pas s'y être assis ?).

Laissons tomber l'aventure, l'essaie-que-je-t'essaie les différentes clefs, au point que j'avais l'impression d'être le maton en chef d'Alcatraz. L'escalier d'accès donnait dans une salle, une sorte d'antichambre bien meublée, avec des fauteuils à la Lénine, justement, et quelques horribles paysages à l'huile, de style XIXe, bien encadrés aux murs. Je ne connaissais pas encore les goûts de mon grand-père, mais Paola me l'avait décrit comme un collectionneur curieux : il ne pouvait aimer ces croûtes. Ça devait donc être des choses de famille, sans doute les exercices picturaux de quelque arrière-grand-père ou arrière-grand-mère. D'ailleurs, dans la pénombre de ces lieux, on les remarquait à peine, ils faisaient une tache sur les murs, et il était probablement juste qu'ils fussent ici.

La salle donnait d'un côté sur l'unique balcon de la façade, et de l'autre sur deux couloirs qui filaient tout au long de l'arrière de la maison, amples et ombreux, aux parois presque entièrement couvertes de vieilles gravures colorées. Dans le couloir de droite, se trouvait une suite d'images d'Épinal qui représentaient des événements historiques, *Bombardement d'Alexandrie,*

Siège et bombardement de Paris par les Prussiens, Les grandes journées de la Révolution française, Prise de Pékin par les Alliés ; et une autre était espagnole, une série de petits êtres monstrueux, *Los Orrelis*, une *Colección de monos filarmónicos*, un *Mundo al revés*, et deux de ces échelles allégoriques avec les différents âges de la vie, une pour les hommes et l'autre pour les femmes, le berceau et les enfants avec leurs trotteurs au premier degré, et puis ainsi de suite jusqu'à l'âge adulte au sommet, avec des personnages beaux et radieux sur un podium olympique ; ensuite, la lente descente de figures de plus en plus vieilles qui se réduisaient, au dernier degré, comme le voulait le Sphinx, à des êtres à trois jambes, deux tremblantes allumettes pliées et la canne, à côté d'une image de la mort en attente.

La première porte s'ouvrait sur une vaste cuisine à l'ancienne, avec un grand poêle et une immense cheminée où pendait encore un chaudron de cuivre. Que des ustensiles d'un autre temps, peut-être déjà hérités de l'arrière-grand-père de mon grand-père. Désormais, tous des objets pour antiquaires. Par les vitres transparentes de la crédence, je voyais des assiettes à fleurs, des cafetières, des tasses à café au lait. J'ai cherché instinctivement un porte-journaux, et donc je savais qu'il y en avait un. Il y en avait un, suspendu dans un angle vers la fenêtre, en bois pyrogravé, avec de grands coquelicots flamboyants sur un fond jaune. Si, pendant la guerre, manquaient bois et charbon, la cuisine devait être le seul endroit réchauffé, et Dieu sait combien de soirées j'ai passées dans cette pièce…

Après quoi, venait la salle de bains, vieux style elle aussi, avec une énorme baignoire de métal, et des robinets recourbés qu'on aurait pris pour des petites fontaines. Même le lavabo avait l'air d'un bénitier. J'ai essayé d'ouvrir l'eau, et après une série de hoquets une matière jaune est sortie qui n'a commencé à s'éclaircir que deux minutes plus tard. Cuvette et chasse d'eau m'ont fait penser à des thermes royaux de la fin du XIXe siècle.

Au-delà de la salle d'eau, la dernière porte ouvrait sur une chambre avec quelques meubles mignons en bois vert pâle décoré de papillons, et un petit lit à une place où, contre l'oreiller, était assise une poupée Lenci, maniérée autant que peut l'être une poupée de chiffon style années 30. Certainement la chambre de ma sœur, comme en témoignaient aussi des robes de fillette dans une encoignure, mais on aurait dit qu'on l'avait vidée de tout autre objet et fermée à jamais. Elle sentait seulement l'humidité.

Après la chambre d'Ada, le couloir finissait avec une armoire placée au fond : j'ai ouvert, une forte odeur de camphre s'en exhalait, et s'y trouvaient en bon ordre des draps brodés, des couvertures et une courtepointe.

J'ai reparcouru le couloir jusqu'à l'antichambre et j'en ai pris le côté gauche. Aux murs, il y avait ici des gravures allemandes, de facture très précise, *Zur Geschichte der Kostüme*, de splendides femmes de Bornéo et de belles Javanaises, des mandarins chinois, des Slaves de Sibenik avec leurs pipes aussi longues que leurs moustaches, des pêcheurs napolitains et des brigands romains avec leur tromblon, des Espagnols de Ségovie et d'Alicante, mais aussi des costumes historiques, des empereurs byzantins, des papes et des chevaliers d'époque féodale, des templiers, des dames du XIVe siècle, des marchands juifs, des mousquetaires du roi, des uhlans, des grenadiers de Napoléon. Le graveur allemand avait saisi chaque sujet dans son habit des grandes occasions si bien que

non seulement les puissants s'exhibaient alourdis de
bijoux, armés de pistolets à la crosse ornée d'arabesques, armures de parade, somptueuses dalmatiques, mais aussi l'Africain le plus gueux et l'homme
du peuple le plus déshérité apparaissaient avec des
écharpes multicolores à la taille, des manteaux, des
chapeaux à plumes déformés, des turbans bariolés.

Peut-être ai-je exploré, avant de m'y employer dans
de nombreux livres d'aventures, la pluralité poly-
chrome des races et des peuples de la terre sur ces
gravures, encadrées presque en ligne droite, beaucoup désormais défraîchies en raison d'années et
d'années de lumière solaire qui les avaient fait devenir à mes yeux des épiphanies de l'exotique. « Races
et peuples de la terre », me suis-je répété à haute voix,
et j'ai pensé à une vulve velue. Pourquoi ?

La première porte était celle d'une salle à manger
qui, au fond, communiquait aussi avec l'antichambre.
Deux buffets, faux XVᵉ, aux vantaux à vitres multicolores, cercles et losanges, quelques sièges Savonarole
dignes de *La Farce tragique* et un lustre en fer forgé à
pic sur la grande table. Je me suis dit « chapon et pâte

royale », mais je ne savais pas pourquoi. Plus tard, j'ai demandé à Amalia pourquoi dans la salle à manger il devait y avoir sur la table chapon et pâte royale, et ce qu'était la pâte royale. Elle m'a expliqué qu'à Noël, chaque année que Notre Seigneur envoyait sur la terre, le repas de la Noël comportait le chapon avec la moutarde douce et piquante, et d'abord la pâte royale, c'est-à-dire des boulettes jaunes qui s'imbibaient du bouillon de chapon, et puis fondaient dans la bouche.

« Qu'elle était bonne la pâte royale, un crime qu'on la fasse plus, peut-être parce qu'ils ont renvoyé le roi, pauvre créature lui aussi, j'aimerais ben, moi, aller dire deux mots au Duce !

– Amalia, le Duce n'est plus là, et ça, même ceux qui ont perdu la mémoire le savent…

– Moi, la politique, j'y connais rien, mais je sais qu'on l'avait renvoyé une fois et puis il est revenu. C'est moi qui l'dis, çui-ci il est là qui attend quéque part et un beau jour on sait jamais… En tout cas, monsieur vot' grand-père, que Dieu l'aye en sa gloire, il y tenait au chapon et à la pâte royale, sinon c'était point la Noël. »

Chapon et pâte royale. Est-ce la forme de la table qui me les a fait venir à l'esprit, le lustre qui devait avoir éclairé ces plats de fin décembre ? Je ne m'étais pas rappelé le goût de la pâte royale : seulement le nom. Comme dans ce jeu d'énigmes qui s'appelle la Cible : table doit se rattacher à chaise ou dessous-de-plat ou soupe. Moi, elle me faisait penser à la pâte royale, toujours par association de mots.

J'ai ouvert la porte d'une autre pièce. C'était une chambre matrimoniale, et j'ai eu un moment d'hésitation en y entrant, comme si je pénétrais dans un endroit interdit. Les silhouettes des meubles me semblaient immenses dans la pénombre et le lit encore à baldaquin avait l'air d'un autel. Peut-être était-ce la chambre de grand-père, où on ne devait pas mettre les pieds ? Est-il mort ici, consumé de douleur ? Et moi, y étais-je, pour lui donner le dernier salut ?

La pièce suivante aussi était une chambre à coucher, mais avec un mobilier d'une époque indéfinissable, un pseudo-baroquet, sans angles et tout en courbes, et incurvés étaient les portes latérales de la grande garde-robe à miroir et les tiroirs de la commode. Là, j'ai eu soudain un nœud au pylore, comme quand à l'hôpital j'avais vu la photo de mes parents le jour de leurs noces. La mystérieuse flamme. Lorsque j'avais cherché à décrire le phénomène au docteur Gratarolo, il m'avait demandé si c'était comme une extrasystole. Possible, ai-je répondu, mais accompagnée d'une tiédeur qui monte dans la gorge – et alors non, avait dit Gratarolo, les extrasystoles ne sont pas comme ça.

C'est que j'avais entrevu un livre, petit, relié en marron, sur le marbre de la table de nuit de droite, et j'étais allé tout droit l'ouvrir en me disant « riva la filotea ». Riva la filotea, comme pour dire, en dialecte, qu'arriva… quoi ? J'ai eu la sensation que ce mystère m'avait accompagné pendant des années, avec la question en dialecte (mais je parlais le dialecte ?). *L'arrive ? Savez qu'c'est qu'c'est qu'l'arrive ?* Que peut-il bien arriver, une philotée, un tram filoguidé, un tramway filant la nuit, un téléphérique mystérieux ?

J'ai ouvert le livre avec la sensation de commettre un sacrilège, et c'était *La Philotée* du prêtre milanais Giuseppe Riva, 1888, une anthologie de prières, pieuses méditations, avec liste des fêtes et calendrier des saints. Le livre était presque décousu, et les feuillets partaient en morceaux sous les doigts rien qu'à les toucher. Je l'ai recompacté religieusement (c'est pourtant bien toujours mon métier de traiter avec soin les livres anciens), et j'ai vu que sur le dos était imprimé dans une tesselle rouge, en lettres d'or défraîchies, « Riva La Filotea ». Ce devait être le livre de prières de quelqu'un, que je n'avais jamais osé ouvrir mais qui, avec cettte inscription ambiguë, sans distinction entre auteur et titre, m'annonçait l'imminence de quelque inquiétante diligence liée par une hampe à un fil électrique.

Puis je me suis retourné, et j'ai vu que sur les côtés incurvés de la commode s'ouvraient deux petits panneaux : je me suis précipité, le cœur un peu battant pour ouvrir celui de droite, tout en jetant un regard circulaire comme si je craignais d'être épié. À l'intérieur, trois étagères, elles aussi à surface incurvée, mais vides. Je me sentais troublé comme si j'avais commis un vol. Peut-être devait-il s'agir d'un vol ancien : j'allais fouiner dans ces étagères parce qu'elles contenaient sans doute quelque chose que je n'aurais pas dû toucher, ou voir, et je le faisais en cachette. Maintenant j'en étais presque sûr, par inférence quasi policière : c'était la chambre de mes parents, *La Philotée* était le livre de prières de ma mère, et dans les recoins de la commode j'allais mettre la main sur quelque chose d'intime, que sais-je, une vieille correspondance, ou un porte-monnaie, ou des enveloppes de photographies qu'on ne pouvait placer dans l'album de famille…

Mais si cette chambre était celle de mes géniteurs, c'était donc là où j'étais venu au monde, puisque Paola m'avait dit que j'étais né ici à la campagne. Que quelqu'un ne se souvienne pas de la chambre où il est né, c'est normal, mais de celle que pendant des années on t'a fait voir en disant que tu étais né ici, sur ce grand lit, où tu exigeais certaines nuits de dormir entre papa et maman, où qui sait combien de fois, désormais sevré, tu as voulu humer encore le parfum du sein qui t'avait allaité, celle-là au moins aurait dû laisser une trace dans mes maudits lobes. Non, fût-ce en ce cas, mon corps n'avait gardé mémoire que de quelques gestes les plus répétés, un point c'est tout. C'est-à-dire que si je le voulais, je pourrais renouveler d'instinct le mouvement de succion de la bouche qui se saisit de la mamelle, mais tout finirait là, sans pouvoir dire de qui était le sein ni comment était la saveur du lait.

Cela vaut-il la peine d'être né si ensuite tu ne t'en souviens pas ? Et, techniquement parlant, étais-je jamais né ? Ce sont les autres qui le disaient, comme d'habitude. Pour ce que j'en savais, moi j'étais né fin avril, à soixante ans, dans une salle d'hôpital.

Monsieur Pipin né vieux et mort bambin. Quelle histoire était-ce ? Or donc, monsieur Pipin naît dans un chou à soixante ans, avec une belle barbe blanche, il commence une série d'aventures, chaque jour rajeunissant un peu, jusqu'à ce qu'il redevienne jeune garçon, puis poupon, et il s'éteint tandis qu'il pousse son premier (ou dernier) vagissement. Je devais avoir lu cette histoire dans un livre de mon enfance. Non, impossible, je l'aurais oubliée comme le reste, j'avais pu l'avoir vue citée à quarante ans dans une histoire de la littérature enfantine – ne savais-je pas tout de l'enfance de Vittorio Alfieri et rien de la mienne ?

Quoi qu'il en soit, il fallait que je me lance à la reconquête de mon état civil ici, à l'ombre de ces couloirs, au moins pour pouvoir mourir dans les langes en voyant enfin le visage de ma mère. Oh Dieu, et si j'avais expiré en voyant la face d'une sage-femme grasse, avec des moustaches de directrice didactique ? Garcia l'Orque.

Au bout de ce couloir, après un coffre sous la dernière fenêtre, il y avait deux portes, une au fond et une à gauche. J'ai ouvert celle du fond et je suis entré dans un ample bureau, baigné d'une humeur aqueuse et sévère. Une table en acajou, dominée par une lampe verte genre Bibliothèque nationale, était éclairée par deux fenêtres aux verres colorés qui donnaient sur l'arrière de l'aile gauche, la partie peut-être la plus silencieuse et réservée de la maison, et offraient un paysage superbe. Entre les deux fenêtres, le portrait d'un vieux monsieur, moustaches blanches, prenant la pose comme s'il s'offrait encore à un Nadar des champs. Impossible que la photo y fût déjà quand grand-père était encore en vie, une personne normale ne garde pas son portrait devant ses yeux. Mes parents ne pouvaient pas non plus l'avoir mise ici, puisque grand-père était mort

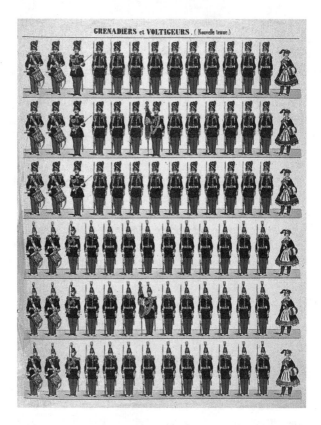

après eux, et précisément de chagrin pour leur dispa-
rition. Peut-être mes oncles, en liquidant la maison du
bourg et les terres alentour, avaient-ils réorganisé
cette maison comme un cénotaphe. Et, de fait, rien ne
révélait le lieu de travail, l'endroit habité. C'était
d'une sobriété mortuaire.

Aux murs, une autre série d'images d'Épinal, avec
quantité de petits soldats en uniformes bleu roi et
rouge, Infanterie, Cuirassiers, Dragons et Zouaves.

La bibliothèque m'a frappé, elle aussi en acajou : elle courait le long de trois murs mais elle était pratiquement vide. Sur chaque étagère n'avaient été disposés que deux ou trois livres, en guise de décoration, comme font les mauvais architectes qui fournissent à leur client un pedigree de culture de quatre sous, laissant des espaces pour les vases Lalique, les fétiches africains, les plats en argent, les carafes en cristal. Mais ici, il n'y avait même pas ces bibelots de bijouterie coûteuse : rien que de vieux atlas, une série de revues françaises en papier glacé, *Le Nouveau Melzi universel* de 1905, des dictionnaires français, anglais, allemand, espagnol. Impossible que mon grand-père, libraire et collectionneur, ait vécu devant une bibliothèque vide. De fait, sur une étagère, dans un cadre argenté, on voyait une photo évidemment prise d'un angle de la pièce alors que le soleil entrait par les fenêtres et éclairait le bureau : grand-père était assis, l'air un peu surpris, en manches de chemise (mais avec son gilet) et il se glissait presque entre deux amoncellements de paperasses qui encombraient la table. Derrière lui, les étagères étaient envahies de livres, entre les livres s'élevaient des piles de journaux, entassés en désordre. Dans le coin, par terre, on entrevoyait d'autres tas, peut-être des revues, et des boîtes pleines d'un autre matériel, du papier toujours, qui paraissait encaqué là justement pour ne pas être jeté. Voilà, ainsi devait être la pièce de grand-père quand il l'habitait, l'entrepôt d'un sauveur de tout matériel typographique que d'autres auraient jeté à la poubelle, la soute d'un vaisseau fantôme qui transportait des documents oubliés par l'une et l'autre mer, un endroit où se perdre à vouloir fouiner dans le fouillis de chaque liasse. Où avaient fini toutes ces merveilles ? De respectueux vandales avaient évidemment fait disparaître tout ce qui pouvait faire désordre, allez, tout, ouste. Tout vendu à un misérable brocanteur ? Peut-être est-ce après cette rafle que je n'ai plus voulu voir ces pièces, que j'ai essayé d'oublier Solara ? Et pourtant, dans cette pièce, année après année, je devais avoir passé des heures et des heures en compagnie de grand-père pour découvrir avec lui qui sait quoi de prodigieux. Même cette dernière prise sur mon passé s'était dérobée ?

Je suis sorti du bureau et je suis entré dans la pièce au fond du couloir, bien plus petite et moins austère : des meubles plus clairs, faits sans doute par un menuisier du coin, à la serpette, qui devaient suffire à un gamin. Un petit lit dans un angle, de nombreuses étagères, pratiquement vides, sauf une rangée de belles reliures rouges. Sur une table étroite de collégien, bien ordonnée avec un sous-main noir au centre, une autre lampe verte, se trouvait un exemplaire usagé du Campanini Carboni, le dictionnaire de latin. Punaisée à un mur, une image qui m'a provoqué une autre mystérieuse flamme. C'était la couverture d'une partition musicale, ou la réclame d'un disque, *It's in the air*, mais je savais qu'elle renvoyait à un film. Je reconnaissais George Formby, son sourire chevalin, je savais qu'il chantait en s'accompagnant à l'ukulélé, et je le revoyais qui pénétrait avec sa moto désormais hors de tout contrôle dans une meule de foin, ressortant de l'autre côté au milieu des battements d'ailes de poules, tandis que le colonel sur le side-car voyait tomber un œuf dans sa main, un beau coco pour toi – et puis je suivais des yeux Formby qui chutait en vrille avec un avion d'autrefois où il s'était glissé par erreur, et puis se cabrait, s'élevait et chutait de nouveau en piqué – oh, quels rires, à mourir de rire, « je l'ai vu trois fois, je l'ai vu trois fois », et je le criais presque. «Le cinèma le plus drôle que j'aie jamais vu», me répétais-je et je disais *cinèma*, en appuyant gravement sur le *e*, comme d'évidence on le disait en ces temps-là, du moins encore à la campagne.

C'était certainement ma chambre, lit et petit bureau mais, sauf ce minimum, elle était nue, comme la chambre du grand poète dans sa maison natale, une offrande à l'entrée, et une mise en scène de façon à faire sentir le parfum d'une inévitable éternité. Ici a été composé *Chant de la mi-août*, l'*Ode pour les Thermopyles*, *L'élégie du passeur mourant*… C'est lui, le Grand ? Lui n'est plus, consumé par une maladie de poitrine à l'âge de vingt-trois ans, sur ce lit-là oui, et remarquez le piano, encore ouvert comme Lui l'avait laissé, son dernier jour passé sur cette terre, vous voyez ? Sur le *la* central il y a encore la trace de la tache de sang qui est tombée de ses lèvres pâles alors qu'il jouait le *Prélude de la goutte*. Cette pièce rappelle seulement son bref passage sur la terre, pen-

ché sur ses papiers perlés de sueur. Mais les papiers ?
Eux ils sont enfermés dans la Bibliothèque du Collège
romain et on ne peut les voir qu'avec le consentement
du Grand-Père. Et le Grand-Père ? Il est mort.

Furibond, je suis revenu dans le couloir et je me
suis penché à la fenêtre donnant sur la cour, en appe-
lant Amalia. Est-ce possible, lui ai-je demandé, que
dans ces pièces il n'y ait plus ni livres ni rien d'autre,
que dans ma chambre je ne trouve pas mes jouets ?

« Mais mon jeune monsieur Yambo, z'étiez encore
dans cette chambre, étudiant de seize ou dix-sept ans.
C'était-y l'endroit pour garder encore vos jouets ? Et
comment ça se fait que ça vous y revient dans la tête
maint'nant après cinquante ans ?

– Laissez tomber. Mais le bureau de mon grand-
père ? Il devait être plein de choses. Où ont-elles fini ?

– En haut, au grenier, tout au grenier. Vous en rappelez du grenier ? On dirait un cimetière, ça me
donne le cafard d'y aller, et j'y monte seulement pour
mettre par-ci par-là les soucoupes de lait. Pourquoi ?
Parce que je fais venir l'envie aux trois chats de la maison de monter là-haut, et une fois qu'ils sont là ils
s'amusent à donner la chasse aux rats. C'était une idée
de monsieur vot' grand-père : au grenier, y a beaucoup de papier et faut éloigner les rats que, vous
savez, à la campagne, on a beau faire… À mesure que
vous êtes fait grand, les choses d'avant finissaient au
grenier, comme les poupées de vot' sœur. Et après,
quand vos oncles ont mis les pattes là-d'dans, bon je
veux pas critiquer, mais ils pouvaient au moins laisser
par-ci par-là ce qu'y avait. Rien, comme faire les travaux pour les fêtes. Ouste, tout monter au grenier.
Normal que cet étage où vous êtes maint'nant est
devenu triste comme un jour sans pain et quand vous
êtes revenu avec madame Paola personne a voulu y

toucher et c'est pour ça que vous êtes allés dans l'autre aile, plus chiche mais plus facile à bien tenir, et madame Paola elle l'a arrangée comme on doit... »

Si je m'attendais, dans l'aile majeure, à la caverne d'Ali Baba avec toutes ses amphores pleines de pièces d'or, des diamants gros comme des noisettes, et ses tapis volants prêts pour le décollage, nous nous étions trompés sur toute la ligne, Paola et moi. Les salles du trésor étaient vides. Il fallait sans doute aller en haut dans le grenier et redescendre tout ce que j'y découvrirais pour les rendre à leur état originel ? Certes, mais il aurait fallu que je me rappelle leur état originel, alors que je devais faire toute cette comédie pour me le rappeler.

Je suis retourné dans le bureau de grand-père et je me suis aperçu que sur une petite table d'angle il y avait un tourne-disque. Pas un vieux gramophone, mais un tourne-disque avec caisse incorporée. D'après son dessin, il devait être des années 1950, et seulement pour les soixante-dix-huit tours. Mon grand-père écoutait donc des disques ? Il les recueillait, comme toutes les autres choses ? Et où se trouvaient-ils ? Au grenier eux aussi ?

J'ai commencé à feuilleter les revues françaises. C'étaient des revues de luxe, de goût floréal, avec des pages qui avaient l'air d'enluminures, aux bords historiés et illustrations en couleurs de style préraphaélite, aux pâles dames en conversation avec des chevaliers du Saint Graal. Et puis des récits et des articles, eux aussi dans des encadrements de volutes liliales, et des pages de mode, déjà de style Art déco, avec des dames filiformes, des cheveux à la garçonne, et des toilettes de chiffon, ou de soie brodée, à la taille basse, cous nus et décolletés plongeants dans le dos, lèvres sanglantes comme une blessure, longs porte-cigarettes d'où tirer de paresseuses spirales de fumée bleutée, bibis à voilette. Ces artistes mineurs savaient dessiner l'odeur de la poudre de riz.

Les revues faisaient alterner le retour nostalgique à un Art nouveau tout juste passé et l'exploration de ce qui était à la mode, et peut-être l'appel à des beautés à peine, à peine désuètes conférait-il une patine de noblesse aux propositions de l'Ève future. Mais sur une Ève de rien, évidemment, hors mode, je me suis arrêté un instant avec un battement de cœur. Ce n'était pas la mystérieuse flamme, c'était de la tachy-cardie pure et simple, tressaillement de nostalgie du présent.

C'était un profil féminin, avec de longs cheveux d'or, un soupçon voilé d'ange déchu. Je me suis récité mentalement :

Des longs lys religieux et blêmes
se mouraient dans tes mains, comme des cierges froids.
Leurs parfums expirants s'échappaient de tes doigts
en le souffle pâmé des angoisses suprêmes.
De tes clairs vêtements s'exhalaient tour à tour
l'agonie et l'amour.

Bon Dieu, moi ce profil je devais l'avoir vu, quand j'étais tout enfant, gamin, adolescent, peut-être encore au seuil de la saison adulte, et il s'était gravé dans mon cœur. C'était le profil de Sibilla. Je connaissais donc Sibilla depuis un temps immémorable, je l'avais simplement reconnue il y a un mois au bureau. Mais cette reconnaissance, au lieu d'être gratifiante et de me pousser à des tendresses renouvelées, me racornissait l'âme maintenant. Car, en ce moment, je me rendais compte que, en voyant

Sibilla, j'avais simplement redonné vie à un camée de mon enfance. Peut-être avais-je déjà fait de même à notre première rencontre : j'ai tout de suite pensé à elle comme objet d'amour parce que objet d'amour avait été cette image. Et puis, quand je l'ai rencontrée de nouveau après mon réveil, je nous ai attribué à tous les deux une histoire, uniquement celle que je caressais quand j'étais en culottes courtes. Entre Sibilla et moi n'y avait-il eu rien d'autre que ce profil ?

Et si rien d'autre que ce visage n'avait existé entre moi et toutes les femmes que j'ai connues ? Et si je n'avais fait rien d'autre que suivre le visage que j'avais vu dans le bureau de mon grand-père ? Tout à coup la recherche dans ces pièces, à laquelle je me disposais, prenait une autre portée. Ce n'était pas seulement la tentative de me rappeler ce que j'avais été avant de quitter Solara, mais plutôt de comprendre pourquoi j'avais fait ce que j'avais fait après Solara. Cependant, en allait-il vraiment ainsi ? N'exagérons pas, me disais-je, au fond tu as vu une image qui t'a évoqué une femme rencontrée à peine hier. Toi, sans doute cette silhouette te fait-elle penser à Sibilla, pour la simple raison qu'elle est mince et blonde, et un autre penserait, que sais-je, à Greta Garbo, ou à la fille de la porte d'à côté. C'est toi qui as encore le diable au corps et comme le mec de la blague (Gianni me l'avait racontée quand je lui parlais des tests à l'hôpital), tu vois toujours ça dans toutes les taches d'encre que te montre le docteur.

Mais enfin, tu es ici pour rencontrer de nouveau ton grand-père et tu penses à Sibilla ?

CANDEE
GALOCHES·SNOW BOOTS

MODE-
BALL
19
28

Laissons tomber les revues, je les regarderai après. M'a aussitôt attiré le *Nouveau Melzi universel* de 1905, 4 260 gravures, 78 tables de nomenclature figurée, 1 050 portraits, 12 chromolithographies, Antonio Vallardi, Milan. Dès que je l'ai ouvert, à la vue de ces pages jaunies aux caractères en corps huit et petites figures au début des articles les plus importants, j'ai aussitôt cherché ce que je savais devoir y trouver. Les tortures, les tortures. Et de fait, la voici, la page avec les différents types de supplices, l'ébouillantement, le crucifiement, l'aiguillon, avec la victime hissée et puis qu'on laisse tomber, fesses sur un coussin de pointes de fer effilées, le feu, avec rôtissage de la plante des pieds, le gril, l'enfouissement, le bûcher couché, le bûcher debout, la roue, l'écorchement, la broche, la scie, atroce parodie d'un spectacle de prestidigitation, le condamné dans une caisse et les deux bourreaux munis d'une grande lame dentée, sauf qu'ici, à la fin, le sujet était vraiment scié en deux tronçons, l'écartèlement, presque comme le précédent à part qu'ici une lame actionnée comme un levier devait, présume-t-on, partager le malheureux sur toute sa longueur, et puis le traînement avec le coupable attaché à la queue d'un cheval, la vis aux pieds et, le plus impressionnant de tous, le pal – à l'époque, je ne devais rien savoir des forêts d'empalés ardents à la lumière desquels soupait le voïvode Dracula, ainsi de suite, trente types de torture, plus atroces les unes que les autres.

Les tortures… En fermant les yeux, sitôt après être tombé sur cette page, j'aurais pu les citer une à une, et la douce horreur, la calme exaltation que j'éprouvais, étaient miennes et de cet instant présent, pas celles d'un autre que je ne connaissais plus.

Combien j'ai dû m'attarder sur cette page. Mais combien aussi sur les autres, certaines en couleurs (et

SUPPLIZI

Anello	Berlina	Bollimento	Ceppi	Crocifissione
Decapitazione	Eculeo	Elettricità	Flagellazione	Fucilazione
Fune	Fuoco	Gabbia	Ghigliottina	Gogna
Graticola	Impiccagione	Interramento	Lapidazione	Maschera del disonore
Palo	Pira	Rogo	Ruota	Scorticamento
Sega	Spiedo	Squartamento	Trascinamento	Vite ai piedi

j'y arrivais sans même me laisser guider par l'ordre
alphabétique, comme si je suivais ma mémoire du
bout des doigts) : les champignons, renflés de chair,
et les plus beaux de tous, les vénéneux, l'amanite
dorée au chapeau rouge piqueté de blanc, l'agaric san-
guin d'un jaune pesteux, la coulemelle blanche, le
bolet Satan, la russule émétique comme une lèvre
charnue ouverte en grimaçant; et puis les fossiles,
avec le mégathérium, le mastodonte et le moa; les
instruments anciens (le ramsinga, l'oliphant, le buccin,
le luth, le rebec, la harpe éolienne, et la harpe
de Salomon); les drapeaux du monde entier (avec
des pays qui se nommaient Chine et Cochinchine,
Malabar, Kongo, Tabor, Marates, Nouvelle-Grenade,
Sahara, Samoa, Sandwich, Valachie, Moldavie); les
véhicules avec l'omnibus, le phaéton, le fiacre, le lan-
deau, le coupé, le cab, le sulky, la diligence, le char
étrusque, le bige, la tour éléphantine, le carroccio, la
berline, le palanquin, la litière, la luge, la maringotte,
la carriole; les voiliers (et moi qui croyais avoir
absorbé de Dieu sait quels récits d'aventures mari-
times des termes comme brigantin et artimon, perroquet de fougue, perruche, grand hunier, noroît, voile
de misaine, perroquet, cacatois, trinquette, foc, clin-
foc, bôme, corne, beaupré, hune, muraille, vire lof de
lof maître d'équipage du diable, corps de mille bom-
bardes, tonnerre de Hambourg, lâche le petit perroquet, tous à la muraille de bâbord, frères de la Côte !);
et encore, les armes anciennes, la plommée, le fléau
d'armes, l'espadon de justicier, le cimeterre, le
poignard à trois lames, la dague, la hallebarde,
l'arquebuse à rouet, la bombarde, le bélier, la cata-
pulte; et la grammaire de l'héraldique, champ, fasce,
pal, bande, barre, parti, coupé, tranché, écartelé,
gironné... C'était la première encyclopédie de ma vie

et je devais l'avoir longuement feuilletée. Les marges des pages en étaient consumées, de nombreux articles étaient soulignés, parfois les flanquaient de rapides annotations dans une calligraphie enfantine, surtout pour transcrire des termes difficiles. Ce tome avait été spasmodiquement usé, lu et relu et froissé, et nombre de feuilles se détachaient désormais.

Mon premier savoir s'était-il formé là ? J'espère que non, j'ai ricané après avoir commencé à lire quelques définitions, et précisément les plus soulignées :

Platon. *Em. phil. grec, le plus grand des phil. de l'Antiquité. Fut disciple de Socrate, dont il exposa la doctrine dans les* Dialogues. *Rassembla une belle collection d'objets anc. 429-347 av. J.-C.*

Baudelaire. *Poète parisien, extravagant et artificiel en art.*

Évidemment on peut se libérer même d'une mauvaise éducation. Et puis j'ai grandi en âge et en savoir, et à l'université j'ai lu presque tout Platon. Personne ne m'a jamais plus confirmé qu'il avait rassemblé une belle collection d'objets anciens. Mais si c'était vrai ? Et si pour lui ça avait été la chose la plus importante, et que le reste c'était pour gagner son pain et se permettre ce luxe ? Au fond, ces tortures qui ont eu lieu, je ne crois pas qu'elles soient au programme des livres d'histoire qui circulent dans les écoles, et c'est mal, il faut bien savoir de quelle pâte nous sommes faits, nous de la lignée de Caïn. Ai-je donc grandi en pensant que l'homme était irrémédiablement mauvais et la vie un conte plein de cris et de fureur ? Est-ce la raison pour quoi Paola disait que je haussais les épaules quand mouraient un million d'enfants en Afrique ? C'est le *Nouveau Melzi universel* qui m'a rendu sceptique sur la nature humaine ? Je continuais à le feuilleter :

Schumann (Rob.) *Cél. compos. all. Écrivit le* Paradis *et la* Péri, *nombreuses* Symphonies, Cantates, *etc. 1810-1856* — (Clara). *Pianiste distinguée, veuve du précéd. 1819-1896.*

Pourquoi « veuve » ? En 1905, ils étaient l'un et l'autre morts depuis longtemps, et est-ce qu'on dirait que Calpurnie était la veuve de Jules César ? Non, elle en était la femme, même si elle lui a survécu. Pourquoi veuve la seule Clara ? Mais grand Dieu, le *Nouveau Melzi universel* était aussi sensible aux cancans, et c'est après la mort de son mari, peut-être même avant, que Clara a eu une liaison avec Brahms. Qu'on lise les dates (le Melzi comme l'oracle de Delphes ne dit pas et ne cache pas, mais il procède par allusion), Robert meurt quand elle a tout juste 37 ans, et qu'elle est destinée à vivre encore pendant quarante ans. Que devait faire à cet âge une pianiste belle et distinguée ? Clara appartient à l'histoire comme veuve, et le Melzi l'enregistre. Comment ai-je su, après, l'histoire de Clara ? Peut-être parce que le Melzi avait déchaîné en moi une curiosité à propos de ce « veuve ». Combien de mots je sais pour les avoir appris là ? Pourquoi je sais même à présent, avec adamantine certitude, et à la barbe de ma tempête cérébrale, que la capitale de Madagascar est Tananarive ? Là, j'ai rencontré des termes au goût de formule magique, amarescent, bijon, bouldure, branle-queue, cacaboson, céraste, culpeu, criblette, doïna, faridondaine, faridondon, gargamelle, gargoussier, gaudisserie, innascibilité, lourdée, malvenant, paisson, posoir, putéal, sémiller, singulteux, verraille, Adraste, Allobroges, Ritschi, Kâfiristan, Dongola, Assurbanipal, Philochoros...

J'ai feuilleté les atlas : certains étaient très vieux, d'avant même la guerre de 14-18, et, en Afrique, d'une couleur gris-bleu, il y avait encore les colonies allemandes. Je devais avoir fréquenté dans ma vie beaucoup d'atlas – ne venais-je pas de vendre un Ortelius ? Mais là, certains noms exotiques prenaient un air familier, comme s'il fallait que je parte de ces cartes pour récupérer d'autres plans. Qu'est-ce qui unissait mon enfance à la Deutsch-Ostafrika, aux Nederlandsch-Indes, et surtout à Zanzibar ? Il était en tout cas indubitable qu'ici, à Solara, chaque mot en évoquait un autre. Je remonterais par cette chaîne jusqu'au mot de la fin ? Lequel ? « Moi » ?

J'étais revenu dans ma chambre. Il m'a semblé savoir une chose sans hésitation. Dans le Campanini Carboni, on ne trouve pas le mot *merde*. Comment dit-on en latin ? Comment s'exclamait Néron quand, pour suspendre un tableau, il s'écrasait un doigt avec le marteau ? *Qualis artifex pereo* ? Pour un gamin, ce devait être de sérieux problèmes, et la culture officielle ne donnait pas de réponses. Alors, on avait recours aux dictionnaires non scolaires, je pense. Et de fait, voilà que le Melzi enregistre merde, merdier, merdeux, merdoch, « emplâtre pour enlever les poils, particulièrement utilisé par les Juifs » –, j'ai dû me demander quelle quantité de poils avaient donc ces

Juifs. J'ai eu comme un éclair, et j'ai entendu une voix :
« Le dictionnaire de chez moi dit qu'une *pitain* est une
femme qui fait elle-même son commerce. » Quelqu'un,
un copain d'école, était allé découvrir dans un autre
dictionnaire ce qui ne se trouvait même pas dans le
Melzi, il avait dans les oreilles l'article interdit sous
forme semi-dialectale (le mot devait être *pütan'na*), et
j'ai dû être longtemps intrigué par ce « faire elle-même
son commerce ». Que pouvait-il y avoir de si interdit à
commercer, en somme, sans commis ou comptable ?
D'évidence, la putain du prudent dictionnaire faisait
commerce *d'elle-même*, mais mon informateur avait
traduit mentalement dans l'unique manière qui pour
lui eût le sens d'une allusion malveillante, de celles qu'il
écoutait chez lui : « eh, eh, rusée la mouche, elle fait
son commerce à elle toute seule… »

J'ai revu quelque chose, le lieu, le garçon ? Non,
c'était comme si réaffleuraient des phrases, des

séquences de paroles, écrites sur un récit lu autrefois. *Flatus vocis.*

Les livres reliés ne pouvaient pas être à moi. Je me les étais certainement fait offrir par mon grand-père, ou bien mes oncles les avaient transportés du bureau de grand-père jusqu'ici pour des raisons scénographiques. La plupart étaient les cartonnés de la Collection Hetzel, toutes les œuvres de Verne, reliure en rouge avec vignettes dorées, couvertures chamarrées avec décorations or... Peut-être ai-je appris mon français dans ces livres, et là aussi j'allais à coup sûr aux images les plus mémorables, le capitaine Némo qui, par le grand hublot du *Nautilus*, voit le poulpe géant, le navire aérien de Robur le Conquérant, hérissé de vergues technologiques, le ballon qui tombe sur l'Île Mystérieuse (*Remontons-nous ? – Non ! Au contraire ! Nous descendons ! – Pis que cela, monsieur Cyrus ! Nous tombons !*), l'énorme projectile qui pointe vers la lune, les grottes du centre de la terre, Keraban l'obstiné et Michel Strogoff... Qui sait combien m'ont inquiété ces silhouettes qui émergeaient toujours d'un fond sombre, délinéées par de fins traits noirs qui alternaient avec des blessures blanchâtres, un univers dénué de zones chromatiques rechampies de façon homogène, une vision faite de griffures, rayures, reflets aveuglants par absence de trace, un monde vu par un animal avec une rétine bien à lui, peut-être ainsi le voient les bœufs et les chiens, ou les lézards. Un monde épié de nuit à travers un store vénitien à très fines lamelles. Avec ces gravures, j'entrais dans le monde clair-obscur de la fiction : je levais les yeux du livre, j'en sortais, j'étais blessé par le soleil à son plein, puis de nouveau tête baissée, comme un plongeur qui s'immerge en profondeur où on ne distingue plus les couleurs. Aura-t-on tiré de Verne des films en couleurs ? Que devient Verne sans ces burinages, ces abrasions qui engendrent de la lumière seulement là où l'instrument du graveur a creusé ou laissé en relief la surface ?

Grand-père avait fait relier d'autres volumes de la même période, mais en sauvant les vieilles couvertures illustrées, *Le Gamin de Paris*, *Le Comte de Monte-Cristo*, *Les Trois Mousquetaires*, et autres chefs-d'œuvre du romantisme populaire.

Voici en deux éditions, l'italienne Sonzogno et la française, *Il capitano Satana,* autrement dit *Les Ravageurs de la mer* de Jacolliot. Mêmes gravures, qui sait dans quelle version je l'ai lu. Je savais qu'à un certain point devaient se dérouler deux scènes terribles, d'abord le méchant Nadod qui, d'un seul coup de hache, fend la tête du bon Harald et puis tue son fils Olaus, et à la fin le justicier Guttor qui empoigne la tête de Nadod et se met à la serrer progressivement de ses mains puissantes, jusqu'à ce que le cerveau du misérable éclabousse le plafond. Dans cette illustration, les yeux de la victime et ceux du bourreau giclent presque hors des orbites.

La plus grande partie de l'histoire se déroule sur des mers gelées couvertes de brumes boréales. Ce sont des ciels de nacre, que les gravures rendent nébuleux en contraste avec la blancheur des glaces. Un rideau de vapeurs grises, une nuance lactée encore plus intense… Une poussière blanche très fine, semblable

à de la cendre, qui retombe sur le canoë… Des profondeurs de l'océan se lève un reflet lumineux, une lumière irréelle… Un déluge de cendre blanche, avec des trouées momentanées dans lesquelles on devine un chaos de formes incertaines… Et une silhouette humaine infiniment plus grande que tout autre habitant terrestre, enveloppée dans un suaire, le visage d'une blancheur immaculée de neige… Non, que dis-je, ce sont là souvenirs d'une autre histoire. Félicitations, Yambo, tu as une belle mémoire à court terme. N'étaient-ce pas les premières images, ou les premiers mots dont tu t'étais souvenu au moment du réveil à l'hôpital ? Ce doit être Poe. Mais si ces pages de Poe se sont gravées si profondément dans ta mémoire publique, ne serait-ce pas parce que, petit, tu avais vu particulièrement les mers pâles du capitaine Satana ?

Je suis resté à lire (relire ?) le livre jusqu'au soir, je me suis aperçu que j'avais commencé debout et puis je m'étais accroupi, le dos au mur, le livre sur mes genoux, oublieux du temps, jusqu'à ce que vienne me réveiller de cette transe l'Amalia, en s'écriant « Mais vous allez vous faire mal aux œils, elle vous l'disait toujours vot' pauvre maman ! Oh, mon beau monsieur, au lieu d'aller déhors, qu'aujourd'hui l'après-midi a été beau que plus beau ça se peut pas. Et m'êtes même point venu à manger pour le midi. Allez, ouste, que c'est maintenant l'heure du souper ! »

J'avais donc répété un rite ancien. J'étais exténué. J'ai mangé comme un gamin qui doit faire son sang et grandir, puis j'ai été pris d'un grand sommeil. D'habitude, disait Paola, j'ai toujours longuement lu avant de m'endormir, mais ce soir-là pas de livre, comme si me l'avait ordonné maman.

Je me suis aussitôt assoupi, et j'ai rêvé terres et mers du Sud faites de zébrures de crème distribuées par longs filaments sur un plat de gelée de mûres.

7. HUIT JOURS DANS UN GRENIER

Qu'ai-je fait pendant les huit derniers jours ? J'ai lu, en grande partie sous les combles, mais le souvenir d'une journée se mélange avec celui d'une autre. Je sais seulement que j'ai lu d'une façon désordonnée et furieuse.

Je n'ai pas tout lu par le menu. Certains livres, certains fascicules, je les ai parcourus comme si je survolais un paysage, et dans mon survol je savais déjà que je savais ce qu'il y avait écrit dedans. Comme si un seul mot en évoquait à nouveau mille autres, ou fleurissait en un résumé étoffé, ainsi de ces fleurs japonaises qu'on met à éclore dans l'eau. Comme si quelque chose allait tout seul se déposer dans ma mémoire, pour tenir compagnie à Œdipe ou à Hans Castorp. D'autres fois, le court-circuit était amorcé par un dessin, trois mille mots pour une image. D'autres fois encore, je lisais lentement, savourant une phrase, un passage, un chapitre, ressentant peut-être les mêmes émotions provoquées par une lecture première et oubliée.

Inutile de parler de la gamme de mystérieuses flammes, légères tachycardies, rougeurs subites que

beaucoup de ces lectures suscitaient, un bref instant
– et puis elles se dissolvaient comme elles étaient
venues, pour laisser place à de nouvelles vagues de
chaleur.

Tout au long de ces huit jours, pour jouir de la
lumière je me levais de bonne heure, je montais là-
haut, et j'y demeurais jusqu'au couchant. À midi
Amalia qui, la première fois, s'était effrayée de ne plus
me trouver, m'apportait une assiette avec du pain et
du saucisson, ou du fromage, deux pommes et une
bouteille de vin («Seigneur Seigneur, cette créature
va tomber de nouveau malade et puis j'y dis quoi à
madame Paola, faites-le au moins pour moi, arrêtez
que vous me devenez aveugle !»). Et puis elle s'en
allait en pleurant, moi je biberonnais presque toute la
bouteille et je continuais à feuilleter en état d'ébriété,
évidemment sans plus réussir à raccorder les avant et
les après. Parfois, je descendais les bras chargés de
livres et j'allais me planquer ailleurs, afin de ne pas
rester prisonnier des combles.

Avant de monter, j'avais téléphoné chez nous pour
donner des nouvelles. Paola voulait savoir mes réactions et j'avais été prudent : «Je me familiarise avec
les lieux, le temps est splendide, je me promène en
plein air, Amalia est adorable.» Elle m'a demandé si
j'étais déjà allé chez le pharmacien du bourg me faire
prendre la tension. Je devais le faire tous les deux ou
trois jours. Avec ce qui m'était arrivé, je ne devais pas
plaisanter. Et surtout les pilules, matin et soir.

Avec un certain remords, mais aussi un solide alibi
professionnel, dans la foulée j'avais téléphoné au
bureau. Sibilla était encore occupée au catalogue. Je
pourrais avoir les épreuves dans deux ou trois
semaines. Après moult et paternels encouragements,
j'ai raccroché.

Je me suis demandé si j'éprouvais encore quelque chose pour Sibilla. C'est étrange, mais les premiers jours à Solara avaient déjà tout projeté dans une perspective différente. Maintenant Sibilla commençait à devenir comme un lointain souvenir d'enfance, quand ce que j'étais en train de creuser peu à peu au milieu des brouillards du passé devenait mon présent.

Amalia m'avait expliqué qu'on monte au grenier par l'aile gauche. Je m'imaginais un escalier à vis, en bois, en revanche c'étaient des marches en pierre praticables et commodes – sinon, ai-je ensuite compris, comment aurait-on pu transporter là-haut tout ce qu'on y avait fourré ?

Pour ce que j'en savais, je n'avais jamais vu un grenier. Une cave non plus, à vrai dire, mais il y a des idées répandues sur les caves, souterraines, enténébrées, humides, fraîches en tout cas, à parcourir avec une bougie. Ou un flambeau. Le roman gothique est riche en souterrains où, sombre, rôde Ambroise le Moine. Des souterrains naturels comme les cavernes de Tom Sawyer. Le mystère de l'obscurité. Toutes les maisons ont une cave, pas toutes un grenier, surtout dans les villes, où elles ont un attique. Mais il n'y a vraiment pas de littérature sur les greniers ? Et qu'est-ce alors que *Huit jours dans un grenier* ? Le titre m'est revenu à l'esprit, mais celui-là seulement.

Même si on ne les parcourt pas tous en une seule fois, on comprend que les greniers de la maison de Solara courent sur les trois ailes : on entre dans un espace qui va de la façade à l'arrière de l'édifice, mais ensuite s'ouvrent des passages plus étroits et apparaissent des parois, des cloisons de bois montées là pour diviser les secteurs, des tracés définis par des rayon-

nages en métal ou de vieilles commodes, dégagements
d'un labyrinthe sans fin. En m'aventurant dans un couloir à gauche, j'avais tourné encore une ou deux fois,
et je m'étais retrouvé face à la porte d'entrée.

Sensations immédiates. La chaleur, d'abord, comme
il est naturel dans une soupente. Puis la lumière : elle
provient d'une série de lucarnes, qu'on voit même en
regardant la façade, mais en grande partie obstruées
de l'intérieur par des vieilleries amassées contre elles,
si bien que de temps à autre le soleil filtre à peine,
formant des lames jaunes où l'on voit s'agiter d'infinis
corpuscules qui révèlent que même dans la pénombre
environnante danse une multitude de monades,
germes, atomes primordiaux engagés dans des escar-
mouches browniennes, corps premiers grouillants
dans le vide – qui en parlait, Lucrèce ? Parfois ces
fendants vont miroiter sur les vitres de quelque buffet
branlant, ou sur une glace qui, d'un autre angle de vue,
a l'air d'une surface opaque quelconque appuyée au
mur.

Enfin, la couleur dominante. La couleur du grenier,
donnée par les poutres, par les caisses çà et là entas-
sées, par les grands cartons, par les pauvres restes de
coffres démantibulés, est une couleur de menuiserie,
faite de tant de nuances de marron, du jaunâtre du
bois non verni aux tendresses de l'érable, jusqu'aux
tonalités plus sombres de commodes aux vernis
désormais écaillés, en passant par l'ivoire des papiers
qui débordent des boîtes.

Si une cave annonce les enfers, le grenier promet
un paradis un peu fané, où les corps morts se donnent en une pulvérulente clarté, un élysée végétal qui,
en l'absence de vert, te fait sentir dans un bois tropi-
cal séché, dans une cannaie artificielle où, en un sauna
très doux, tu t'immerges.

Je pensais que les caves symbolisaient l'accueil de l'utérus maternel, avec leurs moiteurs amniotiques, mais voilà que cet utérus aérien y suppléait avec sa chaleur presque médicamenteuse. Et, dans ce dédale lumineux, où il suffisait d'ôter deux tuiles pour se trouver en plein ciel, flottait une odeur complice de lieu clos, une odeur de silence et de quiétude.

D'ailleurs, après un certain laps de temps, je ne sentais même plus la chaleur, pris que j'étais par la frénésie de tout découvrir. Car mon trésor de Clarabelle était certainement ici, sauf qu'il me faudrait creuser longtemps et je ne savais pas par où commencer.

J'ai dû déchirer de nombreuses toiles d'araignée : les chats s'occupaient des rats, avait dit Amalia, mais Amalia ne s'était jamais préoccupée des araignées. Si elles n'avaient pas tout envahi, c'était pure sélection naturelle, une génération mourait et ses toiles s'émiettaient, et ainsi de suite, saison après saison.

J'ai commencé à fouiller sur des rayons, en risquant de faire tomber les pyramides de boîtes qui s'y entassaient. Parce que grand-père évidemment collectionnait aussi des boîtes, surtout en métal, et multicolores.

Des boîtes de lait historiées, les biscuits Wamar avec
des amours sur une balançoire, l'étui des cachets
Arnaldi, ou celui au bord doré et aux motifs végétaux
de la brillantine Coldinava, la bonbonnière des
plumes métalliques Perry, le coffret somptueux et lui-
sant des crayons Presbitero, encore tous alignés et
non taillés, comme une docte cartouchière, et enfin la
boîte de cacao Talmone, avec les Deux Vieux – elle
qui offre, tendre, la digestible boisson à un aïeul souriant, Ancien Régime, encore habillé en « culottes ».
Spontanément, j'ai identifié dans les deux vieillards
mon grand-père, et ma grand-mère que j'ai dû à peine
connaître.

J'ai eu ensuite entre les mains une boîte, fin XIXe,
de l'Effervescente Brioschi. Des hommes du monde
goûtent, en se délectant, des verres d'eau de table
offerts par une gracieuse serveuse. Mes mains d'abord
se sont souvenues. On prend le premier sachet, avec
sa poudre blanche et soyeuse, et on le verse lentement
dans le col de la bouteille pleine d'eau du robinet, on
agite un peu le récipient pour que la poudre se dis-
solve bien et ne reste pas coagulée dans le col ; ensuite,

on prend le second sachet, où la poudre est granu-
leuse, en tout petits cristaux, on verse là aussi, mais
rapidement, parce qu'aussitôt l'eau commence à
bouillonner, on doit vite fermer le bouchon à ressort,
et attendre que le miracle chimique s'accomplisse
dans ce bouillon primordial, entre gargouillis et tentatives du liquide de sortir par petites bulles des interstices du joint de caoutchouc. Enfin, la tempête se
calme, et l'eau gazeuse est prête à boire, eau de table,
vin des enfants, minérale faite chez soi. Je me suis dit :
l'*eauvichi*.

Mais après mes mains, quelque chose d'autre s'est
activé, quasiment comme ce jour passé devant le
Trésor de Clarabelle. Je cherchais une autre boîte, certainement d'époque postérieure, que tant de fois
j'avais ouverte avant que nous ne prenions place à
table. Le dessin aurait dû être un peu différent : toujours les mêmes hommes du monde, qui toujours
dégustent dans de longs verres à champagne l'eau merveilleuse, mais sur la table on apercevait distinctement
une boîte en tout point égale à celle qu'on avait dans
la main ; et sur cette boîte étaient représentés les
mêmes hommes du monde qui buvaient devant une
table où apparaissait une autre boîte d'eau de table,
elle aussi avec des hommes du monde qui... Ainsi à
jamais, tu savais qu'il eût suffi d'une loupe ou d'un
microscope superpuissant pour voir d'autres boîtes
représentées sur les boîtes, en abyme, en boîtes chi-
noises, en matriochkas. L'infini perçu par les yeux
d'un enfant avant d'avoir connu l'existence du para-
doxe de Zénon. La course pour atteindre un but inatteignable, ni la tortue ni Achille ne seraient jamais
arrivés à l'ultime boîte, aux ultimes hommes du monde
et à l'ultime serveuse. On apprend, tout enfant, la
métaphysique de l'infini et le calcul infinitésimal, à

part qu'on ne sait pas encore ce dont on a l'intuition, et ce pourrait être l'image d'une Régression Sans Fin, ou bien, au contraire, l'horrible promesse de l'Éternel Retour, et du cours des âges qui se mordent la queue, parce que, arrivé à l'ultime boîte, si ultime il y avait eu, on aurait sans doute découvert au fond de ce tourbillon soi-même avec dans la main la boîte du début. Pourquoi ai-je décidé d'être libraire antiquaire si ce n'est pour remonter à un point fixe, le jour où Gutenberg a imprimé la première Bible à Mayence ? Au moins tu sais qu'avant il n'y avait rien, ou mieux il y avait autre chose, et tu sais que tu peux t'arrêter, sinon tu ne serais plus libraire mais déchiffreur de manuscrits. On choisit un métier qui n'engage que sur cinq siècles et demi parce que, enfant, on rêvait de l'infini des boîtes de l'eauvichi.

Tout ce qui s'était accumulé au grenier ne pouvait tenir dans le bureau de mon grand-père, ni ailleurs dans la maison, donc, même quand le bureau était peuplé de paperasse, beaucoup de choses étaient déjà là-haut. C'était donc là-haut que j'avais entrepris tant de mes explorations enfantines, là-haut il y avait ma Pompéi où j'allais déterrer les objets lointains qui remontaient avant ma naissance. Comme je le faisais maintenant, ici je flairais le passé. J'étais donc encore en train de célébrer une Répétition.

À côté de la boîte de fer-blanc, il y avait deux boîtes en carton, pleines de paquets et d'étuis à cigarettes. Il engrangeait ça aussi, mon grand-père, et certes non sans peine pour aller les grappiller aux voyageurs, qui sait où et d'où, car en ces temps-là le collectionnisme de choses minimes n'était pas organisé comme aujourd'hui. C'étaient des marques inouïes, Mjin Cigarettes, Makedonia, Turkish Atika, Tiedemann's Birds Eye, Calypso, Cirene, Kef Orientalske, Cigaretter, Aladdin,

Armiro Jakobstadt, Golden West Virginia, El Kalif Alexandria, Stambul, Sasja Mild Russian Blend, des étuis somptueux, avec des images de pachas et de khédives, et d'odalisques orientales, comme sur les Cigarrillos Excelsior De La Abundancia, ou bien des purs marins anglais garantis en blanc et bleu, avec la barbe soignée d'un roi George peut-être V, et puis des boîtes qu'il me semblait reconnaître, comme si je les avais vues dans la main des dames, les Eva blanc ivoire, et les Serraglio, et enfin les paquets en papier, écrasés et froissés, de cigarettes populaires, comme les Africa ou les Milit, que personne n'avait jamais pensé à conserver, et miracle si Dieu sait qui en avait recueilli un dans les ordures, pour les temps futurs.

Je me suis arrêté au moins dix minutes sur le crapaud écrabouillé et en lambeaux, le N° 10 Sigarette Macedonia, 3 lires, en murmurant « Duilio, les Macedonia te font le bout des doigts jaunes… ». De mon père je ne savais encore rien, sauf que désormais j'étais certain qu'il fumait ces Macedonia, et peut-être précisément *celles* de ce paquet-là, et que ma mère se plaignait de ces doigts jaunes de nicotine, « jaunes comme une pastille de quinine ». Deviner l'image paternelle à travers une pâle tonalité de tanin, c'était pas grand-chose, mais suffisant pour justifier le voyage à Solara.

J'ai aussi reconnu les prodiges de la boîte d'à côté, dont m'attirait une odeur âcre de parfums à trois sous. On les trouve encore, mais hors de prix, je les avais vus il y a quelques semaines sur les étals des brocanteurs du Cordusio, c'étaient les petits calendriers des barbiers, si insupportablement parfumés qu'ils gardent encore quelque odeur même à cinquante ans et plus de distance, une symphonie de cocottes, de dames en crinoline mais la robe en désordre, de beautés sur escarpolette, d'amants perdus, de danseuses exotiques, de reines d'Égypte... Les Coiffures Féminines À Travers les Siècles, Les Petites Dames Porte-Bonheur, Le Firmament Italien avec Maria Denis et Vittorio De Sica, Sa Majesté la Femme, Salomé, Almanach Parfumé Style Empire avec Madame Sans-Gêne, Tout-Paris, le Grand Savon Quinquine, savon universel pour toilette, antiseptique, très-précieux dans les climats chauds, contre le scorbut, les fièvres paludéennes, l'eczéma sec (*sic*) – avec le monogramme de Napoléon, Dieu sait pourquoi, mais dans la première image apparaît l'Empereur qui reçoit d'un Turc nouvelle de la grande invention, et il l'approuve. Même un petit calendrier avec le Poëte D'Annunzio – les barbiers n'avaient pas de pudeur.

Je flairais non sans quelque réserve, comme l'intrus dans un royaume interdit. Les calendriers de barbier pouvaient enflammer morbidement l'imagination d'un enfant, peut-être m'étaient-ils interdits. Dans le grenier, peut-être aurais-je compris quelque chose sur la formation de ma conscience sexuelle.

Le soleil désormais tapait à pic sur les lucarnes, et je n'étais pas satisfait. J'avais vu tant de choses, mais pas un objet qui eût été vraiment et seulement à moi. J'ai circulé au hasard et j'ai été attiré par un bahut fermé. Je l'ai ouvert, il était plein de jouets.

J'avais vu, au cours des semaines précédentes, les jouets de mes petits-fils, tous en matière plastique colorée, la plupart électroniques. D'un canot à moteur nouveau que je lui avais offert, Sandro m'avait aussitôt dit de ne pas jeter la boîte, parce que sur le fond il devait y avoir la pile. Mes jouets d'autrefois étaient en bois et en fer-blanc. Sabres, petits fusils à bouchon, casque colonial pour enfant du temps de la conquête de l'Éthiopie, une armée entière de soldats de plomb, et d'autres plus grands d'un matériau friable, qui désormais sans tête, qui un bras en moins, autrement dit avec le seul moignon de fil de fer autour de quoi tenait cette sorte de glaise peinte. Je devais avoir vécu avec ces fusils et ces héros mutilés jour après jour, en proie à des fureurs guerrières. Par force, à l'époque il fallait qu'un enfant soit éduqué au culte de la guerre.

En dessous, il y avait des poupées de ma sœur, que sans doute lui avait passées ma mère, elle-même les ayant reçues de ma grand-mère (ce devaient être des temps où les jouets s'héritaient) : carnation de porcelaine, mignonne bouche de rose et joues en feu, jolie robe d'organdi, les yeux qui bougeaient encore languissamment. L'une d'elles, en la secouant, avait encore dit maman.

Tentazioni!

DANZE MODERNE

PIA DE TOLOMEI

VITA PRIMITIVA
ALMANACCO PROFVMATO
1904

VALSECCHI & MOROSETTI
MILANO

En farfouillant entre un fusil et l'autre j'ai retrouvé des soldats curieux, plats, en bois profilé, le képi rouge, la casaque bleue et les pantalons longs, rouges avec une bande jaune, montés sur roulettes. Les traits n'étaient pas martiaux, plutôt grotesques, avec leurs nez en patate. J'ai pensé que l'un d'eux était le capitaine La Patate du régiment des Soldats du Pays de Cocagne. J'étais sûr qu'ils s'appelaient ainsi.

Enfin, j'ai dégagé une grenouille en fer-blanc, et à lui écraser le ventre elle émettait encore un *cra cra* à peine audible. Si vous ne voulez pas les bonbons au lait du docteur Osimo, ai-je pensé, vous voudrez voir la grenouille. Qu'avait à faire le docteur Osimo avec la grenouille ? À qui voulais-je la montrer ? Noir total. Il fallait y réfléchir.

En observant et touchant la grenouille, je me pris spontanément à dire qu'Angelo Orso devait mourir. Qui était Angelo Orso ? Quel rapport avait-il avec la grenouille en fer-blanc ? Je sentais vibrer quelque chose, j'étais certain que la grenouille aussi bien qu'Angelo Orso me liaient à quelqu'un, mais dans l'aridité de ma mémoire purement verbale je n'avais pas d'autres prises. Finalement, j'ai murmuré deux vers : « Va, défile à l'épate, – Capitaine La Patate. » Et puis plus rien : j'étais de nouveau dans le présent, dans le silence noisette du grenier.

Le deuxième jour, Matou vint me rendre visite. Il était monté aussitôt sur mes genoux tandis que je mangeais, et il avait mérité des croûtes de fromage. Après la bouteille de vin désormais d'ordonnance, je suis allé au hasard, jusqu'au moment où j'ai vu deux grandes armoires bancales qui se dressaient devant une lucarne grâce à des sortes de rudimen-

taires coins de bois encastrés pour les maintenir
plus ou moins en position verticale. J'ai eu quelque
peine à ouvrir la première, toujours sur le point de
s'écrouler sur moi, et comme je l'ai ouverte une
pluie de livres est tombée à mes pieds. Je n'arrivais
pas à retenir cette avalanche, on aurait dit que les
hiboux, chauves-souris, chats-huants emprisonnés
depuis des siècles, ces génies dans la bouteille, n'attendaient qu'un imprudent qui leur donnerait une
vindicative liberté.

Entre ceux qui s'accumulaient à mes pieds et ceux
que je cherchais à extraire à temps pour qu'ils ne
dégringolent pas, c'était une bibliothèque entière que
je découvrais – que dis-je, probablement le stock de
la vieille boutique de grand-père que mes oncles
avaient liquidée en ville.

Je ne serais jamais arrivé à tout voir, mais déjà j'étais
foudroyé par des agnitions qui s'éclairaient et s'étei-
gnaient en un instant. C'étaient des livres en langues
différentes, et d'époques différentes, certains titres ne
suscitaient en moi nulle flamme parce qu'ils appartenaient au répertoire du déjà connu, telles ces nombreuses vieilles éditions de romans russes, sauf que, à
seulement parcourir les pages, me frappait un italien
troublé, dû – comme le disaient les pages de titre – à
des dames au double patronyme, qui d'évidence tra-
duisaient les Russes à partir du français, car les personnages avaient des noms à désinence en *ine*, à
l'instar de Mychkine et Rogojine.

Nombre de ces volumes, rien qu'à toucher les
feuillets, se pulvérisaient dans mes mains, comme si le
papier, après des dizaines d'années d'obscurité tombale, ne parvenait pas à supporter la lumière du soleil.
En fait, il ne tolérait pas le toucher des doigts et pendant des années en souffrance il attendait de se seg-

LA SCALA
D'ORO

I Miserabili

RIDOTTO

romanzo di RICCARDO BALSAMO CRIVELLI
disegni di FILIBERTO MATELDI

SERIE VII
N. 5
d. I. E. T.

EMILIO SALGARI

I COR-
SARI
DELLE
BER-
MUDE

ILLUSTRAZIONI DI
G. AMATO

CASA EDITRICE SONZOGNO - MILANO
GIÀ SOCIETÀ EDITRICE ALBERTO MATARELLI

VIAGGI STRAORDINARISSIMI
DI
SATURNINO FARANDOLA
NELLE 5 O 6 PARTI DEL MONDO
ed in tutti i paesi visitati e non visitati da GIULIO VERNE
PER
G. ROBIDA

Opera illustrata da 400 disegni colorati e non colorati.

CASA EDITRICE SONZOGNO MILANO

GIULIO VERNE

I FIGLI
DEL CAPITANO
GRANT

ROMANZO

E. SUE

I Misteri
del Popolo

STORIA
DI UNA FAMIGLIA DI PROLETARI
ATTRAVERSO I SECOLI
Illustrazioni di E. MATANIA

Vol. II

LA
STRANA MORTE
DEL

Ogni
pagina
un'emozione!

A·M

SIGNOR BENSON

S.S. VAN DINE

Il più bel libro per la gioventù!

SENZA FAMIGLIA

ROMANZO DI ETTORE MALOT

IL ROMANZO MENSILE   LIRE
A. MORTON   2

IL BARONE
ALLE STRETTE

IL DELITTO DI
ROULETABILLE

G. LEROUX

6

menter en minuscules bribes, se fragmentant aux marges et aux angles en fines lamelles.

J'ai été attiré par le *Martin Eden* de Jack London et je suis allé machinalement chercher la dernière phrase, comme si mes doigts savaient qu'elle devait être là. Martin Eden, au sommet de sa gloire, se tue en se laissant glisser dans la mer par le hublot d'un transatlantique, il sent l'eau qui pénètre lentement dans ses poumons, il comprend en un dernier éclair de lucidité quelque chose, peut-être le sens de la vie, mais « à peine il le sut, il cessa de le savoir ».

Faut-il vraiment prétendre à l'ultime révélation, si donc une fois qu'on l'a eue on s'abîme dans le noir ? Cette redécouverte avait jeté comme une ombre sur ce que j'étais en train de faire. Peut-être aurais-je dû m'arrêter, vu que le sort m'avait déjà donné l'oubli. Mais désormais j'avais commencé et je ne pouvais que continuer.

J'ai passé la journée à picorer dans les livres, parfois j'avais l'intuition que les grands chefs-d'œuvre que je jugeais avoir absorbés dans ma mémoire publique et adulte, je les avais approchés la première fois dans les adaptations pour enfants de la bibliothèque Scala d'Oro, « Escalier d'Or ». Familiers m'étaient les poèmes de *La Corbeille*, poésies pour l'enfance d'Angiolo Silvio Novaro : *Que dit la bruine de mars qui pique argentine sur les vieilles tuiles, sur les brindilles sèches des vrilles ?* Ou bien, *Le Printemps vient en dansant, vient en dansant à ta porte, sais-tu me dire toi ce qu'il t'apporte ? Jolies girandolettes de papillons, clochettes de liserons.* Savais-je alors ce qu'étaient les liserons et les vrilles ? Mais sitôt après me sont tombées sous les yeux les couvertures de la série de Fantômas, qui me parlaient du *Pendu de Londres*, de la *Guêpe rouge* ou de la *Cravate de*

chanvre, avec leurs rebondissements obscurs de pour-
suite à travers les égouts de Paris, de jeunes filles
émergeant d'un tombeau, de corps écartelés, têtes
coupées, et la silhouette du prince du crime en frac,
toujours prêt à ressusciter et à dominer, avec son éclat
de rire moqueur, un Paris nocturne et souterrain.

Et avec Fantômas voici la série de Rocambole,
autre sieur du crime, où, en ouverture de page des
Misères de Londres, je lisais cette description :

*À l'angle sud-ouest de Wellclose Square est une
ruelle qui n'a pas trois mètres de large. Vers le milieu
est un théâtre dont les premières loges se louent douze
sous et le parterre un penny. Le jeune premier est un
nègre ; on fume et on boit pendant le spectacle. Les
prostituées qui se tiennent au balcon sont pieds nus ; le
parterre est composé de voleurs.*

Je n'ai pas réussi à résister à la fascination du mal,
et à Fantômas et Rocambole j'ai consacré le reste de
la journée, au milieu de lectures erratiques et fulgu-
rantes, les mêlant à des histoires d'un autre criminel,
gentilhomme cependant, Arsène Lupin, et d'un autre,
plus gentilhomme encore, le très élégant Baron, aris-
tocratique voleur de bijoux aux multiples travestisse-
ments, et à l'image exagérément anglo-saxonne – d'un
dessinateur italien et anglophile, je crois.

Je frémissais devant une belle édition de *Pinocchio*,
illustrée par Mussino en 1911, aux pages émoussées
et tachées de café au lait. Tout le monde sait ce que
raconte *Pinocchio*, de Pinocchio m'était restée une
image gaiement fabuleuse, et qui sait combien de fois
je l'aurai raconté à mes petits-enfants tout réjouis, et

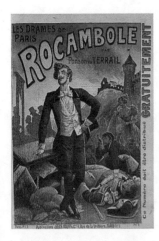 

pourtant j'ai éprouvé un frisson devant des illustrations terrifiantes, jouant sur deux seules couleurs, jaune et noir ou vert et noir, qui dans leurs volutes modern style m'assaillaient avec la barbe fluviale de Mangefeu, avec les inquiétants cheveux bleus de la fée, avec les visions nocturnes des Assassins ou avec le rictus du Pêcheur Vert. Sans doute me suis-je pelotonné sous les couvertures, les nuits d'orage, après avoir regardé ce *Pinocchio* ? Il y a des semaines de cela, quand je demandais à Paola si tous ces films de violence et de morts-vivants à la télévision ne faisaient pas de mal aux enfants, elle m'avait dit qu'un psychologue lui avait révélé que dans toute sa carrière clinique il n'avait jamais rencontré d'enfants traumatisés jusqu'à la névrose par un film, sauf une fois, et cet enfant, irrémédiablement blessé au plus profond, avait été anéanti par *Blanche-Neige* de Walt Disney.

D'autre part, j'ai découvert que mon nom même provenait de visions tout aussi épouvantables. Voici

Le avventure di Ciuffettino, d'un certain Yambo, et
d'autres livres d'aventures, outre ces *Aventures de
Toupettin,* étaient de Yambo, avec des dessins encore
Art nouveau et des scénographies obscures, manoirs
qui se détachaient sur un pic, noirs dans la nuit
sombre, bois fantasmatiques avec des loups aux yeux
de flamme, visions sous-marines d'un Verne italien et
posthume, et Toupettin, enfant menu et plutôt gracieux au toupet de bravache de fable : « un toupet
immense de cheveux qui lui donnait un air curieux,
et le faisait ressembler à un plumeau. Et lui, il y tenait,
savez-vous, à son toupet ! » Là était né le Yambo que
je suis, et que j'ai voulu être. Bon, au fond, ça vaut
mieux que s'identifier à Pinocchio.

Ce fut là mon enfance ? Ou pire ? Car en fouillant
encore j'ai ramené à la lumière (celles-ci enveloppées
dans du bleu-gris et tenues par des élastiques) plusieurs années du *Giornale Illustrato dei Viaggi e delle
Avventure di Terra e di Mare.* C'étaient des fascicules
hebdomadaires, et la collection de mon grand-père
comprenait des numéros des premières décennies du
siècle, plus quelques exemplaires français du *Journal
des Voyages*.

De nombreuses couvertures représentaient des
Prussiens féroces qui fusillaient des zouaves valeureux, mais en grande partie il s'agissait d'aventures
d'une impitoyable cruauté dans des pays plus lointains, coolies chinois empalés, vierges à demi vêtues
agenouillées devant un conseil des dix rembruni,
rangées de têtes décollées hissées sur des pieux pointus devant les contreforts de quelque mosquée, massacres de garçonnets par des pillards touaregs armés
de cimeterres, corps d'esclaves déchiquetés par des
tigres immenses – on eût dit que la table des tortures
du *Nouveau Melzi universel* avait inspiré des dessi-

.... il serpente si rizzò all' improvviso
come una molla....

YAMBO

LE AVVENTURE
DI CIUFFETTINO

Libro per
i ragazzi

nateurs pervers, pris d'une innaturelle frénésie d'émulation, c'était un festival du Mal sous toutes ses formes.

Face à une telle abondance, ankylosé par mes séances au grenier, j'avais emporté les fascicules dans la grande salle des pommes au rez-de-chaussée, car ces jours-ci la chaleur était devenue insupportable, et j'avais l'impression que les pommes alignées sur l'immense table étaient toutes moisies. Mais ensuite j'ai compris que l'odeur de moisi venait précisément de ces feuillets. Comment pouvaient-ils sentir l'humidité après cinquante ans dans l'atmosphère sèche du grenier ? Peut-être que dans les mois froids et pluvieux le grenier n'était pas aussi sec que ça, et qu'il absorbait l'humidité par les toits, peut-être que ces fascicules, avant d'arriver ici, avaient été durant des dizaines d'années dans quelque cave avec de l'eau qui coulait des murs, là où mon grand-père les avait dénichés (lui aussi devait courtiser les veuves), et ils s'étaient pourris au point de ne pas perdre leur odeur même sous la chaleur qui les avait parcheminés. Seulement, tandis que j'étais plongé dans des histoires atroces et des vengeances impitoyables, le moisi n'évoquait pas en moi des sentiments de cruauté, mais au contraire les Rois mages et l'Enfant Jésus. Pourquoi, mais quand donc aurais-je eu affaire aux Rois mages, et qu'avaient-ils à voir, les Rois mages, avec les massacres de la mer des Sargasses ?

Pour le moment, je me trouvais pourtant devant un autre problème. Si j'avais lu toutes ces histoires, si j'avais certainement vu toutes ces couvertures, comment pouvais-je accepter que le printemps vient en chantant ? Aurais-je eu une capacité instinctive de séparer l'univers des bons sentiments familiers, de ces aventures qui me parlaient d'un monde cruel modelé

Giornale Illustrato dei Viaggi
e delle Avventure di Terra e di Mare

IL PROFETA TI GUIDI! - Sulla Porta Bruciata, si allineavano le teste dei ribelli!..

Giornale Illustrato dei Viaggi
e delle Avventure di Terra e di Mare

LA VERGINE DELLA LAGUNA. - Il capo del Consiglio dei dieci urlava che la fanciulla...

Giornale Illustrato dei Viaggi
e delle Avventure di Terra e di Mare

IL SEGRETO DEL LAGO. - ...ti scagliais à oltre distesa a lei e impugnigo 'il suo bracchino.

Giornale Illustrato dei Viaggi
e delle Avventure di Terra e di Mare

L'AMLETO DISLOCATO. - ...banditore ed ai miei spettacoli che si posò ai loro occhi.

sur le Grand-Guignol, un univers de lacérations, d'écorchements, bûchers et pendaisons ?

La première armoire a été complètement vidée, même si je n'avais pas pu tout voir. Le troisième jour, j'ai essayé avec la deuxième, moins bourrée. Ici les livres avaient été alignés en bon ordre, non pas comme y auraient rageusement veillé mes oncles, attentifs à entasser des vieilleries dont ils voulaient se défaire, mais mon grand-père, bien avant. Ou moi. Tous des livres plus adaptés à l'enfance, et sans doute appartenaient-ils à ma bibliothèque privée.

J'ai sorti l'entière collection de la Bibliothèque de mes Enfants, de Salani, dont je reconnaissais les couvertures, et je disais les titres avant même d'avoir extrait le volume, avec une assurance identique à celle où l'on repère dans les catalogues des collègues, ou dans la bibliothèque de la dernière veuve, les livres les plus connus, la *Cosmographia* de Münster ou le *De sensu rerum et magia* de Campanella : *L'Enfant venu de la mer*, *L'Héritage du bohémien*, *Les Aventures de Fleur-de-soleil*, *La Tribu des lapins sauvages*, *Les Malicieux Revenants*, *Les Jolies Recluses de Maisonseule*, *La Petite Voiture peinte*, *La Tour du Nord*, *Le Bracelet indien*, *Le Secret de l'homme de fer*, *Le Cirque Barletta*...

Trop : en restant dans le grenier je me serais ratatiné comme le bossu de Notre-Dame. J'en avais pris une brassée, et j'étais descendu. Je pouvais aller dans le bureau, m'asseoir au jardin, et pourtant, d'une manière obscure, je voulais autre chose.

Passé derrière la maison, j'étais allé sur la droite, là où le premier jour j'avais entendu grogner les cochons

LA TELEFERICA
MISTERIOSA
A.F. PESSINA

BIBLIOTECA DEI MIEI RAGAZZI

ANTASMI
ALIZIOSI
M. GOUDAREAU

BIBLIOTECA DEI MIEI RAGAZZI

GUARDIANI
DEL FARO

BIBLIOTECA DEI MIEI RAGAZZI

OTTO GIORNI
IN UNA SOFFITTA
H.GIRAUD

BIBLIOTECA DEI MIEI RAGAZZI

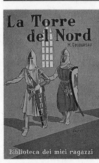

La Torre
del Nord
M. GOUDAREAU

Biblioteca dei miei ragazzi

LA TRIBÙ DEI
CONIGLI SELVATICI
A. BRUYÈRE

BIBLIOTECA DEI MIEI RAGAZZI

IL CIRCO
BARLETTA
M. CATALANY

BIBLIOTECA DEI MIEI RAGAZZI

L'erede
di Ferralba
M. BOURCET

BIBLIOTECA DEI MIEI RAGAZZI

LA PICCOLA
PANTOFOLA D'ARGENTO
M. DE CARNAC

BIBLIOTECA DEI MIEI RAGAZZI

et caqueter les poules. Ici, sur l'arrière de l'aile d'Amalia, il y avait une aire telle que celle d'autrefois, où les poules grattaient, et plus loin on voyait les clapiers et la porcherie.

Au rez-de-chaussée, il y avait un grand espace plein d'outils agricoles, des râteaux, des fourches à foin et à fumier, des pelles, des bêches, des seaux pour la chaux éteinte, de vieilles cuves.

Au fond de l'aire, un sentier menait à un verger vraiment riche et plein de fraîcheur : ma première tentation avait été de grimper sur la branche d'un arbre et, à califourchon, me mettre à lire là. C'est ainsi sans doute que je faisais dans mon enfance, mais à soixante ans on n'est jamais assez prudent, et puis déjà mes pieds me dirigeaient ailleurs. J'ai pris au milieu de la verdure un étroit escalier de pierre et je suis descendu dans un espace circulaire entouré de murets entièrement couverts de lierre. Juste en face de l'accès, contre le mur, il y avait une fontaine, avec de l'eau qui clapotait en coulant. Un vent léger soufflait, le silence était total, et je me suis accroupi sur une saillie de pierre, entre la fontaine et le mur, me disposant à la lecture. Quelque chose m'avait amené là, où peut-être je me rendais jadis et précisément avec ces livres. J'ai accepté ce choix de mes esprits animaux, et je me suis plongé dans mes petits volumes. Souvent me revenait à l'esprit toute l'histoire à travers une seule illustration.

On comprenait que quelques-uns étaient italiens, par les dessins plutôt années 1940, comme *Le Téléphérique mystérieux* ou *Éclair, pur-sang milanais*, et beaucoup s'inspiraient de sentiments patriotiques et nationalistes. Mais la plupart étaient traduits du français, écrits par certains B. Bernage, M. Goudareau, E. de Cys, J. Rosmer, Valdor, P. Besbre, C. Péronnet, A. Bruyère, M. Catalany – une éminente troupe d'inconnus dont l'éditeur italien ignorait probablement jusqu'au nom de baptême. Mon grand-père avait recueilli même des originaux parus dans la Bibliothèque de Suzette. Les éditions italiennes étaient sorties avec une décennie de retard ou plus, et les illustrations renvoyaient au moins aux années 1920. En tant que lecteur enfant j'aurais dû respirer un climat aimablement défraîchi, et tant mieux : tout un monde d'hier se projetait, narré par des messieurs qui avaient tout l'air d'être des dames, qui écrivaient pour des jeunes filles de bonne famille.

À la fin, il me semblait que tous ces livres racontaient tous la même histoire : d'habitude, trois ou quatre garçons de noble lignée (avec des parents, Dieu sait pourquoi, toujours en voyage) arrivent chez un oncle dans un vieux château, ou une étrange propriété agricole, et ils donnent dans de passionnantes et mystérieuses aventures, à travers cryptes et donjons, finissant par découvrir un trésor, les manigances d'un intendant infidèle, le document qui restitue à une famille déchue les propriétés usurpées par un cousin félon. Heureux dénouement, célébration du courage des garçons, observations débonnaires des oncles et des grands-parents sur les dangers de la témérité, fût-elle généreuse.

Que les histoires fussent situées en France, on le voyait d'après les sarraus et les sabots des paysans, mais les traducteurs avaient fait des miracles d'équilibre pour rendre les noms en italien et faire apparaître que les événements se déroulent dans quelqu'une de nos régions, malgré le paysage et l'architecture tantôt bretonne tantôt auvergnate.

J'avais deux éditions de ce qui était évidemment le même livre (de M. Bourcet), mais dans l'édition 1932

il s'intitulait *L'Héritière de Ferlac* (et les noms des personnages étaient français) et dans l'édition 1941 il
était devenu *L'Héritière de Ferralba*, avec les protagonistes de chez nous. Il était clair qu'entre-temps
quelque disposition supérieure ou une censure spontanée avait imposé d'italianiser les histoires.

Et voici enfin expliquée cette expression qui
m'était passée par la tête en entrant dans les combles :
de la série faisait partie *Otto giorni in una soffitta*
(j'avais aussi l'original, *Huit jours dans un grenier*),
délicieuse aventure d'enfants qui hébergent pendant
une semaine Nicoletta dans le grenier de leur villa,
une fillette en fugue, – et je ne savais pas si mon amour
du grenier m'était venu de cette lecture ou si ce livre
je l'avais trouvé précisément en errant sous les
combles. Et pourquoi ai-je appelé ma fille Nicoletta ?

Dans le grenier, Nicoletta se trouvait avec le chat
Matou, une sorte d'angora très noir et majestueux,
et voilà d'où m'était venue l'idée d'avoir tout pour
moi ce Matou. Les dessins représentaient des enfants
menus et bien habillés, parfois avec des dentelles, les
cheveux blonds et les traits délicats, et les mères

n'étaient pas en reste, cheveux à la garçonne bien soignés, taille basse, jupe jusqu'aux genoux à triple volant, sein aristo très peu prononcé.

Pendant deux jours près de la fontaine, quand la lumière décroissait et que je pouvais seulement repérer les silhouettes, je pensais que dans les pages de la Bibliothèque de mes Enfants j'avais à coup sûr éduqué mon goût du fantastique, mais en vivant dans un pays où, même si l'auteur s'appelait Catalany, les protagonistes devaient s'appeler Liliana ou Maurizio.

Était-ce là l'éducation nationaliste ? Comprenais-je que ces garçons, qu'on me présentait comme de petits et courageux compatriotes de mon temps, avaient vécu dans une atmosphère étrangère des dizaines d'années avant ma naissance ?

Revenu au grenier, à la fin de ces vacances près de la fontaine, j'avais récupéré un paquet ficelé contenant une trentaine de fascicules (soixante centimes chacun) avec les aventures de Buffalo Bill. Ils n'étaient pas réunis dans l'ordre de leur publication et la vue de la première couverture m'a provoqué une décharge de flammes mystérieuses. *Le médaillon de brillants* : Buffalo Bill, les poings tendus en arrière, l'œil sombre, va se jeter sur un hors-la-loi à la chemise rougeâtre qui le menace d'un pistolet.

Mais tandis que je regardais ce numéro 11 de la série, je pouvais prévoir d'autres titres, *Le petit messager*, *Les grandes aventures de la forêt*, *Bob le sauvage*, *Don Ramiro l'esclavagiste*, *L'estancia maudite*… M'a frappé le fait que les couvertures annonçaient *Buffalo Bill – Le héros de la prairie*, tandis qu'à l'intérieur le titre disait *Buffalo Bill – Le héros italien de la prairie*. L'histoire – au moins pour un libraire antiquaire – était claire, et il suffisait d'observer le premier numéro

d'une nouvelle série, celle de 1942, où une très voyante note en gras corrigeait : William Cody s'appelait en réalité Domenico Tombini et il était romagnol (comme le Duce, même si la note survolait pudiquement cette prodigieuse coïncidence). En 1942, nous étions déjà entrés en guerre – me semblait-il – avec les États-Unis, et cela expliquait tout. L'éditeur (Nerbini de Florence) avait imprimé les couvertures à une époque où William Cody pouvait être tranquillement américain, puis il s'était décidé que les héros devaient être toujours et seulement italiens. Il ne restait plus qu'à garder, pour des raisons économiques, la vieille couverture en couleurs et recomposer seulement la première page.

Bizarre, m'étais-je dit en m'endormant sur la dernière aventure de Buffalo Bill : on m'abreuvait de matériel aventureux français et américain, mais naturalisé. Si c'était là l'éducation nationaliste que recevait un garçon pendant la dictature, il s'agissait d'une éducation assez indulgente.

Non, elle n'était pas indulgente. Le premier livre
que j'ai pris en main le jour suivant était *Ragazzi
d'Italia nel mondo*, de Pina Ballario : ces « Enfants
d'Italie dans le monde » étaient représentés dans des
illustrations modernes, nerveuses, en un jeu de
rechampis noirs et rouges.

Quelques jours auparavant, quand dans ma chambrette j'ai vu les livres de Verne et de Dumas, j'ai eu
la sensation de les avoir lus tapi sur un balcon. Alors,
je n'y avais pas fait attention, ce n'avait été qu'un
éclair, une simple impression de déjà vu. Cependant,
à y réfléchir à présent, un balcon s'ouvre vraiment au
centre de l'aile de grand-père, et c'est donc là que je
dévorais ces aventures.

Pour réaliser l'expérience du balcon, j'ai décidé d'y
lire *Ragazzi d'Italia nel mondo*, et ainsi ai-je fait, cher-

chant même à m'asseoir les jambes ballantes enfilées dans les jours de la balustrade. Mais mes jambes, désormais, par ces goulets ne passaient plus. Je me suis grillé des heures au soleil, jusqu'à ce que l'astre ait doublé la façade, la rendant plus tempérée. Pourtant, je sentais ainsi le soleil andalou, ou ce que je devais avoir compris à l'époque, même si l'histoire se déroulait à Barcelone. Un groupe de jeunes Italiens, émigrés avec leur famille en Espagne, était surpris par la rébellion anti-républicaine du généralissime Franco, sauf que dans mon histoire les usurpateurs paraissaient être les miliciens rouges, avinés et sanguinaires. Les jeunes Italiens regagnaient leur fierté fasciste, parcouraient, impavides, en chemise noire, une Barcelone en proie aux mouvements de rues, ils sauvaient le fanion de la Maison du Parti fasciste que les républicains avaient fermée, et le courageux protagoniste parvenait même à convertir son père, socialiste et gros buveur, au verbe du Duce. Une

lecture qui aurait dû me faire brûler d'orgueil fasciste.
M'identifiais-je à ces enfants d'Italie, aux petits
Parisiens d'un certain Bernage ou à un monsieur qui,
en fin de compte, s'appelait encore Cody et pas
Tombini ? Qui habitait mes rêves d'enfant ? Les
enfants d'Italie dans le monde ou la fillette du grenier ?

Un retour au grenier m'a donné deux autres émotions. Avant tout, *L'Île au trésor*. Il est clair que j'en
reconnaissais le titre, c'est un classique, mais j'avais
oublié l'histoire, signe qu'elle était devenue une partie de ma vie. J'ai mis deux heures à le parcourir d'un
trait, mais de chapitre en chapitre il me venait à l'esprit ce qui devait suivre. J'étais revenu dans le verger
où j'avais entrevu, vers le fond, des buissons de noi-
setiers sauvages et là, assis par terre, j'alternais lecture
et ventrée de noisettes. Avec un caillou, j'en cassais
trois ou quatre à la fois, j'écartais en soufflant dessus
les fragments de coquille, et j'enfilais le butin dans ma
bouche. Je n'avais pas la barrique de pommes où Jim
s'était fourré pour prêter l'oreille aux conciliabules de
Long John Silver, mais vraiment j'avais dû lire ce livre
comme ça, en mâchonnant des aliments secs ainsi que
l'on fait sur les navires.

C'était mon histoire à moi. Sur la base d'un mince
manuscrit, nous voilà à la découverte du trésor du
capitaine Flint. Vers la fin, j'étais allé me prendre une
bouteille de grappa que j'avais aperçue dans le buffet
d'Amalia, et j'entrecoupais cette histoire de pirates de
longues gorgées. Quinze hommes sur le corps du
mort – yoh oh oh, et une bouteille de rhum.

Après *L'Île*, j'avais repéré l'*Histoire de Pipin né
vieux et mort bambin*, de Giulio Gianelli. Telle qu'elle
avait refait surface dans ma mémoire quelques jours

E. SALGARI
SANDOKAN
alla RISCOSSA

I MISTERI DELLA
JUNGLA NERA

LE TIGRI DI
MOMPRACEM

E. SALGARI

SALGARI
IL
CORSARO
NERO

avant, sauf que le livre me racontait l'histoire d'une
pipe encore chaude, abandonnée sur une table à côté
de la statuette en argile d'un petit vieux, qui décidait
de donner chaleur à cette chose morte pour la faire
naître, et il en naissait un petit vieillard. *Puer senex*,
un lieu commun fort ancien. À la fin, Pipin meurt
enfançon dans son berceau, et il monte au ciel par
l'opération des fées. C'était mieux comme je me l'étais
rappelé : Pipin naissait vieux dans un chou, et il mourait nourrisson dans un autre. En tout cas, le voyage
de Pipin vers l'enfance, c'était le mien. Peut-être qu'en
revenant au moment de ma naissance je me serais dissous dans le néant (ou dans le Tout) comme lui.

    Ce soir-là Paola a appelé, inquiète parce que je ne
donnais plus signe de vie. Je travaille, je travaille, lui
ai-je dit, ne t'inquiète pas pour la tension, tout est
normal.
    Le lendemain j'étais de nouveau en train de far-
fouiller dans l'armoire, il y avait tous les romans de
Salgari, aux couvertures floréales, où apparaissaient,
au milieu d'aimables volutes, sombre et impitoyable,
le Corsaire Noir à la chevelure corvine et à la bouche
rouge finement dessinée dans son visage mélancolique, le Sandokan des *Deux Tigres*, avec sa tête féroce
de prince malais entée sur un corps félin, la volup-
tueuse Surama et les prahos des *Pirates de la Malaisie*.
Grand-père avait trouvé aussi des traductions espa-
gnoles, françaises et allemandes.
    Il était difficile de dire si je redécouvrais quelque
chose ou simplement si j'activais ma mémoire de
papier, parce que de Salgari on en parle toujours
aujourd'hui, et des critiques sophistiqués lui consa-
crent dans les journaux des tartines dégoulinantes de

nostalgie. Même mes petits-enfants, les semaines passées, chantaient « Sandokan Sandokan » et il paraît
qu'ils l'avaient vu à la télévision. J'aurais pu écrire un
article pour une petite encyclopédie, sur Salgari, sans
même venir à Solara.

Naturellement, enfant je devais avoir dévoré ces
livres, mais si mémoire individuelle il y avait à réactiver, elle se confondait avec la générale. Les livres qui
sans doute avaient le plus marqué mes jeunes années
étaient ceux qui me renvoyaient sans secousses à mon
savoir adulte et impersonnel.

Toujours guidé par l'instinct, j'ai lu une grande partie de Salgari dans la vigne (mais, ensuite, j'avais
emporté dans ma chambre des volumes sur lesquels
j'ai passé les nuits suivantes). Fût-ce au milieu des
vignes, il faisait très chaud, mais les ardeurs du soleil
se conciliaient avec des déserts, des prairies et des
forêts en flammes, des mers tropicales où cabotaient
les pêcheurs de *trepang*, et entre les vrilles et les arbres
qui pointaient au bord de la colline, levant de temps
à autre le regard pour essuyer ma sueur, j'entrevoyais
des baobabs, des *pompos* colossaux comme ceux qui
entouraient la cabane de Giro-Batol, des palétuviers,
des choux palmistes avec leur pulpe farineuse à la
saveur d'amande, le banian sacré de la jungle noire,
j'entendais presque le son du *ramsinga* et je m'attendais à voir surgir entre les rangées un beau babiroussa
à tourner à la broche entre deux branches fourchues
plantées dans le sol. J'aurais voulu qu'Amalia me pré-
parât pour le dîner du *blaciang*, dont sont friands les
Malais, mélange de crevettes et de poissons hachés
ensemble, laissés à pourrir au soleil et puis salés, à
l'odeur que même Salgari disait immonde.

Quel délice. Sans doute pour ça, comme m'avait dit
Paola, que j'aimais la cuisine chinoise, et en particu-

lier les nageoires de requin, les nids d'hirondelles (recueillis au milieu du guano) et l'abalone, d'autant plus alléchant qu'est forte son odeur putride.

Mais, à part le *blaciang*, qu'est-ce qui se passait quand un enfant d'Italie dans le monde lisait Salgari, où les héros étaient souvent de couleur et les Blancs des méchants ? Non seulement les Anglais étaient odieux, mais aussi les Espagnols (combien je devais avoir exécré le marquis de Montélimar). Pourtant, si les trois corsaires Nero, Rosso et Verde étaient italiens, et comtes de Vintimille par-dessus le marché, d'autres héros s'appelaient Carmaux, van Stiller ou Yanez de Gomera. Les Portugais devaient apparaître bons parce qu'ils étaient un peu fascistes, mais n'étaient-ils pas fascistes aussi les Espagnols ? Peut-être mon cœur battait-il pour le valeureux Sambigliong, qui tirait au canon de la cloutaille, sans que je me demande de quelle île de la Sonde il venait. Kammamuri et Suyodhana pouvaient être l'un bon et l'autre méchant même si l'un et l'autre étaient indiens. Salgari devait avoir pas mal troublé mes premières approches de l'anthropologie culturelle.

J'ai ensuite tiré du fond du meuble des revues et des volumes en anglais. Beaucoup de numéros du *Strand Magazine*, avec toutes les aventures de Sherlock Holmes. À l'époque, je ne savais certainement pas l'anglais (Paola m'avait dit que je l'avais appris seul, à l'âge adulte), mais par chance il existait aussi de nombreuses traductions. Cependant, la plupart des éditions italiennes n'étaient pas illustrées, et peut-être lisais-je en italien et allais-je ensuite chercher les images correspondantes dans le *Strand*.

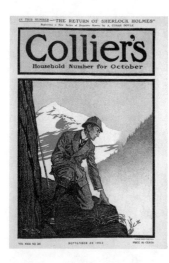

J'ai traîné tout Holmes dans le bureau de mon grand-père. Il était plus adapté pour revivre dans une atmosphère civile cet univers où, devant la cheminée de Baker Street, des messieurs accomplis étaient assis, occupés à de paisibles conversations. Si différent des souterrains moites et des macabres cloaques où glissaient les personnages des feuilletons français. Les rares fois où Sherlock Holmes apparaissait avec un pistolet braqué sur un criminel, c'était toujours la jambe et le bras droits tendus, en une pose quasi statuaire, sans perdre son aplomb, comme il se doit pour un gentleman.

J'ai été frappé par le retour presque obsessionnel d'images de Sherlock Holmes assis, avec Watson ou avec d'autres, dans un compartiment de chemin de fer, dans un *brougham*, devant le feu, dans un fauteuil recouvert d'une étoffe blanche, dans une chaise à bascule, à côté d'un guéridon, à la lumière sans doute verdâtre d'une lampe, devant un coffre à peine ouvert, ou debout, alors qu'il lit une lettre ou déchiffre un message crypté. Ces figures me disaient *de te fabula narratur.* Sherlock Holmes, c'était moi, dans ce moment même, attentif à retracer et recomposer des événements lointains dont auparavant je ne savais rien, restant à la maison, enfermé, peut-être même (pour vérifier toutes ces pages) dans un grenier. Lui aussi, comme moi, immobile et isolé du monde, à déchiffrer de purs signes. Et puis lui, il arrivait à faire remonter à la surface le refoulé. Y arriverais-je, moi ? Au moins, j'avais un modèle.

Et comme lui, je devais me battre avec et dans le brouillard. Il suffisait d'ouvrir au hasard *Étude en rouge* ou *Le Signe des quatre* :

C'était par un soir de septembre, et sept heures n'avaient pas encore sonné, mais la journée avait été noire ; un brouillard dense et humide était tombé sur la grande cité. Des nuages couleur de la boue s'amollissaient tristement sur les rues fangeuses. Le long du Strand, les réverbères n'étaient rien que des flaques brumeuses de lumière diffuse qui jetaient un faible halo sur le pavé boueux. La réverbération jaune des vitrines fluctuait dans l'air plein de vapeurs et jetait une clarté limoneuse et mobile de part et d'autre de la grande rue bondée. Selon moi, il y avait quelque chose de mystérieux et de fantomatique dans cette procession sans fin de visages qui s'insinuaient à travers les étroites bandes de lumière – visages tristes et gais, bouleversés et heureux.

C'était un matin opaque et brumeux : un voile grisâtre pendait du toit des maisons et apparaissait comme le reflet de la grisaille fangeuse des rues. Mon ami était d'excellente humeur, et il se répandait en discours sur

les violons de Crémone et les différences entre un Stradivarius et un Amati. Quant à moi, j'étais silencieux parce que ce temps maussade et la mélancolique affaire où nous étions engagés me déprimaient l'âme.

Par contraste, le soir, au lit, j'avais ouvert *Les Tigres de Mompracem* de Salgari :

La nuit du 20 décembre 1849, un ouragan d'une grande violence faisait rage sur Mompracem, île sauvage, de sinistre réputation, repaire de formidables pirates, située en mer de Malaisie, à quelques centaines de milles des côtes occidentales du Bornéo. À travers le ciel, poussées par un vent irrésistible, couraient tels des chevaux débridés, et en se mêlant sans trêve, de noires masses de vapeurs qui, de temps en temps, laissaient tomber sur les sombres forteresses de l'île des averses furieuses… Mais qui donc veillait à cette heure-ci et avec pareille tempête, dans l'île des sanguinaires pirates ?… Une salle de cette habitation est éclairée, les murs sont couverts de lourds tissus rouges, de velours et brocarts de grande valeur, mais çà et là fripés, déchirés, arrachés et tachés, et le sol disparaît sous une haute strate de tapis de Perse, resplendissants d'or… Au centre, se trouve une table d'ébène marquetée de nacre et ornée de frises d'argent, chargée de bouteilles et de verres du plus pur cristal ; dans les encoignures se dressent de grandes étagères en bonne partie abîmées, remplies de vases débordant de bracelets d'or, de boucles d'oreilles, de bagues, de médaillons, de précieux objets sacrés tordus ou écrasés, de perles provenant sans nul doute des célèbres viviers de Ceylan, d'émeraudes, de rubis et de diamants qui

scintillent comme autant de soleils sous les reflets
d'une lampe dorée suspendue au plafond… Dans cette
salle si bizarrement meublée, un homme se trouve assis
dans un fauteuil boiteux : il est de haute stature, élancé,
à la musculature puissante, aux traits énergiques, mâles,
fiers et d'une beauté étrange.

Qui était mon héros ? Holmes, qui lisait une lettre
devant sa cheminée, rendu poliment étonné par la
solution à sept pour cent, ou Sandokan qui se lacérait
furieusement la poitrine en prononçant le nom de sa
Marianna adorée ?

J'ai ensuite recueilli d'autres éditions, brochées
celles-là, imprimées sur un méchant papier, où probablement j'avais fait le reste, les froissant à force de
multiples relectures, écrivant mon nom dans les
marges de nombreuses pages. Il y avait des livres complètement débrochés qui tenaient par miracle,
d'autres avaient été rafistolés probablement par moi,
en y appliquant un dos nouveau avec du bleu-gris et
de la colle de menuisier.

Je n'y arrivais plus, même pas à regarder les titres,
et il y avait huit jours que j'étais dans ce grenier. Je le
savais, j'aurais dû tout relire par le menu, mais combien de temps j'aurais mis ? En calculant que j'avais
appris à ânonner à la fin de ma cinquième année de
vie, et que j'avais vécu au milieu de ces pièces à
conviction au moins jusqu'aux années du lycée, dix
ans eussent été nécessaires, et pas huit jours ! Sans
compter que quantité d'autres livres, surtout illustrés,
m'avaient été racontés par mes parents ou par grand-
père quand j'étais encore analphabète.

Si, au milieu de ces tas de papier imprimé, je voulais tout me refaire moi-même, je serais devenu Funes el Memorioso, j'aurais revécu moment après moment toutes les années de mon enfance, chaque bruissement de feuilles écouté la nuit, chaque exhalaison de café au lait respirée le matin. C'était trop. Et si ces mots étaient restés seulement et toujours et encore des mots, pour brouiller davantage encore mes neurones malades sans mettre en mouvement l'échange inconnu qui aurait donné libre cours à mes souvenirs les plus vrais et les plus cachés ? *Que faire ?* Lénine dans le fauteuil blanc de la salle d'entrée. Peut-être ai-je tout faux, et Paola a-t-elle tout faux : sans retourner à Solara, je serais resté seulement volatilisé ; en y retournant, je pouvais finir fou.

J'ai replacé à nouveau tous les livres dans les deux armoires, et puis j'ai décidé d'abandonner le grenier. Mais, sur mon parcours, j'ai aperçu une série de grosses boîtes en carton qui portaient une étiquette écrite d'une belle calligraphie presque gothique : « Fascisme », « Années 40 », « Guerre »… À coup sûr, c'étaient des boîtes placées là par mon grand-père. D'autres cartons paraissaient plus récents, mes oncles devaient avoir utilisé sans critère des boîtes vides trouvées là-haut, Propriété Vinicole Frères Bersano, Borsalino, Cordial Campari, Telefunken (y avait-il une radio à Solara ?).

Je n'arrivais pas à les ouvrir. Il fallait que je sorte d'ici et que j'aille faire des promenades là-haut sur les collines, j'y reviendrais plus tard. J'étais désormais à bout de forces. Peut-être avais-je de la fièvre.

S'approchait l'heure du couchant et Amalia déjà appelait à gorge déployée en annonçant une financière à me lécher les doigts. Les premières ombres incertaines, qui envahissaient les coins les plus reculés du grenier, me promettaient l'embuscade de quelque Fantômas qui attendait que je m'écroule pour me tomber dessus, me ligoter avec une corde et me suspendre dans l'abîme d'un puits sans fond. Avant tout pour me démontrer à moi-même que je n'étais plus l'enfant que j'aurais voulu être de nouveau, je me suis attardé, impavide, afin de jeter un coup d'œil à l'endroit le moins éclairé. Jusqu'à l'instant où j'ai été assailli une nouvelle fois par une odeur de vieille moisissure.

J'ai tiré à moi, vers une lucarne d'où provenaient encore les dernières lumières de cette fin d'après-midi, une grande caisse à l'ouverture soigneusement protégée par du papier d'emballage. Une fois écartée cette couverture empoussiérée, se sont trouvées entre mes doigts deux couches de mousse, vraie mousse, même si elle était desséchée – de la pénicilline en telle quantité qu'on aurait pu renvoyer chez eux en une semaine toute la colonie de *La Montagne magique*, et adieu belles conversations entre Naphta et Settembrini. C'était comme des mottes herbeuses, arrachées avec le terreau qui les unissait les unes sur les autres, et, à les placer les unes à côté des autres, on pouvait en faire un pré large comme la table de grand-père. Je ne sais par quel miracle, sans doute un foyer d'humidité qui s'était créé sous la protection du papier, grâce à tant d'hivers, et de journées où le toit du grenier était battu par la pluie, la neige et la grêle, la mousse avait gardé quelque chose de sa pénétrante odeur âcre.

Sous la mousse, emballés dans des copeaux bouclés, à déboucler petit à petit pour ne pas abîmer ce qu'ils enveloppaient, une cabane en bois ou en carton, enduite de plâtre coloré, avec un toit de paille comprimée, en paille et bois un moulin à la roue qui encore tournait à grand-peine, et quantité de petites maisons et castels en carton peint qui devaient faire sur une hauteur un arrière-plan à la cabane, en perspective. Et enfin, entre un copeau et l'autre, voici les statues, les bergers avec l'agnelet sur les épaules, le rémouleur, le meunier avec deux ânons, la paysanne avec sa corbeille de fruits sur la tête, deux joueurs de cornemuse, un Arabe avec deux chameaux, et les Rois mages – les voici, là – parfumés de moisi eux aussi plus que d'encens et de myrrhe, et à la fin des fins l'âne, le bœuf, Joseph, Marie, le berceau, l'Enfant, deux anges aux bras grands ouverts, rigidifiés en un gloria qui durait depuis au moins un siècle, la comète dorée, une toile roulée qui à l'intérieur était bleue, parsemée d'étoiles, une cuvette en métal remplie de ciment de façon à former le lit d'une toute petite rivière, avec deux trous de sortie et d'entrée pour l'eau et, ce qui m'a fait retarder le souper d'une demi-heure, le temps d'y penser, une étrange machine faite d'un cylindre de verre d'où partaient de longs tubes de caoutchouc.

Une crèche au complet. Je ne savais pas si grand-père et mes parents étaient croyants (sans doute ma mère, puisqu'elle avait *La Philotée* sur sa table de

3 e, con passo lieve lieve   s'incolonnan dietro a quello
sul tappeto della neve,   misterioso pastorello

nuit), mais certainement vers Noël quelqu'un exhumait cette caisse et dans l'une des pièces du bas on faisait la crèche. Émotion devant la sainte étable : c'est ce qu'il me semblait sentir, mais je craignais que ce ne fût une réaction à un autre lieu commun. Pourtant, ces petites statues me rappelaient non pas un autre nom mais une image, que je n'avais pas vue au grenier, mais qui sans doute devait se trouver quelque part, vive comme elle me frappait en cet instant.

Que signifiait pour moi la crèche ? Entre Jésus et le Duce, entre Rocambole et *La Corbeille*, entre la moisissure des Rois mages et celle des empalés du Grand Vizir, de quel côté j'étais ?

J'ai compris que ces jours dans le grenier avaient été mal employés : j'avais relu des pages que j'avais feuilletées à six ou à douze ans, d'autres à quinze, chaque fois ému par des événements différents. Ce n'est pas comme ça qu'on reconstruit une mémoire. La mémoire amalgame, corrige, transforme, c'est vrai, mais rarement elle confond les distances chronologiques, un individu doit parfaitement savoir si une histoire lui est arrivée à six ou à dix ans, moi aussi maintenant je savais distinguer le jour de mon réveil à l'hôpital et celui de mon départ pour Solara, et je savais parfaitement qu'entre l'un et l'autre il y avait eu une maturation, un changement d'opinions, une comparaison d'expériences. En revanche, au cours de ces huit jours, j'avais tout absorbé comme si, petit, j'avais tout avalé en une seule fois et d'un trait – et forcément j'avais l'impression d'avoir été étourdi par une mixture enivrante.

Je devais donc renoncer à cette grande bouffe de vieux papiers, remettre les choses dans l'ordre et les

siroter selon le flux des temps. Qui pouvait me dire
ce que j'avais lu et vu à six plutôt qu'à douze ans ? J'y
ai songé un peu et j'ai compris : il était impossible que
parmi tous ces cartons, caisses, armoires il n'y eût pas
mes livres et mes cahiers d'écolier. Voilà les documents à retrouver, il suffisait de suivre leur leçon en
se laissant guider par la main.

Au souper j'ai interrogé Amalia sur la crèche. Et
comment qu'il y tenait le grand-père. Non, lui et
l'église ça faisait deux, mais la crèche c'était comme
la pâte royale, sans elle c'était pas la Noël, et s'il avait
pas eu ses petits-enfants peut-être qu'il l'aurait faite
pour lui-même. Il commençait à travailler début
décembre, à bien regarder au grenier, tout le bâti où
on appliquait la toile du ciel, avec quantité de petites
lampes, à l'intérieur de l'ouverture de scène, qui faisaient luire les étoiles. « Oh la tant belle crèche de
monsieur vot' grand-père, moi j'en pleurais chaque
année. Et l'eau coulait vraiment dans la rivière, tant
qu'une fois elle a débordé, elle a mouillé toute la
mousse qu'était arrivée toute fraîche cette année-là, et
la mousse a fait éclore quantité de fleurettes bleues et
ça, ça a été vraiment le miracle de l'Enfant Jésus, il est
venu jusqu'au curé voir qu'il en croyait pas ses œils.
   « Mais comment faisait-elle l'eau pour couler ? »
   Amalia a rougi et elle a grommelé quelque chose,
puis elle s'est décidée : « Dans la caisse de la crèche,
que j'aidais moi tous les ans après la Piphanie à tout
enlever, y doit encore y avoir quéque chose, comme
une grosse bouteille de verre sans col. Vous l'avez
vue ? Bon, pt'êt' maintenant ce machin-là on s'en sert
plus, mais c'était une machine, si c'est-y permis de

dire, pour faire le clystère. Vous savez ce qu'c'est le clystère ? À la bonne heure, comme ça je dois pas spliquer, que ça me fait honte. Et alors, monsieur vot' grand-père lui était venue la belle idée qu'à mettre sous la crèche la machine du clystère, et à tourner les tubes de bonne façon, l'eau sortait et puis repassait dessous. Un spectacle, j'y dis moi, à côté le cinèma, bouf ! »

8. QUAND LA RADIO

Après les huit jours au grenier, je me suis décidé à descendre au bourg me faire prendre la tension par le pharmacien. Trop élevée, dix-sept. Gratarolo m'avait laissé sortir avec l'engagement de la maintenir autour de treize, et j'avais treize quand j'étais parti pour Solara. Le pharmacien disait que, si je me la faisais prendre après avoir descendu la colline jusqu'au bourg, forcément elle grimpait. Si je l'avais prise le matin au saut du lit elle aurait été plus basse. Des histoires. Moi je savais ce qui s'était passé, j'avais vécu des jours et des jours en possédé.

J'ai téléphoné à Gratarolo, il m'a demandé si j'avais fait quelque chose que je ne devais pas faire, et j'ai dû admettre que j'avais transporté des caisses, bu au moins une bouteille par repas, fumé vingt Gitanes par jour, et que je m'étais déclenché nombre de tendres tachycardies. Il m'a fait des reproches : j'étais un convalescent, si la tension montait à n'en plus finir l'accident pouvait se répéter et, cette fois, il est bien possible que je ne m'en tire pas comme la première fois. Je lui ai promis que je prendrais soin de moi, il a augmenté la dose de pilules et en a ajouté d'autres pour me faire évacuer le sel par les urines.

J'ai dit à Amalia de moins saler les plats, et elle a dit que pendant la guerre pour avoir un kilo de sel on devait faire des pieds et des mains, et se séparer de deux ou trois lapins, le sel est donc une grâce de Dieu, que quand il vient à manquer, le manger a aucun goût. Je lui ai dit que le médecin me l'avait interdit et elle a répliqué que les docteurs étudient énormément et à la fin ils sont plus ânes que les autres et il ne faut pas rester là à les écouter – qu'on la regarde elle, jamais vu un docteur de sa vie et voilà qu'à soixante-dix ans sonnés elle se cassait le bas des reins toute la sainte journée en mille travails, et elle avait pas même la chiatique comme tous les autres. Patience, j'éliminerais son sel avec mes urines.

Il fallait plutôt interrompre les visites au grenier, faire un peu d'exercice, me distraire. J'ai téléphoné à Gianni : je voulais savoir si tout ce que j'avais lu ces jours-ci lui disait quelque chose à lui aussi. Il semble qu'on ait eu des expériences différentes – lui n'avait pas un grand-père collectionneur de matériel démodé – mais nombreuses avaient été les lectures communes, pour la raison supplémentaire qu'on se prêtait tour à tour nos livres. Sur Dumas, nous nous sommes défiés durant une demi-heure en un *trivial game*, comme dans un programme télévisé. Comment s'appelle l'auberge du traquenard à Amiens ? Le Lis d'Or. Où se cachaient la duchesse de Chevreuse et le duc de Buckingham ? 25, rue de Vaugirard, l'une ; 75, rue de La Harpe, l'autre. Que murmure en anglais Milady avant de mourir ? *I am lost. I must die.* Et sur quelle rivière les Mousquetaires la font-ils exécuter ? La Lys.

J'ai aussi essayé avec Toupettin, mais ça ne disait rien à Gianni. Lui, il lisait plutôt les bandes dessinées, et là il s'est refait en me mitraillant de rafales de titres. J'aurais dû moi aussi avoir lu ces bédés, et certains noms que Gianni me citait étaient familiers à mes oreilles, la Bande des Airs, Dick Fulmine contre Flattavion, Le Fantôme Noir, Moïse Lamouise, surtout Raoul et Gaston de la série Tim Tyler's... Mais je n'en avais pas trouvé trace au grenier. Peut-être que mon grand-père, qui aimait Fantômas et Rocambole, considérait les bandes dessinées comme une camelote qui gâtait les enfants. Et Rocambole, non ?

Avais-je grandi sans bédés ? Inutile de s'imposer de longues haltes et des repos forcés. En moi se réactivait la frénésie de la recherche.

Paola m'a sauvé. Ce même matin, vers midi, elle est arrivée par surprise, avec Carla, Nicoletta et les trois enfants. Elle n'avait pas été convaincue par mes rares coups de fil. Une partie de campagne, prétexte pour t'embrasser, a-t-elle dit, et nous repartons avant le dîner. Mais elle me scrutait, me soupesait.

« Tu as grossi », m'a-t-elle dit. Heureusement, j'étais loin d'être pâle avec tout le soleil que j'avais pris sur le balcon et dans les vignes, mais je devais m'être alourdi un peu. J'ai dit que c'étaient les dîners fins d'Amalia, et Paola a promis de la rappeler à l'ordre. Je ne lui ai pas dit que depuis des jours je restais recroquevillé sur le papier, sans bouger pendant des heures et des heures.

Une belle promenade, voilà ce qu'il faut – a-t-elle dit – et zou avec toute la famille vers le Conventino, qui n'était pas un « petit couvent » mais tout juste une chapelle qui se profilait à une poignée de kilomètres sur une hauteur. La montée était continue, et donc presque imperceptible, sauf quelques dizaines de mètres à la fin, et, tandis que je reprenais mon souffle, j'incitais les petits à cueillir un bouquet joli de roses et de violettes. Paola m'invitait, d'un ton bourru, à sentir les parfums au lieu de citer le Poète – parce qu'aussi le Poète mentait, comme tous ceux de sa race, les premières roses fleurissent après que les violettes sont parties en vacances, et dans tous les cas roses et violettes ne peuvent se lier en un seul bouquet, essayez et vous verrez.

Afin de montrer que je ne me souvenais pas que de morceaux d'encyclopédie, j'ai balancé certaines des histoires que j'avais apprises ces jours derniers, et les enfants caracolaient autour de moi, les yeux écarquillés, car ces histoires ils ne les avaient jamais entendues.

À Sandro, le plus grandelet, j'ai raconté *L'Île au trésor*. Je lui ai dit comment, en partant de l'auberge « À l'Amiral Benbow », je m'étais embarqué sur l'*Hispaniola*, avec Lord Trelawney, le docteur Livesey et le capitaine Smollett, mais il semblait que les deux les plus sympathiques étaient pour lui Long John Silver, à cause de sa jambe de bois, et ce scélérat de Ben Gun. Il ouvrait tout grand les yeux, excité, il entrevoyait les pirates en embuscade au milieu des arbrisseaux, il disait encore encore, en revanche ça suffisait car, une fois le trésor du capitaine Flint conquis, l'histoire finissait. En compensation, nous avons chanté longuement *Quinze hommes sur le corps du mort, yo-ho-ho et une bouteille de rhum…*

Pour Giangio et Luca, j'ai fait de mon mieux en évoquant les friponneries de Giannino Stoppani du *Giornalino di Gian Burrasca*. Quand j'ai greffé le bâton sur le fond du pot du dictame de tante Bettina, et que j'ai pêché la dent de monsieur Venanzio, ils n'en finissaient plus de rire, pour ce qu'ils pouvaient en comprendre à trois ans, et peut-être que mes histoires ont plu davantage à Carla et à Nicoletta, auxquelles personne, triste signe des temps, n'avait jamais rien dit de Gian Burrasca l'espiègle.

Mais, pour eux, il m'a semblé plus fascinant de raconter comment, dans la peau de Rocambole, afin d'éliminer mon maître dans l'art du crime, sir William, désormais aveugle mais encore témoin embarrassant de mon passé, je le renversais par terre et lui plantais dans la nuque une longue épingle effilée, faisant ensuite disparaître la petite tache de sang qui s'était formée au milieu de ses cheveux, de sorte que tout le monde penserait à une attaque d'apoplexie.

Paola criait que je ne devais pas faire écouter ces histoires aux enfants, et heureusement que de nos jours il n'y a plus chez soi de grandes épingles qui circulent, sinon cela finissait par un essai sur le chat.

Mais plus que tout, elle était intriguée par le fait que j'avais raconté toutes ces histoires comme si elles m'étaient arrivées à moi.

« Si tu le fais pour amuser les enfants, me disait-elle, c'est une chose, autrement tu t'identifies trop à ce que tu lis, et ça c'est emprunter la mémoire de quelqu'un d'autre. Mesures-tu bien la distance entre toi et ces histoires ?

– Allons, disais-je, sans mémoire oui mais fou non, je le fais pour les petits !

– Espérons, a-t-elle dit. Cependant tu es venu à Solara pour te retrouver toi-même, parce que tu te sentais oppressé par une encyclopédie faite d'Homère, Manzoni ou Flaubert, et tu es entré dans l'encyclopédie de la paralittérature. Ce n'est pas encore un gain.

– Bien sûr que c'en est un, répondais-je, et d'abord parce que Stevenson ce n'est pas de la paralittérature, secundo parce que ce n'est pas ma faute si le mec que je veux retrouver avalait de la paralittérature, et enfin c'est précisément toi, avec l'histoire du trésor de Clarabelle, qui m'as envoyé ici.

– C'est vrai, excuse-moi. Si tu sens que ça te sert, continue. Mais avec prudence, ne t'empoisonne pas avec tout ce que tu lis. » Pour changer de discours, elle a demandé des nouvelles de ma tension. Je lui ai menti : j'ai dit que je venais de la prendre et que j'avais treize. Elle en était heureuse, pauvre chérie.

Pour notre retour de promenade, Amalia avait préparé un beau goûter, et eau et citron frais pour tous. Puis ils sont repartis.

Ce soir-là, j'ai fait le brave garçon et je suis allé dormir à l'heure des poules.

Le lendemain matin, j'ai reparcouru les pièces de l'aile ancienne, qu'au fond j'avais visitées en grande hâte. Je suis rentré dans la chambre de mon grand-père que, pris d'une crainte révérencieuse, j'avais à peine regardée. Là aussi il y avait la commode et la grande armoire-penderie à miroir comme dans toutes les chambres à coucher d'autrefois.

J'ai ouvert, et, grande surprise : sur le fond, presque cachés par les vêtements suspendus qui conservaient une odeur de naphtaline défunte, se trouvaient deux objets. Un phonographe à pavillon, de ceux qu'on recharge manuellement, et une radio. Tous deux avaient été recouverts avec les feuillets d'une revue que j'ai rassemblée : c'était le *Radiocorriere*, une publication consacrée aux programmes radio, un numéro des années 1940.

Sur le plateau du phonographe, il y avait encore un vieux disque soixante-dix-huit tours, mais largement encrassé. J'ai mis une demi-heure pour le nettoyer, en crachant sur mon mouchoir. Le titre annonçait *Amapola*. J'ai mis le phonographe sur la commode, je l'ai chargé, et du pavillon sont sortis quelques sons confus. On reconnaissait à peine la mélodie. Le vieil instrument était désormais dans un état de démence sénile, rien à faire. D'ailleurs, il devait déjà être digne d'un musée du temps où j'étais garçonnet. Si je voulais entendre de la musique de cette époque, il fallait que j'utilise le tourne-disque que j'avais vu dans le bureau. Mais les disques, où se trouvaient-ils ? Il faudrait que je demande à Amalia.

La radio, bien que protégée, s'était quand même, en cinquante ans, couverte de poussière à pouvoir y écrire avec le doigt, et j'ai dû l'essuyer avec soin. C'était un beau Telefunken couleur acajou (d'où la présence de l'emballage que j'avais vu au grenier), avec le haut-parleur recouvert d'une étoffe tissée de gros fils (qui peut-être servait à mieux faire retentir la voix).

À côté du haut-parleur, le cadran avec les stations, sombre et illisible, et dessous trois boutons. C'était évidemment une radio à lampes, et, en l'agitant, on entendait quelque chose branler à l'intérieur. Il y avait encore le fil et la fiche.

Je l'ai emportée dans le bureau, je l'ai posée avec soin sur la table et j'ai mis la fiche dans la prise. Demi-miracle, signe qu'en ces temps-là on construisait des choses solides : la petite lampe qui éclairait le cadran des stations, fût-ce faiblement, marchait encore. Le reste non, d'évidence les lampes étaient fichues. J'ai pensé que quelque part, peut-être à Milan, je pouvais découvrir un de ces passionnés qui savent réactiver ces récepteurs, parce qu'ils ont un magasin de vieux composants, comme les garagistes qui remettent en marche les automobiles d'époque en se servant des pièces en bon état de celles qu'on envoie à la casse. Et puis j'ai pensé à ce que pouvait me dire un vieil électricien plein de bon sens populaire : « Je ne veux pas vous voler votre argent. Comprenez bien que si je vous la fais encore marcher, vous n'entendrez pas les choses qu'on émettait à l'époque, mais celles qu'on transmet aujourd'hui, et alors autant vaut que vous achetiez une radio neuve, et ça vous coûte moins qu'à réparer celle-ci. » Diable d'homme. J'étais en train de jouer une partie perdue d'avance. Une radio n'est pas un livre ancien, tu l'ouvres et tu trouves ce qu'on a pensé, dit et imprimé il y a cinq cents ans. Cette radio m'aurait fait entendre, d'une façon plus criaillante, de l'horrible musique rock ou comme on veut l'appeler aujourd'hui. Comme prétendre ressentir sur ses papilles la touche pétillante de l'eauvichi en buvant de la San Pellegrino à peine achetée au supermarché. Cette boîte cassée me promettait des sons perdus à jamais. Pouvoir les faire renaître, telles les paroles gelées de Pantagruel… Mais si ma mémoire cérébrale pouvait revenir un jour, cette trace d'ondes hertziennes était désormais irrécupérable. Solara ne pouvait m'aider avec aucun son, sauf le bruit assourdissant de ses silences.

Il restait cependant le cadran lumineux et les noms des stations, jaunes pour les ondes moyennes, rouges pour les ondes courtes, verts pour les grandes ondes, des noms sur lesquels je dois m'être trituré longtemps la cervelle, tout en déplaçant l'aiguille mobile et cherchant à entendre des sons inhabituels venus de villes magiques comme Stuttgart, Hilversum, Riga, Tallin. Des noms jamais entendus avant, que j'associais sans doute à Macédoine, Turkish Atika, Virginie, El Kalif et Stanbul. Ai-je davantage rêvé sur un atlas ou sur cette liste de stations et leurs murmures ? Mais il y avait aussi des noms de chez nous comme Milano et Bolzano. Je me suis mis à chantonner :

Quand la radio émet depuis Turin
Cela veut dire ce soir je t'attends au Jardin,
Mais si soudain on change de station
Cela veut dire : maman est là attention.
Radio Bologne, cela veut dire le cœur te cogne,
Radio Milan, tu te sens loin comme cent ans,
Radio San Remo, ce soir peut-être ensemble sans mot…

Les noms des villes étaient encore une fois des mots qui rappelaient d'autres mots.

L'appareil remontait, à vue d'œil, aux années 1930. À l'époque une radio devait coûter cher, et bien sûr elle était entrée dans la famille seulement à un certain moment, comme symbole de standing.

Je voulais parvenir à savoir ce qu'on faisait avec une radio entre les années 1930 et 1940. J'ai rappelé Gianni.

D'abord il a dit que je devais le payer à la pièce, vu que je l'utilisais comme un plongeur pour ramener à la surface des amphores immergées. Puis il a cependant ajouté d'une voix émue : « Eh, la radio… Chez nous, elle n'est arrivée qu'autour de 1938. Elles coûtaient cher, les radios, mon père était un employé, mais pas comme le tien, il travaillait dans une petite entreprise et gagnait peu. Vous, vous partiez en vacances d'été et nous, nous restions en ville, le soir on allait prendre le frais dans les jardins publics, et une glace une fois par semaine. Mon père était un homme taciturne. Ce jour-là, il est revenu à la maison, il s'est assis à table, il a mangé en silence, puis à la fin il a sorti un carton de gâteaux. Comment, on n'est pas dimanche ? a demandé ma mère. Et lui : comme ça, j'en ai eu l'envie. Nous avons mangé les gâteaux et puis lui, en se grattant la tête, il a dit : Mara, il paraît que ces mois-ci les choses ont bien marché et aujourd'hui le patron m'a offert mille lires. Ma mère a eu comme une attaque, elle a porté ses mains à sa bouche et elle s'est écriée : oh, Francesco, mais alors on s'achète la radio ! Tel quel. C'étaient les années du tube *Ah ! si j'avais mille lires par mois*. C'était la chanson d'un petit employé qui rêvait d'un salaire de mille lires, avec quoi acheter tant de choses à sa petite femme jeune et mignonne. Mille lires représentaient donc l'équivalent d'un bon salaire, sans doute était-ce plus que ne touchait mon père, en tout cas c'était comme une double paie, ce à quoi personne ne s'attendait. Ainsi, la radio est entrée chez nous. Laisse-moi réfléchir, c'était un Phonola. Une fois par semaine, il y avait le concert lyrique Martini et Rossi, et un autre jour la comédie. Eh, Tallin et Riga, j'aimerais bien qu'elles y soient encore sur la radio que j'ai maintenant, qui n'a que des chiffres... Et puis, avec la guerre, la seule pièce chauffée était la cuisine, la radio s'y est déplacée, et, le soir, le son au plus bas, sinon c'était la prison, on écoutait Radio-Londres. Enfermés à la maison, les vitres recouvertes du papier gris-bleu, celui du sucre, pour le black-out. Et puis, les chansons ! Quand tu reviens, si tu veux je te les rechante toutes, même les hymnes fascistes. Tu sais que je ne suis pas un nostalgique, mais parfois il me vient l'envie des hymnes fascistes, pour me sentir de nouveau comme ces soirs-là à côté de la radio... Comment disait une publicité ? La radio, la voix qui enchante... »

Je lui ai dit d'arrêter. C'est vrai, c'est moi qui le lui avais demandé, mais à présent il était en train de polluer ma tabula rasa avec *ses* souvenirs. Il fallait que je revive ces soirées-là tout seul. Qui devaient avoir été différentes : lui, il avait un Phonola et moi, j'avais un Telefunken, et puis lui se synchronisait peut-être sur Riga et moi sur Tallin. Mais on réussissait vraiment à prendre Tallin, pour finir par entendre parler estonien ?

Je suis descendu manger et, au nez et à la barbe de Gratarolo, j'ai bu, mais seulement pour oublier. Précisément moi, oublier. Il fallait effacer les excitations de la dernière semaine, et me faire venir l'envie de dormir dans l'ombre de l'après-midi, allongé sur le lit avec *Les Tigres de Mompracem* qui, jadis peut-être, me tenait éveillé jusqu'à point d'heure, mais au cours des deux dernières soirées s'était révélé bienfaisant soporifique.

Cependant, entre une fourchetée pour moi et des restes pour Matou, j'ai eu une idée simple mais fort lumineuse : la radio émet ce qu'on introduit sur les ondes maintenant, mais un phonographe te fait entendre ce qu'il y avait sur un disque d'autrefois. Ce sont les paroles gelées de Pantagruel. Pour avoir l'impression d'écouter la radio cinquante ans en arrière, j'avais besoin des disques.

« Les disques ? a bougonné Amalia. Mais pensez à manger, plutôt, pensez pas aux disques que c'tes bonnes choses vont vous aller tout de traviole et vous deviendez toxique et puis vous allez au docteur ! Les disques, les disques, les disques… Mais sainte polenta, j' suis tout d'même pas au grenier ! Quand les monsieurs vos oncles ont tout sorti, moi je les ai aidés et… attendez, 'tendez… je me suis dit que ces disques qu'il y avait dans le bureau, si je devais tous les monter, ils m'échappaient des mains et ça finissait que je les cassais dans les escaliers. Et alors, je les ai enfilés… les ai enfilés… 'scusez vous savez, c'est pas que j'ai plus de mémoire, même si à mon âge ça s'rait juste, mais cinquante ans bien sonnés ont passé et c'est pas que je soye restée ici pendant cinquante ans à penser toujours à ces disques. Mais v'là, quelle tête ! Je dois les avoir fichés dans le coffre qui se trouve devant le bureau de monsieur vot' grand-père ! »

J'ai sauté les fruits et je suis monté pour identifier le coffre. Je n'en avais pas fait grand cas au cours de ma première visite : je l'ai ouvert et les disques étaient là, l'un sur l'autre, tous des bons vieux soixante-dix-huit tours avec leur pochette protectrice. Amalia les avait déposés au petit bonheur, et il y avait de tout. J'ai mis une demi-heure à les porter sur la table du bureau et j'ai commencé à les placer avec un certain ordre dans la bibliothèque. Grand-père devait aimer la bonne musique, il y avait Mozart et Beethoven, des airs d'opéra (même un Caruso) et beaucoup de Chopin, mais aussi des partitions de chansons de l'époque.

J'ai regardé le vieux *Radiocorriere* : Gianni avait raison, il y avait un programme hebdomadaire de musique lyrique, les comédies, quelque rare concert symphonique, les giornali radio, et pour le reste de la musique légère, ou mélodique, comme on disait en ce temps-là.

Il fallait donc que j'écoute de nouveau les chansons, ce qui devait avoir été l'ameublement sonore où j'avais grandi – peut-être bien que mon grand-père était dans son bureau en train d'écouter du Wagner, et le reste de la famille à entendre des chansonnettes à la radio.

J'ai aussitôt repéré *Ah ! si j'avais mille lires par
mois*, d'Innocenzi et Soprani. Grand-père avait mis
une date sur de nombreuses pochettes, celle de l'apparition de la chanson ou celle de l'achat, je l'ignore,
mais je pouvais approximativement comprendre l'année où la chanson était déjà, ou encore, diffusée à la
radio. Dans ce cas-là, c'était 1938, Gianni s'en souvenait bien, la chanson était sortie quand chez lui on
achetait le Phonola.

J'ai essayé d'activer le tourne-disque. Il marchait
encore : le haut-parleur n'était pas une merveille, mais
sans doute était-il juste que tout grésillât comme
autrefois. Ainsi, avec le cadran de la radio éclairé,
comme si l'appareil était vivant, et le tourne-disque
mis en route, j'écoutais une émission de l'été 1938 :

Ah ! si j'avais mille lires par mois
Sans exagérer je serais sûr de trouver,
toute la félicité !
Un modeste emploi, je n'ai pas de prétention moi,
Je veux travailler pour enfin trouver
toute la tranquillité !
En banlieue, une maisonnette,
une femme mignonnette,
jeune et belle comme toi.
Ah ! si j'avais mille lires par mois,
je ferais tant d'achats, j'achèterais tant de choses,
les plus belles que tu veux toi !

Les jours précédents, je m'étais demandé quel pouvait être le moi divisé d'un enfant exposé à des messages de gloire nationale alors qu'en même temps il
fantasmait sur les brouillards de Londres, où il ren-

contrait Fantômas qui se battait contre Sandokan, au milieu d'une grêle de cloutaille qui trouait les poitrines et tranchait net les bras et les jambes des compatriotes poliment perplexes de Sherlock Holmes – et à présent j'apprenais que durant ces mêmes années la radio me proposait comme idéal de vie un comptable aux maigres prétentions, qui ne soupirait qu'après la tranquillité d'une banlieue. Mais c'était peut-être là une exception.

Il fallait que je remette en ordre tous les disques, et par dates, quand il y en avait une. Il fallait reparcourir année après année la formation de ma conscience à travers les sons que j'écoutais.

Au cours de ma remise en ordre, plutôt forcenée, entre une série de amour amour apporte-moi mille roses, non tu n'es plus ma bambina, bambine amoureuse, il y a une chapelle amour cachée au milieu des fleurs, reviens ma toute petite, ne joue que pour moi ô violon tsigane, toi musique divine, une heure seulement je te voudrais, petite fleur du pré et chiribiribine, entre les exécutions des orchestres de Cinico Angelici, Pippo Barzizza, Alberto Semprini et Gorni Kramer, sur des disques qui s'appelaient Fonit, Carisch, La Voix de son Maître, avec le petit chien qui écoute, le museau pointé, les sons sortant du pavillon d'un phonographe, je suis tombé sur des disques d'hymnes fascistes que mon grand-père avait réunis avec une ficelle, comme s'il voulait les protéger, ou les isoler. Grand-père était fasciste ou antifasciste, ou ni l'un ni l'autre ?

J'ai passé la nuit à écouter des choses que je ne trouvais pas étrangères, même si de certains chants seules les paroles me montaient aux lèvres, et d'autres la seule mélodie. Je ne pouvais pas ne pas connaître un classique comme *Giovinezza*, je crois que c'était l'hymne officiel de tout rassemblement, mais je ne pouvais pas non plus ignorer que probablement ma radio me le faisait entendre à une courte distance du *Pinguino innamorato*, chanté, ce « pingouin énamouré », comme racontait la pochette du disque, par le Trio Lescano.

Il me semblait connaître depuis longtemps ces voix féminines. Elles réussissaient à chanter à trois par intervalles de tierce et de sixte, avec un effet d'apparente cacophonie dont le résultat se révélait très agréable à l'oreille. Et, tandis que les enfants d'Italie dans le monde m'enseignaient que le plus haut des privilèges c'était d'être italien, les sœurs Lescano me parlaient des tulipes de Hollande.

J'ai décidé d'alterner hymnes et chansons (ce qui probablement me parvenait ainsi à travers la radio). Je suis passé des tulipes à l'hymne des Balilla, et à peine le disque mis, j'ai suivi le chant, comme si je récitais par cœur. L'hymne exaltait ce jeune homme courageux (fasciste avant la lettre, vu que – comme le savent les encyclopédies – Giovan Battista Perasso avait vécu au XVIIIe siècle) qui avait lancé sa pierre contre les Autrichiens, déchaînant ainsi la révolte de Gênes.

Les actes terroristes ne devaient pas déplaire au fascisme : dans ma version de *Giovinezza*, j'avais aussi écouté *De l'Orsini ici j'ai la bombe – Avec le poignard de la terreur*, et il me semble qu'Orsini avait tenté d'assassiner Napoléon III.

Mais, tandis que j'écoutais, la nuit était tombée ; du potager ou de la colline ou du jardin provenait une forte odeur de lavande et d'autres herbes que je ne connais pas (thym ? basilic ? je ne crois pas avoir jamais été calé en botanique – et puis j'étais bien toujours celui qui, parti pour acheter des roses, avait rapporté chez lui des testicules de chien – peut-être

Quand du fond de la rocaille
Sonne l'heure de la bataille
C'est flamme noire toujours
    premier,
Terrible, pour se jeter
Avec sa bombe à la main,
Avec la foi dans son cœur
Il avance, va loin
Plein de gloire et de valeur.

Jeunesse, Jeunesse,
printemps de joliesse
Dans l'âpreté de la vie,
ton chant va et retentit.

De l'Orsini ici j'ai la bombe
Avec le poignard de la terreur,
Quand l'obus gronde
Point ne tremble mon cœur,
Mon splendide étendard
ai défendu avec honneur
C'est une flamme toute noire
Qui embrase chaque cœur.

Jeunesse, Jeunesse,
printemps de joliesse
Dans l'âpreté de la vie,
ton chant va et retentit.

Pour Benito Mussolini
Eia Eia Alala.

Dans le ciel de mai, ronde
comme un fromage de Hollande
la lune en voyage monte
et son rayon nous mande…
D'amour elles parlent
les tu les tu les tu les tulipes,
Elles murmurent en chœur
les tu les tu les tu les tulipes…
Ecoute le chant délicieux
dans l'enchantement langoureux.
D'amour elles parlent
les tu les tu les tu les tulipes
Cœur délicieux
les tu les tu les tu les tulipes,
Et de moi te parleront
Les merveilleuses tu, les tu, les tu,
    les tu,
les tu, les merveilleuses tulipes !

Siffle la pierre, le nom retentit
Du garçon de Portoria,
Et le Balilla si hardi
Est un géant dans l'Histoire.
De bronze était ce mortier
Qui dans la fange s'effondra
Mais le garçon fut d'acier
Et sa Mère libéra.

Alerte le pas, l'œil fier
Clair le cri de la valeur
Aux ennemis, au front la pierre
Aux amis, tout le cœur.

Nous sommes de la semence
    les orages
Nous sommes des flammes
    de courage
Pour nous la source chante
Pour nous mai brille et
    s'enchante.
Mais si un jour la bataille
S'offre aux héros déployée
Nous serons la mitraille
De la Sainte Liberté.

Quand tout se tait, qu'en haut dans
    le ciel
la lune apparaît,
Avec mon plus doux et cher miaou,
J'appelle Maramao.
Je vois tous mes amis se promener
sur les toits,
Mais eux aussi sans toi
sont tristes comme moi.

Maramao pourquoi es-tu mort ?
Pain et vin ne te manquaient point,
salade était dans le jardin,
Et une maison tu avais toi.
Les chatounes énamourées
Pour toi font encore leurs
    ronrons,
Mais la porte est toujours fermée
Et toi plus ne réponds.

Maramao... Maramao...
Font les amis en chœur :
Maramao... Maramao...
Mao, miaou, mao, miaou, mao...

s'agissait-il de tulipes de Hollande). D'autres fleurs exhalaient leur parfum, qu'Amalia m'avait appris à reconnaître, les dahlias ou les zinnias ?

Matou est apparu, il s'est mis à se frotter contre mon pantalon tout en ronronnant. J'avais vu un disque avec un chat sur la pochette, et je l'ai mis à la place de l'hymne des Balilla, m'abandonnant à ce thrène félin. *Maramao, pourquoi es-tu mort ?*

Mais vraiment les Balilla chantaient *Maramao* ? Peut-être devais-je revenir aux hymnes du régime. Matou ne devait pas accorder grande importance à un changement de chanson. Je me suis commodément assis, je l'ai pris sur mes genoux en lui grattant l'oreille droite, j'ai allumé une cigarette et j'ai fait une *full immersion* dans l'univers d'un Balilla.

Après une heure d'écoute, mon esprit était un amalgame de phrases héroïques, d'incitations à l'assaut et à la mort, d'offres d'obéissance au Duce, jusqu'au sacrifice suprême. Feu de Vesta qui hors du temple surgit toute ailes et flammes la jeunesse va une mâle vigueur à la romaine volonté combattra on s'en est foutu un jour on s'en est foutu du triste sort pour préparer ce sang fort qui s'en fout à présent de mourir le monde sait que la chemise noire se porte pour combattre et mourir pour le Duce et pour l'Empire eia eia alala salut ô Roi Empereur loi nouvelle le Duce donna au Monde et à Rome l'Empire nouveau je te salue et vais en Abyssinie Virginia chérie mais je reviendrai je t'enverrai de l'Afrique une belle fleur qui naît sous l'Équateur Nice Savoie Corse fatale Malte bastion de la romanité, Tunisie notre rivage monts mers sonne la liberté.

Voulais-je Nice italienne ou mille lires par mois, dont je ne savais pas la valeur ? Un jeune garçon qui joue avec soldats de plomb et fusils veut libérer la

Corse fatale et non pas se maramalder au milieu des tulipes et des pingouins amoureux. Toutefois, Balilla à part, écoutais-je *Il pinguino innamorato* tout en lisant *Les Ravageurs de la mer*, et imaginais-je alors des pingouins « Dandinant doucement du frac » dans les mers glacées du Nord ? En suivant le *Tour du monde en quatre-vingts jours*, voyais-je Phileas Fogg voyager à travers des champs de tulipes ? Et comment mettais-je d'accord Rocambole avec sa longue épingle et la pierre de Giovan Battista Perasso ? *Tulipan* était de 1940, quand avait commencé la guerre : à l'époque je chantais certainement aussi *Giovinezza*, mais qui me dit en revanche que le Capitaine Satana, et Rocambole, je ne les avais pas lus en 1945, une fois la guerre terminée, quand on avait perdu toute trace des chants fascistes ?

Il me fallait vraiment récupérer à tout prix mes livres d'écolier. Je les aurais sous les yeux, mes véritables premières lectures, les chansons et leur date me diraient de quels sons je les accompagnais, et sans doute s'éclaircirait le rapport entre *on s'en est foutu du triste sort* et les massacres avec quoi me tentait le *Giornale Illustrato dei Viaggi e delle Avventure.*

Inutile de m'imposer quelques jours de trêve. Le lendemain matin, il fallait que je remonte au grenier. Si grand-père était méthodique, mes livres d'écolier ne devaient pas se trouver loin des caisses de livres de mon enfance. Si mes oncles n'avaient pas tout remis en désordre.

Pour le moment, j'étais fatigué des appels à la gloire. Je me suis mis à la fenêtre. Alors que le profil des collines se découpait sur le ciel, la nuit sans lune était *émaillée d'étoiles.* Pourquoi m'était venue à l'esprit cette expression éculée ? Elle venait d'une chanson, certainement. Je voyais le ciel comme je l'avais entendu chanter autrefois.

Je me suis mis à fouiller dans les disques et j'ai cherché tous ceux qui, par leur titre, laissaient penser à la nuit et à quelque espace sidéral. Le tourne-disque de mon grand-père était déjà de ceux où l'on pouvait préparer de nombreux disques empilés les uns sur les autres, de façon que, l'un fini, l'autre tombait sur le plateau. Précisément comme si la radio chantait toute seule pour moi, sans que je doive tourner les boutons. Je les ai fait partir et je me suis laissé bercer, appuyé au bord de la fenêtre, devant le ciel étoilé là-haut, au son de tant de bonne mauvaise musique qui devait réveiller quelque chose au-dedans de moi.

Cette nuit les étoiles qui brillent à mille… Une nuit, avec les étoiles et avec toi… Parle-moi, parle-moi sous les étoiles, dis-moi les plus belles choses, dans le doux charme d'amour… Là sous le ciel des Antilles, où les étoiles scintillent, ils descendent à mille les effluves d'amour… Marilou, sous le ciel de Singapour, dans un rêve d'étoiles d'or est né notre amour… Sous un ciel étoilé à nous regarder, sous les étoiles au ciel je veux ton baiser… Avec toi, sans toi, nous chantons les étoiles et la lune, qui sait si pour moi arrive la bonne fortune… Lune maritime l'amour est beau et si intime, Venise la lune et toi, tout seuls dans la nuit avec toi, avec toi nous chantonnons une chanson… Ciel de Hongrie, soupir de nostalgie, je pense à toi d'un amour infini… Je me balade où le ciel est toujours plus bleu, j'entends les oiseaux qui volettent sur les arbres, et chantent là-haut…

Le dernier disque, je devais l'avoir mis par erreur, il n'avait rien à voir avec le ciel, c'était une voix sensuelle, comme d'un saxophone en chaleur, qui chantait :

Là-haut, à Capocabana, – à Capocabana la femme est reine la femme est souveraine…

Le bruit lointain d'un moteur m'a troublé, peut-être une auto qui passait dans le val, j'ai éprouvé un soupçon de tachycardie et je me suis dit : « C'est Pipetto ! » Comme si quelqu'un se présentait, ponctuel, au moment voulu, et que pourtant sa venue m'inquiétait. Qui était Pipetto ? C'est Pipetto, disais-je, mais c'était seulement, une fois de plus, mes lèvres qui se souvenaient. Seulement *flatus vocis*. Qui pouvait être Pipetto, je l'ignorais. Ou bien, quelque chose en moi le savait, sauf que ce quelque chose se prélassait sournoisement dans la région blessée de mon cerveau.

Excellent sujet pour la Bibliothèque de mes Enfants, *Le Secret de Pipetto*. Ce pouvait-il être l'adaptation italienne de, mettons, *Le Secret de Lantenac* ?

Je me creusais la tête sur le secret de Pipetto et peut-être n'y avait-il aucun secret, à part celui que murmure à quiconque une radio tard le soir.

9. MAIS PIPPO NE LE SAIT PAS

Il y a eu d'autres jours (cinq, sept, dix?) dont les souvenirs s'amalgament, et peut-être est-ce un bien, parce que ce qui m'est resté fut, comment dire, la quintessence d'un montage. J'ai coupé-collé des témoignages disparates, séparant, réunissant, soit par séquence naturelle des idées et des émotions, soit par contraste. Ce qui m'est resté n'est plus ce que j'avais vu et senti pendant ces jours-là, et non plus ce que je pouvais avoir vu ou entendu, enfant : c'était la fiction, l'hypothèse élaborée à soixante ans de ce que j'aurais pu penser à dix. Peu, pour dire « je sais que ça s'est passé comme ça », suffisamment pour exhumer, sur des feuillets de papyrus, ce que probablement je pouvais avoir éprouvé à l'époque.

J'étais revenu dans le grenier, et je commençais à craindre que de mes années d'écolier il ne fût rien resté, quand m'est tombé sous les yeux un gros carton fermé par du ruban adhésif, où on avait écrit « Primaires et Secondaires Yambo ». Il y en avait aussi un autre avec « Primaires et Secondaires Ada ». Mais

je ne devais pas en plus réactiver la mémoire de ma
sœur. J'avais assez à faire avec la mienne.

Je voulais éviter une autre semaine de tension élevée. J'ai appelé Amalia et je me suis fait aider à
transporter le gros carton dans le bureau de grand-
père. Puis j'ai pensé que les classes élémentaires et
le premier cycle du secondaire, je devais les avoir
faits entre 1937 et 1945, et j'ai descendu aussi les
cartons où était écrit « Guerre », « Années 40 » et
« Fascisme ».

Dans le bureau, j'ai tout vidé et rangé sur différentes étagères : les livres des classes élémentaires, les
manuels d'histoire ou de géographie de l'enseigne-
ment secondaire premier cycle, et puis de nombreux
cahiers, avec mon nom, l'année et la classe ; beaucoup de journaux, aussi. Il paraissait que mon grand-
père, à partir de la guerre d'Éthiopie, avait conservé
les numéros importants, celui du discours historique
du Duce pour la conquête de l'Empire, celui de la
déclaration de guerre du 10 juin 1940, et ainsi de
suite, jusqu'au lancement de la bombe atomique sur
Hiroshima et la fin de la guerre. Et puis, il y avait des
cartes postales, des affiches, des opuscules, quelques
revues.

J'ai décidé de continuer avec la méthode d'un his-
torien, c'est-à-dire en vérifiant les témoignages par
recoupement. En somme, je lisais livres et cahiers de
la classe de huitième, 1940-41, des mêmes années je
feuilletais les journaux et, dans la mesure du possible,
des mêmes années je mettais les chansons sur le
tourne-disque.

J'avais pensé que si les livres étaient du régime en
place, du régime en place devaient être aussi les jour-

naux et on sait que, par exemple, la *Pravda* des temps
de Staline ne donnait pas de justes nouvelles aux bons
Soviétiques. Mais j'ai dû me raviser. Pour emphati-
quement propagandistes qu'ils fussent, les journaux
italiens, même en temps de guerre, permettaient de
comprendre ce qui se passait. À distance, mon grand-
père me donnait une grande leçon, civile et historio-
graphique à la fois : il faut savoir lire entre les lignes.
Et c'est entre les lignes qu'il lisait, en soulignant
non tant les titres en gros caractères mais plutôt les
articulets, les entrefilets, les nouvelles qui pouvaient
échapper à une première lecture. Un *Corriere della
Sera* du 6-7 janvier 1941 annonçait dans son titre :
« Sur le front de Bardia la bataille s'est poursuivie
avec grand acharnement ». En une demi-colonne, le
bulletin de guerre (il y en avait un par jour, qui énu-
mérait bureaucratiquement jusqu'au nombre des
avions ennemis abattus) disait avec détachement que
« d'autres points d'appui sont tombés après une
vaillante résistance de nos troupes, qui ont infligé à
l'adversaire des pertes importantes ». D'autres points
d'appui ? D'après le contexte, on comprenait que
Bardia, en Afrique septentrionale, était tombée aux
mains des Anglais. En tout cas, dans la marge grand-
père avait marqué à l'encre rouge, comme dans beaucoup d'autres numéros, « RL, B. perdue 40000 pris. ».
RL voulait dire évidemment Radio-Londres, et grand-
père confrontait les nouvelles de Radio-Londres avec
les officielles. Non seulement on avait perdu Bardia
mais quarante mille de nos soldats avaient dû se
rendre à l'ennemi. Comme on le voit, le *Corriere* ne
mentait pas, au pire il tenait pour évident ce sur quoi
il se montrait réticent. Le même *Corriere*, le 6 février,
titrait « Contre-attaque de nos troupes sur le front
nord de l'Afrique orientale ». Quel était le front nord

de l'Afrique orientale ? Alors que dans de nombreux numéros de l'année précédente, quand on donnait la nouvelle de nos premières pénétrations en Somalie britannique et au Kenya, des petites cartes précises apparaissaient pour faire comprendre où nous franchissions victorieusement les frontières, dans cette nouvelle sur le front nord point de petite carte, et c'est seulement en allant chercher dans un atlas que l'on comprenait que les Anglais avaient pénétré en Érythrée.

Le *Corriere* du 7 juin 1944 avait titré victorieusement sur neuf colonnes « La masse de feu de la défense allemande bat les unités alliées sur les côtes de la Normandie ». Que faisaient donc les Allemands et les Alliés sur les côtes de la Normandie ? C'est que le 6 juin, il y avait eu le fameux D-Day, le début de l'invasion, et le journal, qui ne pouvait certes pas en avoir parlé la veille, donnait l'affaire pour allant de soi, sauf à préciser que le maréchal von Runstedt ne s'était certes pas laissé surprendre et que la plage était pleine de cadavres ennemis. Impossible de dire que ce n'était pas vrai.

Je pouvais procéder méthodiquement et reconnaître la succession des événements réels, grâce à la presse fasciste lue comme on devait la lire, et comme probablement tout le monde la lisait. J'ai allumé le cadran de la radio, j'ai mis en marche le tourne-disque, et j'ai revécu. Naturellement, c'était comme revivre la vie d'un autre.

Premier cahier d'écolier. À cette époque, on enseignait d'abord à faire des bâtons, et on ne passait aux lettres de l'alphabet que quand on était capable de remplir une page avec des lignes bien alignées, toutes

droites. Éducation de la main, et du poignet : la calligraphie comptait pour quelque chose, quand la
machine à écrire était l'apanage des bureaux. Je suis
passé au *Livre de la première classe*, « compilé par
Mademoiselle Maria Zanetti, illustrations d'Enrico
Pinochi », Librairie de l'État, Année XVI.

Balilla.

Ba... ba... Baciami, piccina,
sulla bo... bo... bocca piccolina;
dammi tan tan tanti baci in quantità.
Tararataratarataratà.

Bi... bi... bimba birichina,
tu sei be... be... bella e sbarazzina.
Quale ten ten tentazione sei per me!
Tereteretereteretete.

BI, A: BA, BI, E: BE.
Cara sillaba con me.
Bi, O: BO, BI, U: BU.
Sono assai deliziose
queste sillabe d'amore.

Dans la page des premières diphtongues, après io,
ia, aia, il y avait Eia ! Eia ! et un faisceau. On appre-
nait l'alphabet au son de « Eia eia alala ! », pour ce
que j'en sais, un cri dannunzien. Pour le B, il y avait
des mots comme *Benito*, et une page consacrée à
Balilla. Au moment précis où *ma* radio chantait en
revanche une autre syllabation, *bi, bi bisous fillette*.

Comment aurais-je appris le B, vu que mon Giangio
le confond encore avec le V et dit *bermisseau* au lieu
de *vermisseau* ?

Balilla et Fils de la Louve. Une page avec un garçonnet en uniforme, chemise noire et une sorte de
bandoulière blanche croisée sur la poitrine avec un M
au centre. « Mario est un homme », disait le texte.

*Fils de la Louve. C'est le 24 mai. Guglielmo a mis
son bel uniforme neuf, l'uniforme de Fils de la Louve.
« Papa, moi aussi je suis un petit soldat du Duce, n'est-
ce pas ? Je deviendrai Balilla, je porterai le fanion, j'aurai le mousqueton, je deviendrai Avanguardiste. Je veux
faire moi aussi les exercices comme les vrais soldats, je
veux être le plus brave de tous, je veux mériter beaucoup de médailles… »*

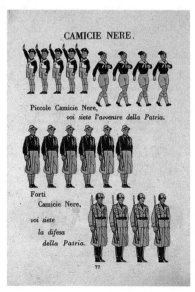

Sitôt après, une page qui ressemblait aux images d'Épinal, mais il ne s'agissait pas de zouaves ni de cuirassiers français, c'étaient les uniformes des différentes formations de la jeunesse fasciste.

Pour enseigner le son *aille* le livre donnait par exemple *gaillard, bataille, mitraille*. À des enfants de six ans. Ceux du printemps qui vient en chantant. Mais vers la moitié de l'abécédaire, on m'enseignait quelque chose sur l'Ange Gardien :

*Un petit enfant marche le long du chemin,
seul, perdu, personne ne le prend par la main...
Tout petit est l'enfant, si grande la campagne :
mais un Ange le voit, et l'accompagne.*

Où devait me conduire l'Ange ? Là où chantait la mitraille dans la bataille ? Pour ce que j'en savais, entre Église et Fascisme le traité du Latran avait été signé depuis longtemps, et donc désormais on devait nous éduquer à devenir Balilla sans oublier les Anges.

Défilais-je moi aussi en uniforme dans les rues de la ville ? Voulais-je aller à Rome et devenir un héros ? La radio chantait maintenant un hymne héroïque qui évoquait l'image d'un défilé de jeunes Chemises noires, mais aussitôt le panorama changeait et dans les rues passait à présent un certain Pippo, peu gâté par notre mère Nature et par son tailleur personnel : sur son gilet, il portait sa chemise. Pensant au chien d'Amalia, j'ai vu ce passant avec un visage avili, paupières tombantes sur deux yeux aqueux, sourire abruti et édenté, deux jambes désarticulées et les pieds plats. Mais s'il avait jambes et pieds, ce devait être un autre Pippo ; il me semblait qu'il avait quelque chose à voir avec le *Trésor de Clarabelle*, mais je ne parvenais pas à réaliser. Et quel rapport y avait-il entre ce Pippo et Dingo, à part le chien d'Amalia ?

Le Pippo de la chanson portait sa chemise sur son gilet. Mais les voix de la radio ne prononçaient pas « chemise », mais bien « chemiiise » (*sur son manteau sa veste il endosse – et sur son gilet sa chemiiise…*). Ce devait être pour faire cadrer les mots avec la musique. J'avais comme la sensation d'avoir fait la même chose, mais dans un autre contexte. Je me suis rechanté *Giovinezza, Jeunesse, jeunesse printemps de joliesse*, que j'avais écouté la veille au soir, mais en disant *Pour Benito et Mussolini, Eia Eia Alala*. Nous ne chantions pas pour *Benito Mussolini* mais pour *Benito* et *Mussolini*. Ce *et* était évidemment euphonique, il servait à donner une plus grande énergie au *Mussolini*. Pour Benito et Mussolini, sur le gilet la chemiiise.

Mais qui passait par les rues de la ville, les Balilla ou Pippo ? Et les gens, de qui riaient-ils ? Peut-être le régime percevait-il dans l'histoire de Pippo une subtile allusion ? Peut-être était-ce la sagesse populaire qui nous consolait avec des rengaines presque enfantines de cette rhétorique de l'héroïsme qu'on devait subir à chaque instant ?

C'est quasiment en pensant à autre chose que je suis arrivé à une page sur le brouillard. Une image : Alberto et son papa, deux ombres qui se découpent sur d'autres ombres, toutes noires, profilées ensemble sur un ciel gris où émergent, d'un gris un peu plus sombre, les silhouettes des maisons d'une ville. Le texte me disait que, dans le brouillard, les personnes ont l'air d'ombres. Le brouillard était-il ainsi ? Ce gris du ciel n'aurait-il pas dû envelopper,

Feu de Vesta
qui hors du temple surgit,
avec ailes et flammes la jeunesse va.
Torches ardentes
sur les autels et sur les tombes
nous sommes les espoirs
des nouveaux temps.

Duce, Duce,
qui ne saura mourir ?
Le serment qui donc le reniera ?
Dénude ton épée !
Quand tu le veux
fanions au vent
nous viendrons tous à toi.
Armes et drapeaux
des antiques héros,
pour l'Italie, ô Duce,
fais resplendir au soleil.

Et va, la vie va,
avec elle nous emporte
et nous promet l'avenir.

Une mâle jeunesse
à la romaine volonté combattra.

Viendra, ce jour viendra,
où l'illustre Mère
des héros nous hélera
pour le Duce, ô Patrie,
pour le Roi, à nous !
nous te donnerons gloire
et empire d'outre-mer !

Mais Pippo, Pippo ne le sait pas
toute la ville rit quand il fait un pas
et les cousettes
à l'aiguillette
pour lui font les minettes.

Mais lui avec grand sérieux
salue tout le monde, s'en va et roule
    des yeux,
il se croit canon
comme un Apollon
et sautille comme un chapon.
Sur son manteau sa veste il endosse
et sur son gilet sa chemise.
Il porte ses chaussettes sur ses
    chaussures
sans nulle fermeture
et avec des lacets tient son pantalon.

Mais Pippo, Pippo ne le sait pas
et tout sérieux va dans la ville pas à
    pas,
il se croit canon
comme un Apollon
et sautille comme un chapon.

comme du lait, ou comme de l'eau anisée, les ombres humaines aussi ? Pour ce qu'en disait la récolte de mes citations, dans le brouillard les ombres ne se découpent pas sur, mais naissent de, se confondent avec – le brouillard fait voir des ombres même là où il n'y a rien, et rien là où l'instant d'après émergent des ombres… Le livre de la première classe de l'école primaire me mentait donc aussi sur le brouillard ? En effet, il finissait avec une invocation au beau soleil, qui viendrait dissiper le brouillard. Il me disait que le brouillard était fatal, mais indésirable. Pourquoi m'enseignait-on que le brouillard était mauvais si au fond il m'en est resté l'obscure nostalgie ?

Obscure, obscurité totale, *black-out*. Mots qui rappellent des mots. Pendant la guerre, m'avait dit Gianni, la ville était plongée dans le noir, pour n'être pas identifiée par les bombardiers ennemis, même un filet de lumière ne devait pas percer par les fenêtres des maisons. S'il en allait ainsi, on bénissait alors le brouillard, qui étend sur nous son manteau protecteur. Le brouillard était bon.

Certes, on ne pouvait pas me parler du black-out dans le livre de la première classe, qui portait la date de 1937. Il ne parlait que de brouillard maussade, comme celui qui montait aux collines hérissées. J'ai feuilleté les livres des classes suivantes, mais il n'y avait pas d'allusions à la guerre, pas même dans celui de septième, qui pourtant était de 1941 – et la guerre avait commencé depuis un an. C'était encore une édition des années précédentes, et on y parlait seulement de héros de la guerre d'Espagne et de la conquête de l'Éthiopie. Il n'était pas convenable de parler dans les livres scolaires des malaises de la guerre, et on se soustrayait au présent pour célébrer les gloires passées.

Dans le livre de huitième, 1940-41, et nous étions
en automne de la première année de guerre, il n'y
avait que des histoires d'actions glorieuses de la
Première Guerre mondiale, avec des images qui montraient nos fantassins sur le Karst, nus et musculeux
tels des gladiateurs romains.

Mais dans d'autres pages apparaissaient, pour
concilier le Balilla avec l'Ange, des contes sur la nuit
de Noël, pleins de douceur et de bonté. Comme nous
perdrions toute l'Afrique-Orientale italienne seulement à la fin 41, quand ce livre circulait désormais
dans les écoles, nos fières troupes coloniales y cam-
paient encore, et ce que je voyais c'était un Dubat
somalien, dans son bel uniforme typique, adapté aux
coutumes de ces indigènes que nous civilisions, torse
nu sauf une bande blanche qui se nouait à la cartouchière. Poésie de commentaire, *l'Aigle légionnaire
prend son envol – sur le monde : Dieu seul l'arrêtera.*
Mais la Somalie était déjà tombée aux mains des

Anglais depuis février, peut-être au moment où je lisais pour la première fois cette page. Le savais-je, en lisant ?

Quoi qu'il en fût, dans le même abécédaire je lisais aussi *La Corbeille* recyclée : *Adieu rage de tempête ! – Adieu fracas de tonnerres ! – S'enfuient les nuées ventre à terre – et propre le ciel reste… – Consolé le monde se tait. – Sur l'affliction de chaque chose – comme un baume se pose – la sereine amie paix.*

Et la guerre en cours ? Dans le livre de septième, il y avait plutôt une méditation sur les différences raciales, avec un petit chapitre sur les Juifs et l'attention qu'on devait porter à cette lignée perfide qui « s'étant malignement infiltrée du côté des Ariens… avait inoculé dans les peuples nordiques un nouvel esprit fait de mercantilisme et de soif du gain ». Dans les cartons, j'avais aussi repéré quelques numéros de *La Défense de la Race*, une revue créée en 1938, et j'ignore si mon grand-père aurait jamais permis qu'elle me tombe entre les mains (mais on le sait, tôt ou tard j'étais allé mettre mon nez partout). Il y avait des photos d'aborigènes comparées à celles d'un singe, d'autres qui donnaient à voir le résultat monstrueux du croisement entre une Chinoise et un Européen (mais c'étaient des phénomènes de dégénérescence qui, paraît-il, n'avaient lieu qu'en France). On parlait bien de la race japonaise et on mettait en relief les stigmates, dont il faut tenir compte, de la race anglaise, des femmes à triple menton, des hommes du monde rubiconds au nez d'alcoolique, et un dessin humoristique montrait une femme avec le casque britannique, qu'impudiquement ne couvraient que quelques feuilles du *Times* arrangées en tutu : la femme se regardait dans un miroir et *Times*, à l'envers, donnait *Semit*. Quant aux véritables Juifs, on n'avait que l'embarras du choix : c'était un festival de nez crochus et barbes en broussaille, de bouches porcines et sensuelles aux dents en avant, de crânes brachycéphales, de pommettes marquées et d'yeux tristes à la Judas hiérosolymitain, de panses incontinentes de requins en frac, avec la chaîne de la montre en or sur le gilet, les mains rapaces tendues sur les richesses des peuples prolétaires.

Grand-père, je crois, avait glissé entre ces pages une carte postale de propagande où un Sémite répugnant, sur le fond de la statue de la Liberté, avançait ses doigts crochus vers qui le regardait. De toute façon, il y en avait pour tous parce qu'une autre carte postale montrait un sale nègre ivre avec un chapeau de cow-boy qui chiffonnait de ses grosses pattes onglées le blanc nombril de la Vénus de Milo. Le dessinateur oubliait que nous avions déclaré la guerre à la Grèce aussi, et donc que pouvait bien nous importer si cette brute pelotait une Hellène mutilée dont le mari circulait en jupette et le pompon sur les chaussures ?

Par contraste, la revue montrait les profils purs et virils de la race italique, et si Dante et certains condottieri n'avaient pas vraiment un nez petit et droit, on parlait dans ces cas-là de « race aquiline ». Et puis, si le rappel de la pureté arienne de mes compatriotes ne m'avait pas complètement convaincu, dans mon livre de lecture j'avais une forte poésie sur le Duce (*Carré est le menton et la poitrine encore plus carrée. – Le pas de colonne qui marcherait. – La voix mord comme l'eau au jet*) et la comparaison entre les traits mâles de Jules César et ceux de Mussolini (et que César, en fin de compte, couchât avec ses légionnaires, je ne l'aurais appris qu'après, par les encyclopédies).

Les Italiens étaient tous beaux. Beau, Mussolini qui, d'après un numéro de *Tempo*, revue illustrée, apparaissait en couverture à cheval, l'épée tendue (c'était une photo, une vraie photo, non pas une invention allégorique – il se déplaçait donc avec une épée ?), pour célébrer l'entrée en guerre ; belle, la chemise noire qui proclamait tantôt *Haïssez l'ennemi*, tantôt *Nous vaincrons !* ; belles, les épées romaines pointées vers le profil de la Grande-Bretagne ; belle, la main rurale qui tournait le pouce vers le bas sur une Londres en flammes ; beau, l'orgueilleux légionnaire qui se découpait sur les ruines de l'Amba Alagi détruite, en rassurant : *Nous reviendrons !*

Optimisme. La radio continuait à me chanter il était grand comme ça, il était gros comme ça, on l'appelait Bombolo, il essaya de danser, il commença à tituber, il s'écroula, roula de-ci, rebondit de-là comme fait une balle, par destinée fatale tomba dans un canal et resta à fleur de baille.

Mais surtout, elles étaient belles dans tant de revues et sur tant d'affiches publicitaires, les filles de pure race italienne, au sein gros et aux courbes moelleuses, splendides machines à faire des enfants, opposées aux osseuses, anorexiques miss anglaises, et à la femme-crise de ploutocratique mémoire. Belles, étaient les demoiselles qui apparaissaient absorbées par le concours *Cinq mille lires pour un sourire* ; belles, les dames provocantes, le derrière bien moulé dans la jupe maquerelleuse, qui traversaient à petites foulées une affiche tandis que la radio m'assurait que certes ils sont beaux les yeux noirs, certes ils sont beaux les yeux bleus, mais les jambes, mais les jambes, c'est elles que j'aime le mieux.

Splendides étaient les filles des chansons, soit des beautés italiques et très rurales, « les campagnardes épanouies », soit des beautés urbaines comme la *piccinina*, « la jolie, belle petite » Milanaise qui, avec son minois poudré se promenait sur le corso le plus bondé, ou bien les beautés à bicyclette, symbole

Le minois mi-poudré
et le plus beau des sourires légers
tu flânes sur le Corso le plus bondé
avec ton gros carton de nouveautés.
Oh, la jolie, belle petite
qui chaque matin trottine
heureuse au milieu des gens
allègre toujours chantonnant.
Oh, la jolie, belle petite,
tu es si si coquine
que tu deviens rouge cerise
si quelqu'un par surprise
une phrase douce te glisse,
te fait de l'œil de rouget,
te salue et disparaît d'un pas glissé.

———

Mais où vas-tu beauté à bicyclette
si pressée, pédalant avec ardeur,
les jambes fines, bien faites et belles
m'ont déjà mis la passion au fond
du cœur.
Mais où vas-tu, cheveux au vent,
le cœur content et le sourire
enchanteur...
Si tu le veux, tantôt ou maintenant,
nous serons d'amour un seul élan.

Quand on voit une fille
se promener
que faisons-nous ? Nous la suivons
et d'un œil madré nous cherchons
à deviner
de ses cheveux jusqu'à ses pieds.
Certes, ils sont beaux les yeux noirs
certes, ils sont beaux les yeux bleus
mais les jambes
mais les jambes
c'est elles que j'aime le mieux.
Certes, ils sont beaux les yeux clairs
et le nez mignon retroussé un peu
mais les jambes
mais les jambes
c'est elles que j'aime le mieux.

———

À l'aube quand se lève le soleil,
dans les Abruzzes tout de vermeil...
les campagnardes épanouies
descendent les vallées fleuries.
O belle des campagnes,
tu es une petite Reine.
Dans tes yeux, le soleil
la couleur des violettes
des vallées toutes en fleurs !....
Si tu chantes, ta voix, à la bonne
     heure,
est une harmonie de paix,
qui déferle et dit : « si tu sais
vivre dans le bonheur
il te faut vivre sur les hauteurs !....»

d'une féminité hardie et bohème aux jambes fines, bien faites et belles.

Laids, évidemment, les ennemis et dans certains exemplaires du *Balilla*, l'hebdomadaire pour les enfants de la Jeunesse Italienne du Licteur, apparaissaient les planches de De Seta avec les histoires qui ridiculisaient l'ennemi toujours animalesquement caricatural : *Par peur de la guerre – Roi Georget d'Angleterre – demande aide et protection – au ministre Churchillon*, et puis intervenaient les deux autres méchants, Rooseveltache et le terrible Stalinon, l'ogre rouge du Cramin.

Les Anglais étaient méchants parce qu'ils vou-voyaient avec le *Lei*, à la troisième personne, tandis que les bons Italiens ne devaient user, même dans les rapports interpersonnels, que l'italianissime *Voi*. D'après le peu qu'on sait des langues étrangères, ce sont les Anglais et les Français qui utilisent le *Voi* (you, vous) et le *Lei* est très italien, au mieux un résidu hispanique – *Lei*, c'est-à-dire Sa Seigneurie –, mais avec les Espagnols franquistes nous étions désormais cul et chemise. Par ailleurs, le *Sie* allemand est un *Lei* ou, au pluriel, un *Loro*, pas un *Voi*. Quoi qu'il en fût, peut-être par piètre connaissance de l'étranger, ainsi en avait-il été décidé en haut lieu, et grand-père avait conservé des coupures fort explicites et très inquisitoriales en la matière. Il avait eu aussi l'astuce de garder le dernier numéro d'une revue féminine, *Lei*, où l'on annonçait qu'avec le numéro suivant son titre serait changé en *Annabella*. Il était évident que le titre de la revue ne représentait pas un appellatif adressé à la lectrice idéale (« pardon, Vous (*Lei*), madame »), mais c'était une référence au public féminin (nous parlons d'Elle, *Ella*, *Essa*, *Lei*, pas de lui). Mais en tout cas, le Lei, eût-il d'autres fonctions grammaticales, était devenu tabou. Je me demandais si l'épisode avait aussi fait rire les lectrices d'alors ; le fait avait pourtant eu lieu et tout le monde l'avait digéré.

Et puis il y avait les beautés coloniales, car si les types négroïdes ressemblaient aux singes et les Abyssins étaient minés par de multiples maladies, on faisait une exception pour la belle Abyssine. La radio chantait *Frimousse noire, belle Abyssine, sois dans l'espoir que déjà l'heure est voisine, quand nous serons près de toi, nous te donnerons une autre loi et un autre Roi.*

Ce qu'on devait faire de la belle Abyssine, les dessins en couleurs de De Seta, l'inventeur de Churchillon, le disaient : on y voyait des légionnaires italiens qui achetaient des jeunes négresses à demi nues sur un marché d'esclaves et les expédiaient aux amis restés dans la patrie, comme un paquet postal.

Mais on soupirait après les beautés féminines d'Éthiopie dès le début de la campagne de conquête, avec un chant triste, nostalgique et dûment caravanier : *Elles vont – les caravanes du Tigré, – vers une étoile qui désormais – brillera et d'amour encore plus resplendira.*

Et moi, dans ce tourbillon d'optimisme, je pensais quoi ? Mes cahiers des cinq premières années me le disaient. Il suffisait d'en regarder les couvertures, qui déjà invitaient à des pensées de hardiesse et de victoire. Sauf certains, d'un papier blanc et robuste (ce devaient être les plus chers) qui portaient au centre le portrait de quelque Grand (je devrais avoir subtilisé sur le visage énigmatique et souriant le nom d'un monsieur nommé Shakespeare, et j'ai sûrement dû le prononcer comme on l'écrit, vu que j'en avais calqué les lettres à la plume, comme pour les interroger ou les mémoriser), pour le reste c'étaient des images du Duce à cheval, d'héroïques combattants en chemise noire qui lançaient des bombes à main contre l'ennemi, de vedettes lance-torpilles d'une grande minceur qui coulaient d'énormes cuirassés ennemis, d'estafettes au sublime esprit de sacrifice qui, les mains broyées par une grenade, continuaient à courir sous le crépitement de la mitraille adverse, en portant le message entre les dents.

Le maître (pourquoi maître et pas maîtresse ? Je l'ignore, j'avais dit comme ça me venait « monsieur le maître ») nous avait dicté les passages fondamentaux de l'historique discours du Duce le jour de la déclaration de guerre du 10 juin 1940, en y insérant, selon les comptes rendus des journaux, les réactions de la foule océanique qui l'écoutait sur la piazza Venezia :

Combattants de terre, de mer et de l'air! Chemises noires de la révolution et des légions! Hommes et femmes d'Italie, de l'Empire et du royaume d'Albanie! Écoutez! Une heure marquée par le destin sonne dans le ciel de notre Patrie. L'heure des décisions irrévocables. La déclaration de guerre a déjà été remise (acclamations, très hauts cris de « Guerre ! Guerre ! ») *aux ambassadeurs de Grande-Bretagne et de France. Nous descendons sur le champ de bataille contre les démocraties ploutocratiques et réactionnaires de l'Occident qui, de tout temps, ont fait obstacle à la marche, et souvent attenté à l'existence même du peuple italien…*

Suivant les lois de la morale fasciste, quand on a un ami on marche avec lui jusqu'au bout (cris de Duce ! Duce ! Duce !). *C'est ce que nous avons fait et ferons avec l'Allemagne, avec son peuple, avec ses merveilleuses Forces armées. En cette veille d'un événement d'une portée séculaire, tournons notre pensée vers la Majesté du Roi Empereur* (la multitude explose en grandes acclamations à l'adresse de la Maison des Savoie), *qui, comme toujours, a interprété l'âme de la Patrie. Et saluons à pleine voix le Führer, le chef de la grande Allemagne alliée* (le peuple acclame longuement à l'adresse de Hitler). *L'Italie, prolétaire et fasciste, est pour la troisième fois debout, forte, fière et compacte comme jamais* (la multitude crie d'une seule voix : « Oui ! »). *Le mot d'ordre est unique, catégorique et engageant pour tous. Déjà il traverse et enflamme les cœurs depuis les Alpes jusqu'à l'océan Indien : vaincre ! Et nous vaincrons !* (le peuple explose en de très hautes exclamations).

C'était en ces mois-là que la radio devait avoir mis en circulation *Vincere*, «Vaincre», en chanson, écho aux paroles du Chef.

Trempée par mille passions
la voix de l'Italie a résonné !
«Centuries, cohortes, légions,
debout car l'heure a sonné»!
En avant jeunesse !
Tout lien, tout obstacle
dépassons !
Brisons l'esclavage
qui nous atterre
prisonniers de nos rivages !
Vaincre ! Vaincre ! Vaincre !
Et nous vaincrons au ciel sur terre sur mer !
C'est le mot d'ordre
d'une suprême volonté
Vaincre ! Vaincre ! Vaincre !
à tout prix ! rien pour nous arrêter !
Nos cœurs exultent
dans l'extrême désir
d'obéir !
Nos lèvres jurent :
ou vaincre ou mourir !

Comment puis-je avoir vécu le début d'une guerre ? Comme une belle aventure commencée aux côtés du camarade germanique. Il s'appelait Richard, et c'est la radio qui me le disait en 1941 : *Camarade Richard, bienvenue…* Comment pouvais-je voir en ces années de gloire le camarade Richard (que la métrique nous obligeait évidemment à prononcer à la française,

Richàrd, et non à l'allemande, Rìchard), une carte postale me le disait, où il apparaissait côte à côte avec le camarade italien, tous deux de profil, tous deux mâles et décidés, le regard fixe sur la ligne d'horizon de la victoire.

Mais *ma* radio, après *Camerata Richard*, émettait maintenant (désormais je m'étais convaincu d'être en prise directe) une autre chanson. En allemand, celle-ci. C'était une cantilène triste, presque une marche funèbre qu'il me semblait rythmer avec d'imperceptibles tressaillements de mes entrailles, chantée par une voix féminine profonde et rauque, désespérée et pécheresse : *Vor der Kaserne, vor dem groben Tor – stand eine Laterne und steht sie noch davor...*

Mon grand-père avait ce disque mais moi, à l'époque, je ne pouvais avoir suivi la chanson en allemand.

Et, de fait, sitôt après j'ai écouté le disque italien, où la traduction était plutôt une paraphrase, ou une adaptation.

Devant la caserne
Quand le jour s'enfuit,
La vieille lanterne
Soudain s'allume et luit.
C'est dans ce coin-là que le soir
On s'attendait, remplis d'espoir
Tous deux, Lily Marlène
Tous deux, Lily Marlène.
La vieille lanterne
S'allume toujours
Devant la caserne
Lorsque finit le jour.
Mais tout me paraît étranger
Aurais-je donc beaucoup changé ?
Dis-moi, Lily Marlène
Dis-moi, Lily Marlène.

Là où la traduction ne le disait pas, les mots allemands faisaient surgir cette lanterne au milieu du brouillard, *Wenn sich die späten Nebel drehn*, tandis que le brouillard enfume. Mais à cette époque, dans tous les cas, je ne pouvais comprendre que, sous cette lanterne (mon problème sans doute était seulement de savoir comment on pouvait allumer une lanterne pendant le black-out), la voix triste dans le brouillard était celle de la mystérieuse *pitain*, femme qui faisait elle-même son commerce. Raison pour quoi, des

années plus tard, je noterais, extrait de Corazzini :
Trouble et triste dans la rue solitaire – juste devant la
porte du claque, – le bon encens de la cassolette se
plaque, – peut-être le brouillard rend-il opaque l'air.

Lily Marlène était apparue peu de temps après le
Camerata Richard plutôt excité, lui. Ou bien nous
étions plus optimistes que les Allemands, ou bien il
était arrivé quelque chose entre-temps, le pauvre
camarade était devenu triste, et, las de marcher dans
la boue, il rêvait de revenir sous cette lanterne. Mais
je me rendais peu à peu compte que la séquence
même des chansons de propagande pouvait me dire
comment on était passé du rêve de la victoire à celui
du sein accueillant d'une putain aussi désespérée que
ses clients.

Après les premiers enthousiasmes, on s'était habitué non seulement au black-out et, j'imagine, aux
bombardements, mais aussi à la faim. Pourquoi,
sinon, devait-on recommander au petit Balilla, en
1941, de cultiver sur son balcon un jardinet de guerre,
si ce n'est pour pouvoir tirer quatre légumes fût-ce du
plus petit espace ? Et pourquoi le Balilla ne reçoit-il
plus de nouvelles de son père au front ?

Cher Papa
je t'écris et ma main
presque me tremble, tu le comprends toi.
Il y a tant de jours que de moi tu es loin
et où tu vis tu ne le dis plus, ce que tu vois.
Les larmes qui mouillent mon visage
sont des larmes d'orgueil, crois-moi.
Je vois éclore ton beau sourire,
et ton Balilla dans tes bras tu le serres.
Moi aussi je combats, moi aussi je fais ma guerre,

IL NEMICO VI ASCOLTA
TACETE!

RITORNEREMO!

La neige fond, givre
et brouillard, ivres
ces Anglais ignobles
qui passent la nuit dans les
    vignobles
en descendant des bouteilles,
en suçant des pastilles de groseille
demandent aux rats
quand le temps changera.
Avril n'arrive pas
avec le vol de colombes
mais lance des ciels
une pluie de bombes,
mais lance des torpilles à coups sûrs
c'est l'Avril d'Italie
qui nous donne gloire…
Mauvaise Angleterre
tu perds la guerre
notre victoire sur ta tête est fière.

Maintenant vient le beau temps,
maintenant vient le beau temps,
îlot de pêcheurs au nord
tu retourneras à tes ports
Maintenant vient le beau temps,
maintenant vient le beau temps,
Angleterre, Angleterre, Angleterre
c'est déjà écrit, là tu t'enterres

Clouée sur la palmeraie
veille immobile la lune,
à cheval sur la dune
se trouve l'ancien minaret.
Sonneries, engins, pavoisez !
explosions, sang, dis-moi tout,
qu'arrive-t-il chamelier ?
C'est la saga de Djaraboub !

Colonel je ne veux pas de pain
mais du plomb pour mon mousquet,
j'ai de la terre dans ma musette
je n'ai plus besoin de rien.
Colonel je ne veux pas d'eau
donne-moi le feu destructeur,
avec le sang de ce cœur
ma soif s'éteindra.
Colonel je ne veux pas la relève
ici personne ne revient en arrière
on ne cède pas même un mètre
si la mort point ne se lève.

Colonel je ne veux pas qu'on me
    loue,
je suis mort pour ma Terre.
Mais la fin de l'Angleterre
commence à Djaraboub.

avec foi avec honneur et discipline
je désire que rapporte ma terre,
je soigne le jardinet chaque matin, je bine
le jardinet de guerre.
Et je prie Dieu
qu'il veille sur toi
mon petit papa.

Des carottes pour la victoire. Par ailleurs, j'ai lu dans un cahier une autre page où le maître nous faisait remarquer que nos ennemis anglais étaient le peuple des cinq repas. J'ai dû penser que j'en faisais cinq moi aussi, café au lait avec pain et confiture, collation à dix heures à l'école, déjeuner, goûter et dîner, mais tous les enfants n'avaient sans doute pas ma chance et un peuple qui mangeait cinq fois par jour devait susciter du ressentiment chez qui se trouvait dans la nécessité de cultiver des tomates sur son balcon.

Et alors, pourquoi les Anglais étaient-ils si maigres ? Pourquoi sur une carte postale recueillie par mon grand-père, derrière la légende « Taisez-vous ! », *Tacete !*, apparaissait un Anglais perfide cherchant à épier des informations militaires que l'imprévoyant camarade italien laissait échapper peut-être même au bar ? Mais comment était-ce possible, si tout le peuple avait couru comme un seul homme aux armes ? Y avait-il des Italiens qui espionnaient ? Les subversifs n'avaient-ils pas été battus, comme me l'expliquaient les histoires du livre de lecture, par le Duce avec la Marche sur Rome ?

Plusieurs pages des cahiers parlaient de la victoire désormais imminente. Mais, tandis que je lisais, une très belle chanson était tombée sur le plateau du tourne-disque. Elle racontait la dernière résistance d'un de nos points d'appui dans le désert, Djaraboub, et l'histoire de ces assiégés, vaincus à la fin, affamés et dépourvus de toute munition, prenait des dimensions épiques. J'avais vu quelques semaines plus tôt à la télévision, à Milan, un film en couleurs sur la résistance de Davy Crockett et Jim Bowie dans le fortin d'Alamo. Rien n'est plus exaltant que le *topos* du fortin assiégé. J'imagine avoir chanté cette élégie triste avec l'émotion d'un gamin qui suit aujourd'hui un film du Far-West.

Je chantais que la fin de l'Angleterre devait commencer à Djaraboub, mais la chanson aurait dû me rappeler *Maramao pourquoi es tu mort ?*, parce que c'était la célébration d'une défaite – et ce sont les journaux de mon grand-père qui me le disaient : l'oasis de Djaraboub était tombée en Cyrénaïque, après une belle résistance, précisément au mois de mars 41. Électriser un peuple sur une défaite me semblait une ressource plutôt extrême.

Et cette autre chanson, de la même année, qui promettait la victoire ? *Maintenant vient le beau temps !* On promettait le beau pour avril, quand nous aurions perdu Addis-Abeba. En tout cas, « maintenant vient le beau temps », on le dit quand il fait mauvais temps et qu'on espère que les choses changent. Pourquoi devait (en avril) venir le beau temps ? Signe qu'en cet hiver où la chanson avait été chantée pour la première fois on souhaitait un retournement de fortune.

Toute la propagande héroïque dont nous étions abreuvés faisait allusion à une frustration. Que voulait dire la rengaine « Nous reviendrons ! » sinon qu'on souhaitait, on espérait, on comptait revenir là où on avait été défaits ?

Et de quand était l'hymne des Bataillons M ?

Bataillons du Duce, Bataillons
de la mort créés pour la vie,
au printemps s'ouvre la partie,
les continents font flammes et fleurs !
Pour vaincre il faut les lions
de Mussolini armés de valeur.

Bataillons de la mort,
Bataillons de la vie,
recommence la partie,
sans haine point d'amour.
« M » rouge égal sort,
houppe noire de l'escadriste de choc armé
nous la mort avec ceux qui meurent
nous l'avons bien regardée
deux grenades à la main et à la bouche une fleur.

Selon les dates de mon grand-père, l'hymne devait être de l'année 1943, et il parlait encore d'un autre printemps, de deux années après (en septembre nous signerions l'armistice). À part l'image, qui devait m'avoir fasciné, de la mort accueillie avec deux grenades et une fleur à la bouche, pourquoi la partie devait-elle s'ouvrir à nouveau au printemps, pourquoi devait-elle recommencer ? Elle s'était donc arrêtée ? Et pourtant on nous le faisait chanter, dans un esprit d'immarcescible confiance en la victoire finale.

L'unique hymne optimiste que la radio m'a proposé fut la *Canzone dei Sommergibilisti* : « aller par la

LA DOMENICA DEL CORRIERE

En effleurant les ondes noires
de la dense obscurité,
du haut des fières tourelles
tout regard reste
en alerte.
En silence et invisibles
partent les submersibles !
Cœurs et moteurs
ont attaqué
l'Immensité !

Aller
par la vaste mer
en riant au nez de Dame Mort
et du Destin !
Toucher
et immerger
tout ennemi qu'on rencontre
sur son chemin !
C'est ainsi que vit le marin
au cœur profond
de la sonore mer !
De l'adversité et de l'adversaire
il s'en bat car il sait
qui vaincra.

Qui sait pourquoi de nos jours
les filles
Sont toutes folles des marins...
Attention fillettes, il faut se méfier,
entre le dire et le faire
au milieu c'est la mer...

Demoiselles ne zieutez pas les
    marins
parce que, parce que
faut rien combiner avec ces
    malandrins !
parce que, parce que...

En conjuguant le verbe aimer
Eux vous enseignent à nager
puis vous laissent vous noyer.

Demoiselles ne zieutez pas les
    marins
parce que, parce que...

vaste mer en riant au nez de Dame Mort et du Destin... » Mais les mots de cette chanson des sous-mariniers m'en rappelaient d'autres, et j'ai cherché la chanson *Signorine non guardate i marinai* : demoiselles ne zieutez pas les marins.

Celle-ci, on ne pouvait pas me la faire chanter à l'école. Évidemment les ondes la transmettaient. La radio diffusait et l'hymne des sous-mariniers et l'appel aux demoiselles, fût-ce à des heures différentes. Deux mondes.

Même à écouter les autres chansons, on eût vraiment dit que la vie filait sur deux voies, d'un côté les bulletins de guerre, de l'autre la leçon continue d'optimisme et de gaieté émise à pleines mains par nos orchestres. Commençait la guerre d'Espagne, et les Italiens mouraient d'un côté comme de l'autre, tandis que le Chef nous lançait des messages enflammés pour nous préparer à un conflit plus grand et plus sanglant ? Luciana Dolliver chantait (quelle bien douce flamme) n'oublie pas mes paroles, fillette tu ne sais pas ce qu'est l'amour, l'orchestre Barzizza jouait amoureuse bambine, j'ai rêvé de toi cette nuit, sur mon cœur endormie, et tu as souri, alors que tout le monde répétait fleurie fleurette le bel amour dans la courette. Le régime célébrait la beauté campagnarde et les mères prolifiques tout en taxant le célibat ? La radio avertissait que la jalousie n'est plus à la mode, n'est plus d'usage c'est une folie.

Éclatait la guerre, il fallait obscurcir les fenêtres et être rivés à la radio ? Alberto Rabagliati nous murmurait baisse ta radio s'il te plaît si tu veux entendre les battements de mon cœur. Elle débutait mal la campagne où nous aurions dû « briser les reins à la

N'oublie pas mes paroles fillette
tu ne sais pas ce qu'est l'amour.
C'est une chose belle comme le soleil
Plus que le soleil il brûle toujours.
Il descend lentement dans les veines
puis doucement arrive jusqu'au cœur.
Naissent ainsi les premières peines
avec les premiers rêves de bonheur.

Mais l'amour non
mon amour ne peut
se dissiper au vent avec les roses
il est si fort qu'il ne cédera,
ne défleurira.
Je le veillerai,
je le défendrai
contre tous ces pièges empoisonnés
qui voudraient au cœur l'arracher
mon pauvre amour.

Amoureuse bambine
J'ai rêvé de toi cette nuit
Sur mon cœur endormie
Et tu as souri.
Amoureuse bambine
La bouche t'ai baisée
Ce baiser t'a réveillée
Jamais ne l'oublie.

Fleurie fleurette,
le bel amour dans la courette !
Me fait rêver, me fait trembler,
pourquoi, qui sait.
Fleur d'iris,
qu'est donc la vie
s'il n'y a pas d'amour
qui notre cœur toujours
fait palpiter ?
Fleur de verveine,
si l'amour nous donne de la peine…
fait comme le vent qui en un
     moment
passe et va !
Mais quand tu es avec moi,
c'est le bonheur parce que…
Fleurie fleurette,
le bel amour
dans la courette.

La jalousie n'est plus à la mode,
n'est plus d'usage c'est une folie :
tu dois avoir le cœur ravi
style Vingtième siècle bien né
pour jouir de tes jeunes années.
Si tu es triste bois un Whisky and
     Soda
et à l'amour n'y pense pas :
prends le monde allégrement
heureux tu seras et toujours souriant.

Grèce », et nos troupes commençaient à mourir dans la boue ? Pas de panique, on ne fait pas l'amour quand il pleut.

Vraiment, Pippo ne le savait pas ? Combien d'âmes avait le régime ? Faisait rage sous le soleil africain la bataille d'El-Alamein, et la radio entonnait je veux vivre, vivre le soleil au front et heureux je chante, béatitude. Nous entrions en guerre contre les États-Unis, nos journaux célébraient le bombardement japonais de Pearl Harbor, et on entendait sur les ondes sous le ciel des Hawaï, si une nuit tu descends, le paradis tu rêveras (mais peut-être le public de la radio ne savait-il pas que Pearl Harbor était dans les Hawaï et que les Hawaï étaient territoire américain). Von Paulus se rendait à Stalingrad entre des pyramides de cadavres de part et d'autre, et nous écoutions j'ai un petit caillou dans mon soulier, aïe, il me fait bien bien mal au pied.

Commençait le débarquement des Alliés en Sicile et la radio (avec la voix d'Alida Valli !) nous rappelait que l'amour non, l'amour ne peut se dissiper avec l'or des cheveux. Arrivait la première incursion aérienne sur Rome et Jone Caciagli rossignolait nuit et jour seuls tous deux seuls, mes mains dans tes mains jusqu'à l'aube du lendemain. Les Alliés débarquaient à Anzio et à la radio faisait fureur *Besame, besame mucho*, il y avait le massacre des Fosses Ardéatines et la radio nous réjouissait avec *Chèvrepelée* et *As-tu vu Zaza ?*, Milan était martyrisée par les bombardements et Radio-Milan diffusait *La dandyarrhée du Biffi Scala…*

Et moi, moi, comment vivais-je cette Italie schizophrène ? Je croyais à la victoire, j'aimais le Duce, je voulais mourir pour lui ? Je croyais aux phrases historiques du Chef que le maître nous dictait, c'est la charrue qui trace le sillon mais c'est l'épée qui le défend, nous irons droit au but, si j'avance suivez-moi si je recule tuez-moi ?

J'ai trouvé une rédaction faite en classe, dans un cahier de septième, 1942, Année XX de l'Ère fasciste :

SUJET – *« Ô enfants, vous devez être durant toute votre vie les gardiens de la nouvelle héroïque civilisation que l'Italie est en train de créer. »* (Mussolini)
DÉVELOPPEMENT – *Voici qu'avance sur la route poussiéreuse une colonne de petits enfants.*

Ce sont les Balilla qui, fiers et gaillards sous le tiède soleil du printemps naissant, marchent, disciplinés et obéissants, aux ordres secs donnés par leurs officiers ; ce sont ces garçons qui, à vingt ans, laisseront leur plume pour empoigner le mousquet afin de défendre l'Italie des embûches ennemies. Ces Balilla que l'on voit défiler dans les rues, le samedi, et étudier penchés sur les bancs de l'école, les autres jours, deviendront, à l'âge qu'il faut, des fidèles et incorruptibles gardiens de l'Italie et de sa civilisation.

Qui aurait imaginé, en voyant défiler les légions de la « Marche de la jeunesse », que ces jeunes imberbes, nombre desquels encore avanguardisti, avaient déjà rougi de leur sang les sables enflammés de la Marmarica ? Qui imagine, en voyant ces garçons joyeux et toujours en veine de plaisanterie, que d'ici quelques brèves années ils pourront aussi mourir sur le champ de bataille, le nom d'Italie sur les lèvres ?

La pensée qui m'aiguillonne est toujours celle-ci : quand je serai grand, je serai soldat. Et maintenant qu'à la radio j'apprends les actes infinis de courage, d'héroïsme et d'abnégation accomplis par nos valeureux soldats, ce désir s'est encore plus enchaîné dans mon cœur et nulle force humaine ne pourra l'en déraciner.

Oui ! Je serai soldat, je combattrai et si l'Italie le veut je mourrai, pour sa nouvelle, héroïque, sainte civilisation qui apportera bien-être au monde, Dieu voulant qu'elle soit réalisée par l'Italie.

Oui ! Les Balilla joyeux et blagueurs, lorsqu'ils seront grands deviendront des lions si un ennemi osait profaner notre sainte civilisation. Ils combattraient comme des bêtes déchaînées, tomberaient, se relèveraient pour combattre encore, et ils l'emporteraient, faisant triompher une fois de plus l'Italie, l'immortelle Italie.

Et avec le souvenir qui anime les gloires passées, avec les résultats des gloires présentes, et avec l'espérance des gloires futures, qui seront données par les Balilla, garçons d'aujourd'hui, soldats de demain, l'Italie poursuit son glorieux chemin vers la victoire ailée.

J'y croyais vraiment ou je répétais des phrases toutes faites ? Que disaient mes parents en me voyant rapporter à la maison, avec une excellente note, ces textes ? Sans doute devaient-ils y croire eux aussi, car semblables phrases ils les avaient absorbées avant même le fascisme. Pour ce que les gens en savent, n'étaient-ils pas nés et n'avaient-ils pas grandi dans un climat nationaliste où l'on célébrait le premier conflit mondial comme un bain purificateur, les futuristes ne disaient-ils pas que la guerre était la seule hygiène du monde ? Et, parmi les livres du grenier, il m'était tombé sous les yeux un vieil exemplaire du roman *Le Livre Cœur* de De Amicis où, entre les héroïsmes du petit patriote padouan et les actes généreux de Garrone, j'avais lu une page dans laquelle le père d'Enrico écrit à son fils un éloge de l'Armée royale :

Tous ces jeunes, pleins de force et d'espoirs, peuvent d'un jour à l'autre être appelés à défendre notre Pays, et en quelques heures tous broyés par les balles et la mitraille. Chaque fois que tu entends crier dans une fête : vive l'Armée, vive l'Italie, imagine, au-delà des régiments qui passent, une campagne couverte de cadavres et inondée de sang, et alors le vive de l'armée te sortira plus profondément du cœur, et l'image de l'Italie t'apparaîtra plus sévère et plus grande.

Donc non seulement moi, mais mes aînés avions été éduqués à concevoir l'amour de sa propre terre comme un tribut d'hémoglobine, et non pas à être saisis d'horreur mais au contraire excités devant une campagne inondée de sang. D'ailleurs, cent ans plus tôt, ne chantait-il pas le très doux Poète *Ô heureux, bénis soient et chéris – les âges anciens quand à la mort pour la Patrie – couraient les peuples en escouades* ?

J'ai compris comment même les massacres du *Giornale Illustrato dei Viaggi e delle Avventure* ne devaient pas me sembler du tout exotiques, car on était élevé dans le culte de l'horreur. Et il ne s'agissait pas seulement de culte italien, parce que justement dans les récits du *Journal Illustré* j'avais lu d'autres exaltations guerrières et rédemptions à travers les bains de sang, prononcées par d'héroïques poilus qui faisaient de la honte de Sedan leur mythe rageur et vengeur, comme nous l'aurions fait avec Djaraboub. Rien n'excite plus à l'holocauste que la rancœur pour une défaite. Ainsi nous apprenait-on à vivre, pères et fils, en nous racontant comme il était beau de mourir.

À quel point voulais-je vraiment mourir et que savais-je de la mort ? C'est dans mon livre de lecture de la classe de septième qu'on lisait cette histoire intitulée *Loma Valente*. Et c'étaient les pages les plus froissées de tout le volume, le titre était marqué d'une croix au crayon, de nombreux passages, soulignés. Un épisode héroïque de la guerre d'Espagne : un bataillon de Flèches noires est en position devant une butte, une *loma* en espagnol, dure et rocailleuse, qui offre peu de prise à l'attaque. Mais un peloton est commandé par un athlète brun de vingt-quatre ans, Valente, qui dans sa patrie étudiait les lettres et écrivait des poésies, mais il avait aussi remporté les Jeux des Faisceaux fascistes au combat de boxe, et il s'était enrôlé volontaire en Espagne, où il y avait « à combattre même pour les boxeurs et les poètes ». Valente commandait l'attaque, conscient du danger. Le récit décrit les différentes phases de cette héroïque entreprise, les rouges (« maudits, où sont-ils ? pourquoi ne se montrent-ils pas ? ») font feu de toutes leurs armes, un déluge, « comme s'ils jetaient de l'eau sur un incendie qui s'étend et s'approche ». Valente fait encore quelques pas pour conquérir le sommet, et un coup sec et soudain au front lui remplit les oreilles d'un terrible fracas :

Puis, le noir. Valente a son visage sur l'herbe. Le noir à présent est moins obscur ; il est rouge. L'œil du héros plus près de la terre voit deux ou trois brins d'herbe gros comme des poteaux.

Un soldat s'incline, il murmure à Valente que le sommet est pris. Et maintenant, l'auteur parle pour Valente : «Que signifie mourir ? C'est le mot, d'habitude, qui fait peur. Il meurt, et le sait, il ne sent ni chaud, ni froid, ni douleur.» Il sait seulement qu'il a fait son devoir et que la *loma* qu'il a conquise portera son nom.

D'après le tremblement qui accompagnait ma relecture adulte, je comprenais que ces quelques pages m'avaient raconté pour la première fois la vraie mort. Cette image des brins d'herbe gros comme des poteaux paraissait avoir habité mon esprit depuis un temps immémorial, car en lisant je les voyais presque. Mieux, j'avais l'impression d'avoir répété plus d'une fois, enfant, comme un rite sacré, une descente dans le potager où je m'allongeais à plat ventre, le visage presque écrasé contre quelque herbe odorante, pour voir vraiment ces poteaux.

Cette lecture avait été ma chute sur le chemin de Damas, qui m'avait marqué sans doute à jamais. C'était dans les mêmes mois où j'écrivais la rédaction qui m'avait tant troublé. Une pareille duplicité était-elle possible ? Ou bien peut-être avais-je lu la nouvelle après la rédaction, et dès cet instant tout avait changé ?

J'étais arrivé à la fin de mes années d'école primaire, qui se concluaient avec la mort de Valente. Les livres du premier cycle du secondaire étaient moins intéressants, si tu parles des sept rois de Rome, ou des polynômes, fasciste ou pas, tu dois dire plus ou moins les mêmes choses. Mais de ce premier cycle, il y avait des cahiers de «Chroniques». Il y avait eu quelques réformes des programmes, on ne donnait plus de rédactions à sujet fixe, d'évidence nous étions incités à raconter des épisodes de notre vie. Et l'enseignante avait changé, qui lisait chaque chronique et de son crayon rouge en notait non pas une évaluation chiffrée mais un commentaire critique, sur le style ou sur l'imagination. D'après certaines désinences de ces notes (« j'ai été frappée par la vivacité avec laquelle… ») on comprenait que nous avions affaire à une femme. Certainement une femme intelligente (sans doute l'adorions-nous car, en lisant ces messages en rouge, je sentais qu'elle devait être jeune et belle et, Dieu seul sait pourquoi, aimer le muguet), qui tentait de nous pousser à être sincères et originaux.

Une de mes chroniques ayant reçu le plus d'éloges était celle-ci, datée de décembre 1942. J'avais maintenant onze ans, mais j'écrivais seulement neuf mois après la rédaction précédente :

CHRONIQUE – *Le verre incassable.*

Maman avait acheté un verre incassable. Mais vraiment en verre, du vrai verre, et de cela je m'étonne car, quand ce fait se produisit, le soussigné totalisait à peine quelques années, ses facultés mentales n'étaient pas développées au point d'imaginer qu'un verre, un verre semblable à ceux qui, en tombant, font trinn ! (procurant ainsi une bonne dose de taloches), pût être incassable.

Incassable ! Cela me semblait un mot magique. Essaye que je t'essaye, une, deux, trois fois, le verre tombe, rebondit dans un fracas du diable, et il s'immobilise, intact.

Un soir viennent des connaissances et des chocolats sont offerts (remarquons qu'alors ces friandises exis-

*taient encore ; et en abondance). La bouche pleine (je ne
me rappelle plus si c'étaient des chocolats « Gianduia »
ou « Strelio » ou « Caffarel-Prochet »), je me dirige vers
la cuisine et j'en reviens avec le fameux verre à la main.*

*« Mesdames et messieurs – m'exclamé-je d'une voix
de propriétaire de cirque hélant les passants pour assister au spectacle – je vous présente un verre magique, spé-
cial, incassable. Maintenant, je vais le jeter par terre et
vous verrez qu'il ne se cassera pas – et j'ajoute d'un air
grave et solennel –* IL RESTERA INTACT. »

*Je jette et… inutile de le dire, le verre vole en mille
morceaux.*

*Je me sens devenir rouge, je regarde, halluciné, ces
tessons qui, frappés par la lumière du lustre, luisent
comme des perles… et j'éclate en sanglots.*

Fin de mon histoire. Je cherchais maintenant à
l'analyser, comme s'il s'agissait d'un texte classique.
Je racontais l'histoire d'une société pré-technologique
où un verre incassable était une rareté, et on en achetait un seul, comme preuve. Le casser n'était pas seulement un échec, mais aussi un *vulnus* porté aux
finances familiales. Donc, histoire d'une défaite sur
toute la ligne.

Mon récit évoquait, en 1942, une période d'avant-
guerre comme époque heureuse, où les bouchées au
chocolat étaient encore accessibles, et de marque
étrangère en plus, et les hôtes étaient reçus dans un
salon ou une salle à manger à la lumière d'un lustre.
L'appel que j'adressais à l'assemblée n'imitait pas les
historiques appels du haut du balcon du Palazzo
Venezia, mais il avait le ton grotesque du bonimen-
teur que j'avais sans doute écouté au marché.
J'évoquais un pari, une tentative de victoire, une inal-

térable sûreté et puis, avec un bel anticlimax, je renversais la situation et reconnaissais avoir perdu.

Une des premières histoires vraiment à moi, pas la répétition de clichés scolaires et pas même l'évocation de quelque beau roman d'aventures. La comédie d'une lettre de change non honorée. Dans ces tessons qui, sous le lustre, luisaient (faussement) comme des perles, je célébrais mon *vanitas vanitatum*, et je professais un pessimisme cosmique.

J'étais devenu le narrateur d'un échec dont je représentais le brisable et corrélatif objectif. J'étais devenu existentiellement encore qu'ironiquement amer, radicalement sceptique, imperméable à toute illusion.

Comment pouvait-on changer ainsi en l'espace de neuf mois ? La croissance naturelle, certes, en grandissant on devient malin, mais il y avait plus : le désabusement pour des promesses de gloire non tenues (peut-être moi aussi, encore en ville, lisais-je les journaux soulignés par mon grand-père), la rencontre avec la mort de Valente, l'acte héroïque qui se résolvait dans la vision de ces terribles poteaux couleur vert pourri, dernière palissade qui me séparait des enfers, et de l'accomplissement du destin naturel de tout mortel.

En neuf mois, j'étais devenu sage d'une sagesse sarcastique et désenchantée.

Et tout le reste, les chansons, les discours du Duce, les bambines amoureuses et la mort vue avec deux grenades à la main et une fleur à la bouche ? À en juger d'après les en-têtes des cahiers du premier cycle de l'école secondaire, la sixième, quand j'avais écrit cette chronique, s'était encore déroulée en ville, les deux classes suivantes à Solara. Signe que ma famille avait décidé de se réfugier définitivement à la cam-

pagne parce que les premiers bombardements étaient
arrivés chez nous aussi. J'étais devenu citoyen de
Solara dans le sillage du souvenir de ce verre brisé, et
les autres chroniques, de cinquième et de quatrième,
n'étaient que des réminiscences du bon temps passé,
quand à entendre une sirène on savait que c'était une
usine, et on disait « c'est midi, papa revient à la maison », des récits qui racontaient comment cela aurait
été beau de retourner dans une ville pacifiée, des imaginations autour des Noëls d'antan. J'avais quitté l'uniforme de Balilla et j'étais devenu un petit décadent,
déjà voué à la recherche du temps perdu.

Et comment avais-je vécu les années depuis 1943
jusqu'à la fin de la guerre, les plus noires, avec la lutte
des partisans et les Allemands qui n'étaient plus des
camarades ? Rien dans les cahiers, comme si parler de
l'effroyable présent était tabou, et que les enseignants
nous encourageaient à ne pas le faire.

Un maillon me manquait encore, et peut-être pas
qu'un. À un moment donné, j'avais changé, je ne
savais pas pourquoi.

10. LA TOUR DE L'ALCHIMISTE

Je me sentais plus déconcerté qu'à mon arrivée. Au moins, avant, je ne me rappelais rien, zéro absolu. À présent, je ne me rappelais pas encore, mais j'avais trop appris. Qui avais-je été ? À la fois le Yambo de l'école et de l'éducation publique, qui se faisait par architectures fascistes sous le signe de la hache et du faisceau de verges, cartes postales de propagande, affiches murales, chansons, le Yambo de Salgari et de Verne, des ravageurs de la mer, des atrocités du *Giornale Illustrato dei Viaggi*, des crimes de Rocambole, du Paris Mystérieux de Fantômas, des brouillards de Sherlock Holmes, ou encore, le Yambo de Toupettin, et du verre incassable.

J'avais téléphoné, perplexe, à Paola, je lui avais raconté mes désarrois, et elle avait ri.

« Yambo, pour moi ce ne sont que des mémoires embrouillées, j'ai gardé l'image de quelques nuits dans un refuge antiaérien, on me réveillait tout à coup et on m'emportait dans les sous-sols, je devais avoir quatre ans. Mais excuse, laisse-moi faire la psy : un enfant peut vivre dans des mondes différents, comme nos petits, qui apprennent à allumer la télé et regardent le journal télévisé, et puis ils se font raconter des fables et feuillettent des livres illustrés avec des monstres verts aux bons yeux et des loups qui causent. Sandro parle toujours des dinosaures, qu'il a vus dans quelque dessin animé, pourtant il ne s'attend pas à en croiser au coin de la rue. Moi je lui raconte Cendrillon et puis lui, à dix heures, il quitte son lit et, sans que ses parents s'en aperçoivent, il lorgne de la porte la télévision, et il voit les marines qui tuent dix gueules jaunes d'une seule giclée de mitrailleuse. Les enfants sont beaucoup plus équilibrés que nous, ils distinguent parfaitement entre fable et réalité, ils ont un pied ici et un autre là, mais ils ne s'embrouillent jamais, sauf certains enfants malades qui voient Superman voler, s'accrochent une serviette dans le dos et se jettent par la fenêtre. Mais eux sont des cas cliniques, et la faute en est presque toujours aux parents. Toi, tu n'étais pas un cas clinique, tu t'en tirais très bien entre Sandokan et tes livres d'école.

– Oui, mais quel était pour moi le monde imaginaire ? Celui de Sandokan ou celui du Duce qui caressait les Fils de la Louve ? Je t'ai raconté ma rédaction, non ? Mais à l'âge de dix ans, je voulais vraiment me battre comme un fauve déchaîné et mourir pour l'Italie immortelle ? Je dis bien à dix ans, quand désormais il devait y avoir une bonne censure mais les bombardements on les avait déjà sur le râble, et, en 1942, nos soldats tombaient comme des mouches en Russie.

– Mais Yambo, quand Carla et Nicoletta étaient petites, et il y a peu de temps avec nos petits-fils, tu disais que les enfants sont lèche-cul. Voilà qui est de fraîche mémoire car ça s'est passé il y a à peine

quelques semaines : Gianni est venu chez nous quand
il y avait encore les petits, et Sandro lui a dit : "Je suis
tellement content quand tu viens chez nous, oncle
Gianni." "Tu as vu comme il m'aime bien", a dit
Gianni. Et toi : "Gianni, les enfants sont des lèche-
culets. Celui-ci sait que tu lui apportes toujours du
chewing-gum. Tout est là." Les enfants sont lèche-
cul. Et tu l'étais. Tu voulais seulement mériter une
bonne note et tu écrivais ce qui plaisait au maître.
Traduit d'une réplique de Totò, que tu as toujours
défini maître de vie : lèche-cul on naît, et moi modes-
tement je le suis né.

– C'est trop simple comme ça. Une chose est de
faire le lèche-cul avec l'oncle Gianni, une autre de le
faire avec l'Italie immortelle. Et puis, pourquoi alors
un an après j'étais déjà un maître de scepticisme, et
avec cette histoire du verre incassable j'écrivais l'allégorie d'un monde sans but – parce que c'est ce que
je voulais dire, je le sens.

– Simplement parce que tu avais changé d'enseignant. Un nouvel enseignant peut libérer l'esprit critique qu'un autre ne te laissait pas développer. Et
puis, à cet âge, un écart de neuf mois c'est un siècle. »

Quelque chose a dû se passer durant ces neuf
mois. Je l'ai compris en rentrant dans le bureau de
grand-père. Comme je feuilletais au hasard, tout en
buvant un café, j'ai tiré de la pile des revues un hebdomadaire humoristique de la fin des années 1930,
le *Bertoldo*. Le numéro était de l'année 1937, mais
j'ai certainement dû le lire en retard, parce que avant
je n'aurais pas su apprécier ces dessins filiformes et
cet humour hagard. Mais à présent je lisais un dialogue
(il en paraissait un par semaine dans la colonne d'ou-

verture à gauche) qui peut-être m'avait frappé précisément au cours de ces neuf mois de transformation profonde :

Passa Bertoldo au milieu de tous ces seigneurs de la suite et aussitôt il alla s'asseoir près du Grand-Duc Trombone lequel, bienveillant de nature et aimant les facéties, en cette guise commença de l'interroger.

GRAND-DUC – *Le bonjour, Bertoldo, comment était la croisade ?*

BERTOLDO – *Noble.*

GRAND-DUC – *Et l'œuvre ?*

BERTOLDO – *Haute.*

GRAND-DUC – *Et l'élan ?*

BERTOLDO – *Généreux.*

GRAND-DUC – *Et le transport de solidarité humaine ?*

BERTOLDO – *Émouvant.*

GRAND-DUC – *Et l'exemple ?*

BERTOLDO – *Lumineux.*

GRAND-DUC – *Et l'initiative ?*

BERTOLDO – *Courageuse.*

GRAND-DUC – *Et l'offrande ?*

BERTOLDO – *Spontanée.*

GRAND-DUC – *Et le geste ?*

BERTOLDO – *Exquis.*

Le Grand-Duc rit et, une fois appelés autour de lui tous les Seigneurs de la Cour, il ordonna le Tumulte des Ciompi (1378) ; après l'événement, tous les courtisans regagnèrent leur place, et ainsi le Grand-Duc et le vilain reprirent leur conversation.

GRAND-DUC – *Comment est le travailleur ?*

BERTOLDO – *Rude.*

GRAND-DUC – *Et la nourriture ?*

BERTOLDO – *Simple mais saine.*
GRAND-DUC – *Et la contrée ?*
BERTOLDO – *Fertile et ensoleillée.*
GRAND-DUC – *Et la population ?*
BERTOLDO – *Des plus hospitalières.*
GRAND-DUC – *Et le panorama ?*
BERTOLDO – *Superbe.*
GRAND-DUC – *Et les environs ?*
BERTOLDO – *Enchanteurs.*
GRAND-DUC – *Et la villa ?*
BERTOLDO – *Résidentielle.*
Le Grand-Duc rit et, une fois appelés autour de lui tous les courtisans, il ordonna la prise de la Bastille (1789) et la défaite de Montaperti (1266) ; ces événements passés, tous les courtisans regagnèrent leur place et ainsi le Grand-Duc et le vilain reprirent leur conversation…

Dans le même temps, ce dialogue se gaussait de la langue des poètes, de celle des journaux et de celle de la rhétorique officielle. Si j'étais bien un garçon dégourdi, après ces dialogues il m'aurait été impossible d'écrire des rédactions comme celle de mars 1942. J'étais prêt pour le verre incassable.

Ce n'étaient que des hypothèses. Qui sait combien d'autres choses m'étaient arrivées entre la rédaction héroïque et la chronique désillusionnée. J'ai décidé de suspendre à nouveau mes recherches et mes lectures. Je suis descendu au bourg : désormais j'avais terminé les Gitanes et j'ai dû m'adapter aux Marlboro Light – mieux comme ça, je fumerais moins parce que je ne les aime pas. Je suis retourné à la pharmacie pour me faire prendre la tension. Possible que la conversation avec Paola m'ait détendu, je frôlais les quatorze. Une amélioration.

Au retour, j'ai eu envie de manger une pomme, et je suis entré dans les salles du corps central, en bas. En rôdant entre fruits et légumes, j'ai vu que plusieurs salles de ce rez-de-chaussée servaient aussi de resserre, et dans une pièce du fond se trouvait un entassement de chaises longues. J'en ai emporté une dans le jardin. Je me suis assis en face du panorama, j'ai lu en diagonale les journaux, je me suis aperçu que j'étais plutôt peu intéressé au présent ; j'ai tourné la chaise longue et je me suis mis à regarder la façade et la colline derrière. Je me suis dit qu'est-ce que je cherche, qu'est-ce que je veux, ne suffirait-il pas de rester ici et regarder la colline qui est si belle, comme disait ce fameux roman, comment s'appelait-il ? Construire trois pavillons, ô Seigneur, un pour toi, un pour Moïse et un pour Élie, et végéter sans passé et sans futur. Peut-être ainsi est le paradis.

Mais le pouvoir diabolique du papier l'a emporté. Peu de temps après, je me suis mis à rêver sur la maison, m'imaginant comme un héros de la Bibliothèque de mes Enfants devant le château de Ferlac ou de Ferralba, à la chasse de la crypte ou du grenier où devait se trouver le parchemin oublié. On presse le cœur d'une rose sculptée sur un écusson, le mur s'ouvre et apparaît un escalier en colimaçon…

Je voyais les lucarnes sur le toit, puis le premier étage avec les fenêtres de l'aile de mon grand-père, maintenant toutes grandes ouvertes pour éclairer mes vagabondages. Sans m'en rendre compte, je les comptais. Au centre, il y a le balcon de l'antichambre. À gauche, trois fenêtres, celle de la salle à manger, celle de la chambre de mes grands-parents et celle de la chambre de mes parents. À droite, celle de la cuisine, celle de la salle de bains et celle de la chambre d'Ada. Symétrique. À gauche, on ne voit pas les fenêtres du bureau de grand-père ni de ma chambrette parce qu'elles ouvrent au fond du couloir, là où la façade fait déjà un angle avec notre aile, et les fenêtres donnent sur le côté.

Un sentiment de malaise m'a saisi, comme si mon sens de la symétrie en demeurait troublé. Le couloir de gauche finit sur ma chambre et sur le bureau de grand-père, mais celui de droite s'arrête sitôt après la chambre d'Ada. Donc le couloir de droite est plus court que celui de gauche.

Amalia passait et je lui ai demandé de me décrire les fenêtres de son aile. «Facile, m'a-t-elle dit, au rez-de-chaussée il y a où on mange, vous savez bien, cette petite fenêtre, c'est celle des aisances, que monsieur vot'grand-père avait fait faire exprès pour nous qu'il voulait pas qu'on aille dans le purin comme font les autres paysans, sainte âme. Le reste, là, voilà les deux fenêtres que vous voyez là, c'est une remise avec les outils de la campagne, et on peut aussi y entrer par-derrière. En haut, à l'étage, y a la fenêtre de ma chambre, et les deux autres pièces de mes pauvres parents et leur salle à manger, que j'les ai laissées comme elles sont et moi je les ouvre jamais par respect.

– La dernière fenêtre est donc la salle à manger, et cette salle finit dans l'angle entre votre aile et celle de mon grand-père», ai-je dit. «Pour sûr, a confirmé Amalia, le reste c'est des endroits de l'aile des maîtres.»

Tout paraissait si naturel que je ne lui ai plus rien demandé. Mais je suis allé faire un tour derrière l'aile droite, du côté de l'aire et du poulailler. On voit tout de suite la fenêtre postérieure de la cuisine d'Amalia, puis la grande porte dégondée par où je suis passé quelques jours avant, et on entre dans la resserre agricole que j'avais déjà visitée. Sauf que je me suis aperçu que la resserre est trop longue, et qu'elle continue donc au-delà de l'angle fait par l'aile droite avec le corps central : en d'autres mots, la resserre continue sous la partie terminale de l'aile de grand-père, pour donner enfin sur la vigne, et on le constate par une petite fenêtre qui laisse apercevoir les premières pentes de la colline.

Rien d'extraordinaire, me suis-je dit, mais qu'est-ce qu'il y a au premier étage sur cette partie en plus, vu que les pièces d'Amalia s'arrêtent à l'angle entre les deux ailes ? En d'autres termes, qu'est-ce qu'il y a au-dessus, qui corresponde à l'espace occupé à gauche par le bureau de mon grand-père et par ma chambrette ?

Je suis sorti sur l'aire et j'ai regardé en haut. On voyait trois fenêtres, comme il y en a trois de l'autre côté (deux du bureau et une de ma chambre), mais toutes les trois avaient les volets clos. Au-dessus, les habituelles lucarnes du grenier, qui, ainsi que je le savais déjà, continuaient sans interruption tout autour de la maison.

J'ai appelé Amalia, qui traficotait dans le jardin, et je lui ai demandé ce qu'il y avait derrière ces trois fenêtres. Rien, m'a-t-elle répondu de l'air le plus naturel du monde. Comment, rien ? S'il y a des fenêtres, il doit y avoir quelque chose, et ce n'est pas la pièce d'Ada, qui a ses fenêtres sur la cour. Amalia a tenté d'abréger : « C'étaient des choses de monsieur vot' oncle, moi je sais rien.

– Amalia, ne me faites pas passer pour un idiot. Comment on entre là-haut ?

– On n'y entre pas, il y a plus rien. Les mâlesses ont dû tout emporter.

– Je vous ai dit de ne pas me prendre pour un idiot. On devrait y monter par votre rez-de-chaussée ou par un sacré maudit autre côté !

– Blasphémez pas, je vous en prie, que de maudit y a seulement le diable. Qu'est-ce que vous voulez que je vous dise, monsieur vot' grand-père m'a fait jurer de rien dire de c'te chose-là, et moi je parjure pas un serment sinon, vrai, le diable m'emporte avec lui.

– Mais quand avez-vous juré, et quoi ?

– J'ai juré ce soir-là qu'ensuite la nuit ils sont arrivés les Brigades noires et monsieur vot' grand-père a dit à moi et à ma maman jurez que vous savez rien et vous avez vu rien, et c'est mieux je vous fais vraiment rien voir du tout de ce qu'on fait moi et Masulu, que c'était mon pauv' papa, parce que si ensuite ils viennent les Brigades noires et ils vous rôtissent les pieds, vous arrivez pas à résister et quelque chose vous dites, comme ça c'est mieux que vous savez rien parce que ça c'est des sales gens et ils savent faire parler quelqu'un même après qu'ils y ont coupé la langue.

– Amalia, s'il y avait encore les Brigades noires, c'était il y a presque quarante ans, mon grand-père et Masulu sont morts, ceux des Brigades noires doivent être morts eux aussi, le serment ne compte plus !

– Monsieur vot' grand-père et mon pauv' papa sont bien morts, vrai, parce que c'est toujours les meilleurs qui s'en vont les premiers, mais ces autres-là, je sais pas pourquoi c'est une race misérable qui meurt jamais.

– Amalia, il n'y a plus de Brigades noires, la guerre est finie depuis ce jour-là, personne ne vous rôtit plus les pieds.

– Si c'est vous qui le dites, pour moi c'est parole d'évangile, pourtant le Pautasso qui était dans les

Brigades noires et je m'en souviens bien, en ce temps il aura eu moins de vingt ans, il est encore vivant, il se trouve à Corseglio et une fois par mois il vient à Solara pour ses affaires parce qu'à Corseglio il a monté une usine de briques et il a fait des sous, et au village y a encore quelqu'un qui oublie pas ce qu'il a fait et quand il le voit y passe de l'autre côté. Il rôtit peut-être plus les pieds à personne, mais il reste qu'un serment est un serment et pas même le curé peut me donner l'absolution.

– Donc à moi, qui suis encore malade, et ma femme comptait qu'avec vous je commence à aller mieux, vous ne dites pas cette chose-là, au risque de me faire du mal.

– Que le Seigneur me fasse rester raide morte sur le coup si je veux vous faire du mal, mon jeune monsieur Yambo, mais un serment est un serment, pas vrai ?

– Amalia, de qui je suis le petit-fils, moi ?

– De monsieur vot' grand-père, comme dit le mot même.

– Et de mon grand-père, je suis l'héritier universel, le maître de tout ce qu'on voit ici. D'accord ? Et si vous ne me dites pas comment on entre là-haut, c'est comme si vous me voliez une part de mon bien.

– Que le Seigneur me lèche comme un chat une puce en ce moment même si je veux vous voler de votre bien, mais on a jamais entendu une chose pareille, moi que c'est une vie que je me tue pour cette maison et pour la tenir comme un bijou !

– Et en outre, puisque je suis l'héritier de mon grand-père, et que tout ce que je dis maintenant c'est comme s'il l'avait dit lui, moi, solennellement je vous délie de votre serment. D'accord ? »

J'avais mis sur le tapis trois arguments très convaincants : ma santé, mes droits de propriété et la des-

cendance directe, avec tous les privilèges du droit
d'aînesse. Amalia n'a pas pu résister, et elle a cédé. Le
jeune monsieur Yambo vaudra tout de même davantage que le curé et les Brigades noires, non ?

Amalia m'a conduit en haut, au premier étage du
corps central, jusqu'au fond du couloir de droite qui,
après la chambre d'Ada, finit avec l'armoire à l'odeur
de camphre. Elle m'a demandé de l'aider à déplacer
le meuble, au moins d'un petit peu, et elle m'a montré que derrière il y avait une porte murée. Par là, on
entrait autrefois à la Chapelle, car dans la maison,
quand il y avait encore ce grand-oncle qui avait tout
laissé à mon grand-père, il existait une chapelle pour
célébrer les offices, pas très grande mais suffisamment
pour entendre la messe le dimanche avec la famille, et
pour ce faire le prêtre montait du bourg. Quand,
ensuite, grand-père avait pris la succession, lui qui,
tout en tenant à la crèche, n'était pas pratiquant, la
Chapelle était restée à l'abandon. On en avait sorti les
bancs pour les mettre çà et là dans les immenses
pièces du bas et, vu que personne ne l'utilisait, j'avais
demandé à grand-père de me laisser traîner dans la
Chapelle quelques étagères du grenier pour y placer
des choses à moi – et j'allais souvent m'y cacher pour
faire Dieu sait quoi. Tant et si bien que lorsque le curé
de Solara en avait eu vent, il avait demandé d'emporter avec lui au moins les pierres consacrées de l'autel,
pour éviter des sacrilèges, et grand-père l'avait laissé
prendre aussi une statue de la Vierge, les burettes, la
patène et le tabernacle.

Tard un après-midi, au temps où autour de Solara
se trouvaient déjà les partisans, et tantôt c'est eux qui
tenaient le bourg et tantôt les Brigades noires, en ce

mois d'hiver c'était le tour des Brigades noires, tandis que les partisans avaient pris position du côté des Langhe, quelqu'un était venu dire à mon grand-père qu'il fallait cacher quatre garçons auxquels les fascistes donnaient la chasse. Sans doute n'étaient-ils pas encore des partisans, d'après ce que j'ai compris, mais, dans la débandade, ils cherchaient à passer par ici précisément pour rejoindre la Résistance là-haut dans les montagnes.

Nous, nous n'étions pas avec nos parents, nous étions allés pour deux jours rendre visite au frère de ma mère réfugié à Montarsolo. Il n'y avait que grand-père, Masulu, Maria et l'Amalia, et grand-père avait fait jurer aux deux femmes qu'elles ne parleraient jamais de ce qui se passait, mieux encore il les avait expédiées tout droit se coucher. Seulement Amalia avait fait semblant d'aller dormir et elle avait choisi un endroit pour guetter et épier. Ces garçons étaient arrivés vers huit heures, grand-père et Masulu les avaient fait entrer dans la Chapelle, ils leur avaient donné de quoi manger, puis ils étaient allés prendre des briques et des seaux de mortier et tout seuls, même s'ils n'étaient pas du métier, ils avaient muré la porte, y appuyant ensuite ce meuble qui se trouvait ailleurs avant. À peine avaient-ils terminé que les hommes des Brigades noires étaient arrivés.

« Saviez quelles trognes. Heureusement, celui qui commandait était une personne distinguée, il portait même des gants, et avec vot' grand-père il s'est comporté de manière bien éduquée, parce qu'on voit qu'on lui avait dit que c'était un qui avait de la terre, et les loups se mangent pas entre eux. Ils ont fureté çà et là, ils sont montés jusqu'au grenier, mais on sentait qu'ils étaient pressés et qu'ils le faisaient pour dire qu'ils avaient été même là, parce qu'ils devaient

encore aller dans tellement de fermes où eux pensaient qu'il était plus facile pour nous, paysans,
d'avoir caché quelqu'un des nôtres. Ils ont rien
découvert, l'homme avec les gants s'est excusé pour
le dérangement, il a dit vive le Duce, et vot' grand-
père et mon papa, qui étaient des rusés, ont dit vive
le Duce eux aussi, et amen. »

Combien de temps étaient-ils restés là-haut, ces
quatre clandestins ? Amalia ne le savait pas, elle était
demeurée, elle, muette et sourde, elle savait seulement que pendant quelques jours Maria et elle
devaient préparer des corbeilles avec du pain, du saucisson et du vin, et puis, à un moment donné, plus
rien. Quand nous étions revenus, grand-père avait
simplement dit que le sol de la Chapelle s'affaissait,
qu'on y avait mis des renforts provisoires et que les
maçons avaient condamné l'entrée pour éviter que
nous, les enfants, n'allions y fourrer notre nez au
risque de nous faire mal.

D'accord, ai-je dit à Amalia, nous avons expliqué
le mystère. Mais s'ils y étaient entrés, les clandestins
devaient pourtant bien en sortir, et Masulu et grand-
père pendant quelques jours leur apportaient même à
manger. Par conséquent, une fois la porte murée, il
fallait bien qu'il reste quelque coin, petit, où passer.

« Je vous jure que je m'étais même point demandé
s'ils passaient et par quel trou. Ce que faisait monsieur vot' grand-père pour moi c'était ben fait. Il avait
fermé ? Il avait fermé, et pour moi la Chapelle existait plus, et même elle existe pas non plus maint'nant,
et si vous me faisiez pas parler c'était comme si je m'en
étais complètement oubliée. Et puis pourquoi vous
parlez du petit coin ?

– D'un coin, d'un coin caché où passer, par où ils
entraient et sortaient.

– Mais ils y passaient peut-être le manger par la fenêtre et eux tiraient sur le panier avec une corde, et ils les ont fait sortir toujours par la fenêtre une autre nuit après. Non ?

– Non, Amalia, parce que, autrement, une fenêtre serait restée ouverte, en revanche il est clair qu'elles sont toutes fermées de l'intérieur.

– J'ai toujours dit que z'étiez le plus intelligent de tous. À ça, j'y avais pas pensé, regarde un peu. Et alors, par où ils passaient mon papa et monsieur vot' oncle ?

– Eh oui, *that is the question.*

– Quoi ? »

Sans doute avec quarante-cinq ans de retard, mais Amalia s'était posé le vrai problème. Cependant, il fallait que je le résolve tout seul. J'ai fait le tour complet de la maison pour dénicher un vasistas, un trou, une grille, j'ai parcouru de nouveau en long et en large les pièces et les couloirs du corps central, rez-de-chaussée et premier étage, j'ai perquisitionné comme un brigadiste noir rez-de-chaussée et premier étage de l'aile d'Amalia. Rien.

Nul besoin d'être Sherlock Holmes pour arriver à l'unique réponse possible : dans la Chapelle, on entrait aussi par le grenier. La Chapelle menait au grenier par un petit escalier bien à elle, sauf que, dans le grenier, l'issue avait été dissimulée. À l'épreuve de la Brigade noire, mais pas de Yambo. Imaginons si à mon retour du voyage, grand-père nous disant que la Chapelle n'existait plus, je me contentais de cette affirmation, d'autant plus qu'il paraît que j'y avais mis des choses qui me tenaient à cœur. Bourlingueur de greniers que j'étais, je devais bien connaître le passage, et j'avais continué à aller dans la Chapelle, et même avec davantage de plaisir qu'avant car elle était devenue ma cachette, et une fois là, personne ne me trouvait plus.

Il ne me restait qu'à remonter au grenier pour en explorer l'aile droite. Juste à ce moment-là éclatait un orage, il ne faisait donc pas trop chaud. Avec moins de peine, je pouvais faire un travail qui n'était pas mince car il s'agissait de dégager les murs et déplacer tout ce qu'on y avait entassé, et dans cette aile rurale il n'y a pas de pièces de collection, mais plutôt un dépotoir, vieilles portes défoncées, poutres sauvées de quelque restructuration, rouleaux de vieux fil barbelé, miroirs brisés, amoncellement de vieilles couvertures à peine retenues par une ficelle et une toile cirée, huches et coffres inutilisables, vermoulus depuis des siècles, et entassés les uns sur les autres. Je déplaçais ces vieilleries, des planches me tombaient dessus, je me suis griffé avec des clous rouillés, mais de passages secrets, bernique.

Puis j'ai pensé que je ne devais pas chercher une porte, car aucune porte ne pouvait s'ouvrir dans les murs, qui donnaient tous sur l'extérieur, côtés longs et côtés courts. Alors, s'il n'y avait pas de porte, il y avait une trappe. Idiot de ne pas y avoir songé avant, les choses se passaient ainsi même dans la Bibliothèque de mes Enfants. Je ne devais pas inspecter les murs, mais le sol.

Facile à dire, le sol était pire que les murs, j'avais dû enjamber ou piétiner un peu de tout, d'autres planches jetées en désordre, des sommiers métalliques de lit ou de lit-cage désormais détruits, faisceaux de tiges de fer pour construction, le très vieux joug d'un bœuf, et même une selle de cheval. Et, au milieu de tout ça, des grumeaux de mouches mortes, celles encore de l'année précédente, qui avaient fui ici les premiers froids pour résister, et puis elles n'y étaient pas arrivées. Pour ne rien dire des toiles d'araignée qui se propageaient d'un mur à l'autre, comme les tentures autrefois somptueuses d'une maison ensorcelée.

Les lucarnes s'allumaient d'éclairs tout proches, et les lieux s'étaient faits sombres – même si à la fin il n'avait pas plu et que l'orage s'était déchargé ailleurs. La Tour de l'Alchimiste, le mystère du château d'Âpre-Bise, les Jolies recluses de Maisonseule, le mystère de Morande, la Tour du Nord, le secret de l'homme de fer, le vieux moulin, le poids d'un secret… Sainte paix, j'étais au milieu d'une vraie tempête, un éclair pouvait faire s'écrouler le toit sur ma tête, et je vivais tout en libraire antiquaire. Le Grenier de l'Antiquaire, j'aurais pu écrire une autre histoire en signant Bernage ou Catalany.

Par chance, à un certain point j'ai trébuché : sous une couche de choses informes, il y avait comme une marche. J'ai fait place nette en m'écorchant les mains, et voici la Récompense pour le petit gars courageux : une trappe. Par ici étaient passés mon grand-père, Masulu et les fugitifs, et par ici combien de fois j'étais passé, moi, en revivant des aventures déjà rêvées sur tant de feuillets de papier. Quelle enfance merveilleuse.

La trappe n'était pas grande et on la tirait facilement, même si j'ai soulevé un nuage poudreux : dans ces interstices s'étaient désormais accumulés presque cinquante ans de poussière. Que doit-on trouver sous une trappe ? Un petit escalier, élémentaire mon cher Watson, et même pas trop inaccessible, même pas pour mes membres maintenant ankylosés après deux heures de tractions et de flexions – à l'époque, je faisais certainement tout d'un bond mais il faut dire que je vais sur mes soixante ans, et me voilà qui me comportais comme si j'étais encore un enfant capable de ronger les ongles de ses pieds (je jure que je n'y avais jamais pensé, mais il me semble normal, au lit, dans le noir, d'essayer de me manger l'orteil, histoire de faire un pari).

Bref, je suis descendu. Il y avait une obscurité presque complète, à peine rayée par quelques filets de lumière passant à travers les volets qui fermaient mal désormais. Dans les ténèbres, cet espace semblait immense. Je me suis précipité pour ouvrir les fenêtres : la Chapelle, comme il était prévisible, totalise la même surface que le bureau de mon grand-père, plus ma chambrette. Il y avait les restes d'un autel en bois doré, dilapidé, et, appuyés contre l'autel, il y avait encore quatre matelas : les lits des fugitifs, certainement, mais d'eux il ne demeurait aucune trace, signe qu'on avait fréquenté la Chapelle même après eux, moi du moins.

Le long du mur, face aux fenêtres, j'ai vu des étagères de bois non verni, pleines de papier imprimé, journaux ou revues en piles de hauteurs inégales, comme s'il s'agissait de diverses collections. Au milieu, une table mastoc et longue, avec deux chaises. À côté de ce qui devait être la porte d'entrée (indiquée par le maçonnage sauvage exécuté en une heure par grand-père et Masulu, avec le mortier qui débordait entre une brique et l'autre – ils avaient pu tout niveler avec la truelle du côté du couloir, mais certes pas à l'intérieur), se trouvait un interrupteur. Je l'ai tourné sans grand espoir, et de fait rien ne s'est allumé, même si du plafond pendaient à espaces réguliers quelques ampoules sous leur soucoupe blanche. Les rats, sans doute, avaient en cinquante ans rongé les fils, s'ils étaient parvenus jusque-là par la trappe –

mais les rats, on le sait… Il se peut que mon grand-
père et Masulu aient tout abîmé en murant la porte.

À cette heure, la lumière du jour suffisait. Je me
sentais comme lord Carnarvon qui met le pied, après
des millénaires, dans la tombe de Toutankhamon et
le seul problème était de ne pas se faire piquer par un
scarabée mystérieux qui serait resté là en embuscade
pendant des millénaires. Dans la Chapelle, tout était
comme je l'avais probablement laissé la dernière fois.
Et même, je ne devais pas trop ouvrir les fenêtres,
sinon le minimum pour y voir, afin de ne pas troubler
l'atmosphère endormie.

Je n'avais pas non plus osé encore regarder ce qu'il
y avait sur les étagères. Quoi qu'il y eût, c'était à moi
et seulement à moi, autrement ce serait resté dans le
bureau de mon grand-père et mes oncles auraient
chassé tout ça dans les combles. À ce point-là, pourquoi chercher à me souvenir ? La mémoire est une
solution à la va comme je te pousse pour les humains,
pour qui le temps s'écoule, et ce qui passe est passé.
Moi je jouissais du prodige d'un début *ab ovo*. Je refai-
sais les choses que je faisais autrefois, comme Pipin, je
sortais de la vieillesse pour arriver à ma première jeunesse. À partir de ce moment, je n'aurais dû retenir
que ce qui m'était arrivé après, de toute façon cela
aurait été identique à ce qui m'était arrivé autrefois.

Dans la Chapelle, le temps s'était arrêté, non,
mieux, il était reparti en arrière, ainsi que l'on remet
sur le jour d'avant les aiguilles d'une montre, et cela
ne compte pas qu'elles indiquent quatre heures
comme aujourd'hui, il suffit de savoir (et moi seul le
savais) que c'est quatre heures d'hier, ou d'il y a cent
ans. Ainsi devait se sentir lord Carnarvon.

Si la Brigade noire me découvrait ici à présent, elle
croirait que j'y suis en été mille neuf cent quatre-vingt-

onze tandis que moi (moi seul) je saurais que j'y suis en été mille neuf cent quarante-quatre. Et même l'officier ganté devrait se découvrir le chef, parce qu'il est en train de pénétrer dans le Temple du Temps.

11. LÀ-HAUT À CAPOCABANA

J'ai passé de nombreux jours dans la Chapelle, et quand le soir tombait je m'emparais d'une liasse que j'allais regarder pendant toute la nuit dans le bureau de mon grand-père, sous la lampe verte, radio allumée (comme désormais je le croyais), pour fondre ce que j'écoutais avec ce que je lisais.

Les étagères de la Chapelle contenaient, non reliés, mais bien disposés en piles ordonnées, les journaux et les albums de bandes dessinées de mon enfance. Ils ne faisaient pas partie des affaires de mon grand-père, et les dates commençaient avec l'année 1936 et finissaient autour de 1945.

Peut-être, comme je l'avais déjà imaginé en parlant avec Gianni, grand-père était-il homme d'un autre temps et préférait-il que je lise Salgari ou Dumas. Et moi, pour réaffirmer les droits de mon imagination, je gardais ces choses hors du périmètre de son contrôle. Mais comme quelques publications remontaient à 1936, quand je n'allais pas encore à l'école, cela voulait dire que, si ce n'était mon grand-père, quelqu'un d'autre m'achetait ces illustrés. Il s'était peut-être établi une tension entre grand-père et mes parents, « pourquoi lui mettez-vous ces torchons entre les mains ? » – et eux montraient de l'indulgence, parce que, enfants, ils les avaient lus eux aussi.

De fait, dans la première pile il y avait quelques années du *Corriere dei Piccoli*, et les numéros de 1936 mentionnaient « XVIIIe année » – non pas de l'Ère fasciste, mais depuis la fondation. Le *Corriere dei Piccoli* existait donc dès les premières années du siècle, et il avait égayé l'enfance de mon père et de ma mère – sans doute éprouvaient-ils plus de plaisir à me le raconter que moi à les écouter.

En tout cas, feuilleter le *Corrierino* (« le petit courier » : spontanément c'est ainsi que je l'appelais) était comme revivre ces tensions que j'avais ressenties les jours précédents. Avec une indifférence absolue, le *Corrierino* parlait de gloires fascistes et d'univers fantastiques peuplés de personnages fabuleux et grotesques. Il m'offrait des nouvelles ou des bandes dessinées sérieuses d'une absolue orthodoxie fasciste et des pages quadrillées qui, pour ce qu'on en sait, étaient d'origine américaine. Seule et unique concession à la tradition, des histoires, qui devaient originellement être en bandes dessinées, avaient éliminé les *balloons*, ou ne les acceptaient que comme décoration : toutes les histoires du *Corrierino* n'avaient que de longues légendes pour les récits sérieux, et des versets, genre comptines, pour les histoires comiques.

Ici commence l'aventure – de monsieur Bonaventure, et elles me disaient sûrement quelque chose les histoires de ce monsieur aux invraisemblables pantalons blancs presque en trapèze qui, chaque fois, comme récompense pour une de ses interventions absolument fortuites, recevait un million (au temps des mille lires par mois) et se trouvait de nouveau indigent, l'histoire suivante, dans l'attente d'un nouveau coup de chance. Peut-être dilapidait-il, comme monsieur Pampurio qui, archicontent, veut – à chaque épisode – changer d'appartement. D'après le style ou la signature du dessinateur, ce me semblait des histoires d'origine italienne, comme les aventures de Petite-Fourmi et Grosse-Cigale, du Sieur Calogero Sorbara qui à partir se prépara, de Martin Mume plus léger qu'une plume, qui volait transporté par le vent, du professeur Lambicchi, inventeur de la phénoménale archipeinture qui, à l'étendre simplement, donnait vie à des images, avec sa maison toujours envahie par les plus incommodes personnages du passé, soit un furieux Roland Paladin, soit un roi des cartes à jouer, irrité et vindicatif pour avoir été soustrait à son royaume dans le Pays des Merveilles.

Mais ils étaient à coup sûr américains, les paysages surréels où déambulaient Félix le Chat, les gamins coloniaux Pim Pam Poum, Happy Hooligan, la Famille Illico (dans des intérieurs dignes d'un Chrysler Building, les personnages des tableaux sortaient de leur cadre).

CORRIERE dei PICCOLI

SUPPLEMENTO ILLUSTRATO
del CORRIERE DELLA SERA
SI PUBBLICA OGNI SETTIMANA

UFFICI DEL GIORNALE :
VIA SOLFERINO, N°28.
MILANO.

ABBONAMENTI
ANNO — L. 19. - L. 32.-
SEMESTRE — L. 10. - L. 17.-

PER LE INSERZIONI RIVOLGERSI ALL'AMMINISTRAZIONE DEL « CORRIERE DELLA SERA » - VIA SOLFERINO, 28 - MILANO

Anno XXXI - N. 42   15 Ottobre 1939-XVII   Centesimi 40 il numero

1. Nelle tattiche, che inizio
hanno presso San Salpizio,
colonnelli e capitani
stan studiando i vari piani.

2. Un reparto « nazionale ».
(Marmittone n'è il caporale)
deve entrar nell'intricato
campo avverso trincerato.

3. Le difese formidabili
sono affatto insormontabili.
Non si vede che una via:
passar sotto, in galleria.

4. Marmitton e i suoi soldati,
zappatori diventati,
incominciano lo scavo,
e ciascun si mostra bravo.

5. Si lavora, scava, sterra,
come talpe, sotto terra:
dei lavori ha Marmittone
la suprema direzione.

6. « - Siamo, sotto, metri venti
e mi sembran sufficienti:
or pian piano si risale
in iscavo verticale. »

7. Giunti all'ultimo diaframma
si delinea questo dramma:
che a sboccar vanno bel bello
dove dorme il Colonnello.

8. Or rimugina, in prigione,
l'accaduto Marmittone:
« - Certamente era sbagliato
il disegno del tracciato! ».

Il était incroyable que le *Corrierino* me proposât aussi les aventures du soldat Marmittone (habillé exactement comme mes Soldats du Pays de Cocagne !) qui, par poisse génétique, ou par la stupidité de généraux galonnés à bacchantes datant du Risorgimento, finissait chaque fois en prison.

Fort peu martial et fasciste était Marmittone. Et pourtant, il lui était permis de cohabiter avec d'autres histoires parlant, d'un ton non pas grotesque mais épique au contraire, de jeunes Italiens héroïques qui se battaient pour civiliser l'Éthiopie (dans *Le dernier ras*, les Abyssins résistant à l'invasion étaient appelés « pillards ») ou, comme dans *Le héros de Villahermosa*, flanquaient les troupes franquistes, les protégeant contre les impitoyables républicains tous en chemises rouges. Naturellement cette histoire ne me disait pas que, si des Italiens combattaient aux côtés des phalangistes, d'autres Italiens se battaient de l'autre côté, dans les Brigades internationales.

Près de la collection du *Corrierino*, il y avait celle du *Vittorioso*, hebdomadaire, et de ses grands albums en couleurs, à partir de 1940. Vers mes huit ans, donc, je devais avoir demandé qu'on me donne une littérature *adulte*, en bédés.

Là aussi, la schizophrénie était totale et on passait des délicieuses aventures à Zooland, avec des personnages comme Girafon, le poisson Avril et le jeune singe Jojo, ou des histoires héroïco-comiques de Pippo, Pertica et Palla, ou d'Alonzo Alonzo dit Alonzo, arrêté pour vol de girafe, aux célébrations des gloires passées de notre pays, et à des histoires directement inspirées par la guerre en cours.

Ce sont celles de Romano le légionnaire qui m'avaient frappé le plus, pour la précision presque d'ingénieur des machines de guerre, avions, chars d'assaut, torpilleurs et sous-marins.

Désormais déniaisé par la reconsidération du conflit dans les journaux de mon grand-père, j'avais appris à contrôler les dates. Par exemple, le récit *Vers l'A.O.I.* commençait le 12 février 1941. C'est précisément en janvier que les Anglais avaient attaqué en Érythrée, et le 14 février ils auraient occupé Mogadiscio en Somalie mais, en somme, il semblait que l'Éthiopie était encore solidement entre nos mains, et qu'il était juste de faire déplacer le héros (qui alors combattait en Libye) sur le front africain oriental. On le voyait envoyé en mission confidentielle auprès du duc d'Aoste, à l'époque commandant en chef des forces en Afrique-Orientale, pour lui apporter un message secret-défense, et il partait de l'Afrique-Septentrionale en traversant le Soudan anglo-égyptien. Bizarre, vu que la radio existait, et à la fin on verrait que le message n'était pas du tout secret-défense parce qu'il disait « Résister et vaincre », comme si le duc d'Aoste se roulait les pouces. Quoi qu'il en fût, Romano partait avec ses amis et vivait une série d'aventures avec des tribus sauvages, des chars d'assaut anglais, des duels aériens et tout ce qui permettait au dessinateur de faire rugir et foncer des tôles brunies.

Dans les numéros de mars, quand les Anglais avaient déjà amplement pénétré en Éthiopie, le seul qui paraissait ne pas le savoir était Romano qui, chemin faisant, s'amusait à chasser l'antilope. Le 5 avril on évacuait Addis-Abeba, les Italiens prenaient position dans le Galla Sidamo et dans l'Amara, et le duc d'Aoste se barricadait sur l'Amba Alagi. Romano poursuivait sa route, droit comme un I, s'octroyant même la capture d'un éléphant. Il est probable que lui et ses lecteurs pensaient qu'il devait encore aller à Addis-Abeba, où cependant était déjà rentré le Négus détrôné exactement cinq ans auparavant. Il est vrai aussi que dans le numéro du 26 avril un coup de fusil avait fracassé la radio de Romano, mais ça c'était le signe qu'avant il l'avait, et on ne comprend pas pourquoi il n'avait pas été mis au courant de tous ces événements.

À la mi-mai, les sept mille soldats de l'Amba Alagi, sans vivres et sans munitions, se rendaient, et avec eux était fait prisonnier le duc d'Aoste. Les lecteurs du *Vittorioso* pouvaient ne pas le savoir, mais au moins le pauvre duc d'Aoste aurait dû s'en rendre compte ; au contraire Romano, le 7 juin, le rejoint à Addis-Abeba, et le trouve frais comme un gardon, rayonnant d'optimisme. De fait, le duc lit le message et affirme : « Certes, et nous résisterons jusqu'à la victoire finale. »

Il est clair que les planches avaient été dessinées des mois auparavant mais, face à la succession des événements, la rédaction du *Vittorioso* n'avait pas eu le courage d'interrompre les livraisons. On avait continué en pensant que les gamins resteraient dans l'ignorance des diverses et funestes nouvelles – et peut-être en était-il allé ainsi.

La troisième liasse était celle de *Topolino*, hebdomadaire consacré principalement aux aventures de Mickey et de Donald, qui, à côté des histoires de Walt Disney, publiait également des récits de Balilla courageux comme *Le Mousse du sous-marin*. Mais c'est justement dans certaines années de *Topolino* que j'avais pu relever le changement qui s'était avéré vers 1941, quand, en décembre, l'Italie et l'Allemagne avaient déclaré la guerre aux États-Unis – je suis allé recontrôler dans les journaux de mon grand-père, cela s'est passé vraiment comme ça, moi je pensais que, à un certain point, les Américains en avaient eu marre des escroqueries de Hitler et étaient entrés en guerre, en revanche non, c'étaient Hitler et Mussolini qui leur avaient déclaré la guerre à eux, pensant sans doute pouvoir les liquider en quelques mois avec l'aide des Japonais. Comme il était évidemment difficile d'envoyer sur-le-champ une compagnie de SS ou de Chemises noires occuper New York, on avait débuté par la guerre à coups de bandes dessinées, depuis quelques années déjà, et les *balloons* avaient disparu, remplacés par une légende sous chaque vignette. Ensuite, comme je le verrais dans d'autres journaux, depuis longtemps les personnages américains s'étaient évanouis dans le néant, remplacés par des imitations italiennes ; enfin, et je crois que ce fut la dernière et douloureuse barrière à tomber, Topolino avait été tué. D'une semaine à l'autre, sans crier gare, la même aventure de Topolino-Mickey continuait comme si de rien n'était, mais le protagoniste se trouvait être un certain Toffolino, humain et non animal, toujours avec quatre doigts à chaque main comme les animaux anthropomorphes de Disney, et ses amis continuaient à s'appeler Mimma au lieu de Minnie, et Pippo, le chien. Comment avais-je accueilli, alors, cet effondre-

ment d'un monde ? Sans doute avec la plus grande
tranquillité, étant donné que d'un moment à l'autre
les Américains étaient devenus méchants. Mais étais-
je conscient, alors, que Topolino était américain ? Je
devais avoir vécu une douche écossaise de coups de
théâtre et, tandis que je m'excitais sur les coups de
théâtre des histoires que je lisais, je prenais pour
argent comptant les coups de théâtre de l'Histoire que
je vivais.

Après Topolino, venaient quelques années de
L'Avventuroso, et là tout changeait. Le premier
numéro était du 14 octobre 1934.

Je ne pouvais pas l'avoir acheté moi, car à l'époque
j'avais moins de trois ans, et je ne pourrais dire que
papa et maman me l'avaient procuré parce que
ses aventures n'étaient pas du tout enfantines, des
bandes dessinées américaines conçues pour un
public adulte, encore que pas tout à fait développé.
C'étaient donc des exemplaires que j'avais embar-
qués plus tard, les prenant pour d'autres illustrés.
Mais ceux que j'avais achetés, quelques années après,
étaient certainement des albums grand format aux
couvertures très colorées, où apparaissaient différentes scènes de l'histoire racontée à l'intérieur, tel
un « prochainement-sur-vos-écrans ».

L'hebdomadaire comme les albums devaient
m'avoir ouvert les yeux sur un nouveau monde. À
commencer par la première aventure, sur la première
page du premier numéro de *L'Avventuroso*, intitulée
La destruction du monde. Le héros était Flash Gordon
qui, à cause d'un imbroglio mis en œuvre par un certain docteur Zarkov, finissait sur la planète Mongo
dominée par un dictateur cruel et impitoyable, Ming,
au nom et aux traits diaboliquement asiatiques.
Mongo : gratte-ciel de cristal qui se dressaient sur des

C. C. Postale - Anno 1 - N. 1 - Firenze, 14 Ottobre 1934-XII.   Centesimi 30   CASA EDITRICE NERBINI - FIRENZE

LA DISTRUZIONE DEL MONDO !!

plates-formes spatiales, villes sous-marines, royaumes qui se déployaient le long des arbres d'une immense forêt, et des personnages allant des Hommes-Lions à l'épaisse crinière aux Hommes-Faucons et aux Hommes-Magiciens de la reine Azura, tous vêtus avec syncrétiste désinvolture, tantôt dans des tenues qui évoquaient un Moyen Âge cinématographique, comme autant de Robin des Bois, tantôt dans des cuirasses et des casques plus barbares ; mais parfois (à la cour), en uniformes de cuirassier ou de uhlan ou de dragon d'opérette début de siècle. Et tous, bons et méchants, étaient incongrûment dotés en même temps soit d'armes blanches ou de flèches, soit de prodigieux fusils au rayon fulminant, de même que leurs paraphernaux pouvaient aller du char à faux à la fusée interplanétaire à pointe aciculaire avec leurs couleurs éclatantes d'autos-tamponneuses de Luna Park.

Gordon était beau et blond comme un héros aryen, mais la nature de sa mission avait dû m'ébahir. Jusqu'à ce moment-là, quels héros avais-je connus ? Depuis les livres d'école jusqu'aux illustrés italiens, c'étaient des preux qui se battaient pour le Duce et, aux ordres, soupiraient après la mort ; dans les romans du XIXe siècle de mon grand-père, si je les lisais déjà à l'époque, c'étaient des hors-la-loi qui se battaient contre la société, presque toujours par intérêt personnel ou vocation à la méchanceté – sauf peut-être le comte de Monte-Cristo, qui voulait toujours se venger, cependant de torts qu'il avait subis lui et non la communauté. Au fond, les trois mousquetaires eux-mêmes, qui se trouvaient à la fin du côté des bons et ne manquaient pas d'un sens à eux de la justice, faisaient ce que faisaient par esprit de corps les hommes du Roi contre ceux du Cardinal, pour quelque bénéfice ou pour un brevet de capitaine.

Gordon, non, il se battait pour la liberté contre un despote, sans doute alors je pouvais penser que Ming était comme le terrible Staline, l'ogre rouge du Cramin, mais je ne pouvais pas ne pas reconnaître aussi dans ses traits ceux du Dictateur de chez nous, doté d'un indiscutable pouvoir de vie et de mort sur ses fidèles. Avec Flash Gordon, je devais donc avoir eu la première image d'un héros – certes, je pouvais le dire au cours de ces jours passés, en relisant, pas à l'époque – d'une sorte de guerre de libération livrée dans un Ailleurs Absolu, faisant exploser des astéroïdes fortifiés sur de lointaines galaxies.

Comme je feuilletais d'autres albums, en un crescendo de mystérieuses flammes qui me faisaient brûler un fascicule après l'autre, je découvrais des héros dont mes livres scolaires ne m'avaient jamais parlé. Raoul et Gaston, qui exploraient la jungle, en une symphonie de couleurs pâles, avec les chemises bleu clair de la Patrouille de l'Ivoire, certes pour contenir aussi les tribus indociles mais en grande partie pour bloquer les marchands d'ivoire et d'esclaves qui exploitaient les populations des colonies (que de mauvais Blancs contre des hommes bons à la peau noire !), au milieu de chasses passionnantes aussi bien au trafiquant qu'au rhinocéros, où leurs carabines ne faisaient pas *bang bang* ni même *poum poum* comme dans nos bandes dessinées, mais bien *crack crack*, et ce *crack* devait en quelque sorte s'être gravé dans les replis les plus secrets de ces lobes frontaux que j'étais en train de chercher à dégonder, car j'entendais encore ces sons comme une promesse exotique, l'in-

dex qui me montrait un monde différent. Une fois de plus, davantage que les images c'étaient les bruits, ou mieux encore leur transcription alphabétique, qui avaient le pouvoir de m'évoquer la présence d'une trace qui m'échappait encore.

Arf arf bang crack blam buzz kaï spot tchaf tchaf clamp splash crackle crackle crunch dling gosh grunt honk honk kaï meow mumble pant plop pfuit roaar dring rumble blomp sbam buizz scratch slam pouff pouff slurp smack sob gulp sprank blomp squit swoom boum thump plack clang tomp smash trac ouaaaagh vroooum giddap youk spliff augh zing slap zoom zzzzzz sniff...

Bruits. Je les voyais tous, en feuilletant illustré sur illustré. Je m'étais accoutumé dès mon tout jeune âge au *flatus vocis*. Au milieu des différents bruits, il m'est venu à l'esprit *sguisss*, et mon front s'est perlé de sueur. J'ai regardé mes mains, elles tremblaient. Pourquoi ? Où ai-je lu ce son ? Ou peut-être est-ce le seul que je n'ai pas lu, mais entendu ?

Ensuite, je me suis presque senti dans mon domaine en tombant sur les albums du Fantôme, hors-la-loi du bien, gainé de façon presque homo-éro-tique dans son collant rouge, le visage à peine couvert par un loup noir qui laissait entrevoir le blanc féroce des yeux, mais pas la pupille, le rendant par là encore plus mystérieux. Il doit vraiment avoir rendu folle d'amour la belle Diana Palmer qui, quelquefois, était parvenue à lui donner un baiser tout en percevant avec un frisson la musculature du héros sous l'étoffe moulante qu'il ne quittait jamais (parfois, blessé d'un coup d'arme à feu, il était soigné par ses acolytes sau-vages avec un pansement digne d'un chirurgien, tou-

jours par-dessus son vêtement collant, certes hydro-
fuge, vu comme il restait adhérent même quand il
remontait à la surface après une longue immersion
dans les mers torrides du Sud).

Mais ces rares baisers étaient des moments enchanteurs, auxquels Diana était aussitôt arrachée, ou par
une méprise, ou par un soupirant rival, ou par ses
autres impératifs de beauté voyageuse internationale,
et lui il ne pouvait la suivre et faire d'elle son épouse,
enchaîné qu'il était à un serment ancestral, condamné
à sa propre mission : protéger les populations de la
jungle de Bengali des méfaits de pirates indiens et
d'aventuriers blancs.

Si bien qu'après, ou simultanément aux vignettes ou
aux chansons qui m'enseignaient comment soumettre
les Abyssins barbares et féroces, j'avais rencontré un
héros qui vivait fraternellement avec les pygmées
Bandara et avec eux combattait de méchants colons –
et Gouran, le sorcier Bandara, était beaucoup plus cultivé et sage que les louches figures à la peau pâle qu'il
contribuait à vaincre, et les Doubats n'étaient pas seulement fidèles, mais bien partners et associés de plein
droit dans cette mafia bienveillamment justicière.

Et puis il y avait d'autres héros, qui ne paraissaient
pas particulièrement révolutionnaires (si à cette aune

je pouvais imaginer au cours des jours passés ma croissance politique), comme Mandrake le Magicien qui, au
contraire, semblait utiliser son serviteur nègre Lothar,
tout en le traitant en ami, comme garde du corps et
esclave fidèle. Mais Mandrake aussi, qui battait les
méchants à coups de magie et, d'un geste, changeait le
pistolet de l'adversaire en une banane, était un héros
bourgeois, sans uniforme noir ou rouge, mais toujours
impeccable en frac et huit-reflets. Héros bourgeois
était aussi l'Agent Secret X9, qui ne prenait pas en fila-
ture les ennemis d'un régime, mais la pègre et des
barons voleurs, protégeant les contribuables, en *trench
coat*, veste et cravate, muni de petits et obligeants pistolets de poche qui parfois apparaissaient, fort
aimables, dans les mains de femmes blondes en robes
de soie au col orné de plumes, et maquillées avec soin.

Un autre monde, qui aurait dû me déglinguer la
langue que l'école s'ingéniait à me faire utiliser correc-
tement, car les traductions anglicisantes étaient fort
approximatives (un personnage de Mandrake disait :
« Ici est le royaume de Saki… Si je ne me trompe pas
il peut être nous épiant ! » – et le premier ou un des
premiers albums de Mandrake nommait en couverture
le héros éponyme comme « Mandraque »). Mais qu'importe ? Il est clair que dans ces albums pleins de fautes
de grammaire je rencontrais des héros différents de
ceux qui m'avaient été proposés par la culture officielle, et c'est peut-être dans ces vignettes aux couleurs
vulgaires (mais tellement hypnotiques !) que j'avais été
initié à une vision différente du Bien et du Mal.

Ce n'était pas fini. Sitôt après, il y avait une série entière d'Albums d'Or avec les premiers exploits de Topolino, qui se passaient dans un contexte urbain ne pouvant être le mien (et je ne sais pas si à l'époque je comprenais que c'était la petite ou la grande métropole américaine). *Mickey et la bande des plombiers* (oh l'ineffable monsieur Tuyau !), *Mickey sur la piste du gorille*, *Mickey dans la maison des fantômes*, *Mickey et le trésor de Clarabelle* (le voilà, enfin, égal à l'anastatique de Milan, mais avec les couleurs ocre et marron léger), *Mickey agent secret* – pas parce que militaire ou coupe-jarret, mais parce que par devoir civique il acceptait d'être mêlé à une histoire d'espionnage international, et il courait des aventures terribles dans la Légion étrangère, persécuté par le fourbe Faucon et le perfide Pat Hibulaire – *Mickey hip hip hourrah, dans le désert mourra...*

Lu plus que tous les autres, à en juger d'après l'état de délabrement de mon exemplaire, *Mickey journaliste* : il était impensable que sous le régime on laissât publier des aventures sur la liberté de la presse, mais comme on le voit, pour les censeurs de l'État, les histoires d'animaux ne paraissaient pas réalistes et dangereuses. Où ai-je entendu dire « c'est la presse, beauté, et tu ne peux rien y faire » ? Mais ça a dû être après. Quoi qu'il en soit, Mickey, avec peu de moyens, met sur pied son *Écho du Monde* – le premier numéro sort avec d'horribles coquilles – et il continue, impavide, à publier *all the news that's fit to print,* même si des gangsters sans scrupules et des politiciens corrompus cherchent à l'arrêter par tous les moyens. Qui m'avait jamais parlé, jusqu'alors, d'une presse libre, capable de se soustraire à toute censure ?

Quelques mystères de ma schizophrénie enfantine commençaient à s'éclaircir. Je lisais les livres scolaires et les bandes dessinées, et c'était dans les bandes dessinées que probablement je me construisais péniblement une conscience civile. Raison pour quoi, certainement, j'avais conservé ces débris de mon histoire éboulée, même après la guerre, quand m'étaient tombées entre les mains (peut-être apportées par les troupes américaines) des pages de journaux de là-bas, avec les bandes colorées dominicales qui me faisaient connaître d'autres héros, comme Li'l Abner ou Dick Tracy. Je crois que nos éditeurs d'avant-guerre n'osaient pas les publier parce que le trait était outrageusement moderniste, et il évoquait ce que les nazis appelaient l'art dégénéré.

Ayant grandi en âge et en sapience, me serais-je au fond approché de Picasso sous l'impulsion de Dick Tracy ?

Certes pas sous l'impulsion des bédés de l'époque, à l'exception de Gordon. Les reproductions, peut-être tirées directement de publications américaines, et sans payer de droits, étaient mal imprimées, souvent avec des traits confus, des couleurs douteuses. Pour ne rien dire d'autres pages, après la prohibition des importations depuis des côtes ennemies, quand Le Fantôme apparaissait désormais en collant vert, fort mal imité par un dessinateur de chez nous, et avec d'autres caractéristiques d'état civil. Pour ne rien dire de héros autarciques, probablement inventés afin de faire front au panthéon de *L'Avventuroso*, dessinés à la diable, encore que si sympathiques tout compte fait, comme le géant Dick Fulmine à la mâchoire volontaire et mussolinienne qui, à coups de poing, faisait un carnage de brigands d'origine certainement pas aryenne, comme le nègre Zambo, le Sud-Américain Barreira et plus tard un Mandrake méphistophélisé, mauvais et criminel, Flattavion, un nom qui évoquait des races maudites encore qu'imprécises, et qui, à la queue-de-pie du magicien américain, substituait un affreux et sale chapeau et un manteau du même acabit, idoines aux loisirs ruraux. « En avant mes tourtereaux, allez-y cognez ! » criait Fulmine à ses ennemis, tous en casquette et veste froissée, et tombait une pluie de poings vengeurs. « Mais c'est un démon », disaient les félons, jusqu'à ce que dans l'obscurité apparaisse le quatrième archi-ennemi de Fulmine, Maschera Bianca, qui le frappait à la nuque avec un maillet ou un sac de sable, et Fulmine s'écroulait en disant « Sapris… ! ». Mais un court laps de temps car, fût-il enchaîné dans un cachot avec l'eau qui monte menaçante, d'un coup de muscles il se libérait de cet embarras, et peu après il avait capturé et remis au commissaire (un petit homme à la tête ronde et monomoustache, plus employé de banque qu'hitlérien) la bande entière dûment empaquetée.

L'eau qui monte dans le cachot, ce devait être un schéma de la bande dessinée de tous les pays. Je sentais comme une braise dans la poitrine, et je prenais dans mes mains l'album Juventus *Le Cinq de pique – Dernier épisode du Porte-Drapeau de la Mort*. Un homme en habit d'écuyer, un masque rouge en forme de tuyau lui recouvrait toute la tête et s'élargissait en un grand manteau écarlate, les jambes écartées, les bras tendus vers le haut très haut, enchaîné par chaque membre aux murs d'une crypte, tandis que quelqu'un avait ouvert les vannes d'une veine d'eau souterraine destinée à le submerger peu à peu.

Mais en appendice de ces mêmes albums, il y avait d'autres histoires à épisodes, au style plus intrigant. L'une s'intitulait *Sur les mers de la Chine*, les protagonistes en étaient Gianni Martini et son frère Mino. Il a dû me sembler étrange que deux jeunes héros italiens courent des aventures dans une région où nous n'avions pas de colonies, au milieu de pirates orientaux, canailles aux noms exotiques et femmes très belles aux noms plus exotiques encore, comme Drusilla et Burma. Pourtant, à coup sûr j'ai dû m'apercevoir de la qualité différente du dessin. Dans les rares planches américaines sans doute recueillies auprès des soldats en 1945, j'ai pu voir ensuite que l'histoire s'appelait *Terry and the Pirates*. Les pages italiennes étaient de 1939, et donc oui dès lors était imposée l'italianisation des histoires étrangères. Dans ma petite récolte de matériel étranger, j'ai vu par ailleurs qu'en ces années-là les Français avaient traduit Flash Gordon en Guy l'Éclair.

Je n'arrivais plus à me détacher de ces couvertures et de ces vignettes. C'était comme se trouver à une réception et avoir l'impression de reconnaître tout le monde en éprouvant une sensation de déjà vu à chaque tête qu'on rencontre, mais sans pouvoir dire quand on avait rencontré ce quelqu'un, ni qui il est – et avec la tentation de s'exclamer à chaque instant comment ça va mon vieux, en tendant la main pour aussitôt la retirer par crainte de commettre une gaffe.

Embarrassant de revisiter un monde où tu te trouves pour la première fois : comme se sentir rescapé de retour dans la maison d'un autre.

Je n'avais pas lu à la suite, ni selon les dates, ni selon les séries et les personnages. Je sautillais, revenais en arrière, je passais des héros du *Corrierino* à ceux de Walt Disney, il m'arrivait de comparer un récit patriotique avec les aventures de Mandrake en lutte contre le Cobra. Et c'est précisément en revenant au *Corrierino*, à l'histoire du dernier ras, avec l'héroïque avanguardista Mario contre Ras Aïtou, que j'ai vu une vignette sur laquelle mon cœur s'est arrêté, et j'ai ressenti quelque chose de très semblable à une érection

– ou mieux quelque chose de plus liminal, comme il devrait arriver à qui est affecté d'*impotentia coeundi*. Mario échappe à Ras Aïtou en emmenant avec lui Gemmy, une femme blanche, épouse et concubine du ras, qui a désormais compris que le futur de l'Abyssinie est dans les mains salvatrices et civilisatrices des Chemises noires. Aïtou, furieux de la trahison de cette mauvaise femme (qui au contraire est enfin devenue bonne et vertueuse), donne l'ordre que soit brûlée la maison où les deux fugitifs se cachent. Mario et Gemmy parviennent à monter sur le toit et de là Mario aperçoit un euphorbe géant. « Gemmy, dit-il, accrochez-vous à moi et fermez les yeux ! »

Il est impensable que Mario ait eu des intentions malicieuses, surtout en un moment pareil. Mais Gemmy, comme toute héroïne de bande dessinée, était vêtue d'une fluide tunique, une sorte de péplum, qui lui découvrait les épaules, les bras et une partie du sein. Comme le documentaient les quatre vignettes consacrées à la fuite et au saut dangereux, on le sait, les péplums, surtout de soie, se soulèvent d'abord sur la cheville et puis sur le mollet, et si une femme s'agrippe au cou d'un avanguardista, et a peur, cette étreinte ne peut que devenir un embrassement spasmodique, sa joue à elle, certainement parfumée, contre sa nuque à lui, en sueur. Ainsi, dans la quatrième vignette, Mario se saisit d'une branche de l'euphorbe, avec le seul souci de ne pas tomber entre les mains de l'ennemi, mais Gemmy désormais en sécurité s'abandonnait et, comme si sa robe était fendue, sa jambe gauche se tendait en avant, nue à présent jusqu'au genou, découvrant le beau mollet ennobli et fuselé par un talon aiguille, tandis que de la jambe droite on apercevait seulement la cheville – mais vu que cette jambe s'élevait coquettement à angle droit vers la cuisse provocante, la robe (peut-être sous l'effet du vent brûlant des ambas) adhérait, humide, à son corps, en rendant évidentes la courbe callipyge et toute la jambe faite au tour. Impensable que le dessinateur ne fût pas conscient de l'effet érotique qu'il allait créant, et il s'inspirait sûrement de certains modèles cinématographiques, ou précisément des femmes de Guy l'Éclair, toujours gainées dans des robes très moulantes constellées de pierres précieuses.

Je ne pouvais pas dire si c'était là l'image la plus érotique que j'avais jamais vue, mais à coup sûr (puisque le *Corrierino* portait la date du 20 décembre 1936) c'était la première. Je ne pouvais pas non plus en déduire qu'à quatre ans j'avais déjà éprouvé une réaction physique, une rougeur, un sanglot d'adoration, mais cette image était certainement pour moi la première révélation de l'éternel féminin, au point de se demander si après ça j'avais encore pu m'incliner sur le sein de ma mère avec l'innocence d'avant.

Une jambe qui sort d'une robe longue et souple, presque transparente, et met en relief les courbes du corps. Si cette image avait été primordiale, avait-elle laissé un signe ?

Je m'étais mis à reparcourir des pages et des pages déjà examinées, et je cherchais des yeux les moindres déchirures dans chaque marge, de pâles empreintes de doigts moites, des plissures, pliures aux angles supérieurs du feuillet, légères abrasions de la surface comme si là j'avais passé plusieurs fois les doigts.

Et j'ai trouvé une série de jambes nues qui apparaissaient par la fente de nombreuses robes : fendues les coiffures des femmes de Mongo, aussi bien Dale Arden qu'Aurora fille de Ming, et les odalisques qui

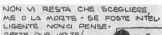

NON VI RESTA CHE SCEGLIERE, ME O LA MORTE - SE FOSTE INTEL- LIGENTE NON CI PENSE- RESTE DUE VOLTE!

LO ZIO E' STATO FERITO!

VERA- MENTE?

...QUINDI RIENTRA CON DALE NEL PALAZZO

réjouissaient les festins impériaux, fendus les luxueux négligés des dames qui tombaient sur l'Agent Secret X9, fendues les tuniques des troubles filles de la Bande des Airs que dégomme ensuite Le Fantôme, fendue, devinait-on, la robe noire de grande soirée de la séduisante Dragon Lady dans *Terry et les Pirates…* J'ai certainement rêvé de ces femmes lascives, alors que celles des revues italiennes montraient des jambes dénuées de mystère, sous une jupe qui arrivait au genou et sur d'énormes talons de liège. *Mais les jambes, mais les jambes…* Quelles étaient celles qui avaient éveillé mes premières pulsions, celles des jolies, belles petites et des beautés casanières à bicy- clette ou celles des femmes d'autres planètes et de lointaines mégalopoles ? D'évidence, elles devaient m'avoir davantage séduit, les beautés inatteignables, que la beauté de la fille ou de la femme mûre de la porte d'à côté. Mais qui pouvait bien le dire ?

Si j'ai fantasmé sur la voisine de la porte d'à côté ou sur les filles qui jouaient dans les jardinets sous notre immeuble, c'est resté un secret à moi, dont l'in- dustrie éditoriale n'a pas eu, ni donné, de nouvelles.

À la fin des piles de bandes dessinées, j'ai extrait une série de numéros dépareillés d'une revue fémi- nine, *Novella*, que lisait indubitablement ma mère. Longues histoires d'amour, quelques illustrations raf- finées, femmes minces et gentlemen au profil bien bri- tannique, photos d'actrices et d'acteurs. Le tout en une couleur marron jouant sur mille nuances, et mar- ron était aussi le caractère des textes. Les couvertures étaient une galerie des beautés de l'époque, immorta- lisées en tout premier plan, et sur une d'elles mon cœur s'est rapidement recroquevillé dans la morsure d'une langue de feu. Je n'ai pas pu résister à l'impulsion de me pencher au-dessus de ce visage et de poser mes lèvres sur ses lèvres. Je n'ai éprouvé aucune sensation physique, mais je devais l'avoir furtivement fait en 1939, à sept ans, à coup sûr déjà en proie à quelques inquiétudes. Il ressemblait, ce visage, à Sibilla ? À Paola ? À Vanna, la dame à l'hermine, et aux autres dont Gianni m'avait seulement ricané le nom, la Cavassi, la libraire américaine au salon du livre de Londres, Silvana, ou la jolie petite Hollandaise – exprès pour elle j'avais fait trois fois le voyage à Amsterdam ?

Sans doute pas. Je devais m'être sûrement formé, à travers une telle quantité d'images qui m'avaient ravi, une figure idéale bien à moi et, si j'avais pu avoir devant les yeux tous les visages des femmes que j'avais aimées, j'aurais pu en tirer un profil archétype, une Idée jamais atteinte mais poursuivie durant toute la vie. Qu'y avait-il de semblable entre le visage de Vanna et celui de Sibilla ? Peut-être plus qu'il ne semblait à première vue, peut-être le pli malicieux d'un sourire, la façon de découvrir leurs dents au moment de leurs rires, le geste pour rassembler leurs cheveux. Il eût suffi de la manière dont elles bougeaient leurs mains…

La femme que je venais d'embrasser en effigie était d'une pâte différente. Si je l'avais rencontrée à ce moment-là je ne lui aurais pas accordé un regard. Il s'agissait d'une photographie, et les photos apparaissent toujours datées, elles n'ont pas la légèreté platonique d'un dessin, qui laisse deviner. Avec elle, je n'avais pas donné un baiser à l'image d'un objet d'amour, mais à la tyrannie du sexe, à l'évidence des lèvres soulignées par un maquillage voyant. Ce n'avait pas été un baiser vibrant et anxieux mais une manière sauvage de reconnaître la présence de la chair. Je devrais avoir aussitôt oublié l'épisode, comme quelque chose de trouble et d'interdit, tandis que la Gemmy abyssine m'était apparue comme une figure troublante mais aimable, une gracieuse princesse lointaine, regarder et ne pas toucher.

Mais alors, pourquoi donc avais-je conservé ces revues féminines ? Il est probable qu'à mon adolescence avancée, peut-être déjà lycéen, revenant à Solara j'avais entrepris une récupération de ce qui déjà à l'époque me semblait un passé lointain, et que je consacrais l'aube de ma jeunesse à repasser dans les pas perdus de mon enfance. J'étais déjà condamné à la récupération de ma mémoire, sauf qu'alors c'était un jeu, avec toutes mes madeleines à ma disposition, et maintenant, par contre, un défi désespéré.

Dans la Chapelle j'avais en tout cas compris quelque chose de ma découverte et de la liberté et de l'esclavage de la chair. Bien, cela avait été aussi une façon d'échapper au servage des défilés en uniforme et à l'empire asexué des Anges Gardiens.

Tout ça pour ça ? Sauf la crèche du grenier, par exemple, rien ne me parlait encore de mes sentiments religieux, et il me semblait impossible qu'un enfant, même éduqué dans une famille laïque, n'en eût pas nourri. Et je n'avais repéré rien qui pût me reconduire à ce qui s'était passé à partir de 1943. Il se peut que ce soit précisément entre 1943 et 1945, après que la Chapelle avait déjà été murée, que j'aie décidé de cacher ici les témoignages les plus intimes d'une enfance qui déjà s'en allait estompée dans la tendresse du souvenir : je prenais la toge virile, entrant dans l'âge adulte en plein tourbillon des années les plus sombres, et j'avais décidé de garder dans une crypte un passé auquel j'étais déterminé à consacrer mes nostalgies d'adulte.

Au milieu des nombreux albums de Raoul et Gaston, il m'était enfin passé entre les mains quelque chose qui m'avait fait sentir sur le seuil d'une révélation finale. L'album, à la couverture multicolore, s'intitulait *La Mystérieuse Flamme de la reine Loana*. Il y avait là l'explication des mystérieuses flammes qui m'avaient agité après mon réveil, et le voyage à Solara prenait enfin un sens.

J'ai ouvert l'album et je suis tombé sur l'histoire la plus insipide qu'esprit humain ait jamais pu concevoir. C'était un récit déglingué qui ne tenait pas du tout la route, les événements étaient répétitifs, les gens s'enflammaient d'amours subits, sans raison, Raoul et Gaston étaient en partie fascinés par la Reine Loana et en partie ils la considéraient comme un être maléfique.

Raoul et Gaston accompagnés de deux amis arrivent, en Afrique centrale, dans un royaume mystérieux où une reine tout aussi mystérieuse détient une très mystérieuse flamme qui procure longue vie, ou même l'immortalité, vu que sur une tribu sauvage Loana règne, toujours très belle, depuis deux mille ans.

Loana entrait en scène à un certain point, et elle n'était ni attirante ni troublante : elle m'évoquait plutôt certaines parodies des variétés des temps passés que j'avais récemment vues à la télévision. Pour tout le reste de l'histoire, tant qu'elle ne se jetait pas par maladie d'amour dans un abîme sans fond, inutilement énigmatique, Loana allait par-ci par-là à travers cette histoire hyperbâclée, sans charme ni psychologie. Elle voulait seulement épouser un ami de Raoul et Gaston qui ressemblait (deux gouttes d'eau) à un prince qu'elle avait aimé deux mille ans avant, et qu'elle avait fait tuer et puis pétrifier parce qu'il refusait ses grâces. On ne comprenait pas pourquoi Loana avait besoin d'un sosie moderne (et d'abord, ce dernier non plus ne la voulait pas : au premier regard, il était tombé amoureux de sa sœur), vu qu'avec sa mystérieuse flamme elle pouvait redonner vie à son amant momifié.

En outre, comme je l'avais déjà vu dans d'autres bandes dessinées, les femmes fatales aussi bien que les mâles sataniques de service (comme Ming avec Dale Arden) ne voulaient jamais posséder, violenter, emprisonner dans leur harem, s'unir charnellement avec l'objet de leur rut. Ils voulaient toujours l'épouser. Hypocrisie protestante des originaux américains ou excès de pudeur imposé aux traducteurs italiens par un gouvernement catholique engagé dans une bataille démographique ?

Pour en revenir à Loana, suivaient des catastrophes finales variées, la mystérieuse flamme s'éteignait et adieu immortalité pour nos protagonistes : mieux valait ne pas avoir été autant traînouillé si c'était pour en arriver là, parce qu'aussi, à la fin, on aurait dit qu'elle n'en avait pas grand-chose à battre d'avoir perdu la flamme, et dire qu'ils avaient fait tout ce foin pour la trouver, mais il se peut que les pages disponibles fussent finies, l'album devait tout de même se terminer d'une façon ou d'une autre et les auteurs ne retrouvaient plus comment ni pourquoi ils avaient commencé.

En somme, une histoire complètement stupide. Mais d'évidence c'était comme avec Monsieur Pipin. Tu lis, petit, une histoire quelconque, ensuite tu la fais grandir dans ta mémoire, tu la transformes, tu la sublimes, et tu peux élire pour mythe cette histoire insipide. De fait, ce qui avait évidemment fécondé ma mémoire assoupie n'avait pas été l'histoire en soi, mais le titre. Une expression comme *la mystérieuse flamme* m'avait ensorcelé, pour ne rien dire du nom si doux de Loana, même si en vérité c'était une petite chieuse capricieuse travestie en bayadère. J'avais vécu toutes les années de mon enfance – et sans doute même après – en cultivant non pas une image mais bien un son. La Loana «historique» oubliée, j'avais continué à suivre l'aura orale d'autres flammes mystérieuses. Et, des années plus tard, avec une mémoire bouleversée, j'avais réactivé le nom d'une flamme afin de définir la réverbération de délices oubliées.

Le brouillard était toujours et encore en moi, percé de temps à autre par l'écho d'un titre.

En déplaçant mes mains çà et là, j'ai tiré un album relié en toile, de format oblong. Il suffisait de l'ouvrir pour comprendre qu'il s'agissait d'une collection de timbres. Certainement la mienne, car elle portait en ouverture mon nom et la date où j'avais probablement commencé à collectionner, 1943. L'album était presque de facture professionnelle, avec les feuillets mobiles, et il était organisé par pays, en ordre alphabétique. Les timbres étaient fixés avec une languette mais certains, pièces des postes italiennes de ces années-là, avec lesquels j'avais sans doute inauguré ma saison philatélique, trouvés sur des enveloppes ou des cartes postales, étaient épaissis, avec un dos rêche, incrusté de quelque chose. On comprenait qu'au début je les collais sur quelque méchant cahier en utilisant de la gomme arabique. Par la suite évidemment j'avais appris comment on fait, j'avais cherché à sauver cette ébauche de collection en immergeant les feuilles du cahier dans l'eau, les timbres s'étaient détachés mais ils avaient conservé les signes indélébiles de ma sottise.

Qu'ensuite j'aie appris comment on fait, un volume qui se trouvait sous l'album le disait, un exemplaire du Catalogue Yvert et Tellier, de 1935. Il faisait probablement partie de la camelote de mon grand-père. Clair que le catalogue était déjà obsolète pour un collectionneur sérieux de 1943, mais d'évidence il était devenu précieux pour moi qui y apprenais non pas les prix réactualisés et les dernières émissions, mais la méthode, la manière de cataloguer.

Où prenais-je les timbres en ces années-là ? Mon grand-père me les avait passés ou bien pouvait-on acheter en magasin des enveloppes avec les pièces assorties, comme cela se passe encore aujourd'hui sur les étals entre la via Armorari et le Cordusio, à Milan ? Il est probable que je risquais tous mes capitaux chez quelque papetier en ville, qui vendait justement à des collectionneurs en herbe, et donc ces pièces qui me semblaient à moi fabuleuses étaient monnaie courante. Ou bien peut-être en ces années de guerre, tous les échanges internationaux bloqués – et à un certain point même les échanges intérieurs –, circulait-il sur le marché, à bas prix, du matériel d'une certaine valeur, vendu par un retraité pouvant ainsi s'acheter du beurre, un poulet, une paire de souliers.

Cet album devait avoir été pour moi non pas d'abord un objet vénal mais un réceptacle d'images

oniriques. Une ardente ferveur m'assaillait à chaque
figure. Bien autre chose que les vieux atlas. Dans cet
album j'imaginais les mers bleu clair encadrées de
pourpre de la Deutsch-Ostafrika, en un lacis de lignes
digne d'un tapis arabe je voyais sur fond vert nuit les
maisons de Bagdad, sur champ bleu sombre encadré
de rose j'admirais le profil de George V seigneur des
Bermudes, dans des tons brique cuite me subjuguait
le visage du pacha barbu, ou sultan ou rajah du
Bijawar State, peut-être un des princes indiens de
Salgari, mais d'échos salgariens s'enrichissait certainement le petit rectangle couleur pois vert de la
Labuan Colony, peut-être lisais-je des nouvelles de la
guerre de Dantzig tout en maniant le timbre vineux
estampillé Danzig, je lisais *five rupies* sur celui de
l'État de l'Indore, je rêvais d'étranges pirogues indigènes qui se découpaient sur le fond giroflée d'une
pièce des British Solomon Islands. Je fabulais autour
d'un paysage du Guatemala, d'un rhinocéros du
Liberia, d'une autre embarcation sauvage qui dominait dans le grand timbre (plus petit est l'État, plus
grand est le timbre, j'apprenais) de Papua, et je me
demandais où étaient le Saargebiet ou le Swaziland.

Je voyageais de par le vaste monde, dans les années
où nous étions comme cernés de barrières infranchis-
sables, pris dans l'étau de deux armées en lutte, par
la seule entremise d'un timbre. Même les contacts fer-
roviaires étaient interrompus, de Solara on ne pouvait
sans doute atteindre la ville qu'à bicyclette, et moi je
survolais du Vatican à Porto Rico, de la Chine à
l'Andorre.

La dernière tachycardie m'a assailli devant deux
timbres des îles Fidji. Ils n'étaient pas plus beaux ni
plus laids que les autres. L'un représentait un sauvage,
l'autre dessinait la carte des îles Fidji (prononçais-je

avec ou sans d?). Peut-être m'avaient-ils coûté de longs et exténuants échanges et je les aimais par-dessus tous les autres, peut-être étais-je frappé par la précision de la carte géographique qui me parlait d'îles au trésor, peut-être n'avais-je appris que sur ces petits rectangles le nom jamais entendu de ces territoires. Il me semble que Paola aurait dit que j'avais une idée fixe : je voulais un jour ou l'autre aller aux Fidji, je compulsais les dépliants des agences de voyages, mais je remettais toujours parce qu'il s'agissait de partir pour l'autre côté du globe, et s'y rendre pour moins d'un mois n'avait pas de sens.

Je restais fixé sur les deux timbres et spontanément je me suis mis à chanter la chanson que j'avais écoutée des jours auparavant, *Là-haut à Capocabana*. Et avec la chanson est revenu le nom de Pipetto. Quel était le lien qui unissait les timbres à la chanson et celle-ci au nom, rien qu'au nom de Pipetto ?

Le secret de Solara, c'était qu'à chaque pas j'arrivais à l'orée d'une révélation et je m'arrêtais sur le bord d'un précipice à la gorge invisible sous le brouillard. Comme le Vallon, me suis-je dit. C'était quoi, le Vallon ?

12. MAIS VOILÀ LE PLUS BEAU

J'ai demandé à Amalia si elle savait quelque chose d'un Vallon. «Pour sûr que je sais, a-t-elle répondu, le Vallon... Vrai, j'espère qu'il vous est pas venu la fantaisie d'y aller, parce que d'jà il était dangereux quand vous étiez p'tit, mais maint'nant si vous permettez n'êtes plus un gamin, ça va finir que vous vous tuez. Attention que je vas téléphoner à madame, hein.»

Je l'ai rassurée. Je voulais seulement savoir ce que c'était.

«Le Vallon? Suffit que vous regardez par la fenêtre de votre chambrette et on voit, loin, le sommet d'une colline où qu'est bâti San Martino, que c'est un petit village, pas même un village, un patelin de cent personnes à compter large, tous des sales gens si voulez savoir, avec un clocher plus long que le village est large, parce qu'ils font des histoires à n'en plus finir que là y ont le corps du Bienheureux Antonino, qu'a l'air d'une caroube, avec la face noire comme un escrémerde sec, scusez le mot, et sous la robe les doigts y pointent qu'ils ont l'air de bouts de bois secs, et mon pauvre papa disait qu'il y a cent ans de ça ils avaient déterré un quelconque qui puait déjà, ils avaient mis qui sait quelle saloperie dessus, et l'avaient posé sous une vitre pour y gagner quéqu' chose avec les pèlerins, qu'ensuite, en attendant, c'est pareil, personne y va, vous savez ce qu'ils ont à en faire les gens du Bienheureux Antonino qu'au fond c'est pas même un saint de par ici mais ils sont allés le pêcher dans le calendrier en mettant un doigt où ça tombait.

– Mais le Vallon ?

– Le Vallon c'est qu'à San Martino on y arrive seulement par une route, toute une montée que même maintenant les autos y peinent rude. La route est pas comme chez nous, bons chrétiens, où elle tourne autour de la colline et un tournant après l'autre elle arrive en haut. Si c'était ! Non, elle va en haut toute droite, ou presque, et c'est pour ça que c'est une rude peine. Et vous savez pourquoi elle fait comme ça ? Parce que du côté où la route monte, la colline de San Martino y a les arbres et quelques vignes qu'ils ont dû faire les renforcements pour pouvoir aller cultiver sans débarouler tout en bas avec le derrière par terre, mais partout ailleurs la colline descend comme un écroulis, tout un fouillis, ronces et buissons et cailloux qu'on sait pas y mettre les pieds, et ça c'est le Vallon, que quelqu'un s'est même tué parce qu'il s'y est risqué sans savoir quelle sale bête c'était. Et encore, va pour l'été, mais quand vient le brouillard aller par le Vallon, c'est mieux de prendre une corde et se pendre tout de suite à une poutre du grenier parce qu'au moins à s'tuer on fait d'abord. Qu'ensuite, même si un aurait le courage, il va là-haut et y trouve les mâlesses. »

Pour la troisième fois Amalia me parlait des mâlesses, mais à chaque question c'était comme si elle cherchait à esquiver, et je ne comprenais pas si la raison en était une crainte sacrée ou bien qu'elle-même ne savait pas au fond de qui il s'agissait. Ce devait être des sorcières qui en apparence étaient de vieilles peaux solitaires mais, quand descendait la nuit, se réunissaient dans les vignes les plus escarpées, et dans des endroits maudits comme le Vallon, pour jeter certains maléfices avec des chats noirs, des chèvres ou des vipères. Mauvaises comme le poison, elles s'amusaient à ammâlesser ceux qui leur restaient en travers de la gorge et leur faisaient perdre la récolte.

« Une fois, une d'elles était devenue un chat, elle était entrée dans une maison d'ici, et elle avait emporté un enfant. Comme ça, un voisin qui avait peur aussi pour son petiot, il a passé les nuits à côté du berceau avec une hache, et quand le chat est entré il lui a coupé tout net sa p'tite patte, d'un coup. Alors, il y vient une mauvaise pensée et il va chez une vieille qui habitait pas très loin et il a vu que la main ne sortait pas de la manche et y a demandé mais comment ça se fait et l'autre à débiter des escuses, qu'elle s'était fait mal avec la faucille en enlevant la malherbe, mais lui y a dit faites donc voir un peu, et elle, la main, l'avait plus. Le chat c'était elle, et comme ça ceux du village ils l'ont prise et ils l'ont brûlée.

– Mais c'est vrai ?

– Vrai ou pas c'est comme ça que ma grand-mère me la racontait même si cette fois-là mon grand-père est revenu à la maison en s'égosillant les mâlesses les mâlesses, parce qu'il revenait de l'auberge avec le parapluie sur l'épaule, et de temps à autre quelqu'un le prenait par le manche et le laissait plus repartir en avant, mais ma grand-mère y a dit tais-toi malné que t'es rien d'autre, tu étais rond comme une bille et tu allais d'un côté à l'autre du sentier comme ça t'enfilais toi le manche dans les branches des arbres, s'agit bien de mâlesses, et c'est les coups qui pleuvaient alors. Moi je sais pas si toutes ces lhistoires elles sont vraies de vraies, mais une fois il y avait à San Martino un prêtre qui faisait tourner les tables parce qu'il était franc-maçon comme tous les prêtres et lui avec les mâlesses ils étaient comme cochons en foire, pourtant si tu faisais une laumône pour l'église il te faisait la conjuration et tu étais tranquille pour une année. Pour une année, eh eh, et après une autre laumône. »

Cependant, le problème du Vallon, a expliqué Amalia, c'était quand j'allais sur mes douze ou treize ans : j'y montais avec une bande de délinquants comme moi, qui faisaient la guerre à ceux de San Martino et voulaient les surprendre en grimpant par ce côté-là. Au point que si elle me voyait quand j'y allais, elle me ramenait à la maison sur son dos, mais moi j'étais comme une couleuvre et personne ne savait jamais dans quel trou je m'étais fourré.

Ce devait être pour ça que, en pensant à un bord de route et à un ravin, il m'était venu à l'esprit le Vallon. Même en ce cas, rien qu'un mot. À la mi-matinée, je ne pensais plus au Vallon. On avait téléphoné du bourg : un paquet recommandé était arrivé pour moi. J'étais descendu le prendre. Le paquet venait du bureau et c'étaient les épreuves du catalogue. J'en ai profité pour aller chez le pharmacien : ma tension était de nouveau montée à dix-sept. Ç'avait été les émotions dans la Chapelle. J'ai décidé de passer la journée d'une façon calme, et les épreuves se présentaient comme une bonne occasion. En revanche, ce furent précisément les épreuves qui ont risqué de faire monter ma tension à dix-huit, et elles y sont peut-être même parvenues.

Le ciel était couvert et on était bien dans le jardin. Allongé à mon aise, j'ai commencé à vérifier. Les fiches n'étaient pas encore mises en page, mais les textes étaient impeccables. Nous nous présentions à la rentrée d'automne avec une bonne offre de livres de valeur. Bravo Sibilla.

J'allais glisser sur une édition apparemment sans problème d'œuvres de Shakespeare, quand j'ai pilé sur le titre : *Mr. William Shakespeares Comedies, Histories, & Tragedies. Published according to the True Original Copies.* J'étais sur le point d'avoir un infarctus. Sous le portrait du Barde, l'éditeur et la date « London, Printed by Isaac Iaggard and Ed. Blount. 1623 ». J'ai vérifié la collation, les mesures (vraiment 34,2 sur 22,6 centimètres, c'étaient des marges très généreuses) : tonnerres de Hambourg, par mille foudres, *sakkaroa*, mais c'était là l'introuvable in-folio de l'année 1623 !

Tout antiquaire, et je crois tout collectionneur, rêve de temps en temps à la petite vieille de quatre-vingt-dix ans. Il y a une petite vieille avec un pied dans la tombe, elle n'a pas une lire, pas même pour s'acheter des médicaments, elle vient te dire qu'elle veut vendre des livres de son bisaïeul qui sont restés dans sa cave. Toi tu vas voir, histoire d'y aller par scrupule, il y a une dizaine de volumes de peu de valeur, puis soudain il t'échoit un grand in-folio mal relié, avec une couverture en parchemin excessivement fatiguée, coiffes disparues, nerfs périclitants, angles rongés par les rats, nombreuses mouillures. Les deux colonnes en gothique te frappent, tu comptes les lignes, quarante-deux, tu te précipites sur le colophon… C'est la Bible à 42 lignes de Gutenberg, le premier livre jamais imprimé au monde. Le dernier exemplaire qui a circulé encore sur le marché (les autres sont désormais gardés à vue dans de célèbres bibliothèques) a été adjugé à je ne sais combien de milliards récemment à une vente aux enchères, pour le marché japonais, des banquiers je crois, qui l'ont aussitôt enfermé dans un coffre. Un nouvel exemplaire, encore en libre circulation, n'aurait pas de prix. Tu peux demander ce que tu veux, un supermillion de milliards.

Tu observes la petite vieille, tu comprends que si tu lui donnais dix millions elle serait déjà heureuse, mais tu as un remords de conscience : tu lui offres cent, deux cents millions, avec quoi elle pourra se remplumer pour les quelques années qui lui restent à vivre. Et puis, naturellement, une fois chez toi, les mains tremblantes, tu ne saurais plus que faire. Pour vendre le livre, il faudrait que tu mobilises les grandes maisons de ventes aux enchères qui te boufferaient qui sait quelle part du gâteau, et l'autre moitié te serait taxée ; tu voudrais le garder pour toi, mais tu ne pourrais le montrer à personne car, si le bruit se répand, tu aurais les voleurs de la moitié du monde devant ta porte, et quel plaisir y aurait-il à posséder cette chose prodigieuse et ne pas pouvoir faire crever d'envie les autres collectionneurs. Si tu penses l'assurer, tu te saignes. Qu'est-ce que tu dois faire ? Le donner en gestion à la Mairie, qui le place, mettons, dans une salle du château des Sforza, sous une vitrine blindée, avec quatre gorilles armés qui veillent sur lui jour et nuit. Ainsi pourrais-tu aller regarder ton livre, seul au milieu d'une foule de désœuvrés qui veut voir de près la chose la plus rare du monde. Et toi tu fais quoi, tu donnes un coup de coude au voisin et tu dis que le livre est à toi ? Ça vaut la peine ?

C'est alors que tu penses non pas à Gutenberg mais à l'in-folio de Shakespeare. Il s'agirait de quelques milliards en moins, mais il n'est connu que des col-

lectionneurs, il serait plus facile aussi bien de le garder que de le vendre. L'in-folio de Shakespeare : le
rêve numéro deux de tout bibliophile.

À combien le mettait Sibilla ? Je restais bouche
bée : un million, comme un quelconque méchant
livre. Possible qu'elle ne se soit pas aperçue de ce
qu'elle avait dans les mains ? Et quand était-il arrivé
au cabinet, et pourquoi ne m'avait-elle rien dit ? Je la
licencie, je la licencie, murmurais-je rageur.

Je lui ai téléphoné en lui demandant si elle se rendait compte de ce qu'était l'item 85 du catalogue. Elle
paraissait tomber des nues, c'était du XVIIe même pas
très beau à voir, et elle se sentait au contraire toute
contente de l'avoir déjà vendu juste après l'envoi des
épreuves, avec seulement vingt mille lires de réduction,
et maintenant on devait l'ôter du catalogue, car il ne
s'agissait pas non plus de ces livres que tu laisses quand
même pour y écrire dessous « vendu », histoire de faire
voir que tu avais de bonnes pièces. J'allais me la dévo-
rer vivante, jusqu'au moment où elle s'est mise à rire et
a dit que je ne devais pas faire monter ma tension.

C'était une plaisanterie. Elle avait inséré cette fiche
pour voir si je lisais attentivement les épreuves et si
ma mémoire cultivée était encore en bon état. Elle
riait comme une gamine, fière de sa blague – qui,
d'ailleurs, rappelait certaines farces célèbres, coutu-
mières entre nous fanatiques, et il existe des catalogues qui sont entrés eux aussi dans le domaine des
antiquaires précisément parce qu'ils proposaient un
livre impossible, ou inexistant, et que même les
experts s'y étaient laissé prendre.

Ce sont des canulars estudiantins, ai-je encore dit,
mais à présent je me détendais. « Tu me le paieras. Mais
le reste des fiches est parfait, inutile que je te les ren-
voie, je n'ai pas de corrections à faire. Ça roule, merci. »

Je me suis relaxé : les gens n'y pensent pas, cependant pour quelqu'un comme moi, et dans l'état où je me trouve, même une plaisanterie innocente pourrait déclencher le petit câlin final.

Tandis que je terminais mon coup de fil avec Sibilla, le ciel était désormais devenu livide : un autre orage arrivait, du sérieux cette fois. Avec une lumière comme ça, j'étais absous de l'obligation ou de la tentation d'aller à la Chapelle. Toutefois, je pouvais passer au moins une heure dans le grenier encore éclairé par les lucarnes, histoire de continuer à fureter.

J'ai été récompensé avec un autre gros carton, sans inscriptions, rafistolé par mes oncles, plein de revues illustrées. J'ai tout porté en bas, et je me suis mis à feuilleter sans zèle, comme on fait dans la salle d'attente d'un dentiste.

Je regardais les figures de certaines revues de cinéma, avec beaucoup de photos d'acteurs. Il y avait naturellement les films italiens, là aussi en pleine et pacifique schizophrénie, d'un côté les films de propagande comme *Le Siège de l'Alcazar* et *Luciano Serra, pilote*, de l'autre des pellicules avec gentlemen en smoking, femmes hyper gâtées en liseuses immaculées, et un ameublement de luxe, avec des téléphones blancs à côté de lits voluptueux – à une époque où j'imagine que les téléphones étaient encore tous noirs et accrochés au mur.

Mais il y avait aussi des photos de films étrangers et j'ai ressenti quelque très vague flamme en voyant le visage sensuel de Zarah Leander, ou de la Kristina Söderbaum de *La Ville d'or*.

Enfin, beaucoup de photos tirées de films américains, avec Fred Astaire et Ginger Rogers qui dansaient comme des libellules, et le John Wayne de *La Chevauchée fantastique*. Entre-temps j'avais réactivé ce que désormais je considérais comme ma radio, ignorant hypocritement le phonographe qui la faisait chanter, et j'avais identifié parmi les disques des titres qui me suggéraient quelque chose. Mon Dieu, Fred Astaire dansait et embrassait Ginger Rogers, mais dans les mêmes années Pippo Barzizza et son orchestre jouaient des mélodies que je connaissais parce qu'elles font partie de l'éducation musicale de tout le monde. Celui-là c'était du jazz, fût-il italianisé, ce disque intitulé *Serenità* était une adaptation de *Mood Indigo*, cet autre qui s'introduisait en contre-bande comme *Con stile*, cet « Avec Style » était *In the mood*, et ce *Tristezze di San Luigi* (lequel, Nono ou Gonzague ?) était *Saint Louis Blues*. Tous sans paroles, sauf celles assez maladroites des tristesses de Saint Louis, pour ne pas révéler l'origine d'une musique si peu aryenne.

En somme, entre jazz, John Wayne, et les bandes dessinées de la Chapelle, mon enfance s'était passée à apprendre que je devais maudire les Anglais et me défendre des sales nègres américains qui voulaient souiller la Vénus de Milo, en même temps que je m'abreuvais des messages qui venaient de l'autre rive de l'océan.

Du fond du carton, j'ai extrait aussi un paquet de lettres et de cartes postales adressées à mon grand-père. J'ai eu un moment d'hésitation ; il me semblait sacrilège de pénétrer dans ces secrets personnels. Puis je me suis dit qu'au fond mon grand-père était le destinataire, pas l'auteur de ces écrits, les auteurs étaient des gens à qui je ne devais aucun respect.

J'ai feuilleté ces missives sans l'espoir d'y trouver quelque chose d'important, ce ne fut pas le cas : en répondant à grand-père, ces personnes, probablement des amis auxquels il se fiait, faisaient allusion à des choses que lui leur avait écrites, et il en ressortait un portrait plus précis de mon grand-père. Je commençais à comprendre ce qu'il pensait, quel genre d'amis il fréquentait ou cultivait prudemment de loin.

Mais c'est seulement après avoir vu le flacon que j'ai été en mesure de reconstruire la physionomie « politique » de grand-père. Il m'a fallu un peu de temps parce qu'on devait prendre avec des pincettes ce que racontait Amalia, mais il y avait les lettres d'où les idées de mon grand-père transparaissaient clairement, et certaines traces de son passé émergeaient. Enfin, un correspondant à qui grand-père avait raconté, en 1943, l'épisode final de l'huile le complimentait pour ce bel exploit.

Donc. Je m'étais appuyé contre la fenêtre, le bureau devant moi et au fond les étagères. C'est alors seulement que j'avais remarqué, au sommet de la bibliothèque, en face de moi, un flacon, haut d'une dizaine de centimètres, une fiole pour médicament ou parfum d'autrefois, en verre sombre.

Intrigué, et montant sur une chaise, j'étais allé le prendre. Le bouchon à vis était hermétiquement fermé et il portait encore des signes rouges d'une ancienne fermeture à la cire. À regarder dedans, et à le secouer, il ne paraissait contenir plus rien. Je l'ai ouvert, non sans peine, et j'ai entrevu à l'intérieur comme de petites taches d'une substance foncée. Ce peu d'odeur qui encore se dégageait du goulot était décidément désagréable, comme de putréfaction séchée depuis des dizaines d'années.

J'ai appelé Amalia. Elle en savait quelque chose ? Amalia a levé les yeux et les bras au ciel, et elle s'est mise à rire. « Ah, l'était encore ici l'huile de ricin !

– Huile de ricin ? C'était une purge, je crois…

– Et comment ! Et on la donnait certaines fois à vous aussi les enfants, mais une cuillerée à café, justement pour vous faire aller si quéqu'chose s'était arrêté dans vot' p'tit ventre. Et aussitôt après, deux cuillerées à soupe de sucre, pour faire passer le goût. Mais on en avait donné ben plus à monsieur vot' grand-père, pas seulement ce flacon-là, mais au moins trois fois autant ! »

Nous sommes partis du fait qu'Amalia, qui entendait raconter toujours cette histoire par Masulu, commençait en disant que mon grand-père vendait des journaux. Non, c'étaient des livres, pas des journaux, je disais. Et elle d'insister (du moins ainsi comprenais-je) qu'avant, lui, il vendait des journaux. Et puis je me suis rendu compte de l'équivoque. Dans ces campagnes, le marchand de journaux on l'appelle encore *journaliste*. Elle disait donc *journaliste*, et moi je traduisais marchand de journaux. En revanche Amalia répétait ce qu'elle avait entendu raconter, et mon grand-père était vraiment journaliste, de ceux qui travaillent dans les journaux.

Comme cela apparaissait aussi d'après la correspondance, il l'avait fait jusqu'en 1922, et le journal était un quotidien ou une revue socialiste. En ces temps-là, dans l'imminence de la Marche sur Rome, les groupes fascistes de squadristes circulaient avec une matraque et lissaient l'échine des subversifs. Mais à ceux qu'ils voulaient vraiment punir, ils leur faisaient boire une dose robuste d'huile de ricin pour les purger de leurs idées tordues. Pas une petite cuillerée, au moins un quart de litre. Il était alors arrivé que les squadristes avaient envahi le siège du journal où mon grand-père travaillait : en calculant que lui il devait être né autour de 1880, en 1922 il avait pour le moins quarante ans, tandis que les justiciers étaient des voyous beaucoup plus jeunes. Ils avaient tout cassé, y compris les machines de la petite typographie, ils avaient jeté les meubles par la fenêtre et, avant d'évacuer le local et d'en barrer la porte avec deux planches clouées, ils avaient pris les deux rédacteurs présents, ils les avaient bâtonnés tant et plus, et puis leur avaient administré l'huile de ricin.

« Je sais pas si vous rendez compte, mon jeune monsieur Yambo, un pauvret qu'ils lui font boire ce machin-là, s'il réussit à revenir chez lui sur ses guibolles, me faites pas dire où qu'il passe les jours d'après, ça doit avoir été d'une humiliation que, vrai, on peut pas dire, on doit pas traiter comme ça une personne. »

On devinait, d'après les conseils que lui écrivait un ami milanais, qu'à partir de ce moment-là (vu que les fascistes l'emporteraient, quelques mois plus tard) grand-père avait décidé de laisser tomber journaux et vie active, il s'était fait sa petite boutique de vieux livres et avait vécu en silence pendant vingt ans, ne parlant de politique ou n'en écrivant qu'avec les amis sûrs.

Mais il n'avait pas oublié celui qui lui avait enfutaillé en personne l'huile dans la bouche, tandis que ses compères lui obturaient le nez.

« L'était un qui s'appelait le Merlo, monsieur vot' grand-père l'a toujours su, et pendant vingt ans l'a jamais perdu de vue. »

De fait, des lettres informaient grand-père sur l'itinéraire du Merlo. Il avait fait sa petite carrière de centurion de la Milice, il s'occupait d'approvisionnements et quelque chose devait lui être resté collé aux doigts parce qu'il s'était acheté une maison de campagne.

« Pardon, Amalia, j'ai compris l'histoire de l'huile, mais qu'y avait-il dans le flacon ?

— Moi j'ose pas y dire, mon jeune monsieur Yambo, c'était une vilaine chose…

— S'il me faut comprendre cette histoire, vous devez me le dire, Amalia, faites un effort. »

Et alors, mais vraiment parce que c'était moi, Amalia a cherché à expliquer. Grand-père était rentré à la maison, la chair lessivée par l'huile mais l'esprit encore indompté. Pour les deux premières décharges, il n'avait pas eu le temps de penser à ce qu'il faisait, et il avait aussi expulsé son âme. À la troisième ou quatrième décharge, il avait décidé de déféquer sur un vase. Et dans le vase avait coulé de l'huile mêlée à cette chose-là qui sort quand on a pris une purge, comme s'expliquait Amalia. Grand-père avait vidé un flacon d'eau de rose de sa femme, il l'avait soigneusement lavé et y avait transvasé aussi bien l'huile que cette chose-là. Il avait vissé, et il avait fermé le tout avec de la cire, de façon que cette liqueur ne s'évaporât pas et maintînt intact son bouquet, comme pour les vins.

Il avait gardé le flacon dans sa maison, en ville, et, une fois tous réfugiés à Solara, il l'avait emporté dans son bureau. On voit que Masulu avait la même pensée que lui, et qu'il savait l'histoire, car chaque fois qu'il entrait dans le bureau (Amalia lorgnait et tendait l'oreille) il regardait le flacon, puis le grand-père, et il faisait un geste : il tendait la main en avant, la paume dirigée vers le bas, puis d'une impulsion rotatoire du poignet il portait sa paume en haut, et il disait d'un ton de menace : « *S'as gira…* » Ce qui voulait dire *si ça tourne*, si un jour les choses changent. Et le grand-père, surtout les derniers temps, répondait : « Ça tourne, ça tourne, cher Masulu, les autres ont déjà débarqué en Sicile… »

Enfin était arrivé le 25 juillet. Le Grand Conseil avait mis Mussolini au pied du mur la veille au soir, le roi l'avait licencié, deux carabiniers l'avaient fait monter dans une ambulance et emporté qui sait où. Le fascisme était fini. Je pouvais évoquer à nouveau ces moments en allant pêcher dans la collection de journaux. Titres en gros caractères, un régime s'écroule.

Le plus intéressant était de voir les journaux des jours suivants. Ils donnaient des nouvelles satisfaites de foules qui faisaient tomber les statues du Duce de leurs piédestaux ou donnaient des coups de pic pour effacer les faisceaux des licteurs sur les façades des immeubles publics, et de hiérarques du régime qui s'étaient mis en civil et avaient disparu de la circulation. Des quotidiens qui, jusqu'au 24 juillet, rassuraient sur la splendide tenue du peuple italien se serrant autour de son Duce, le 30 jubilaient pour la dissolution de la Chambre des Faisceaux et des Corporations et pour la libération des condamnés politiques. Il est vrai que d'un jour à l'autre le direc-

Anno ... - N. 177 - Sotto Impero e Corinti anni, 30   Milano — Lunedì, 26 ... 1943

CORRIERE DELLA SERA

Le dimissioni di Mussolini
Badoglio Capo del Governo
UN PROCLAMA DEL SOVRANO

Il Re assume il comando delle Forze Armate - Badoglio agli Italiani: "Si serrino le file intorno a Sua Maestà vivente immagine della Patria„

L'annunzio alla Nazione

Sua Maestà il Re e Imperatore ha accettato le dimissioni dalla carica di Capo del Governo, Primo Ministro segretario di Stato date da Sua Eccellenza il cavaliere Benito Mussolini ed ha nominato Capo del Governo, Primo Ministro segretario di Stato Sua Eccellenza il cavaliere Maresciallo d'Italia Pietro Badoglio. *(Stefani)*

La parola di Vittorio Emanuele

Sua Maestà il Re e Imperatore ha rivolto agli Italiani il seguente proclama:

ITALIANI,

Assumo da oggi il comando di tutte le Forze Armate. Nell'ora solenne che incombe sui destini della Patria ognuno riprenda il suo posto di dovere, di fede e di combattimento: nessuna deviazione deve essere tollerata, nessuna recriminazione può essere consentita.

Ogni italiano si inchini dinanzi alle gravi ferite che hanno lacerato il sacro suolo della Patria.

L'Italia, per il valore delle sue Forze Armate, per la decisa volontà di tutti i cittadini, ritroverà nel rispetto delle istituzioni che ne hanno sempre confortato l'ascesa, la via della riscossa.

ITALIANI,

Ecco oggi più che mai indissolubilmente uniti a voi nella incrollabile fede nell'immortalità della Patria.

Firmato: VITTORIO EMANUELE.

Controfirmato: BADOGLIO.

Roma, il 25 luglio 1943.

Precisa e chiara consegna

Sua Eccellenza il Maresciallo d'Italia Primo Badoglio ha rivolto agli Italiani il seguente proclama:

ITALIANI,

Per ordine di Sua Maestà il Re e Imperatore assumo il Governo militare del Paese, con pieni poteri.

La guerra continua. L'Italia, duramente colpita nelle sue provincie invase, nelle sue città distrutte, mantiene fede alla parola data, gelosa custode delle sue millenarie tradizioni.

Si serrino le file attorno a Sua Maestà il Re e Imperatore, immagine vivente della Patria, esempio per tutti.

La consegna ricevuta è chiara e precisa: sarà scrupolosamente eseguita, e chiunque si illuda di ostacolare insidiare il normale svolgimento, o tenti turbare l'ordine pubblico, sarà inesorabilmente colpito.

Viva l'Italia, Viva il Re.

Firmato: Maresciallo d'Italia
PIETRO BADOGLIO.

Roma, 25 luglio 1943.

VIVA L'ITALIA

Manifestazioni a Roma

La folla al canto dell'Inno di Mameli al diverse notti il Quirinale

Manifestazioni in tutta Italia

Soldato del Sabotino e del Piave

L'esultanza di Milano

Viva l'Italia!

teur avait changé, mais le reste de la rédaction devait
être composé des mêmes qu'avant : ils s'adaptaient,
ou bien beaucoup d'entre eux qui, pendant des
années, avaient rongé leur frein éprouvaient maintenant de belles satisfactions.

Mais l'heure de mon grand-père était arrivée aussi.
«Oui, ça a tourné», avait-il dit, lapidaire, à Masulu,
et celui-ci avait compris qu'il devait se mettre au travail. Il avait appelé deux grands gaillards qui l'ai-
daient dans les champs, le Stivulu et le Gigio, tous
deux bien bâtis, le visage rougi par le soleil et par le
Barbera, et des muscles comme ça, surtout le Gigio :
quand un chariot s'enfonçait dans un fossé, on l'appelait lui, qui le tirait de là, mains nues, et il les avait
lâchés dans les villages voisins, tandis que grand-père
descendait au téléphone public de Solara et prenait
des renseignements auprès de ses amis en ville.

Enfin, le 30 juillet, le Merlo était repéré. Sa maison
ou propriété de campagne se trouvait à Bassinasco,
pas très loin de Solara, et là il s'était retiré sans se faire
remarquer, en catimini. Il n'avait jamais été un gros
bonnet et pouvait espérer qu'on l'oublie.

«On y va le 2 août, avait dit mon grand-père, parce
que c'est précisément le 2 août d'il y a vingt et un ans
qu'il m'a administré l'huile, et on y va après le souper, parce qu'il fait moins chaud, et parce qu'à cette
heure-là le Merlo aura fini de manger comme un pré-
vôt, et c'est le bon moment pour l'aider à digérer.»

Ils avaient pris la calèche, et cap au couchant vers
Bassinasco.

Arrivés chez le Merlo, ils avaient frappé, lui il était
venu ouvrir, une serviette à carreaux encore autour
du cou, qui êtes-vous qui n'êtes-vous pas, naturelle-

ment la tête de mon grand-père ne lui disait rien, ils l'avaient repoussé à l'intérieur, Stivulu et le Gigio l'avaient fait asseoir en lui tenant bien fort les bras derrière le dos et Masulu lui avait fermé le nez du pouce et de l'index, qui à eux seuls suffisaient pour boucher une dame-jeanne.

Avec calme mon grand-père avait évoqué l'histoire qui s'était passée vingt et un ans avant, tandis que le Merlo faisait non de la tête, comme pour dire qu'il s'agissait d'une erreur, que lui, la politique, il ne s'y était jamais intéressé. Grand-père, son explication terminée, lui avait rappelé que, avant de lui enfutailler l'huile dans la gorge, on l'avait encouragé, avec quelques coups de bâton, à dire *alalà*, le nez bouché. Lui, il était une personne pacifique et ne voulait pas user du bâton, par conséquent si le Merlo voulait gentiment collaborer il valait mieux qu'il dise tout de suite cet *alalà* et comme ça on évitait des scènes embarrassantes. Et le Merlo, avec emphase nasale, avait crié *alalà*, au fond une des seules choses qu'il avait appris à faire.

Après quoi, grand-père lui avait enfilé la fiole dans la bouche en lui faisant avaler toute l'huile, avec ce qu'il fallait de matière fécale qui s'y trouvait en solution, le tout bien vieilli à la bonne température, année mille neuf cent vingt-deux, appellation d'origine contrôlée.

Ils étaient sortis tandis que le Merlo était à genoux, face contre le sol de tomettes, cherchant à vomir, mais son nez avait été tenu fermé suffisamment longtemps pour que la potion descende jusqu'au fond de son estomac.

Ce soir-là, à leur retour, Amalia n'avait jamais vu monsieur mon grand-père si tant radieux. Il paraît que le Merlo ensuite avait eu une telle peur que même après le 8 septembre, quand le roi avait demandé l'armistice et s'était enfui à Brindisi, que le Duce avait été libéré par les Allemands et que les fascistes étaient revenus, il n'avait pas adhéré à la République sociale, et il était resté chez lui à cultiver son potager – désormais il doit être mort à son tour, hom'misérable, disait Amalia, et, selon elle, même s'il avait voulu se venger et le dire aux fascistes, ce fameux soir il était tellement épouvanté qu'il ne se rappelait plus la tête de ceux qui étaient entrés chez lui, et Dieu sait à combien d'autres personnes il avait fait boire l'huile. « Qu'au fond, selon moi, même certains autres l'ont eu à l'œil pendant des années, et des flacons comme celui-là il en a avalé plus d'un, j'y dis moi vous pouvez me croire, et c'est des choses qui vous font passer la lubie de faire de la politique. »

Voilà donc qui était mon grand-père, et cela expliquait les journaux soulignés, et les écoutes de Radio-Londres. Il attendait que ça tourne.

En date du 27 juillet, j'ai trouvé un exemplaire d'une feuille où la fin du régime était célébrée, en un unique message d'exultation, provenant du Parti de la Démocratie chrétienne, du Parti communiste, du Parti d'action, du Parti socialiste italien d'unité prolétaire et du Parti libéral. Si je l'avais vue, et je l'avais certainement vue, je devais avoir compris d'un seul coup que, ces partis se manifestant du jour au lendemain, c'était le signe qu'ils existaient déjà avant et quelque part dans la clandestinité. Peut-être est-ce ainsi que j'avais commencé à comprendre ce qu'était la démocratie.

Grand-père avait aussi gardé des pages de la République de Salò et sur l'une d'elles, *Il Popolo di Alessandria* (quelle surprise ! Ezra Pound y écrivait aussi !), apparaissaient de féroces vignettes contre le roi, que les fascistes haïssaient non seulement parce qu'il avait fait arrêter Mussolini mais aussi parce qu'il avait demandé l'armistice, s'enfuyant dans le sud pour s'unir aux Anglo-Américains. Mais les vignettes s'acharnaient aussi contre son fils Umberto qui l'avait suivi. Elles représentaient les deux personnages éternellement en fuite, tandis que s'élevaient sous leurs pieds de moutonneux nuages de poussière, le roi petit, presque un avorton, le prince grand comme une perche, et l'un était surnommé Jambette-Pied-Véloce et l'autre Astreux-L'Héritier. Paola m'a dit que j'ai toujours été de sensibilité républicaine, et l'on voit que la première leçon je l'avais reçue précisément de ceux qui avaient fait devenir le roi empereur d'Éthiopie. Quand on parle des voies de la Providence.

J'ai demandé à Amalia si grand-père m'avait ensuite raconté l'histoire de l'huile. « Et comment ! sitôt le lendemain. Il était si content ! Il s'est assis sur vot' lit, à peine vous êtes réveillé, et il vous a dit l'histoire entière, en nous montrant le flacon.

– Et moi ?

– Et vous, mon jeune monsieur Yambo, je vous vois comme si c'était à présent, vous avez tant plaudi et crié bravo grand-père t'es meilleur que le goudon.

– Que le goudon ? Qu'est-ce que c'était ?

– Et qu'est-ce que j'en sais ? Mais vous avez crié comme ça, j'y jure, comme si c'était maint'nant. »

Ce n'était pas goudon, c'était Gordon. Je célébrais dans l'acte de mon grand-père la révolte de Guy l'Éclair contre Ming, tyran de Mongo.

13. PÂLE DEMOISELLE JOLIE

J'avais participé à l'aventure de mon grand-père avec l'enthousiasme d'un lecteur de bandes dessinées. Mais, depuis la moitié de l'année 1943 jusqu'à la fin de la guerre, il n'y avait plus rien parmi les collections de la Chapelle. Seulement, de 1945, les planches que j'avais recueillies auprès des libérateurs. Il se peut qu'entre la mi-quarante-trois et la mi-quarante-cinq il ne sortait plus de bandes dessinées, ou bien elles n'arrivaient pas à Solara. Ou alors, après le 8 septembre 1943, je devais avoir assisté à des événements réels tellement romanesques, avec les partisans, les Brigades noires qui passaient sous nos fenêtres, l'arrivée de feuilles clandestines, qu'ils l'emportaient sur ce que pouvaient me raconter mes illustrés. Ou encore, je me sentais désormais trop grand pour les bandes dessinées et c'est précisément dans ces années-là que je suis passé à la lecture plus pimentée du *Comte de Monte-Cristo* ou des *Trois Mousquetaires*.

En tout cas, jusqu'alors, Solara ne m'avait pas restitué quelque chose qui fût vraiment et seulement à moi. Ce que j'avais redécouvert était ce que j'avais lu, mais comme tant d'autres l'avaient lu aussi. Voilà à quoi se réduisait toute mon archéologie : à part l'histoire du verre incassable et une jolie anecdote sur mon oncle (mais pas sur moi), je n'avais pas revécu mon enfance mais celle d'une génération.

Jusqu'alors, c'étaient les chansons qui m'avaient raconté les choses les plus claires. Je suis allé dans le bureau réactiver ma radio en mettant des disques pris au hasard. La première chanson que la radio m'a offerte était une fois de plus une de ces joyeuses folies qui accompagnaient les bombardements :

Hier soir, je me promenais, et voilà ce qui m'arriva :
un jeune homme follet
m'aborda d'un trait.
Il m'invita à m'asseoir dans un café à des lieues,
puis d'un accent curieux
à raconter il commença :
je connais une bambina
qui est blonde comme l'or,
je ne saurai lui parler d'amour, de mon sort.
Ma grand-mère Carolina
expliquait que de son temps
les amoureux lui disaient attends :
je voudrais d'un baiser
tes cheveux noirs,
tes lèvres toucher,
tes grands yeux pleins d'espoir.
Mais moi comment pouvoir
le dire à mon doux trésor
qui a des cheveux blonds comme l'or !

La deuxième chanson était certainement plus ancienne, et plus tire-larmes : elle doit avoir fait pleurer ma mère.

Pâle demoiselle jolie,
doux vis-à-vis du cinquième étage.
Toutes les nuits je rêve de Napoli,
vingt ans loin d'elle et passe l'âge.

... Mon petit gamin
dans un vieux livre de latin
a trouvé – devine ! – une pensée...
Pourquoi dans mes yeux une larme a tremblé ?
Qui sait, qui sait pourquoi, qui sait...

Et moi ? Les bandes dessinées de la Chapelle me disaient que j'avais eu la révélation du sexe – mais l'amour ? Paola a été la première femme de ma vie ?

Il était étrange que dans la Chapelle il n'y eût absolument rien qui renvoyât à la période entre mes treize et mes dix-huit ans. Et pourtant, au cours de ces cinq années, je fréquentais encore la maison.

Il m'est venu à l'esprit que j'avais entrevu, pas sur les étagères mais appuyés contre l'autel, trois cartons. Je n'en avais pas fait grand cas, pris comme je l'étais sous le charme bariolé de mes collections, mais il y avait peut-être encore quelque chose où fouiller.

Le premier carton était plein de photographies de mon enfance. Je m'attendais à qui sait quelles révélations, mais rien. J'ai seulement éprouvé un sentiment de grande et religieuse émotion. Après avoir vu les photos de mes parents à l'hôpital et celle de mon grand-père dans son bureau, j'identifiais les miens, même à des âges différents, d'après les vêtements, les reconnaissant plus jeunes ou plus vieux selon la hauteur des jupes de ma mère. Moi je devais être cet enfant avec un chapeau de soleil qui agaçait une limace sur un caillou ; cette petite fille chagrine qui me donnait la main, c'était Ada, Ada et moi étions les enfants habillés de blanc, presque un frac pour moi, presque une robe de mariée pour elle, le jour de la première communion ou de la confirmation, moi j'étais le deuxième Balilla en partant de la droite, aligné avec le petit mousqueton serré sur la poitrine, un pied en avant ; et j'étais le plus grand à côté d'un soldat américain à la peau noire qui souriait avec soixante-quatre dents, peut-être le premier libérateur que j'avais rencontré et avec qui je m'étais fait immortaliser après le 25 avril.

Une seule photo m'avait vraiment ému : c'était un instantané agrandi, on le voyait au flou, et il représentait un bambin qui se penchait un peu embarrassé tandis qu'une petite fille, plus petite que lui, se haussait sur une paire de souliers blancs, lui mettait les bras autour du cou et l'embrassait sur la joue. Ainsi maman ou papa nous avaient-ils surpris, alors que spontanément Ada, lasse de garder la pose, me gratifiait de son affection sororale.

Je savais que lui c'était moi et elle c'était elle, je ne pouvais pas ne pas m'attendrir à cette vision, mais c'était comme si je l'avais vue dans un film, et que je m'attendrissais en étranger, devant une représentation artistique de l'amour fraternel. Comme s'attendrir devant *L'Angelus* de Millet, *Le Baiser* d'Hayez ou Ophélia qui flotte, préraphaélite, sur une couche de jonquilles, nymphéas et asphodèles.

Étaient-ce des asphodèles ? Qu'en sais-je, encore
une fois c'est le mot qui manifeste son pouvoir, pas
l'image. Les gens racontent que nous avons deux
hémisphères dans le cerveau, le gauche qui préside
aux rapports rationnels et au langage verbal, le droit
qui s'occupe des émotions et de l'univers visuel. Sans
doute était-ce mon hémisphère droit qui s'était para-
lysé. Et pourtant non, parce que me voici en train de
mourir de consomption dans la recherche de quelque
chose, et la recherche est une passion, pas un plat qui
se mange froid comme la vengeance.

J'ai laissé les photos de côté, qui ne m'inspiraient
que la nostalgie de l'inconnu, et je suis passé au
deuxième carton.

Il contenait des images pieuses, beaucoup de
Domenico Savio, un disciple de don Bosco que les

peintres montraient d'une piété ardente, portraituré dans ses pantalons froissés avec des poches aux genoux, comme s'il les gardait pliés toute la journée, plongé dans ses oraisons. Puis un petit volume relié en noir, à la tranche rouge comme un bréviaire, *Le Jeune Homme avisé* du même don Bosco. C'était une édition de 1847, assez mal en point, et Dieu sait qui me l'avait passée. Lectures édifiantes et recueils d'hymnes et de prières. Nombreuses les exhortations à la pureté comme reine des vertus.

Dans d'autres opuscules aussi apparaissaient d'ardentes incitations à la pureté, invitations à s'abstenir de voir de mauvais spectacles, d'avoir des fréquentations ambiguës, des lectures dangereuses. De tous les commandements, le plus important paraissait être le sixième, tu ne commettras pas d'actes impurs, et de façon fort transparente les différents enseignements concernaient d'illicites attouchements de son propre corps, jusqu'au conseil de se coucher le soir sur le dos, les mains croisées sur la poitrine, pour empêcher que le ventre ne presse le matelas. Rares étaient les recommandations de ne pas avoir de contacts avec l'autre sexe, comme si l'éventualité était lointaine, empêchée par de sévères conventions sociales. L'ennemi majeur était, même si le mot se prononçait rarement et le plus souvent à travers des circonlocutions prudentes, la masturbation. Un petit manuel expliquait que les seuls animaux qui se masturbent sont les poissons : probable allusion à l'insémination externe, en raison de quoi de nombreux types de poissons répandent spermatozoïdes et œufs dans l'eau, qui s'occupe ensuite de la fécondation – mais ce n'est pas pour ça que ces pauvres bestioles pèchent en copulant dans le vase indu. Rien sur les grands singes, onanistes par vocation. Et silence sur l'homosexualité, comme si se laisser toucher par un séminariste n'était pas un péché.

J'ai aussi pris en mains un exemplaire très usé de *Petits Martyrs*, de don Domenico Pilla. C'est l'histoire de deux jeunes gens pieux, lui et elle, qui subissent les plus horribles tortures de la part de francs-maçons anticléricaux voués à Satan, ces derniers voulant les initier aux joies du péché en haine de notre sainte religion. Mais le crime ne paie pas. Le sculpteur Bruno Cherubini, qui pour les maçons avait sculpté la Statue du Sacrilège, est réveillé de nuit par l'apparition de son compagnon de débauches Wolfgang Kaufman. Après leur dernière orgie, Wolfgang et Bruno avaient établi un pacte : le premier qui disparaîtrait serait apparu à son ami pour lui dire ce qu'il y avait dans l'au-delà. Et Wolfgang émerge *post mortem* des vapeurs du Tartare, enroulé dans un suaire, les yeux écarquillés sur son visage de gentleman méphistophélique. De ses chairs incandescentes émane une lumière sinistre. Le fantôme se fait reconnaître et annonce : « L'enfer existe, et moi j'y suis ! » Et il demande à Bruno, s'il veut une preuve tangible, de tendre la main droite ; le sculpteur obéit et le spectre y laisse tomber une goutte de sueur qui transperce la main, comme plomb fondu.

Les dates du livre et des opuscules, pour peu qu'il y en eût, ne me disaient rien car je pouvais les avoir lus à n'importe quel âge, par conséquent je n'arrivais pas à dire si c'était dans les dernières années de la guerre, ou après le retour en ville, que je m'étais dédié à des pratiques de piété. Réaction aux événements martiaux, une manière d'affronter les tempêtes de la

Dinanzi a lui era comparso uno spaventoso fantasma avvolto in un ampio lenzuolo.

puberté, une série de désillusions qui m'avaient dirigé vers les bras accueillants de l'Église ?

Les seuls vrais lambeaux de moi-même se trouvaient dans le troisième carton. Placés au-dessus, quelques numéros du *Radiocorriere* entre 1947 et 1948, avec certains programmes cochés et annotés. La calligraphie était indubitablement la mienne, et donc ces pages me disaient ce que moi seulement je voulais écouter. Les soulignements, sauf quelques programmes nocturnes consacrés à la poésie, concernaient musique de chambre et de concert. C'étaient de brefs levers de rideau entre une émission et l'autre, tôt le matin, dans l'après-midi, ou tard le soir : trois études, un nocturne, et avec un peu de chance une sonate entière. Des morceaux pour passionnés, à placer dans des heures de faible écoute. Après la guerre, revenu en ville, je m'étais donc mis à guetter les occasions musicales dont je me droguais peu à peu, collé à la radio le volume au minimum, pour ne pas déranger le reste de la famille. Chez mon grand-père il y avait des disques de musique classique, mais qui me dit qu'il ne les avait pas achetés après, et justement pour encourager ma nouvelle passion ? Avant, je notais comme un espion les rares circonstances où je pouvais écouter ma musique, et Dieu sait quelles colères j'ai ressenties en me rendant à la cuisine pour un rendez-vous attendu depuis des jours, rageant de ne pouvoir rien entendre à cause d'autres personnes qui y traînassaient, fournisseurs bavards, femmes qui rangeaient ou étendaient l'abaisse pour les pâtes.

Chopin était l'auteur que j'avais souligné avec le plus d'emphase. J'ai emporté le carton dans le bureau de mon grand-père, y activant et le tourne-disque et

le cadran de mon Telefunken, et j'ai commencé ma
dernière recherche au son de la *Sonate en si bémol
mineur opus 35.*

Sous les *Radiocorriere*, il y avait des cahiers du
temps du lycée, entre 1947 et 1950. Je m'apercevais
que j'avais eu un professeur de philosophie vraiment
formidable, car la plus grande partie de ce que je sais
en la matière était précisément là, dans mes notes.
Puis il y avait des dessins et des vignettes, des blagues
que je faisais avec mes camarades d'école, et la photo
de classe de fin d'année, tous alignés sur trois ou
quatre rangs, les professeurs au centre. Ces visages ne
me disaient rien, et je faisais même des efforts pour
me reconnaître moi-même, procédant surtout par
exclusion, m'accrochant aux dernières mèches du
toupet de Toupettin.
Mêlé aux cahiers d'école en voici un autre, qui
commençait avec la date 1948, mais exhibait des différences calligraphiques au fur et à mesure qu'on le
feuilletait, si bien qu'il contenait aussi des textes des
trois années suivantes. C'étaient des poésies.
Des poésies tellement moches qu'elles ne pouvaient
être que de moi. Acné juvénile. Je crois que tout le
monde a écrit des poésies à seize ans, c'est une phase
du passage entre adolescence et âge adulte. Je ne sais
plus où j'ai lu que les poètes se divisent en deux caté-
gories, les bons poètes, qui à un certain point détrui-
sent leurs mauvaises poésies et vont vendre des fusils
en Afrique, et les méchants poètes, qui les publient et
continuent à en écrire jusqu'à leur mort.
Il se peut que les choses n'en aillent pas vraiment
ainsi, mais mes poésies étaient laides. Pas horribles ou
répugnantes, là on pourrait penser à un génie provo-

cateur, mais pathétiquement transparentes. Valait-il la peine de revenir à Solara pour découvrir que j'avais été un écrivassier ? Mais je pouvais avoir au moins un motif d'orgueil, j'avais enfermé ces avortons dans un carton, dans une Chapelle à l'entrée murée, et je m'étais adonné à la collection des livres d'autrui. Je dois avoir été, vers mes dix-huit ans, admirablement lucide, critiquement incorruptible.

Mais si, fût-ce en les ensevelissant, je les avais gardées, d'une certaine façon je tenais à ces poésies, même après que l'acné était passée. Comme témoignage. On sait que les gens qui ont réussi à expulser leur ver solitaire en conservent la tête dans une solution alcoolique, et d'autres le font avec le calcul qu'on leur a enlevé de la vésicule biliaire.

Les premières étaient des esquisses, brèves révélations devant les charmes de la nature, comme doit faire tout poète débutant : matinées d'hiver qui laissaient voir au milieu du givre un malicieux désir d'avril, des nœuds de réticence lyrique sur la mystérieuse couleur d'une soirée d'août, beaucoup, trop de lunes, et un seul moment de pudeur :

Que fais-tu lune dans le ciel, que fais-tu dis-moi ?
Je mène ma vie,
ma déteinte vie,
car je suis un amas
de terre, et vallées mortes
et d'éteints volcans
amorphes.

Pardieu, au fond je n'étais pas si idiot que ça. Ou peut-être avais-je à peine découvert les futuristes, qui voulaient tuer le clair de lune. Cependant, sitôt après j'ai lu quelques vers sur Chopin, sur sa musique et sur sa vie douloureuse. Faut pas rêver, à seize ans tu n'écris pas des poésies sur Bach, qui ne s'est égaré que le jour où sa femme est morte et qui a répondu aux croque-morts s'enquérant de la façon d'organiser les obsèques, de le lui demander à elle. Chopin paraît fait exprès pour tirer des larmes à un jeune de seize ans, le départ de Varsovie avec le ruban de Constance au cœur, la mort qui plane dans l'ermitage de Valldemosa. Ce n'est qu'en grandissant que tu t'aperçois qu'il a écrit de la bonne musique, d'abord tu pleures.

Les poésies suivantes étaient sur la mémoire. Le lait encore sur les lèvres, déjà j'avais le souci de collec-tionner des souvenirs tout juste un peu décolorés par le temps. Une poésie disait :

Je m'édifie des souvenirs.
La vie
je tends à ce mirage.
Chaque instant qui passe,
chaque moment
je tourne léger une page
d'une main tremblante.
Et le souvenir est cette onde
qui ride les eaux, rapide,
pour s'évanouir.

Avec nombreux retours à la ligne, comme je devais l'avoir appris chez les hermétiques.

Beaucoup de poésies sur la clepsydre, qui file le temps telle une fine bave et le remet aux intenses gre-niers de la mémoire, un hymne à Orphée (*sic*) où je l'avertissais que *on ne retourne pas deux fois dans le royaume du souvenir – pour retrouver fanée – la fraîcheur inattendue – du premier larcin.* Des recommandations à moi-même, *je ne dois dilapider – un seul moment...* Splendide, il a suffi d'un pompage excessif dans mes artères et j'ai tout dilapidé. En Afrique, en Afrique, vendre des fusils.

Entre autres abattis lyriques, j'écrivais des poésies d'amour. J'aimais, donc. Ou étais-je amoureux de l'amour comme il arrive à cet âge ? Mais je parlais d'une fille, pour impalpable qu'elle fût :

Créature reclose
en ce mystère labile
qui de moi t'a éloignée,
sans doute n'es-tu née
que pour vivre ces vers
et tu ne le sais.

Des vers de troubadour tant qu'on veut, et, avec l'esprit de l'escalier, plutôt machistes. Pourquoi la créature n'était-elle née que pour vivre mes pauvres vers ? Si elle n'existait pas, j'étais un pacha monogame qui faisait du beau sexe de la chair pour son harem imaginaire, et dans ces cas de figure cela s'appelle masturbation, même si on éjacule avec une plume d'oie. Mais si la Créature Reclose avait été réelle et vraiment n'avait pas su ? Alors, l'andouille c'était moi, mais elle c'était qui ?

Je ne me trouvais pas devant des images, mais des mots, et je ne sentais pas de flammes mystérieuses pour la seule raison que la reine Loana m'avait déçu. Mais je percevais tout de même quelque chose, au point de pouvoir anticiper certains vers au fur et à mesure que je poursuivais ma lecture : *un jour tu disparaîtras – et ce fut peut-être un rêve*. Une fiction poétique ne disparaît jamais, tu écris pour la rendre éternelle. Si je craignais qu'elle s'évanouît c'était parce que la poésie se trouvait être un frêle ersatz pour quelque chose que je ne réussissais pas à approcher. *Imprudent j'ai édifié – sur le sable labile des moments – devant un visage, un visage seulement. – Mais je ne sais si regretter l'instant – où je me damnai à me fabriquer un monde.* Le monde, j'étais en train de me le fabriquer, mais pour accueillir quelqu'un.

Je lisais en effet une description qui était trop détaillée pour se référer à une création fictive :

Elle passait sans savoir avec sa coupe nouvelle
de cheveux, au mois de mai,
et l'étudiant à côté d'elle
(vieux grand et blond)
du sparadrap sur le cou
en souriant avec ses amis disait
que c'était un syphilome.

Plus loin, on nommait une veste jaune, comme si c'était la vision de l'Ange de la Sixième Trompette. La fille existait, et je ne pouvais pas avoir inventé le pignouf au syphilome. Et celle-ci, parmi les dernières de la section amoureuse ?

Un soir comme ça,
trois jours avant Noël
je déchiffrais l'amour

la première fois.
Un soir comme ça,
de neige écrasée dans les rues,
je faisais du tapage sous une fenêtre
en espérant qu'on me vît
lancer des boules de neige
et je pensais que cela suffisait
à me placer parmi les notables du sexe.
À présent combien de saisons
m'ont changé les cellules et les tissus
je ne sais pas même si en souvenir je dure.

Toi seule, toi seule
au bout de qui sait où (où es-tu ?)
comme je te trouve encore au fond du muscle
cœur
avec la même stupeur que trois jours
avant Noël.

À cette Créature Reclose, très réelle, j'avais consacré les trois années de ma formation. Puis (*où es-tu ?*) je l'avais perdue. Et peut-être qu'à l'époque de la mort de mes chers parents et de mon transfert à Turin, j'avais décidé d'arrêter, comme témoignent les dernières poésies. Celles-ci étaient glissées dans le cahier, elles n'étaient pas écrites à la main mais à la machine. Je ne crois pas qu'au lycée on utilisât des machines à écrire. Donc ces deux dernières tentatives poétiques remontaient au début de mes années universitaires. Bizarre qu'elles aient été là, puisque tous me disaient que j'avais cessé d'aller à Solara juste au seuil de ces années. Mais peut-être, après la mort de mon grand-père, alors que mes oncles liquidaient tout, étais-je encore revenu dans la Chapelle, précisément pour sceller les souvenirs auxquels je renonçais, et là aussi j'ai glissé ces deux feuillets en guise de testament et d'adieu. Ils résonnent comme un congé, comme la liquidation et de la poésie et des mols adultères avec ce que je laissais derrière moi. La première disait :

Oh les femmes blanches de Renoir
Les dames aux balcons de Manet
Les bars à terrasse sur les boulevards
Et l'ombrelle blanche au landau
Fané avec le dernier catleya
À l'extrême soupir de Bergotte...

Regardons-nous dans les yeux :
Odette de Crécy
Est une grande putain.

La seconde était intitulée *Les partisans*. C'était tout ce qui me restait de mes souvenirs, de 1943 à la fin de la guerre :

Talino, Gino, Ras, Lupetto, Sciabola
qui descendiez un jour de printemps
en chantant siffle le vent et hurle la tempête
comme je voudrais encore ces étés
de coups de fusil hauts soudains
dans le silence du soleil méridien
d'après-midi passés dans l'attente,
des nouvelles diffusées à mi-voix,
la Dixième s'en va, demain descendent

les Badogliens, ils défont le poste de contrôle
par la route d'Orbegno on ne passe
déjà plus, ils emportent les blessés en calèche,
moi je les ai vus près de l'Oratoire,
le sergent Garrani est barricadé
dans la Mairie...
Puis d'un coup le refrain endiablé,
le bruit infernal, le crépitement
sur le mur de la maison, une voix dans la ruelle...
Et la nuit, silence et coups de feu,
depuis San Martino, et les derniers traqués...

Je voudrais rêver ces vastes étés
nourris de certitude comme sang
et les temps où
Talino, Gino et Ras avaient vu
peut-être dans le visage de la vérité.

Mais je ne peux, il y a encore
mon poste de contrôle
sur la voie du Vallon.
Je ferme donc le cahier
de la mémoire. Elles sont désormais passées
les claires nuits où
le partisan dans la forêt
veillait sur le silence des oisillons
pour le sommeil de la belle.

Ces vers demeuraient une énigme. Donc, j'avais vécu une époque qui, pour moi, avait été héroïque, au moins tant que je la voyais avec les autres comme protagonistes. Alors que je cherchais à liquider toute recherche sur mon enfance et mon adolescence, au seuil de l'âge adulte j'avais tenté d'évoquer certains moments d'exaltation et de certitude. Mais je m'étais arrêté devant un barrage (le dernier poste de contrôle de cette guerre menée sous nos fenêtres) et je me rendais face à – à quoi ? À quelque chose que je ne pouvais ou ne voulais plus me rappeler, et qui avait à voir avec le Vallon. Encore une fois le Vallon. Y aurais-je aperçu les mâlesses et cette rencontre m'aurait-elle enseigné que je devais tout effacer ? Ou bien, alors que j'étais désormais conscient d'avoir perdu la Créature Recluse, avais-je fait d'autres jours, et du Vallon, l'allégorie de cette perte – raison pour quoi je rangeais dans l'écrin inviolable de la Chapelle tout ce que j'avais été jusqu'à cet instant-là ?

Il ne restait rien d'autre, du moins à Solara. Je pouvais seulement arguer que, étudiant, après ce renoncement, j'avais déjà décidé de me consacrer aux livres anciens pour me vouer à un passé d'autrui qui ne pût m'impliquer.

Mais quelle avait été la Créature qui, en fuyant, m'avait convaincu d'archiver et les années du lycée et les années de Solara ? J'avais eu moi aussi ma pâle demoiselle jolie, doux vis-à-vis du cinquième étage ? En ce cas, c'était encore et seulement une autre chanson que tout le monde, tôt ou tard, a chantée.

Le seul qui pouvait en savoir quelque chose, c'était Gianni. Si tu tombes amoureux, et pour la première fois, tu le confieras au moins à ton voisin de pupitre.

Des jours auparavant, je n'avais pas voulu que Gianni dissipât le brouillard de mes souvenirs avec la lumière tranquille des siens, mais sur ce point-là je ne pouvais avoir recours qu'à sa mémoire.

Quand je lui ai téléphoné, c'était déjà le soir et nous avons discuté pendant plusieurs heures. J'ai commencé par tourner autour du pot en parlant de Chopin, et j'ai appris qu'à cette époque la radio était vraiment pour nous l'unique source de la grande musique pour laquelle nous nous passionnions. En ville, mais pas avant la première au lycée, était née enfin une association d'amis de la musique qui fournissait un concert de piano ou de violon de temps en temps, au maximum un trio, et de notre classe nous n'étions que quatre à y aller, presque en cachette, parce que les autres canailles voulaient seulement réussir à entrer au bordel même s'ils n'avaient pas encore dix-huit ans, et ils nous regardaient comme si nous étions des pédés. Bon, nous avions eu quelques frémissements en commun, je pouvais oser. « Tu sais si en troisième au lycée j'avais commencé à penser à une fille ?

– Ça aussi tu l'as oublié. Un mal pour un bien. Que t'importe de le savoir, tant de temps a passé... Allez Yambo, pense à ta santé.

– Déconne pas, j'ai découvert ici certaines choses qui m'intriguent. Il faut que je sache. »

Il paraissait hésiter, puis il a donné libre essor à ses souvenirs, et avec moult passion, comme si l'amoureux c'était lui. Et en vérité il en avait été presque ainsi, car (me disait-il) jusqu'à ces jours-là il était resté exempt des tourments de l'amour, et il s'enivrait de mes confidences comme si l'histoire avait été la sienne.

« Et puis elle était vraiment la plus belle de sa classe. Tu étais exigeant, toi. Tu tombais amoureux certes, mais uniquement de la plus belle.

– *Alors moi, j'aime qui ?... Mais cela va de soi ! – J'aime, mais c'est forcé, la plus belle qui soit !*

– C'est quoi ?

– Je ne sais pas, ça m'est venu. Mais parle-moi d'elle. Comment s'appelait-elle ?

– Lila, Lila Saba. »

Beau nom. Je le laissais fondre dans ma bouche comme si c'était du miel. « Lila. C'est beau. Et puis, comment c'est arrivé ?

– En troisième, nous les garçons nous nous étions encore des gros gamins avec des pustules et des culottes de golf. Elles, au même âge, c'étaient déjà des femmes, et elles ne nous regardaient même pas, le cas échéant elles minaudaient avec les étudiants qui venaient les attendre à la sortie. Tu l'as seulement vue, et tu es resté sans voix. Genre Dante et Béatrice, et je ne le dis pas par hasard car en troisième on nous faisait étudier la *Vie Nouvelle* et claires fraîches douces eaux, et c'étaient les seules choses que tu savais par cœur parce qu'elles parlaient de toi. En somme, coup de foudre. Pendant quelques jours, tu es resté pétrifié, un nœud dans la gorge, et tu ne touchais plus à la nourriture, tant et si bien que tes parents croyaient que tu étais malade. Ensuite, tu as voulu savoir son nom, mais tu n'osais pas le demander autour de toi de peur que tout le monde s'aperçoive de ton état. Par chance, dans sa classe il y avait Ninetta Foppa, une sympa au minois d'écureuil, qui était une voisine à toi, et vous jouiez ensemble depuis votre enfance. Ainsi, en la croisant dans les escaliers de votre immeuble et en parlant d'autre chose, tu lui as demandé comment s'appelait cette fille-là avec qui tu l'avais vue la veille. Et tu as su au moins son nom.

– Et puis ?

– Je vais te dire, tu étais devenu un zombie. Et comme à l'époque tu étais très religieux, tu es allé voir ton directeur de conscience. Don Renato, un de ces prêtres qui allaient à vélomoteur avec un béret, et tous disaient qu'il était large de vues. Il autorisait même à lire les auteurs à l'index, car il faut exercer son esprit critique. Moi je n'aurais pas eu le courage d'aller raconter une chose pareille à un prêtre, mais toi il fallait que tu le dises à quelqu'un. Tu sais, tu étais comme le type de la blague, qui fait naufrage sur une île déserte, seul avec l'actrice la plus belle et la plus célèbre du monde, arrive ce qui devait arriver, mais lui n'est toujours pas content et il ne trouve la quiétude que lorsqu'il la convainc de s'habiller en homme et de se faire des moustaches avec du liège brûlé; alors, il la prend par le bras et lui dit : si tu savais Gustavo qui je me suis fait…

— Ne sois pas vulgaire, pour moi c'est du sérieux. Qu'est-ce que m'a dit don Renato ?

— Et que veux-tu que te dise un prêtre, même large de vues ? Que ton sentiment était noble et beau et selon la nature, mais que tu ne devais pas l'abîmer en le transformant en un rapport physique, parce qu'il faut arriver pur au mariage, et donc tu devais le garder comme un secret au plus profond de ton cœur.

— Et moi ?

— Et toi, comme un jobard, tu l'as gardé dans le plus profond de ton cœur. À mon avis, c'est qu'aussi tu avais une peur bleue de l'approcher. Seulement le plus profond de ton cœur ne te suffisait pas et tu es venu me raconter tout à moi, qui devais même te prêter main-forte.

— Comment, si je ne l'approchais pas ?

— L'histoire c'est que tu habitais juste derrière l'école, quand on sortait il te suffisait de tourner l'angle et tu étais chez toi. Les filles, selon le règlement du proviseur, partaient après les garçons. De sorte que tu risquais de ne jamais la voir, à moins de te planter comme un couillon devant le perron du lycée. En général, aussi bien nous que les filles nous devions traverser les jardins et prendre par le largo

Minghetti, ensuite chacun son chemin. Elle habitait précisément largo Minghetti. Alors tu sortais, tu faisais semblant de m'accompagner jusqu'au fond des jardins, tu surveillais la sortie des filles, tu revenais sur tes pas et la croisais tandis qu'elle venait en sens inverse avec ses amies. Tu la croisais, la regardais, et c'est tout. Tous les jours que Dieu fait.

– Et j'étais satisfait.

– Eh non, tu ne l'étais pas. Alors tu as commencé à faire des combines de toutes sortes. Tu participais aux initiatives de bienfaisance pour obtenir du proviseur l'autorisation d'aller de salle en salle pour vendre je ne sais quels billets, tu entrais dans sa classe et tu faisais en sorte de t'arrêter une demi-minute de plus à son pupitre, parce que, mettons, tu ne trouvais pas la monnaie à lui rendre. Tu t'es fait venir le mal de dents parce que le dentiste de ta famille se trouvait précisément largo Minghetti et que ses fenêtres étaient en face du balcon de chez elle. Tu te plaignais de douleurs terribles, le dentiste ne savait plus quoi faire et par scrupule il te perçait à la roulette. Tu t'es fait fraiser quantité de fois pour rien, mais tu arrivais avec une demi-heure d'avance, de façon à lorgner par la fenêtre de la salle d'attente. Naturellement, elle, à son balcon, jamais. Un soir qu'il neigeait et que nous sortions en bande du cinéma, tu as organisé, juste sur le largo Minghetti, une bataille de boules de neige en hurlant comme un possédé, au point qu'on t'a cru ivre. Tu t'agitais ainsi dans l'espoir qu'elle entende le vacarme et qu'elle se mette au balcon, et songe un peu à la tête que tu aurais faite. En revanche une vieille s'est penchée, mauvaise, à sa fenêtre, qui a crié qu'elle appelait la police. Et puis ton idée géniale. Tu as organisé la revue, le spectacle, le grand show du lycée. Tu as risqué l'échec en troisième parce que tu ne pensais qu'à la revue, aux textes, à la musique, aux scénographies. Et, enfin, le succès, trois représentations pour permettre à toute l'école, familles comprises, de venir voir dans la salle d'honneur le plus grand spectacle du monde. Elle, elle y est venue deux soirées de suite. Le morceau de bravoure était celui de madame Marini. La Marini était le professeur de sciences naturelles, une très très maigre aux cheveux en chignon, sans seins, grandes lunettes à monture de tortue et toujours en tablier noir. Toi tu étais aussi maigre qu'elle et te travestir a été un jeu d'enfant. De profil tu étais elle, tout craché. Dès ton entrée en scène des applaudissements se sont déchaînés, que pas même Caruso... La Marini, pendant le cours, sortait de son sac à main une pastille pour la gorge et une demi-heure durant elle se la faisait glisser d'une joue à l'autre. Quand tu as ouvert ton sac à main, que tu as fait semblant de te mettre la pastille dans la bouche et puis que tu as fait passer ta langue contre ta joue, eh bien, c'est moi qui te le dis, le théâtre s'est effondré de rire, une seule déflagration qui a duré cinq bonnes minutes. D'un seul coup de langue, tu avais porté au spasme des centaines de personnes. Tu étais devenu le héros. Mais il était clair que tu t'exaltais parce qu'elle était ici, et elle t'avait vu.

– Je n'ai pas pensé qu'à ce point-là j'aurais pu oser ?

– Oui, mais la promesse à don Renato ?

– Donc, sauf quand je lui vendais les billets, je ne lui ai jamais parlé ?

– Quelquefois. Par exemple, toute la classe avait été emmenée à Asti pour voir les tragédies d'Alfieri, le théâtre, l'après-midi, n'était que pour nous, et à quatre nous avions même conquis une loge. Toi tu regardais dans les autres loges et au parterre, à sa recherche, et tu t'es aperçu qu'elle avait fini sur un strapontin du fond, d'où on ne voyait rien. Alors, à l'entracte, tu t'es débrouillé pour la croiser, tu lui as dit salut, tu lui as demandé si ça lui plaisait, elle s'est plainte qu'elle n'arrivait pas à bien voir et tu lui as dit que nous avions une très belle loge avec une place encore libre, si elle voulait venir. Elle est venue, elle a suivi tous les autres actes en se penchant en avant et toi tu es resté assis sur une de ces étroites banquettes de fond de loge. Tu ne voyais plus la scène, mais tu lui as fixé la nuque pendant deux heures. Presque un orgasme.

– Et après ?

– Et après, elle t'a remercié et elle a rejoint ses compagnes. Tu avais été aimable et elle te remerciait. Je te l'ai dit, elles étaient déjà des femmes, de nous elles n'en avaient à la limite rien à chier.

– Même si au lycée j'avais été le héros du spectacle ?

– Eh, tu crois vraiment que les femmes tombaient amoureuses d'un Jerry Lewis ? Elles pensaient qu'il était doué, un point c'est tout. »

Bon, Gianni était en train de me raconter l'histoire banale d'un amour de lycéen. Mais c'est en poursuivant l'histoire qu'il m'a aidé à comprendre quelque chose. J'avais vécu dans un délire cette année de troisième au lycée. Puis les vacances étaient venues, et j'avais souffert comme une bête parce que je ne savais pas où elle, elle pouvait être. À la rentrée, en automne, mes rites silencieux d'adoration avaient continué (et pendant ce temps-là, ça c'est moi qui le savais maintenant, pas Gianni, je continuais à écrire mes poésies). C'était comme vivre à côté d'elle jour après jour, et la nuit aussi, j'imagine.

Mais à la moitié de l'année de seconde, Lila Saba avait disparu. Elle avait quitté l'école et, comme je l'avais su par Ninetta Foppa, la ville aussi, avec toute sa famille. C'était une sombre histoire dont même Ninetta ne savait pas grand-chose, seulement quelques ragots. Le père de Lila s'était mis dans de sales draps, genre banqueroute. Il avait tout laissé aux mains de ses avocats et trouvé un travail à l'étranger, en attendant que les choses s'arrangent – et elles ne s'étaient pas arrangées, parce qu'ils n'étaient plus revenus.

Personne ne savait où ils avaient fini, qui disait l'Argentine, qui le Brésil. L'Amérique du Sud, à une époque où Lugano était pour nous la Dernière Thulé. Gianni s'était mis en quatre : il paraissait que sa meilleure amie était une certaine Sandrina, mais cette Sandrina par loyauté ne parlait pas. Nous étions sûrs qu'elle correspondait avec Lila, mais c'était une tombe – et puis pourquoi devait-elle nous dire ces choses à nous précisément.

J'avais passé un an et demi, avant le bac, dans un état de tension et de tristesse, j'étais devenu une loque. Je ne pensais qu'à Lila Saba, et où elle pouvait être.

Et puis, disait Gianni, il semblait vraiment qu'en allant à l'université j'avais tout oublié : entre la première année et la licence, j'avais eu deux petites amies, et après j'avais rencontré Paola. Lila aurait dû demeurer un beau souvenir d'adolescence, comme il arrive à tous. En revanche, je l'avais poursuivie pendant tout le reste de ma vie. Je voulais même aller en Amérique du Sud, espérant la rencontrer sur ma route, qui sait, entre la Terre de Feu et Pernambouc. En un moment de faiblesse, j'avais avoué à Gianni que, à travers mes nombreuses aventures, je cherchais dans chaque femme le visage de Lila. J'aurais voulu la voir au

moins une fois avant de mourir, ce qu'elle était devenue ne m'importait pas. Tu gâterais ton souvenir,
disait Gianni. Qu'importe, je ne pouvais laisser ce
compte non soldé.

« Tu passais ta vie à chercher Lila Saba. Je disais
que c'était une excuse, pour rencontrer les autres. Je
ne te prenais pas trop au sérieux. Je me suis aperçu
que la chose était sérieuse en avril dernier seulement.

– Qu'est-ce qui est arrivé en avril ?

– Yambo, ça je ne voudrais pas te le dire parce que
je te l'avais raconté précisément quelques jours avant
ton accident. Je ne dis pas qu'il a pu y avoir un rapport direct, mais au moins pour conjurer le mauvais
sort laissons tomber, de toute façon à mon avis ça
compte peu…

– Non, à présent tu dois tout me dire, autrement
ma tension augmente. Crache le morceau.

– Donc, je m'étais rendu vers chez nous dans les
premiers jours du mois d'avril passé, pour apporter
des fleurs au cimetière, comme je fais de temps à
autre, et un peu par nostalgie de notre vieille ville.
Depuis que nous l'avons quittée, elle est restée telle
qu'elle était, comme ça quand j'y retourne je me sens
jeune. Et là j'ai rencontré Sandrina, elle aussi sur les
soixante ans comme nous, mais pas même trop chan-
gée. Nous sommes allés prendre un café, et nous
avons évoqué le bon vieux temps. Parle que je te
parle, je lui ai demandé des nouvelles de Lila Saba.
Tu ne sais pas, m'a-t-elle dit (et bon Dieu comment
pouvais-je le savoir ?), tu ne sais pas que Lila est
morte quand nous venions de passer le bac ? Ne me
demande pas de quoi et comment, a-t-elle ajouté, je
lui avais envoyé des lettres au Brésil et sa mère me les
a renvoyées en me disant ce qui était arrivé, pense un
peu, pauvre chérie, mourir à dix-huit ans. Et c'est

tout. Au fond, pour Sandrina aussi c'était une chose ancienne et finie. »

Je m'étais essoufflé pendant quarante ans autour d'un fantôme. J'avais coupé net avec mon passé au début de l'université, d'entre tous c'était là le seul souvenir dont je ne m'étais pas libéré, et sans le savoir je tournais à vide autour d'une tombe. Poétique en diable. Et déchirant.

« Mais comment était-elle, Lila Saba ? ai-je encore demandé. Dis-moi au moins comment elle était.

– Qu'est-ce que tu veux que je te dise, elle était belle, elle me plaisait à moi aussi, et quand je te le disais, tu étais tout orgueilleux comme quelqu'un à qui on dit qu'elle est belle votre femme. Elle avait des cheveux blonds qui lui descendaient presque à la taille, un minois entre l'ange et le diablotin, et quand elle riait on voyait ses deux incisives supérieures...

– Il doit tout de même bien exister une quelconque photo d'elle, les photos de classe du lycée !

– Yambo, le lycée, notre lycée d'autrefois, a pris feu dans les années 1960, murs, bancs, registres et tout. Maintenant il y en a un nouveau, horrible.

– Ses compagnes, Sandrina, elles doivent avoir des photos...

– C'est possible, si tu veux j'essaie, même si je ne sais pas trop bien comment demander. Sinon, qu'est-ce que tu fais ? Pas même Sandrina, après cinquante ans ou presque, ne sait dans quelle ville elle vivait, un nom bizarre, ce n'était pas une ville célèbre comme par exemple Rio, tu veux éplucher toutes les pages de tous les bottins du Brésil pour voir si tu trouves des Saba ? Il se peut bien que tu en trouves mille. Ou peut-être en s'enfuyant le père a changé de nom. Et tu vas là-bas et qui trouves-tu ? Ses parents doivent être morts eux aussi, ou ils sont gagas parce qu'ils ont sans doute quatre-vingt-dix ans passés. Tu leur dis, excusez-moi, j'étais de passage et j'aimerais voir une photo de votre fille Lila ?

– Pourquoi pas ?

– Allons donc, pourquoi courir encore derrière ces chimères ? Laissons les morts ensevelir les morts. Tu ne sais même pas dans quel cimetière chercher une pierre tombale. Et puis, elle ne s'appelait pas non plus Lila.

– Comment s'appelait-elle ?

– Aïe, il valait mieux que je me taise. Sandrina m'en a touché un mot en avril, et je te l'avais aussitôt dit parce que la coïncidence me semblait curieuse, mais j'ai tout de suite vu que la chose t'a frappé plus qu'elle ne devait. Trop, si tu me permets, parce que ce n'est vraiment qu'une coïncidence. D'accord, je crache aussi ce morceau-là. Lila était le diminutif de Sibilla. »

Un profil vu, enfant, dans une revue française, un visage rencontré, grand garçon, dans les escaliers du lycée, et puis d'autres visages, qui peut-être avaient tous quelque chose en commun, Paola, Vanna, la belle petite Hollandaise et ainsi de suite, jusqu'à Sibilla, la vivante, qui se mariera d'ici peu, et donc je perdrai celle-là aussi. Une course de relais à travers les années, à la recherche de quelque chose qui déjà n'existait plus quand j'écrivais encore mes poésies.

Je me suis récité :

Je suis seul, appuyé dans le brouillard
au tronc d'une allée…

et je n'ai que dans le cœur
le souvenir de toi
pâle, immense,
perdu dans les froides lumières loin
de tout côté parmi les arbres.

Celle-ci est belle parce qu'elle n'est pas de moi. Souvenir immense mais pâle. Parmi tous les trésors de Solara, il manque une photo de Lila Saba. Gianni a présent son visage comme si c'était hier et moi – le seul à y avoir droit – pas.

14. L'HÔTEL DES TROIS ROSES

Ai-je encore quelque chose à faire à Solara ? Désormais l'événement le plus important de ma vie se situe ailleurs, en ville à la fin des années 1940 et au Brésil. Ces endroits (ma maison d'alors, le lycée) n'existent plus, et peut-être n'existent-ils plus eux non plus ces endroits lointains où Lila a vécu les ultimes années de sa vie brève. Les derniers documents que Solara a pu m'offrir étaient mes poésies, qui m'ont fait entrevoir Lila, sans m'en livrer le visage. Je me trouve de nouveau devant une barrière de brouillard.

Ainsi pensais-je ce matin-là. Déjà je me sentais sur le départ, mais j'avais voulu donner un ultime adieu au grenier. J'étais convaincu de n'avoir plus rien à chercher sous les combles, mais me poussait le désir impossible de trouver une dernière trace.

J'ai reparcouru ces espaces désormais familiers : ici les jouets, là les armoires de livres... Je me suis rendu compte que, glissé entre deux armoires, restait un carton encore fermé. Il renfermait d'autres romans, quelques classiques comme Conrad ou Zola, et du roman populaire comme les aventures du Merle Blanc de la baronne Orczy...

Il y avait aussi un polar italien d'avant-guerre, *L'Hôtel des Trois Roses* d'Augusto Maria de Angelis. Une fois de plus, on eût dit que le livre racontait mon histoire :

Il pleuvait à longs fils, qui paraissaient d'argent à la réverbération des lanternes. Le brouillard diffus, fumeux, pénétrait le visage de ses aiguilles. Sur les trottoirs s'écoulait, ondoyante, l'infinie théorie des parapluies. Des automobiles au milieu de la rue, quelques voitures à chevaux, les tramways bondés. À six heures de l'après-midi l'obscurité était dense, en ces premiers jours d'un décembre milanais.

Trois femmes marchaient d'un pas rapide, saccadé, on eût dit par rafales, brisant comme elles pouvaient les files des passants. Elles étaient vêtues toutes les trois de noir, à la mode d'avant-guerre, avec leurs bibis de gaze perlée...

Et elles se ressemblaient tellement l'une l'autre que, sans les rubans de couleur différente – mauve, violacé, noir – noués en rosette sous leur menton, tout un chacun aurait cru à une hallucination, persuadé de revoir trois fois de suite la même personne. Partant de la via dell'Orso, elles remontaient la via Ponte Vetero et, quand elles furent au bout du trottoir éclairé, elles entrèrent toutes les trois d'un bond dans l'ombre de la piazza del Carmine...

L'homme qui les suivait et qui avait hésité à les rejoindre lorsqu'elles avaient traversé la place, s'arrêta devant la façade de l'église, sous la pluie...

Il eut un geste de dépit. Il fixait la petite porte noire... Il attendit, fixant toujours la petite porte de l'église. De temps à autre une ombre noire traversait la place et disparaissait derrière les battants. Le brouillard

*s'épaississait. Il s'écoula une demi-heure et davantage.
L'homme paraissait résigné... Il avait appuyé son parapluie contre le mur, pour qu'il égoutte, et il se frottait
les mains d'un mouvement lent, rythmique, qui accompagnait un monologue intérieur...*

*Il attendit, fixant toujours la petite porte de l'église.
De temps à autre une ombre noire traversait la place et
disparaissait derrière les battants. Le brouillard s'épaississait...*

*De la piazza del Carmine il prit la via Mercato et puis
le Pontaccio et, quand il se trouva devant une grande
porte vitrée qui donnait dans un vaste hall éclairé, il
l'ouvrit et entra. Sur les vitres de la porte, on lisait en
grandes lettres :* Hôtel des Trois Roses...

C'était moi : à travers le brouillard diffus j'avais
entrevu trois femmes, Lila, Paola, Sibilla, qu'il était
impossible de distinguer au milieu de cette fumée, et
tout à coup elles disparaissaient dans l'ombre. Inutile
de les chercher encore, puisque la brume s'épaississait. La solution se trouvait peut-être ailleurs. Mieux
valait tourner par la via Pontaccio, entrer dans le hall
éclairé d'un hôtel (mais le hall ne se serait-il pas
ouvert sur la scène du crime ?). Où peut bien être
l'Hôtel des Trois Roses ? Partout, pour moi. *A rose
by any other name.*

Sur le fond du carton il y avait une couche de journaux, et, sous les journaux, deux tomes plus vétustes,
en grand format. L'un était une Bible avec les
planches de Doré, mais tellement mal en point que
c'était désormais du matériel pour bouquinistes.
L'autre se présentait avec une reliure qui ne devait pas
avoir plus de cent ans, en demi-maroquin, dos muet
et usé, plats en carton d'un marbré décoloré. À peine

ouvert, il s'avérait être un volume probablement du XVIIe siècle.

La composition typographique, le texte sur deux colonnes m'ont mis en alerte, et je me suis précipité sur la page de titre : *Mr. William Shakespeares Comedies, Histories, & Tragedies.* Portrait de Shakespeare, *printed by Isaac Iaggard...*

Même dans des conditions de santé normales, c'était une trouvaille à infarctus. Nul doute, et cette fois ce n'était pas une plaisanterie de Sibilla : c'était là l'in-folio de 1623, complet, avec quelques rares et pâles rousseurs et larges marges.

Comment était-il arrivé, ce livre, dans les mains de mon grand-père ? Probablement en acquérant en bloc du matériel du XIXe siècle chez la petite vieille idéale qui n'avait pas chipoté sur le prix car c'était comme vendre des babioles encombrantes au brocanteur.

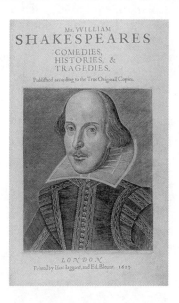

Grand-père n'était pas un expert en livres anciens, mais pas non plus un inculte dans ce domaine. Il aura certainement compris qu'il s'agissait d'une édition de quelque prix, sans doute heureux d'avoir l'œuvre complète de Shakespeare, mais sans penser à consulter des catalogues de ventes aux enchères, qu'il n'avait pas. Ainsi, quand mes oncles ont tout balancé au grenier, c'est aussi là qu'a fini l'in-folio, et il s'y trouvait depuis quarante ans, comme dans un autre lieu il était resté en attente pendant plus de trois siècles.

Mon cœur battait la chamade, mais je n'y faisais pas attention.

Maintenant je suis ici, dans le bureau de grand-père, à toucher de mes mains qui tremblent mon trésor. Après tant de rafales de gris, je suis entré dans l'Hôtel des Trois Roses. Ce n'est pas la photo de Lila, mais une invitation à retourner à Milan, au présent. Si le portrait de Shakespeare est ici, là-bas il y aura le portrait de Lila. Le Barde me guidera vers ma Dark Lady.

Avec cet in-folio, je suis en train de vivre un roman bien plus excitant que tous les mystères du château vécus entre les murs de Solara, durant presque trois mois de haute tension. L'émotion me brouille les idées, des bouffées de chaleur me montent au visage.

Sûrement rien ne m'a jamais autant frappé de ma vie.

Troisième partie

ΟΙ ΝΟΣΤΟΙ

15. ENFIN TU ES REVENUE,
MON AMIE LA BRUME !

Je parcours un tunnel aux parois phosphores-
centes. Je me hâte vers un point lointain, qui m'apparaît d'un gris invitant. C'est l'expérience de la
mort ? D'après ce que l'on sait, qui l'a éprouvée et
puis a fait marche arrière raconte exactement le
contraire, on passe par un conduit obscur et vertigi-
neux et on débouche dans un triomphe de lumière
aveuglante. L'Hôtel des Trois Roses. Donc je ne suis
pas mort, ou ceux-là ont menti.

Je suis presque à la sortie du tunnel ; s'insinuent les
vapeurs qui s'accumulent au-delà. En elles je me
délecte, et presque sans m'en apercevoir je transite
dans un fragile tissu de fumées qui flottent. C'est le
brouillard : non lu, non raconté par les autres, du vrai
brouillard et moi je suis dedans. Je suis revenu.

Autour de moi le brouillard se lève pour badi-
geonner le monde de moelleuse inconsistance. Si des
profils de maisons émergeaient, je verrais le brouillard
arriver, sournois, pour grignoter un toit en entamant
l'arête. Mais il a déjà tout englouti. Ou peut-être le

brouillard est-il sur les champs et dans les collines. Je
ne comprends pas si j'y flotte ou si j'y marche, mais
par terre aussi ce n'est que brouillard. L'impression
de piétiner la neige. Je m'engouffre dans le brouillard,
je m'en remplis les poumons, je le ressouffle à l'extérieur, je m'y roule comme un dauphin, comme je
rêvais un jour de nager dans la crème… La brume
amie m'affronte, m'entoure, me recouvre, m'enve-
loppe, me respire, me caresse les joues et puis s'enfile
entre mon col et mon menton et me picote le cou –
et elle sent fort : la neige, les boissons, le tabac. Je vais
comme j'allais sous les portiques de Solara, où l'on
n'était jamais à ciel ouvert, et les portiques étaient bas
telles les arcades d'un cellier. *Et, comme un bon*
nageur qui se pâme dans l'onde, – tu sillonnes gaiement
l'immensité profonde – avec une indicible et mâle
volupté.

Des silhouettes viennent à ma rencontre. Elles
apparaissent d'abord comme des géants aux nombreux bras. Il émane d'eux une légère chaleur et à leur
passage le brouillard fond, je les vois comme s'éclairer à la faible lumière d'un réverbère, je fais un écart
de crainte qu'ils ne se précipitent sur moi, ils me
dominent, moi je leur entre dedans ainsi qu'il arrive
avec les fantômes, et ils disparaissent. C'est comme
être dans le train et voir s'approcher les signaux dans
l'obscurité et puis par l'obscurité les voir engloutis, et
s'évanouir.

Émerge alors une figure moqueuse, un clown sata-
nique moulé dans une tunique bleuâtre, qui serre sur
sa poitrine une forme flasque, comme des poumons
humains, en dégageant des flammes par sa bouche tri-
viale. Il me heurte en me léchant tel un lance-flammes

et s'en va, laissant un ténu sillon de chaleur qui, un court laps de temps, éclaire ce *fumifigium*. Un globe roule à ma rencontre, dominé par un aigle immense, et derrière le rapace émerge un visage livide, avec cent crayons hérissés sur la tête tels des cheveux qui se dressent de peur... Je les connais, mes compagnons quand j'étais allongé avec la fièvre et que je me sentais plongé dans la pâte royale, en une purulence de sources jaunes qui bouillonnaient autour de moi. À présent, comme pendant ces nuits-là, je suis dans l'obscurité de ma chambre, quand soudain s'ouvrent les portes de la vieille armoire sombre et qu'en sortent quantité d'oncles Gaetano. L'oncle Gaetano avait une tête triangulaire, le menton pointu et les cheveux frisés qui lui formaient comme deux excroissances aux tempes, un visage au teint de phtisique, des yeux ténébreux, une dent d'or au milieu de l'arcade dentaire cariée. Comme l'homme aux crayons. Les oncles Gaetano sortaient d'abord en couple, puis ils se multipliaient, et ils dansaient à travers ma chambre avec des gestes de marionnettes, en pliant les bras de façon géométrique, tenant parfois, en guise de bâton, une règle en bois de deux mètres de long. Ils revenaient à chaque grippe saisonnière, à chaque rougeole ou scarlatine, hanter ces fins d'après-midi où la fièvre monte, et j'avais peur d'eux. Puis ils s'en allaient comme ils étaient venus – peut-être rentraient-ils dans l'armoire et ensuite, convalescent, je m'avançais, craintif, pour l'ouvrir et en visiter l'intérieur centimètre par centimètre, sans trouver le conduit caché par où ils avaient surgi.

Une fois guéri, je rencontrais, et rarement, mon oncle Gaetano sur le corso, le dimanche à midi, il me souriait avec sa dent en or, il me caressait la joue, me disait bien bien et il s'en allait. C'était un bon diable, et je n'ai jamais compris pourquoi il venait me hanter

quand j'étais malade, et je n'osais pas demander à mes
parents ce qu'il y avait d'ambigu, de visqueux, de sub-
tilement menaçant dans la vie, dans l'être même de
l'oncle Gaetano.

Qu'avais-je dit à Paola quand elle m'avait empêché
de passer sous une voiture ? Que je savais que les
automobiles renversent les poules, pour les éviter on
freine et il en résulte une fumée noire, ensuite il faut
que deux hommes en cache-poussière avec de
grandes lunettes noires la remettent en marche à la
manivelle. Alors je ne savais pas, à présent je sais, eux
ils apparaissaient après l'oncle Gaetano au milieu des
bulles du délire.

Eux sont ici, je les rencontre tout à coup dans la
brume. Je les évite non sans peine, l'automobile est
anthropomorphiquement horrible et en descendent
des hommes masqués qui cherchent à me saisir par
les oreilles. Mes oreilles à présent sont devenues très
longues, asiniennement astronomiques, flasques et
velues, et elles arrivent jusqu'à la lune. Attention, si
tu fais le méchant, le nez de Pinocchio ce n'est rien à
côté : tu auras les oreilles de Meo ! Pourquoi n'y avait-
il pas le livre à Solara ? Moi je vis à l'intérieur des
Oreilles de Meo.

J'ai recouvré la mémoire. Sauf qu'à présent – c'est trop de bonté – les souvenirs tourbillonnent autour de moi comme des noctules.

La fièvre baisse maintenant, après la dernière dragée de quinine : mon père s'assoit à côté de mon petit lit et se met à lire un chapitre des *Quatre Mousquetaires*. Non pas les trois, les quatre. Une parodie radiophonique qui tenait la nation entière collée au poste, car elle était liée à un concours publicitaire : on achetait le chocolat Perugina, dans chaque boîte on trouvait des images en couleurs inspirées par l'émission, et on les collectionnait dans un album pour concourir à de très nombreux prix.

Mais seul qui avait eu par chance l'image la plus rare, le Féroce Saladin, remportait une Fiat Balilla, et le pays entier s'intoxiquait de chocolat (ou en faisait cadeau à n'importe qui, parents, amis, voisins d'en face, supérieurs hiérarchiques) pour gagner le Féroce Saladin.

Dans l'histoire que nous allons raconter – on verra des chapeaux à plumes, – des épées, des gants, des duels et des embuscades, – des femmes belles et des rendez-vous d'amour… Ils avaient même publié le livre, avec nombre de subtiles illustrations. Papa lisait et moi je m'endormais en voyant les images du Cardinal Richiliou entouré de chats, ou de la Belle Sulamite.

Pourquoi à Solara (quand ? hier ? il y a mille ans ?)
y avait-il tant de traces de mon grand-père et aucune
de mon père ? Parce que mon grand-père faisait commerce de livres et de revues, et livres et revues je les
ai lus, papier, papier, papier, tandis que mon père travaillait toute la journée, et il ne s'occupait pas de politique, sans doute pour garder sa place. Quand nous
étions à Solara, hasardeusement il nous rejoignait en
fin de semaine, le reste du temps il restait en ville sous
les bombes, et je le trouvais vigilant à mes côtés seulement quand j'étais malade.

Bang crack blam clamp splash crackle crackle
crunch grunt pwutt roaaar rumble blomp sbam
buizz screugneugneu slam sprank blomp swoom
boum thoump clang tomp trac ouaaaagh vroooum,
augh, zoom...
Par les fenêtres de Solara, quand ils bombardaient
la ville, on voyait des lueurs dans les lointains et on
entendait comme un grommellement de tonnerres.
Nous, nous regardions le spectacle, tout en sachant
que peut-être en cet instant papa était emporté par
l'écroulement d'un édifice, mais nous ne pouvions
savoir la vérité que le samedi, quand il serait revenu.
Parfois, ils bombardaient le mardi. Nous attendions
pendant quatre jours. La guerre nous avait rendus
fatalistes, un bombardement était comme un orage.
Nous, les enfants, continuions à jouer tranquillement le mardi soir, le mercredi, le jeudi et le vendredi. Mais étions-nous vraiment tranquilles ? Ne
commencions-nous pas à être marqués par l'angoisse, par la tristesse hébétée et apaisée qui prend
celui qui se promène vivant dans un champ parsemé
de cadavres ?

À présent seulement je me rends compte que j'aimais mon père, et je revois son visage marqué par une vie de sacrifices – il avait durement travaillé pour emporter la voiture dans laquelle il s'écraserait, peut-être pour se sentir ainsi indépendant de grand-père, gai viveur sans soucis financiers, auréolé même d'héroïsme pour ses errements politiques, et la vengeance sur le Merlo.

J'ai papa à côté de moi, me lisant les aventures apocryphes de d'Artagnan, lequel apparaissait dans le volume en culotte de zouave, genre joueur de golf. Je sens le parfum du sein maternel, quand j'allais m'allonger sur le lit et que, bien longtemps après qu'à ce sein j'avais sucé, une fois la Philotée reposée, maman me chantait à voix basse un hymne à la Vierge qui pour moi était la montée chromatique du Prélude de *Tristan*.

Comment se fait-il que je me souvienne maintenant ? Où suis-je ? Je passe de panoramas brumeux à des images très vives d'atmosphères familiales, et je vois un souverain silence. Je ne sens rien autour, tout est à l'intérieur de moi. Je tente de bouger un doigt, la main, la jambe, mais c'est comme si je n'avais pas de corps. C'est comme si je flottais dans le néant et planais vers les abîmes qui invoquent l'abîme.

M'aurait-on drogué ? Et qui ? Où étais-je la dernière fois dont je me souviens ? Un type qui se réveille se souvient d'habitude de ce qu'il a fait avant d'aller au lit, même qu'il a fermé son livre et l'a posé sur la table de nuit. Il arrive aussi qu'on s'éveille dans un hôtel, ou même chez soi mais après un long séjour ailleurs, et qu'on cherche la lumière à gauche alors qu'elle se trouve à droite, ou qu'on essaie de descendre du lit du mauvais côté, parce qu'on croit être encore dans le lieu précédent. Je me rappelle comme si c'était la nuit d'hier, avant de m'endormir, papa qui me lit les *Quatre Mousquetaires*, je sais que, depuis, au moins cinquante ans ont passé mais je peine à me rappeler où j'étais avant de m'éveiller ici.

N'étais-je pas à Solara avec l'in-folio de Shakespeare entre les mains ? Et puis ? Amalia a mis du LSD dans ma soupe et maintenant j'ondoie ici, dans un brouillard grouillant de figures qui émergent de chaque anfractuosité de mon passé.

Quel idiot, c'est si simple... À Solara, j'ai eu un deuxième accident, on m'a cru mort, on m'a enseveli, et je me suis réveillé dans ma tombe. Enterré vivant, situation classique. Mais dans ces cas-là, tu t'agites, remues les membres, frappes contre les parois de la caisse de zinc, l'air te manque, tu es pris de panique. En revanche, non, je ne sens pas que je suis un corps, je suis souverainement tranquille. Je vis seulement les souvenirs qui m'assaillent, et j'en jouis. On ne se réveille pas comme ça dans sa tombe.

Alors je suis mort et l'Au-Delà est ce territoire monotone et quiet où durant l'éternité je revivrai ma vie passée, tant pis pour moi si elle a été atroce (ce sera l'enfer), autrement ce sera le paradis. Allons donc ! Mettons que tu es né bossu, aveugle et sourd-muet, ou bien que ceux que tu aimais sont tombés autour de toi comme des mouches, parents, épouse, fils de cinq ans, et l'au-delà ne serait rien d'autre que la répétition, différente mais continue, des tourments que tu as vécus ? L'enfer ce n'est pas les autres mais la traînée de mort que nous avons laissée en vivant ? Pas même le plus malveillant des dieux ne pourrait imaginer pour nous ce sort. À moins que Gragnola n'eût raison. Gragnola ? J'ai l'impression de l'avoir connu, mais c'est que les souvenirs se bousculent et je dois mettre de l'ordre, les placer à la queue leu leu, sinon je me perds de nouveau dans le brouillard et réapparaît l'épouvantail du Thermogène.

Peut-être ne suis-je pas mort. Autrement je n'éprouverais pas de passions terrestres, amours pour mes parents, inquiétude pour les bombardements. Mourir signifie se soustraire au cycle de la vie et aux palpitations du cœur. Pour infernal que soit l'enfer, je saurais voir à des distances sidérales celui que j'ai été. L'enfer ce n'est pas être écorché dans la poix bouillante. Tu contemples le mal que tu as fait, tu ne pourras jamais plus t'en libérer, et tu le sais. Mais tu serais pur esprit. Moi, au contraire, non seulement je me souviens mais je participe, cauchemars, affections et joies. Je ne sens pas mon corps, mais j'en conserve la mémoire, et je souffre comme si je l'avais encore. Ainsi qu'il arrive à ceux dont on a coupé une jambe : le membre amputé leur fait encore mal.

Reprenons. Un deuxième accident m'est arrivé, et cette fois plus fort que le premier. Je m'étais trop excité, d'abord à la pensée de Lila, ensuite devant l'in-folio. Ma tension devait avoir grimpé à des hauteurs vertigineuses. Je suis entré dans le coma.

Au-dehors, Paola, mes filles, tous ceux qui m'ai-ment (et Gratarolo qui se donne des coups de poing à la tête pour m'avoir laissé sortir, alors qu'il devait sans doute me garder sous contrôle féroce pendant au moins six mois), me considèrent dans un coma pro-fond. Leurs machines disent que mon cerveau ne donne pas signe de vie, et ils se désespèrent en se demandant s'ils doivent débrancher ou attendre, peut-être des années. Paola me tient par la main, Carla et Nicoletta ont mis des disques en marche parce qu'elles ont lu que même dans le coma un son, une voix, une stimulation quelconque, peuvent te réveiller d'un coup. Et elles, elles pourraient continuer comme ça pendant des années, tandis que moi je reste sus-pendu à un tuyau. Une personne avec un minimum de dignité dirait finissons-en tout de suite, que ces pauvrettes se sentent enfin désespérées mais libres. Mais moi j'arrive à penser qu'elles devraient me débrancher, et je ne suis pas en mesure de le dire.

Cependant, tout le monde le sait, dans un coma profond le cerveau ne donne pas signe d'activité, alors que moi je pense, je sens, je me remémore. Oui, mais c'est ce que racontent ceux du dehors. Le cerveau donne un encéphalogramme plat selon la science, mais que sait la science des astuces du corps ? Possible que le cerveau apparaisse plat sur leurs écrans, et que moi je pense avec mes entrailles, avec la pointe de mes pieds, avec mes testicules. Eux, ils croient que je n'ai pas d'activité cérébrale, mais moi j'ai encore une acti-vité intérieure.

Je ne dis pas qu'avec le cerveau plat l'âme, quelque part, fonctionne encore. Je dis seulement que leurs machines enregistrent mes activités cérébrales jusqu'à un certain point. Sous ce seuil, moi je pense encore, et eux ils ne le savent pas. À rouvrir les yeux et à le raconter, il y a de quoi obtenir le Nobel en neurologie, et envoyer à la casse toutes ces machines.

Pouvoir émerger de nouveau des brouillards du passé, et me révéler, vivant et puissant, à qui m'a aimé et à qui me désirait mort. « Regarde-moi, je suis Edmond Dantès ! » Combien de fois le Comte de Monte-Cristo se manifeste-t-il à ceux qui l'avaient donné pour fini ? À ses bienfaiteurs d'autrefois, à l'aimée Mercedes, à ceux qui avaient décrété son malheur, « Regarde-moi, je suis revenu, je suis Edmond Dantès ».

Ou bien pouvoir sortir de ce silence, inspirer expirer incorporel dans la chambre de l'hôpital, voir ceux qui pleurent devant mon corps immobile. Assister à ses propres funérailles et en même temps voler, sans les embarras de la chair. Deux désirs de tout le monde, réalisés d'un seul coup. En revanche, je rêve emprisonné dans mon immobilité…

En vérité, je n'ai pas de vengeances auxquelles aspirer. Si j'ai des motifs d'angoisse, c'est que je me sens bien et que je ne peux pas le dire. Si je pouvais bouger au moins un doigt, une paupière, envoyer un signal, même en alphabet Morse. Mais moi je suis tout pensées et nulle activité. Nulle sensation. Je pourrais être ici depuis une semaine, depuis un mois, depuis un an, et je ne sens pas mon cœur qui bat, je ne ressens pas les stimuli de la faim ou de la soif, je n'ai pas envie de dormir (éventuellement cette veille continue me fait peur), je ne sais pas non plus si j'évacue (peut-être à travers des tuyaux qui font tout tout seuls), si je transpire, ni même si je respire. Pour ce que j'en sais, hors et autour de moi il n'y a même pas d'air. Je souffre à la pensée de la souffrance de Paola, de Carla et Nicoletta qui me croient hors d'usage, mais la dernière chose à faire c'est de me rendre à cette souffrance. Je ne peux pas prendre sur moi la douleur du monde entier – que me soit accordé le don d'un féroce égoïsme. Je vis avec moi-même et pour moi-même, et je sais ce qu'après le premier accident j'avais oublié. Voilà qui, pour l'heure, et peut-être pour toujours, est ma vie.

Il ne me reste donc qu'à attendre. Si on me réveille, ce sera une surprise pour tous. Mais je pourrais ne me réveiller jamais, et je dois me préparer à cette évocation ininterrompue. Ou bien je durerai encore un peu, puis je m'éteindrai – et donc il faut profiter de ces moments.

Si, tout à coup, je cessais de penser, qu'est-ce qui arriverait après ? Recommencerait une autre forme d'au-delà semblable à ce très réservé en deçà, ou ce serait l'obscurité et l'inconscience à jamais ?

Je serais fou si je gaspillais le temps qui m'est octroyé à me poser ce problème. Quelqu'un, peut-être le hasard, m'a donné l'occasion de me rappeler qui j'étais. Profitons-en. S'il y a quelque chose dont il faut se repentir, je ferai l'acte de contrition. Mais pour me repentir, je dois d'abord me rappeler ce que j'ai fait. Pour ce peu de friponneries que je connais, Paola, ou les veuves que j'ai dupées, m'auront déjà pardonné. Et enfin, on le sait, si l'enfer existe, il est vide.

Avant d'entrer dans ce sommeil, à Solara, j'avais trouvé la grenouille en fer-blanc du grenier, à laquelle s'était associé le nom d'Angelo Orso et la phrase « les bonbons du docteur Osimo ». Ça, c'étaient des mots. À présent, je vois.

Le docteur Osimo est le pharmacien du corso Roma, avec sa tête pelée comme un œuf et ses lunettes bleu clair. Chaque fois que maman m'emmène avec elle faire les courses et entre à la pharmacie, le docteur Osimo, même si elle n'achète qu'un rouleau de gaze hydrophile, ouvre un récipient de verre très grand, rempli de billes blanches parfumées, et il m'offre un petit sachet de bonbons au lait. Je sais qu'il ne faut pas les manger tous et tout de suite, et qu'il faut les faire durer au moins trois ou quatre jours.

Je ne m'étais pas rendu compte – j'avais moins de quatre ans – qu'à la dernière sortie maman exhibait un ventre hors de l'ordinaire, mais après la dernière visite au docteur Osimo, un jour on m'a fait descendre à l'étage du dessous et on m'a confié à monsieur Piazza. Monsieur Piazza vit dans une immense pièce qui ressemble à une forêt, pleine d'animaux qui ont l'air vivants, perroquets, renards, chats, aigles. On m'a expliqué que lui, les animaux, mais uniquement quand ils meurent à leur façon, au lieu de les enterrer il les empaille. Maintenant on m'a fait asseoir chez lui, qui m'entretient en m'expliquant les noms et les caractères des différentes bêtes et je passe je ne sais combien de temps dans cette merveilleuse nécropole où la mort apparaît aimable, égyptienne, et sent un parfum que je ne respire qu'ici, des préparations chimiques, j'imagine, avec l'odeur des plumages empoussiérés et des peaux tannées. Le plus bel après-midi de ma vie.

Quand quelqu'un descend me reprendre et me fait remonter à la maison, je m'aperçois que pendant mon séjour dans le royaume des morts une petite sœur m'est née. C'est la sage-femme qui l'a apportée, elle l'a trouvée dans un chou. De ma petite sœur ne transparaît, au milieu d'une blancheur de dentelles, qu'une seule boule d'un violâtre congestionné où s'ouvre un trou noir d'où sortent des cris perçants. Ce n'est pas qu'elle va mal, me dit-on : quand une petite sœur naît, elle fait comme ça parce que c'est sa manière de dire qu'elle est contente d'avoir maintenant une maman et un papa, et un petit frère.

Je suis très agité, et je propose de lui donner tout de suite un des bonbons au lait du docteur Osimo, mais on m'explique qu'une fillette à peine née n'a pas de dents, et qu'elle ne suce que le lait de sa maman. C'eût été beau de lancer les billes blanches et de les faire entrer dans ce trou noir. Peut-être aurais-je gagné un poisson rouge.

Je cours à la petite armoire des jouets et je prends la grenouille en fer-blanc. Bon, elle peut bien être à peine née, mais une grenouille verte qui coasse en lui pressant le ventre, ça ne peut que l'amuser. Rien, je repose aussi la grenouille, et, médusé, je me retire. À quoi sert alors une petite sœur toute neuve ? N'était-ce pas mieux de rester avec les vieux et méchants oiseaux de monsieur Piazza ?

La grenouille en fer-blanc et Angelo Orso. Dans le grenier, ils m'étaient venus ensemble à l'esprit car Angelo Orso est associé à ma petite sœur, désormais complice de mes jeux – et avide de bonbons au lait.

« Arrête Nuccio, Angelo Orso n'en peut plus. » Combien de fois n'ai-je pas prié mon cousin d'en finir avec ses tortures. Mais lui il était plus âgé que moi, il avait été envoyé au collège chez les curés, compassé toute la journée dans l'uniforme, et, quand il revenait en ville, il se défoulait. À la fin d'une longue bataille au milieu des jouets, il capturait Angelo Orso, l'attachait au montant du lit et le soumettait à d'inracontables fustigations.

Angelo Orso, depuis quand je l'avais ? La mémoire de son arrivée se perd là où, comme me disait Gratarolo, nous n'avons pas encore appris à coordonner nos souvenirs personnels. Angelo, l'ami ours de peluche, jaunâtre, bras et jambes mobiles, comme les poupées, si bien qu'il pouvait rester assis, marcher, lever les bras au ciel. Il était grand, imposant, avec deux yeux marron brillants et très vifs. Ada et moi nous l'avions élu roi de nos jouets, des soldats de plomb comme des poupées.

La vieillesse, en l'usant, l'avait rendu encore plus vénérable. Il avait acquis une claudicante autorité à lui, et peu à peu il en acquérait davantage au fur et à mesure que, comme un héros de mille batailles, il perdait un œil ou un bras.

Nous renversions le petit escabeau, qui devenait un navire, un voilier pirate, ou une embarcation vernienne à proue et à poupe carrées : Angelo Orso s'asseyait près du gouvernail, et devant lui s'embarquaient pour des aventures lointaines les Soldats de plomb du

Pays de Cocagne avec le Capitaine La Patate, plus importants, à cause de leur format, encore que plus comiques, que leurs compagnons d'armes sérieux, les soldats en terre cuite désormais plus invalides qu'Angelo, certains sans tête ou un membre en moins, et de leurs chairs de matière comprimée, friable et maintenant décolorée, pointaient des crochets de fil de fer, comme s'ils étaient autant de Long John Silver. Tandis que cette embarcation glorieuse levait l'ancre et partait de la Mer de la Chambrette, parcourait l'Océan du Couloir et abordait dans l'Archipel de la Cuisine, Angelo trônait au milieu de ses sujets lilliputiens, mais cette disproportion ne nous dérangeait pas parce qu'elle exaltait sa gullivérienne majesté.

Avec le temps – à cause de son généreux service, soumis comme il l'était à toute acrobatie, victime des fureurs du cousin Nuccio – Angelo Orso avait désormais perdu son second œil, son second bras, et puis les jambes. Tandis que nous grandissions, Ada et moi, de son torse de mutilé commençaient à sortir des touffes de paille. On s'était répandu en racontars auprès de nos parents, selon quoi ce corps pelé commençait à nourrir des insectes, peut-être des cultures de bacilles, et ils nous avaient incités à nous en débarrasser, avec l'atroce menace de le jeter aux ordures quand nous serions à l'école.

À moi comme à Ada, désormais, le plantigrade aimé faisait peine, de santé si chancelante, incapable de se tenir tout seul, exposé à ce lent éventrement et à cet indécent écoulement d'organes internes. Nous avions accepté l'idée qu'il dût mourir – et même, qu'il devait être considéré déjà décédé, si bien qu'il fallait lui donner une honorable sépulture.

Il est tôt le matin quand papa vient d'allumer la chaudière, le thermosiphon qui donne vie à tous les radiateurs de la maison. Un lent et hiératique cortège s'est formé. À côté de la chaudière sont alignés tous les jouets survivants, au commandement du Capitaine La Patate. Tous en rangs ordonnés, au garde-à-vous, pour rendre les honneurs des armes, comme il convient aux vaincus. Moi j'avance en portant un coussin où est installé le presque défunt, et suivent tous les membres de la famille, y compris la femme de ménage à l'heure, unis dans la même douloureuse vénération.

Avec rituelle componction, j'introduis maintenant Angelo Orso dans la gueule de ce Baal flambant. Angelo, désormais rien qu'un contenant de paille seulement, s'éteint en une seule flambée.

Cérémonie prophétique car peu de mois après s'éteignait aussi la chaudière, qui avant se nourrissait d'anthracite et puis, l'anthracite disparu, d'ovules de poudre de charbon. Mais l'avancée de la guerre avait rationné ces derniers aussi, et à la cuisine on avait dû récupérer le vieux poêle, assez semblable à celui que nous utiliserions ensuite à Solara, qui pouvait avaler

du bois, du papier, du carton et des sortes de briquettes de matière vineuse comprimée, de marque Mineraria, qui brûlaient mal et lentement et donnaient une apparence de flamme.

La mort d'Angelo Orso ne me chagrine pas, ni ne me provoque des engorgements de nostalgie. Peut-être était-ce le cas dans les années qui ont suivi, peut-être l'ai-je évoqué de nouveau quand, à seize ans, je m'adonnais à la reconquête du passé composé, mais maintenant non. Maintenant, je ne vis pas dans le flux du temps. Je suis, bienheureux, dans un éternel présent. Angelo est devant mes yeux, le jour de ses obsèques comme les jours de son triomphe, je peux me déplacer d'un souvenir à l'autre et je vis chacun d'eux comme un *hic et nunc*.

Si c'est là l'éternité, c'est merveilleux, pourquoi ai-je dû attendre soixante ans avant de la mériter ?

Et le visage de Lila ? À présent, je devrais le voir, mais c'est comme si les souvenirs me parvenaient tout seuls, un à la fois, dans l'ordre qu'ils ont choisi. Il suffit d'attendre. Je n'ai rien d'autre à faire.

Je suis assis dans le couloir, à côté du poste Telefunken. Ils transmettent la comédie. Papa la suit en entier, et moi je suis dans son giron, le pouce à la bouche. Je ne comprends rien à ces histoires, tragédies familiales, adultères, rédemptions, mais ces voix lointaines me poussent au sommeil. Je vais dormir en demandant que reste ouverte la porte de ma chambre, en sorte que je puisse voir la lumière du couloir. Je suis devenu un dur à cuire dans ma tendre enfance et j'ai flairé que les dons des Rois mages, la nuit de l'Épiphanie, ce sont les parents qui les achètent. Ada n'en croit rien, je ne peux ôter ses illusions à une toute petite fille, et la nuit du 5 janvier je m'efforce désespérément de rester éveillé pour écouter ce qui se passe là-bas. J'entends qu'ils disposent les cadeaux. Le lendemain matin, je jouerai la joie et la surprise pour le miracle, parce que je suis un lèche-cul et je ne veux pas que ce jeu s'interrompe.

J'en sais long, moi. J'ai eu l'intuition que les enfants naissent dans le ventre de la mère, mais je ne le dis pas. Maman parle avec des amies d'affaires de femmes (celle-ci est dans un état, hem hem, avancé, ou elle a des adhérences ici, hem hem, aux ovaires), une d'elles la fait taire en l'avertissant qu'un enfant se trouve par-là, et maman dit que ça ne fait rien, qu'à cet âge on est des gros cocos. Moi j'épie derrière la porte et je pénètre les secrets de la vie.

Par le petit vantail circulaire de la commode de maman, j'ai détourné un livre, *Ce n'est pas vrai que c'est la mort*, de Giovanni Mosca, une élégie aimable et ironique sur les beautés de la vie de cimetière, et la douceur de reposer sous une accueillante couverture de terre. J'aime cette invitation au décès, peut-être ma première rencontre avec la mort, avant les poteaux verts du héros Valente. Mais un matin, chapitre cinq, la douce Maria qui, après un moment de faiblesse, a été accueillie par le croquemort, sent dans son ventre un battement d'aile. Jusqu'à présent l'auteur avait été pudique, il avait fait seulement allusion à un amour malheureux et à un enfant à venir. Mais à présent il se permettait une description réaliste qui me terrifiait : «Son ventre, depuis ce matin-là, s'anima de bruits d'ailes et de frémissements, comme une cage où se trouveraient des petits moineaux… L'enfant bougeait. »

C'est la première fois que je lis sur un ton insupportablement réaliste des mots concernant une grossesse. Je ne m'étonne pas de ce que j'apprends, qui confirme ce que j'ai déjà compris tout seul. Mais je suis épouvanté à la pensée que quelqu'un me surprenne alors que je lis ce texte interdit, et comprenne que j'ai compris. Je me sens pécheur, parce que j'ai violé un interdit. Je repose le livre dans la commode, en cherchant à effacer toute trace de mon intrusion. Je connais un secret, mais il me semble coupable de le connaître.

Cela eut lieu bien avant mon baiser au visage de la belle diva dans *Novella*, cela relève de la révélation de la naissance, pas de celle du sexe. Comme certains primitifs qui, dit-on, n'ont jamais réussi à mettre en rapport direct l'acte sexuel et la grossesse (au fond, neuf mois c'est un siècle, disait Paola), moi aussi il m'a fallu un long temps avant de comprendre le lien mystérieux entre le sexe, chose pour adultes, et les enfants.

Même mes parents ne se soucient pas de savoir si je peux éprouver des sensations bouleversantes. On voit que leur génération les éprouvait en retard, ou qu'ils ont oublié leur enfance. Ada et moi marchons la main dans celle de nos parents, on rencontre une connaissance, papa dit que nous allons voir *La Ville d'or*, l'autre sourit avec malice en nous regardant nous, les petits, et il susurre que le film « est un peu osé ». Papa répond, nonchalant : « Ça veut dire que nous allons le tenir par le col de sa veste. » Et moi, le cœur affolé, de suivre les étreintes de Kristina Söderbaum.

Dans le couloir de Solara, comme me revenait l'expression « à races et peuples de la terre », m'était venue à l'esprit une vulve poilue. De fait me voici, avec quelques amis, peut-être à l'époque du premier cycle au lycée, dans le bureau du père de l'un d'eux, où se trouvent les volumes de *Races et peuples de la terre* de Biasutti. On feuillette rapidement pour arriver à une page où apparaît une photo de femmes kalmoukes, à poil, et on leur voit l'organe sexuel, autrement dit leur fourrure. Kalmoukes, femmes qui font elles-mêmes leur commerce.

Je suis de nouveau dans le brouillard, qui règne, souverain, sur l'obscurité du black-out, tandis que la ville s'ingénie à disparaître aux yeux célestes des avions ennemis, et en tout cas disparaît aux miens, qui la regardent depuis la terre. Dans ce brouillard j'avance, comme dans l'image du premier livre de lecture, en tenant papa par la main, qui porte le même chapeau Borsalino que le monsieur du livre mais un manteau moins élégant, plus usé et aux épaules tombantes, raglan – et plus élimé encore est le mien, avec la marque de la boutonnière à droite, signe qu'on a retourné pour moi un vieux pardessus paternel. Dans sa main droite, papa ne tenait pas une canne pour la promenade, mais bien un accumulateur électrique, pas de ceux à pile cependant : il se recharge par friction, comme les feux d'une bicyclette, en pressant avec quatre doigts une sorte de détente. Il produit un léger ronflement, et il éclaire le trottoir, le peu qu'il faut pour voir une marche, un angle, le début d'un croisement, puis les doigts relâchent la prise et la lumière disparaît. On avance encore l'espace d'une dizaine de pas, sur la base du peu qu'on a vu, comme en un vol aveugle, puis on rallume un instant.

Dans le brouillard on croise d'autres ombres, parfois on murmure un salut, ou un mot d'excuse, et il me semble juste qu'on le fasse en susurrant même si, à y bien réfléchir, les bombardiers pourraient voir la lumière mais pas entendre les sons, et dans ce brouillard on pourrait donc avancer en chantant à tue-tête. Mais personne ne le fait car c'est comme si notre silence encourageait le brouillard à protéger nos pas, à nous rendre invisibles, nous et les rues.

Un black-out aussi féroce est-il vraiment utile ? Sans doute ne fait-il que rassurer, parce qu'aussi bien quand ils ont voulu bombarder, ils sont venus le jour. Il y a un peu plus d'une heure que, en pleine nuit, ils ont fait hurler les sirènes. En pleurant maman nous réveille nous, les enfants, – elle ne pleure pas par peur des bombes mais sur notre sommeil ravagé – elle nous enfile un petit manteau sur notre pyjama et on descend à l'abri. Pas celui de notre immeuble, qui est tout juste une cave renforcée à l'aide de poutres et de sacs de sable, mais dans celui de l'immeuble d'en face construit en 1939, déjà en prévision du conflit. On n'y arrive pas en traversant les cours, séparées par des murettes, mais en faisant le tour du pâté de maisons, à vive allure, en comptant sur le fait que les sirènes se soient mises à hurler quand les avions se trouvaient encore assez loin.

L'abri anti-aérien est beau, avec ses murs de ciment sillonné de quelques rigoles d'eau, les lumières faibles mais chaudes, toutes les grandes personnes assises sur des bancs à jacasser, et nous les enfants qui gamba- dons au milieu. Les coups de la défense anti-aérienne arrivent atténués, tout le monde est convaincu que si une bombe tombe sur l'immeuble l'abri résistera. Ce n'est pas vrai, mais ça aide. Rôde d'un air pénétré le chef-immeuble, qui est mon instituteur des classes élémentaires, le maître Monaldi, humilié de n'avoir pas eu le temps d'endosser son uniforme de centurion de la Milice, avec ses décorations de squadriste. À l'époque, un type qui avait fait la Marche sur Rome

était comme un vétéran de grandes batailles napoléo-
niennes – et c'est seulement après le 8 septembre 1943
que mon grand-père m'avait expliqué que ça avait été
une promenade de voleurs de poules armés de
badines, et, si le Roi en avait donné l'ordre, quelques
compagnies d'infanterie les auraient fait s'éclipser à
mi-chemin. Mais le Roi était Jambette-Pied-Véloce, et
la trahison il l'avait dans le sang.

En somme, le maître Monaldi se promène au milieu
des colocataires, il les tranquillise, se soucie des
femmes enceintes, il explique que ce sont là de petits
sacrifices à supporter pour la victoire finale. Hurle la
sirène de fin d'alarme, les familles s'égaillent dans la
rue. Un monsieur, que personne ne connaissait et qui
s'était réfugié dans notre abri parce que surpris par
l'alarme alors qu'il se trouvait à passer par là, allume
une cigarette. Le maître Monaldi le saisit par le bras
et lui demande, sarcastique, s'il sait que nous sommes
en guerre et qu'il y a le black-out.

« Même si là-haut il y avait encore un bombardier,
il ne verrait pas la lumière d'une allumette, dit celui-
ci en commençant à fumer.

– Ah, et vous, vous le savez ?

– Sûr que je le sais, moi. Je suis capitaine et pilote
et je vole sur les bombardiers. Vous, avez-vous jamais
bombardé Malte ? »

Un vrai héros. Fuite du maître Monaldi, écumant
de rage, commentaires amusés des colocataires, je le
disais bien que c'était une outre vide, ils sont tous
comme ça ceux qui commandent.

Le maître Monaldi, ses thèmes héroïques. Je me
vois le soir, avec papa et maman sur le dos. Le lendemain, en classe, il y aura la rédaction pour partici-
per aux Agônes de la Culture. « Quel que soit le sujet,
dit maman, ce sera sur le Duce et sur la guerre. Et

donc prépare-toi de belles phrases qui fassent de l'effet. Par exemple, fidèles et incorruptibles gardiens de l'Italie et de sa civilisation est une phrase qui va toujours bien, quel que soit le sujet.

– Et si le sujet à la fin tombe sur la bataille du blé ?

– Tu la fais entrer pareil, un peu d'imagination.

– Souviens-toi que les soldats arrosent de leur sang les sables enflammés de la Marmarica, suggère papa. Et n'oublie pas que notre civilisation est nouvelle, héroïque et sainte. Ça fait toujours un bon effet. Même avec la bataille du blé. »

Ils veulent un fils qui obtienne une bonne note. Juste aspiration. Si on a une bonne note en sachant le postulat des parallèles, on s'est préparé sur le livre de géométrie ; si on doit parler en Balilla, on étudie par cœur ce que doit penser un Balilla. Le problème n'est pas si c'est juste ou non. Au fond, les miens ne le savaient pas, mais même le cinquième postulat d'Euclide ne vaut que pour les surfaces planes, si idéalement planes que dans la réalité elles n'existent pas. Le régime était la surface plane à quoi tout le monde s'était désormais adapté. Ignorant les tourbillons curvilignes où les parallèles éclatent ou divergent sans espoir.

Je revois une scène rapide qui doit avoir eu lieu quelques années auparavant. Je demande :

« Maman, c'est quoi une révolution ?

– C'est une chose où les ouvriers vont au gouvernement et coupent la tête à tous les employés comme ton père. »

Mais ce fut précisément deux jours après la rédaction qu'il y a eu l'épisode de Bruno. Bruno, deux

yeux de chat, les dents pointues et la tête gris souris
où apparaissaient des plaques blanches, comme
d'alopécie ou d'impétigo. C'étaient des cicatrices de
croûtes. Les enfants pauvres avaient toujours des
croûtes sur la tête, et parce qu'ils vivaient dans des
milieux peu propres, et par avitaminose. À l'école
primaire, De Caroli et moi étions les riches de la
classe, c'est ce qu'alors on pensait, de fait nos
familles appartenaient à la même classe sociale que
le maître, moi parce que mon père était employé et
se déplaçait en cravate, et ma mère avec un bibi (et
donc elle n'était pas une femme mais une dame), De
Caroli parce que son père avait un petit magasin de
tissus. Tous les autres étaient d'une classe inférieure,
ils parlaient encore en dialecte avec leurs parents et
faisaient par conséquent des fautes d'orthographe et
de grammaire, et le plus pauvre de tous était Bruno.
Bruno avait son tablier noir déchiré, il n'avait pas de
col blanc, ou quand il le portait il était sale, élimé,
et naturellement il n'avait pas de ruban bleu avec le
nœud comme les enfants bien. Il avait des croûtes,
on lui rasait donc la boule à zéro, l'unique soin que
sa famille connaissait, contre les poux aussi, avec les
plaques blanches des croûtes déjà guéries. Stigmates
d'infériorité. Tout compte fait le maître était un
brave homme mais, comme il avait été squadriste, il
se sentait obligé de nous éduquer de manière virile,
et il nous assenait de puissantes baffes. Jamais à moi
et à De Caroli, parce qu'il savait que nous l'aurions
dit à nos géniteurs, qui étaient ses pairs. Comme il
habitait dans le même îlot que nous, il s'était offert
de m'accompagner chez moi tous les jours à la sortie des classes, en même temps que son fils, afin que
mon père ne se dérangeât pas pour venir me chercher. Et parce que ma mère était la cousine d'une

belle-sœur de la directrice de l'école primaire, on ne sait jamais.

Avec Bruno au contraire les baffes étaient quotidiennes, parce qu'il était vif, et donc avait une mauvaise conduite, et qu'il se présentait en classe avec son tablier suiffeux. Bruno était toujours envoyé derrière le tableau, et c'était le pilori.

Un jour Bruno était arrivé à l'école après une absence injustifiée ; le maître retroussait déjà ses manches quand Bruno s'était mis à pleurer et au milieu de ses sanglots il avait laissé entendre que son père était mort. Le maître s'était ému, car les squadristes aussi avaient un cœur. Naturellement, il entendait la justice sociale comme de la charité, et il nous avait demandé à tous de faire une collecte. Nos parents aussi devaient avoir un cœur parce que le lendemain chacun de nous était revenu avec quelque menue monnaie, un vêtement qu'on ne met plus, un petit pot de confiture, un kilo de pain. Bruno a eu son moment de solidarité.

Mais le matin même, pendant la marche dans la cour, il s'était mis à se déplacer à quatre pattes, et nous avions tous pensé qu'il était vraiment méchant de faire ça après la mort de son père. Le maître lui avait crié qu'il manquait du plus élémentaire sentiment de reconnaissance. Orphelin depuis deux jours, à peine gratifié des bontés de ses camarades, et déjà voué au crime : avec la famille d'où il venait, il ne pouvait plus être racheté.

Deutéragoniste de ce petit drame, j'avais eu un moment de doute. Déjà je l'avais eu le lendemain matin après la rédaction, me réveillant inquiet et me demandant si vraiment j'aimais le Duce, ou si j'étais un garçon hypocrite qui ne faisait que l'écrire. Devant Bruno qui marchait à quatre pattes, j'ai compris que son comportement était un sursaut de dignité, une façon de réagir à l'humiliation que notre moite générosité lui avait fait subir.

Je l'ai mieux compris des jours plus tard, dans un de ces rassemblements fascistes où nous étions tous alignés en uniforme, le nôtre flambant, celui de Bruno comme le tablier des jours ouvrables, le foulard bleu mal noué, et on devait prononcer le Serment. Le centurion disait : « Au nom de Dieu et de l'Italie, je jure d'exécuter les ordres du Duce et de servir avec toutes mes forces et, si nécessaire, avec mon sang, la cause de la Révolution fasciste. Vous le jurez ? » Et tous nous devions répondre : « Je le jure ! » Tandis que tous nous criions « je le jure ! », Bruno – qui était près de moi, et je l'ai parfaitement entendu – avait crié « Arthur ! ». Il se rebellait. C'est la première fois où j'ai assisté à un acte de révolte.

Il se rebellait de sa propre initiative ou parce qu'il avait un père ivrogne et socialiste comme le garçon d'Italie dans le monde ? Mais à présent je comprends que Bruno a été le premier à m'apprendre comment réagir à la rhétorique qui nous étouffait.

Entre les thèmes de mes dix ans et la chronique de mes onze, à la fin de la septième j'avais été transformé par la leçon de Bruno. Anarchiste révolutionnaire lui, à peine sceptique moi, son Arthur était devenu mon verre incassable.

Il est clair qu'à présent, dans le silence du coma, je comprends mieux ce qui m'est arrivé. Serait-ce là l'illumination que d'autres ont quand l'homme fait le grand saut, et en cet instant précis, comme Martin Eden, on comprend tout, mais comme on le sait on cesse de le savoir ? Moi, qui ne suis pas encore au grand saut, j'ai l'avantage d'une foulée sur qui meurt. Je comprends, je sais, et même je me souviens (à présent) que je sais. Serais-je un privilégié ?

16. SIFFLE LE VENT

Je voudrais me rappeler Lila… Comment était-elle, Lila ? De la suie de ce demi-sommeil affleurent en moi d'autres images, et ce n'est pas elle…

Et pourtant, une personne dans des conditions normales devrait pouvoir dire je veux me rappeler quand j'étais en vacances l'année dernière. Si elle a gardé quelques traces, elle se rappelle. Moi je ne peux pas. Ma mémoire va en proglottis, comme le ver solitaire, mais à la différence du ver elle n'a pas de tête, elle tourne en labyrinthe, n'importe quel point peut être le début ou la fin du voyage. Je dois attendre que les souvenirs viennent tout seuls, suivant une logique à eux. Ainsi va-t-on dans le brouillard. Dans le soleil tu vois les choses de loin et tu peux décider de changer de direction justement pour aller vers quelque chose de précis. Dans le brouillard quelque chose ou quelqu'un vient vers toi, mais tu ignores de quoi de qui il s'agit tant que tu ne l'as pas près de toi.

Sans doute est-ce normal, tu ne peux pas tout avoir en un seul moment, souvenirs en brochette. Que disait Paola du chiffre magique sept, dont parlent les psychologues ? D'une liste tu te rappelles facilement jusqu'à sept éléments, après tu n'y arrives plus. Pas même sept. Qui sont les sept nains ? Simplet, Grincheux, Atchoum, Dormeur, Timide, Prof... Et puis ? Il manque toujours le septième sept-nains. Et les sept rois de Rome ? Romulus, Numa Pompilius, Tullius Hostilius, Servius Tullius, Tarquin l'Ancien, Tarquin le Superbe... Et le septième ? Ah, Joyeux.

Je crois que mon premier souvenir est un pantin habillé en tambour-major de la fanfare militaire, en uniforme blanc avec un képi : en le remontant avec une petite clef, rantanplan, il battait des baguettes. Est-ce lui le premier, ou l'ai-je revu ainsi au cours des années, exploitant les évocations de mes parents ? Ne serait-ce pas la scène des figues, moi au pied d'un arbre et un paysan qui s'appelait Quirino grimpant à une échelle pour me cueillir la figue la meilleure – sauf que je ne savais pas encore prononcer le mot *figue* et je disais *sigue* ?

Le dernier souvenir : à Solara devant l'in-folio. Se seront-ils rendu compte, Paola et les autres, de ce que j'avais entre les mains quand je me suis endormi d'un coup ? Il faut qu'ils le donnent à Sibilla, tout de suite, si je reste comme ça pendant des années ils ne parviendront pas à supporter les frais, ils devront vendre le cabinet, et puis Solara, et ça ne suffirait peut-être pas encore, tandis qu'avec l'in-folio ils peuvent me payer une hospitalisation éternelle, avec dix infirmiers, et alors il suffit qu'ils me rendent visite une fois par mois et puis qu'ils vivent leur vie.

Vient à ma rencontre une autre figure, qui me ricane au nez en s'exhibant d'une manière obscène. C'est comme si en avançant sur moi elle m'enveloppait d'elle-même et se dissolvait dans la brume.

À côté de moi passe le petit tambour au képi. Je me réfugie dans les bras de mon grand-père. Je sens l'odeur de pipe en posant ma joue contre son gilet. Grand-père fumait la pipe et sentait le tabac. Pourquoi n'y avait-il pas sa pipe à Solara ? Mes maudits oncles l'ont jetée, elle ne leur semblait pas importante, avec le fourneau rongé par le feu de tant d'allumettes, jetée avec les plumes, les papiers buvards, que sais-je, une paire de lunettes et une chaussette trouée, le dernier paquet de tabac encore à moitié plein.

Le brouillard est en train de se dissiper. Je me souviens de Bruno qui avance à quatre pattes, mais je ne me souviens pas de la naissance de Carla, du jour de ma maîtrise, de ma première rencontre avec Paola. Avant je ne me rappelais plus rien, à présent je me rappelle tout des premières années de ma vie, mais je ne me rappelle pas quand Sibilla est entrée pour la première fois dans mon cabinet pour chercher du travail – ou quand j'ai écrit ma dernière poésie. Je ne parviens pas à me rappeler le visage de Lila Saba. Me le rappeler vaudrait tout ce sommeil. Je ne me rappelle pas le visage de Lila que je cherchais partout pendant ma vie adulte parce que je ne me rappelle pas encore ma vie adulte, ni ce que, en entrant dans la vie adulte, j'avais voulu oublier.

Je dois attendre, ou me préparer à circuler éternellement parmi les sentiers de mes seize premières années. Cela pourrait suffire, si je revivais chaque instant, chaque événement, je durerais dans cet état pendant seize autres années. Suffisamment pour moi, j'arriverais au-delà de soixante-seize ans, un espace de vie raisonnable… Et Paola qui se demande si elle doit me débrancher.

Mais la télépathie n'existe-t-elle pas ? Je pourrais me concentrer sur Paola et penser intensément à lui envoyer un message. Ou bien tenter avec l'esprit frais et dégagé d'un enfant. « Message pour Sandro, message pour Sandro, ici Aigle Gris du Fernet Branca, ici Aigle Gris, répondez. À vous… » Si l'autre me transmettait : « Roger, Aigle Gris, je t'entends cinq sur cinq… »

En ville, je m'ennuie. Nous sommes quatre en culottes courtes à jouer sur la chaussée devant chez nous, où passe une automobile à l'heure, et au pas. On a confiance en nous pour nous laisser jouer là-bas. Nous faisions des parties de billes, jeu pauvre, bon aussi pour qui n'a pas d'autres jouets. Il y en a en terre, rouge-brun, et en verre, avec des arabesques colorées qui se voient par transparence, d'autres d'un blanc de lait veiné de rouge. Premier jeu, le pot : du centre de la rue on envoie les billes d'un coup précis de l'index qui glisse sur le pouce (mais les plus forts font glisser le pouce sur l'index), dans un petit trou creusé contre le trottoir. Il y en a qui expédient la bille dedans du premier coup, autrement on y va par phases. Deuxième jeu *spanna cetta*, pichenette qu'à Solara on appelait *cicca spanna* : comme pour les boules, il s'agit d'aller près de la première bille, mais d'un empan, pas plus, à mesurer avec quatre doigts.

Admiration pour qui sait faire partir la toupie. Pas la toupie des enfants riches, en métal et bandes de couleurs variées, dont on presse plusieurs fois le pommeau d'une tige torse pour la charger, puis on la laisse aller et elle tourne en dessinant des tourbillons multicolores, mais la toupie en bois, le sabot ou toton, une sorte de cône bombé, poire pansue qui finit par un clou, le corps marqué par une série d'incisions en spirale. On l'enroule avec une ficelle qui pénètre dans les incisions puis, en tenant le bout du chanvre on tire d'un coup, dévidant ainsi la ficelle, et le toton tourne. Tous ne réussissent pas à le faire, moi je n'y arrive pas parce que j'ai été gâté avec les toupies les plus chères et les plus faciles – et les autres se moquent de moi.

Ce jour-là, on n'arrive pas à jouer car le long du trottoir il y a des messieurs en veste et cravate qui, avec une petite pioche, enlèvent les mauvaises herbes. Ils travaillent avec un faible enthousiasme, lentement, et l'un d'eux se met à parler avec nous, s'informant sur les différents jeux de billes. Il dit que lui, petit, il jouait au cercle : on traçait un cercle de craie sur le trottoir ou avec un bâton sur le sol, on plaçait les billes dedans, puis avec une bille plus grosse on cherchait à faire sortir les billes du cercle, et gagnait celui qui en faisait sortir le plus. « Je connais tes parents, m'a-t-il dit, transmets-leur les salutations de monsieur Levi, Levi du magasin de chapeaux. »

J'ai transmis à la maison. « Ce sont les Juifs, a dit maman, ils sont obligés de faire des travaux. » Papa a levé les yeux au ciel et a dit « bah ! ». Plus tard, je suis allé au magasin de mon grand-père et je lui ai demandé pourquoi les Juifs faisaient des travaux. Il m'a dit de les traiter avec politesse si je les rencontrais, parce que c'étaient de bonnes gens, mais pour le moment il ne m'expliquait pas encore cette histoire parce que j'étais trop petit. « Tais-toi et n'en parle pas autour de toi, surtout au maître. » Un jour il me raconterait tout. *S'as gira*, si ça tourne.

À ce moment-là, je m'étais seulement demandé comment il se faisait que les Juifs vendaient des chapeaux. Les chapeaux que je voyais sur les affiches collées aux murs, ou sur les publicités des revues, étaient distingués et élégants.

Je n'avais pas encore de raisons de me soucier des Juifs. Plus tard seulement, à Solara, grand-père m'a montré un journal de 1938 où on annonçait les lois raciales, mais en 38 j'avais six ans, et les journaux je ne les lisais pas.

Et puis, un jour, monsieur Levi et les autres, on ne les a plus vus désherber les pavés. J'ai pensé, à l'époque, qu'on les avait laissés retourner chez eux, après une petite pénitence. Mais, après la guerre, j'ai entendu quelqu'un qui disait à sa mère que monsieur Levi était mort en Allemagne. Après la guerre, j'avais appris bien des choses, non seulement comment naissent les enfants (y compris les actes préparatoires de neuf mois avant), mais aussi comment meurent les Juifs.

Ma vie a changé avec l'évacuation à Solara. En ville, j'étais un enfant mélancolique qui jouait avec ses camarades d'école quelques heures par jour. Le reste du temps, je demeurais accroupi devant un livre ou je me promenais à bicyclette. Les seuls moments d'enchantement, je les passais dans la boutique de mon grand-père : lui, il parlait avec quelque client et moi je fouillais, je fouillais, ébloui par de continuelles révélations. Mais ainsi j'augmentais ma solitude, et je ne vivais qu'avec mes imaginations.

À Solara, où désormais je descendais à l'école du bourg tout seul et gambadais à travers champs et vignes, j'étais libre, un territoire inexploré s'ouvrait devant moi. Et j'avais beaucoup d'amis, avec qui me balader. Notre pensée dominante était de nous faire une cabane.

À présent, je revois toute la vie à l'Oratoire, comme dans un film. Non plus en proglottis, c'est une séquence en continu…

Une cabane ne devait pas être une manière de maison, avec toit, murs et porte. C'était habituellement un trou, une anfractuosité, où on pouvait construire une couverture de branches et de feuilles, en sorte que reste ouverte une meurtrière, d'où on dominait une vallée ou au moins un espace découvert. On pointait des bâtons et on tirait à mitraille. Comme à Djaraboub, là on ne pouvait nous prendre que par la faim.

Nous avions commencé à nous rendre à l'Oratoire parce qu'au fond du terrain de foot, sur une éminence, derrière le muret de clôture, nous avions repéré le lieu idéal pour une cabane. On pouvait mitrailler tous les vingt-deux joueurs de la partie dominicale. À l'Oratoire on était plutôt libres, on se trouvait enrégimentés seulement vers les six heures pour une leçon de catéchisme et pour la bénédiction, mais pour le reste on faisait ce qu'on voulait. Il y avait un manège rudimentaire, quelques balançoires, un théâtre de poche où j'ai foulé pour la première fois les planches dans *Le Petit Parisien*. C'est ici que j'ai acquis cette maîtrise de la scène qui, des années plus tard, me rendrait mémorable aux yeux de Lila.

Venaient aussi des plus grands, et même des jeunes – pour nous, très vieux – qui jouaient au ping-pong ou aux cartes, sans argent. Ce brave homme de don Cognasso, le directeur de l'Oratoire, ne leur demandait pas une profession de foi, il suffisait qu'ils viennent là au lieu de faire des caravanes vers la ville, à bicyclette, allant jusqu'à risquer d'écoper un bombardement, pour tenter la grimpette à la Maison Rouge, le bordel le plus célèbre de toute la province.

Après le 8 septembre, c'est à l'Oratoire que j'ai entendu parler pour la première fois des partisans. D'abord, c'étaient des garçons qui cherchaient seulement à se soustraire soit au nouveau recrutement de la République sociale soit aux fournées des Allemands qui les envoyaient travailler en Allemagne. Et puis on avait commencé à les appeler rebelles, parce que c'est ainsi que les nommaient les communiqués officiels. Ce ne fut que quelques mois plus tard, quand nous avons su que dix d'entre eux avaient été fusillés – et l'un d'eux était de Solara – et quand nous avons entendu que Radio-Londres leur envoyait des messages spéciaux, que nous avons commencé à les appeler partisans, ou patriotes, comme ils préféraient. Dans le bourg, on était pour les partisans car c'étaient tous des gars de par là et quand ils se faisaient voir, même si désormais ils avaient un surnom, Frisé, Flèche, Barbe-Bleue ou Ferré, on les appelait encore comme ça, tels qu'on les avait connus avant. Nombre d'entre eux étaient des jeunes que j'avais vus à l'Oratoire, jouer aux cartes en veste étriquée et froissée, et ils réapparaissaient en casquette, une cartouchière en bandoulière, mitraillette, ceinturon avec deux grenades suspendues, certains même avec le pistolet dans son étui. Ils portaient des chemises rouges, ou des vestes de l'armée anglaise, ou des pantalons et des jambières d'officier royal. Magnifiques.

Dès l'année 1944, ils s'étaient fait voir à Solara, en de rapides incursions, dans des moments où il n'y avait pas les Brigades noires. Tantôt descendaient les badogliens, avec leur foulard bleu, et on disait qu'ils étaient pour le Roi, et ils allaient à l'attaque en criant encore Savoie. Tantôt c'étaient les garibaldiens, avec leur foulard rouge, qui chantaient des chansons contre le Roi et Badoglio, et *siffle le vent, hurle la tempête, – souliers percés mais il faut aller, – du rouge printemps à la conquête, – où le soleil de l'avenir s'est levé.* Les badogliens étaient mieux armés, on disait que les Anglais leur envoyaient des aides à eux et pas aux autres, qui étaient tous communistes. Les garibaldiens avaient des mitraillettes comme celles des Brigades noires, prises lors d'accrochages ou de coups de main dans une armurerie ; les badogliens avaient des Sten anglais dernier modèle.

Le Sten était plus léger que la mitraillette, il avait une crosse vide, comme une silhouette de fil de fer, et le chargeur apparaissait non pas dessous mais de côté. Une fois l'un d'eux m'a permis de tirer un coup. Ils tiraient en général pour garder la main, et pour se faire voir des filles.

Une fois sont venus les fascistes de la San Marco, ils chantaient *Saint Marc ! Saint Marc ! – qu'importe si on meurt.*

Les gens disaient que c'étaient de braves garçons de bonne famille qui avaient pu faire un mauvais choix mais se comportaient bien avec la population et faisaient la cour aux femmes avec éducation.

Ceux des Brigades noires au contraire, qui avaient été libérés des prisons et des maisons de correction (certains âgés de seize ans), voulaient seulement faire peur à tout le monde. Mais les temps étaient durs, et on devait se méfier aussi de ceux de la San Marco.

Je vais à la messe au bourg avec maman et avec elle il y a la dame de la villa à quelques kilomètres de chez nous, elle a toujours une dent contre son métayer qui vole sur les bilans. Et comme le métayer est un rouge, elle est devenue fasciste, du moins dans le sens où les fascistes sont contre les rouges. Nous sortons de l'église et deux officiers de la San Marco reluquent ces dames, plus très jeunes mais qui se présentaient avantageusement – et puis, on le sait, les armées embarquent où elles peuvent. Ils s'approchent sous le prétexte de demander une information, parce qu'ils n'étaient pas du coin. Les deux dames se comportent avec courtoisie (après tout, ce sont deux beaux garçons) et elles demandent comment ils se sentent si loin de chez eux. « Nous combattons pour redonner son honneur à ce pays, mesdames, cet honneur que certains ont souillé », répond l'un des deux. Et la voisine commente : « Juste, bravo, pas comme ce monsieur à qui je pense. »

L'un des deux fait un étrange sourire et dit : « Nous aimerions connaître le nom et l'adresse de ce monsieur. »

Maman devient pâle, puis rouge, mais elle s'en tire bien : « Oh vous savez, mon lieutenant, mon amie fait allusion à un type d'Asti qui venait par là les années passées, et maintenant qui sait où il est maintenant, on dit qu'on l'a emmené en Allemagne.

– Bien fait pour lui », sourit le lieutenant, et il n'insiste pas. Saluts réciproques. Sur le chemin du retour, en serrant les dents maman dit à cette inconsciente que par les temps qui courent il faut faire attention à la façon dont on parle parce que pour un rien on vous flanque un homme le dos au mur.

Gragnola. Il fréquentait l'Oratoire. Les autres l'appelaient Grêgnola, en faisant allusion à une grêle de gnons. Lui, il répondait qu'il était un homme pacifique et ses amis lui répondaient « Allez, allez, on est au courant… ». On murmurait qu'il maintenait les rapports avec les brigades garibaldiennes dans les monts – mieux : que c'était un grand chef, disaient certains, et qu'il risquait davantage en vivant au bourg que dans le maquis, parce que si un jour on le découvrait il était fusillé en deux temps trois mouvements.

Gragnola avait joué avec moi dans *Le Petit Parisien*, et après il m'avait pris en amitié. Il avait voulu m'apprendre le trésette. D'évidence, il se sentait mal à l'aise avec les adultes, et il passait de longues heures à bavarder avec moi. Peut-être était-ce sa vocation pédagogique, parce qu'il avait été enseignant. Ou peut-être savait-il qu'il disait de telles énormités, qu'à les raconter à la ronde on lui aurait donné de l'Antéchrist, et il ne pouvait se fier qu'à un jeune garçon.

Il me montrait les feuilles clandestines qui circulaient sous le manteau. Il ne me les laissait pas car, disait-il, si on prend quelqu'un avec ça, on le fusille. Ainsi, j'ai appris le massacre des Fosses Ardéatines, à Rome. « C'est pour que ces choses-là n'arrivent plus, me disait Gragnola, que nos camarades sont là-haut, sur la colline. Et les Teutons, *kaputt* ! »

Il me racontait comment les partis mystérieux, qui se manifestaient à travers ces feuilles, avaient existé avant l'avènement du fascisme, et survécu dans la clandestinité, à l'étranger, avec leurs grands chefs qui faisaient les maçons, et parfois étaient repérés par les sbires du Duce et tués à coups de matraque.

Gragnola avait enseigné je ne sais quoi dans des centres d'apprentissage, et il partait tous les matins à bicyclette, revenant au milieu de l'après-midi. Et puis il avait dû s'arrêter, certains disaient que c'était parce que dorénavant il se consacrait corps et âme aux partisans, d'autres murmuraient qu'il n'avait pas pu continuer parce qu'il était tuberculeux. Du tuberculeux, Gragnola avait tout l'aspect, un visage cendreux avec deux pommettes d'un rouge maladif, les joues caves, la toux persistante. Il montrait de mauvaises dents, il boitait et avait un soupçon de bosse, autrement dit un dos courbe, avec des omoplates qui ressortaient, et le col de sa veste restait détaché de son cou, raison pour quoi il paraissait comme ensaché dans ses vêtements. Au théâtre, on lui faisait toujours jouer les rôles du méchant, ou de gardien bancal d'une villa mystérieuse.

C'était un puits de science, tout le monde le disait, à plusieurs reprises on l'avait invité à enseigner à l'université mais lui il avait refusé par amour pour ses élèves. «Bobards», m'a-t-il expliqué ensuite. «Yambin, moi je n'ai enseigné que dans les écoles des pauvres, comme suppléant, parce qu'avec cette sale guerre je n'ai même pas pu passer ma licence. Ils m'ont envoyé à vingt ans "briser les reins à la Grèce", ils m'ont blessé au genou, et patience parce qu'on y voit peu, mais au milieu de cette boue j'ai chopé une sale maladie et depuis lors je n'ai pas fini de cracher du sang. S'il m'arrivait la Grosse-Tête entre les mains, je ne le tuerais pas parce que malheureusement je suis un lâche, mais je lui flanquerais quantité de coups de pied au cul à lui démonter l'arrière-train pour le peu, j'espère, qu'il lui reste à vivre, faux cul de Judas.»

Je lui avais demandé pourquoi il venait à l'Oratoire, vu que tout le monde disait qu'il était athée. Il m'avait répondu qu'il y venait parce que c'était le seul endroit où on pouvait voir des gens. En outre, il n'était pas athée mais anarchiste. Je ne savais pas, alors, ce qu'étaient les anarchistes et il m'a expliqué que c'étaient des gens qui voulaient la liberté, sans maîtres, sans roi, sans État et sans prêtres. «Sans État, surtout, pas comme les communistes qui, en Russie, ont un État qui leur dit même quand ils doivent aller aux chiottes.»

Il me parlait de Gaetano Bresci : pour punir le roi Humbert Ier qui avait fait massacrer les ouvriers à

Milan, il était parti de l'Amérique, où il pouvait vivre tranquille, après qu'on l'avait tiré au sort, sans billet de retour, pour aller tuer le Roi. Puis on l'avait tué lui, en prison, et on avait dit qu'il s'était pendu sous le coup du remords. Mais un anarchiste n'a jamais de remords pour les actions qu'il fait au nom du peuple. Il me parlait d'anarchistes très doux qui devaient émigrer de pays en pays, persécutés par toutes les polices, et ils chantaient *Addio Lugano bella*.

Puis il recommençait à me dire du mal des communistes, qui avaient supprimé les anarchistes en Catalogne. Je lui avais demandé pourquoi, s'il était contre les communistes, il s'entendait avec les garibaldiens, vu qu'ils étaient, eux, des communistes. Il m'avait répondu que, primo, pas tous les garibaldiens étaient communistes et parmi eux il y avait des socialistes et même des anarchistes, et deuzio qu'en ce moment l'ennemi était le nazi-fascisme, et dans des cas pareils il ne fallait pas trop finasser. « D'abord on gagne ensemble, ensuite on règle les comptes. »

Il avait ajouté qu'il allait à l'Oratoire car c'était une bonne chose. Les prêtres étaient une mauvaise race mais, comme pour les garibaldiens, parmi eux aussi il y avait des gens bien. « Surtout par les temps qui courent : les gars on sait pas où ils vont finir, jusqu'à l'année dernière on leur enseignait livre et mousqueton. À l'Oratoire au moins on ne les laisse pas glander, on les éduque à être honnêtes, même si on insiste un peu trop sur la branlette, mais n'importe, de toute façon vous la pratiquez pareil et au pire vous allez vous confesser après. Je viens donc à l'Oratoire et j'aide don Cognasso à faire jouer les petits gars. Quand on va à la messe, je reste au fond de l'église en silence, parce que Jésus-Christ moi je le respecte, même si c'est pas le cas pour Dieu. »

Un dimanche, à deux heures de l'après-midi, quand à l'Oratoire nous n'étions que deux pelés et trois tondus, je lui avais parlé de mes timbres et il m'avait dit qu'autrefois lui aussi il en faisait la collection, mais qu'au retour de la guerre il en avait perdu l'envie, et il avait tout jeté. Il lui en était resté une vingtaine, de timbres, et il me les offrait volontiers.

J'avais été chez lui et le butin était admirable parce qu'il y en avait deux des îles Fidji que j'avais convoités longtemps dans l'Yvert et Tellier.

« Mais t'as aussi l'Yvert et Tellier ? m'a-t-il demandé avec admiration.

– Oui, mais un vieux...

– C'est les meilleurs. »

Les îles Fidji. Voilà pourquoi j'avais été sous le charme de ces deux timbres à Solara. Après le cadeau de Gragnola, je les avais emportés à la maison pour les placer sur un nouveau feuillet de mon album. C'était un soir d'hiver, papa était arrivé la veille, mais déjà reparti cet après-midi-là, pour retourner en ville tant qu'on y voyait encore.

Je me trouvais dans la cuisine de la grande aile, le seul endroit chauffé de la maison car nous avions assez de bois pour la cheminée. La lumière était basse. Non qu'à Solara comptât beaucoup le black-out (qui aurait eu l'idée de nous bombarder ?), mais parce que la lumière de l'ampoule était atténuée par un abat-jour d'où pendaient comme des rangs de petites perles, presque des bijoux à offrir à des sauvages fidjiens.

Moi, assis à la table, je m'adonnais à ma collection, maman rangeait, ma sœur jouait dans un coin. La radio était allumée. Depuis peu avait pris fin la version « milanaise » de *Que se passe-t-il chez les Rossi ?*, un programme de propagande de la République de Salò, où les membres d'une même famille discutaient de politique, concluant naturellement que les Alliés étaient nos ennemis, les partisans des bandits réfractaires au recrutement par veulerie, et qu'au nord on défendait l'honneur de l'Italie aux côtés des camarades allemands. Mais il y avait, un soir sur deux, la version « romaine » où les Rossi étaient une autre famille, homonyme, qui vivait dans la Rome désormais occupée par les Alliés, et se rendait finalement compte qu'on allait mieux quand on allait plus mal, enviant les compatriotes septentrionaux restés libres sous les drapeaux de l'Axe. De la façon dont ma mère secouait la tête, on voyait qu'elle n'y croyait pas, mais le programme était fait d'une manière alerte. Ou on l'écoutait ou on éteignait la radio.

Après, cependant (et arrivait aussi mon grand-père, qui avait résisté jusqu'alors dans son bureau avec une chaufferette à ses pieds), on pouvait syntoniser, sur Radio-Londres.

Cela commençait par une série de coups de timbales, presque comme la Cinquième de Beethoven, puis on entendait le « bonsoir » persuasif du colonel Stevens à l'accent de Laurel et Hardy doublés. L'autre voix, à laquelle nous avait habitués la radio du régime, était celle de Mario Appelius qui concluait ses discours d'encouragement à la lutte victorieuse avec :

« Que Dieu supermaudisse les Anglais ! » Stevens ne supermaudissait pas les Italiens, au contraire ils les appelait à jouir avec lui des défaites de l'Axe, qu'il nous racontait soir après soir, de l'air de dire : « vous voyez ce qu'est en train de vous combiner, à vous, votre Duce ? »

Mais ses chroniques ne parlaient pas que de batailles rangées. Il décrivait notre vie à nous, les gens collés chaque nuit à la radio pour entendre la Voix de Londres, passant outre aux peurs que quelqu'un nous espionnât, et nous fît envoyer en prison. Il racontait l'histoire de ses auditeurs, nous-mêmes, et nous lui accordions notre confiance parce qu'il décrivait exactement ce que nous faisions, nous, le pharmacien du coin et – disait Stevens – jusqu'au maréchal des carabiniers qui savait tout et se taisait, sournois. Ainsi disait-il, et s'il ne mentait pas sur ce point, nous pouvions lui faire confiance quant au reste. Nous savions tous, y compris nous les gamins, que lui aussi c'était de la propagande, mais elle nous attirait, cette propagande faite à voix amortie, sans phrases héroïques ni appels à la mort. Le colonel Stevens dégonflait ces mots excessifs dont on nous gavait chaque jour.

Je ne sais pas pourquoi, mais ce monsieur – qui n'était qu'une voix – je le voyais comme Mandrake : élégant dans son frac, les fines moustaches soignées, seulement un peu plus grisonnantes que celles du magicien, capable de changer tout pistolet en une banane.

Le colonel ayant terminé, aussi mystérieux et évocateurs qu'un timbre postal du Montserrat, partaient les messages spéciaux pour les brigades des partisans : *Messages pour la Franchi, Félix cherche Félicité, La pluie a cessé, Ma barbe est blonde, Jacotin embrasse Mahomet, L'aigle vole, Le soleil se lève encore…*

Je me vois alors que je continue à adorer les timbres des Fidji, mais soudain, entre dix et onze heures, on entend un bourdonnement dans le ciel, on éteint les lumières et on court à la fenêtre attendre le passage de Pipetto. On l'entendait toutes les nuits, plus ou moins à la même heure, ou du moins ainsi le voulait désormais la légende. Qui le disait avion de reconnaissance anglais, qui un avion américain allant parachuter des paquets, nourriture et armes, aux partisans dans la montagne, et sans doute pas très loin de chez nous, sur les dorsales des Langhe.

C'est un soir sans étoiles et sans lune, on ne voit pas de lumières dans la vallée, ni les profils des collines, et au-dessus de nous passe Pipetto. Personne ne l'a jamais vu : ce n'est qu'un bruit dans la nuit.

Pipetto est passé, pour ce soir aussi tout s'est déroulé comme d'habitude, et on revient aux dernières chansons de la radio. Dans cette nuit-là peut-être Milan est-elle bombardée, les hommes pour qui travaille Pipetto sont traqués sur les crêtes par des meutes de chiens allemands, mais la radio, avec la voix d'un saxophone en chaleur, chante *Là-haut, à Capocabana, à Capocabana la femme est reine, la femme est souveraine*, et on devine une star langoureuse (peut-être en ai-je vu la photo dans *Novella*). Souple, elle descend un escalier blanc aux marches qui s'illuminent comme elle y pose le pied, entourée de jeunes gens en habit blanc qui ôtent leur haut-de-forme et s'agenouillent, adorants, à son passage. Avec Capocabana (ce n'était pas Copacabana, c'était vraiment Capocabana), la sensualissime me lance un message aussi exotique que celui de mes timbres.

Et puis les émissions prennent fin, avec les différents hymnes de gloire et de revanche. Mais on ne doit pas éteindre tout de suite, et maman le sait. Après que

la radio a donné l'impression de s'être tue jusqu'au
lendemain, on entend poindre une voix chagrinée qui
chante :

> *Tu reviendras*
> *À moi*
> *car au ciel il est écrit*
> *que tu reviendras.*
> *Tu reviendras,*
> *tu le sais*
> *que je suis forte ainsi car*
> *je crois en toi.*

J'ai réentendu cette chanson à Solara, mais c'était
une chanson d'amour qui disait *Tu reviendras à moi*
– car tu es le seul rêve – de mon cœur. – Tu reviendras
– toi car – sans tes doux baisers – il ne vivra pas. Donc
la version que j'entendais chanter ces soirs-là était
celle du temps de guerre, qui au cœur de beaucoup
devait résonner comme une promesse, ou un appel
adressé à quelqu'un d'éloigné, peut-être en train de
geler en cet instant dans une steppe ou de s'offrir à
un peloton d'exécution. Qui envoyait sur les ondes
cette chanson à cette heure de la nuit ? Un fonction-
naire nostalgique, avant de fermer la cabine de trans-
mission, ou quelqu'un qui obéissait à un ordre d'en
haut ? Nous ne le savions pas, mais cette voix nous
accompagnait au seuil du sommeil.

Il est presque onze heures, je referme l'album de
timbres, on va dormir. Maman a préparé la brique,
une véritable brique, mise au four jusqu'à brûler
presque les doigts et ne pouvoir être prise dans la
main ; on l'enroule dans des linges de laine, et on l'en-

file entre les draps pour attiédir la couche entière. Il est confortable d'y poser les pieds, pour soulager aussi la démangeaison des engelures qui, en ces années (froid, avitaminose, tempêtes hormonales), nous faisaient enfler les doigts de tous nos quatre membres, et parfois suppuraient en de très douloureuses plaies.

Le glapissement d'un chien monte d'une ferme dans la vallée.

Avec Gragnola, nous parlions de tout. Je lui racontais mes lectures et lui les discutait avec fureur : « Verne, disait-il, est mieux que Salgari, parce qu'il est scientifique. Cyrus Smith, qui fabrique de la nitroglycérine, est plus vrai que ce Sandokan qui se blesse le poitrail de ses ongles pour la seule raison qu'il a perdu la tête pour une petite conne de quinze ans.

– Tu n'aimes pas Sandokan ? lui demandais-je.

– À mon avis, il était un peu fasciste. »

Je lui avais dit que j'avais lu *Le Livre Cœur* de De Amicis, et il m'avait dit de le balancer parce que De Amicis était un fasciste. « Mais tu te rends compte, disait-il, ils sont tous contre le pauvre Franti, qui vient d'une famille malheureuse, et ils se mettent en quatre pour plaire à ce fasciste de maître. Qu'est-ce qu'ils te racontent ? L'histoire de Garrone, le brave qui était un lécheur, de la petite vedette lombarde, qui meurt parce qu'un vaurien d'officier du roi a envoyé un enfant regarder si l'ennemi arrive, du tambour sarde qu'à son âge on expédie en estafette au milieu de la bataille et puis ce dégueu de colonel, après que le pauvret avait perdu une jambe, s'est écrasé sur lui les bras ouverts, pour le baiser trois fois sur le cœur, choses qu'à un petit mutilé tout frais on ne fait pas, et, fût-il colonel de l'armée royale piémontaise, il devait avoir

un peu de bon sens. Ou du père de Coretti, qui passait à son cher fils la main encore chaude de la caresse
de ce boucher de Roi. Au mur, au mur ! C'est ceux
comme De Amicis qui ont ouvert la voie au fascisme. »

Il m'expliquait qui avaient été Socrate, et Giordano
Bruno. Bakounine aussi, dont je ne comprenais pas
bien qui il était et ce qu'il avait dit. Il me parlait de
Campanella, Sarpi, Galilée, qui avaient été jetés en
prison ou torturés par les prêtres parce qu'ils voulaient divulguer les principes de la science, et certains
avaient dû se trancher la gorge, comme Ardigò, parce
que les patrons et le Vatican leur tiraient dans les
pattes.

Comme dans le *Nouveau Melzi universel* j'avais lu
l'article Hegel (« émin. phil. all. de l'*école panthéiste* »), je lui avais demandé qui c'était donc.
« Hegel n'était pas panthéiste, et ton Melzi est un
ignorant. Le cas échéant Giordano Bruno était panthéiste. Un panthéiste dit que Dieu est partout, même
dans cette chiure de mouche que tu vois là. Tu parles
d'une satisfaction, être partout c'est comme être nulle
part. Bon, pour Hegel ce n'était pas Dieu mais l'État
qui devait être partout, c'était donc un fasciste.

– Mais n'a-t-il pas vécu il y a plus de cent ans ?

– Et qu'importe ? Jeanne d'Arc aussi, une fasciste
de la plus belle eau. Les fascistes ont toujours existé.
Depuis les temps… depuis les temps de Dieu. Prends
Dieu. Un fasciste.

– Mais toi, tu n'es pas un athée qui dit que Dieu
n'existe pas ?

– Qui l'a dit, don Cognasso qui ne comprend
jamais rien à rien ? Je crois que Dieu existe, hélas.
Seulement, c'est un fasciste.

– Mais pourquoi Dieu est un fasciste ?

– Écoute, tu es trop jeune pour que je puisse te tenir un discours de théologie. Partons de ce que tu sais. Récite-moi les dix commandements, vu qu'à l'Oratoire on vous les fait étudier par cœur. »

Je les lui récitais. « Bon, disait-il, à présent fais bien attention. Parmi ces dix commandements, il y en a quatre, fais bien attention, pas plus de quatre qui conseillent de bonnes choses – encore que même ceux-là, en somme, mais après on va les revoir. Ne tue pas, ne vole pas, ne fais pas de faux témoignages et ne convoite pas la femme d'autrui. Ce dernier est un commandement pour des hommes qui savent ce qu'est l'honneur, d'un côté ne cocufie pas tes amis, et par ailleurs tâche de garder unie ta famille, et ça, ça peut bien m'aller, l'anarchie veut aussi éliminer la famille, cependant on ne peut pas tout avoir d'un seul coup. Quant aux trois autres, d'accord, mais c'est le minimum que te conseille aussi le bon sens. Même si au fond tu dois en rabattre, on en dit tous des mensonges, et pour bien faire s'il se trouve, alors que tuer non, on ne doit pas, jamais.

– Pas même si le Roi t'envoie à la guerre ?

– Voilà le hic. Les prêtres te disent que si le Roi t'envoie à la guerre tu peux, mieux, tu dois tuer. De toute façon, il y va de la responsabilité du Roi. Comme ça on justifie la guerre, qui est une sale bête, surtout si c'est la Grosse-Tête qui t'a envoyé à la guerre. Note bien que les commandements ne disent pas que tu peux tuer à la guerre. Ils disent ne tue pas, un point c'est tout. Mais ensuite…

– Ensuite ?

– Voyons les autres commandements. Je suis le Seigneur ton Dieu. Ça, ce n'est pas un commandement, autrement il y en aurait onze. C'est le prologue. Mais c'est un prologue de filou. Essaie de comprendre : un type apparaît à Moïse, d'ailleurs il n'apparaît même pas, une voix se fait entendre et qui sait d'où elle provient, et puis Moïse va dire aux siens qu'il faut obéir aux commandements parce qu'ils viennent de Dieu. Mais qui dit qu'ils viennent de Dieu ? Cette voix : "Je suis le Seigneur ton Dieu." Et puis s'il ne l'était pas ? Imagine que je t'arrête dans la rue et te dis que je suis un carabinier en civil et que tu dois me donner dix lires d'amende parce qu'on ne peut pas passer par cette rue. Toi, si tu es malin, tu me dis : et qui m'assure que tu es un carabinier, tu es peut-être un mec qui vit en enculant les gens. Fais-moi voir ta carte. En revanche, Dieu démontre à Moïse qu'il est Dieu parce qu'il le lui dit et c'est tout. Tout commence avec un faux témoignage.

– Tu crois que ce n'était pas Dieu qui a donné les commandements à Moïse ?

– Non, je crois que c'était vraiment Dieu. Je dis seulement qu'il s'est servi d'un truc. Il a toujours fait comme ça : tu dois croire en la Bible parce qu'inspirée par Dieu, mais qui a dit que la Bible est inspirée par Dieu ? La Bible. Tu as pigé l'embrouille ? Mais poursuivons. Le premier commandement dit que tu n'auras pas d'autre Dieu en dehors de lui. Ainsi ce Seigneur t'interdit de penser, que sais-je, à Allah, à Bouddha et même à Vénus – et avoir comme déesse, disons la vérité, un pareil minou ce n'était pas si mal que ça. Mais ça veut dire aussi que tu ne dois pas croire, que sais-je, en la philosophie, en la science, et te mettre dans la tête que l'homme descend du singe. Lui seul, et c'est tout. Maintenant écoute bien : tous les autres commandements sont fascistes car ils sont faits pour t'obliger à accepter la société telle qu'elle est. Souviens-toi de sanctifier les fêtes… Qu'en dis-tu ?

– Bon, au fond il commande d'aller à la messe le dimanche, quel mal il y a ?

– C'est ce que te dit don Cognasso qui, comme tous les prêtres, ne sait même pas où se trouve sa bible. Ouvre les yeux ! Dans une tribu primitive comme celle qu'emmenait en promenade Moïse, ça signifiait que tu devais observer les rites, et les rites servent à crétiniser le peuple, depuis les sacrifices humains jusqu'aux rassemblements de la Grosse-Tête, piazza Venezia ! Et puis ? Honore ton père et ta mère. Tais-toi, ne me dis pas qu'il est juste d'obéir à ses parents, c'est bon pour les enfants qu'on doit guider. Honore ton père et ta mère veut dire respecte les idées des anciens, ne t'oppose pas à la tradition, ne prétends pas changer la manière de vivre de la tribu. T'as saisi ? Ne coupe pas la tête au Roi, comme au contraire Dieu le veut – pardon, comme au fond on le doit si la tête, la nôtre, nous l'avons sur les épaules, surtout avec un Roi comme ce nabot de Savoie qui a trahi son armée et envoyé à la mort ses officiers. Et alors tu comprends que même ne vole pas n'est pas le commandement innocent qu'il paraît, parce qu'il ordonne de ne pas toucher à la propriété privée, appartenant à qui est devenu riche en te volant. Mais si encore ça s'arrêtait là. Il manque trois commandements. Que signifie ne pas commettre d'actes impurs ? Les différents don Cognasso veulent te faire croire que ça sert seulement à t'empêcher d'agiter la chose qui te pend entre les jambes, et déranger les Tables de la Loi pour quelques branlettes, ça me semble déjà de la dissipation. Qu'est-ce que je dois faire moi qui suis un raté, ma brave femme de mère ne m'a pas fait beau, de surcroît je suis boiteux et une femme qui soit une femme je ne l'ai jamais touchée ? Et tu veux m'ôter aussi ce défoulement ? »

À cette époque je savais comment naissent les enfants mais je crois que j'avais des idées vagues sur ce qui arrivait avant. De branlées ou d'autres attouchements, j'avais entendu parler mes camarades mais je n'osais pas approfondir. Cependant je ne voulais pas avoir l'air idiot avec Gragnola. J'acquiesçais, muet, avec componction.

« Dieu pouvait dire, que sais-je, tu peux baiser, mais seulement pour faire des enfants, surtout qu'à l'époque, dans le monde, ils étaient encore trop peu nombreux. Mais les dix commandements ne le disent pas : d'un côté tu ne dois pas convoiter la femme de ton ami et de l'autre tu ne dois pas commettre d'actes impurs. En somme, quand est-ce qu'on baise ? Mais enfin, tu dois faire une loi qui aille bien pour le monde entier, les Romains qui n'étaient pas Dieu, quand ils ont fait les lois c'étaient des trucs qui vont bien encore aujourd'hui, et Dieu te bâcle à la va-vite un décalogue qui ne te dit pas les choses les plus importantes ? Tu me diras : oui, mais l'interdiction des actes impurs interdit de baiser hors mariage. Es-tu sûr que c'était vraiment comme ça ? Qu'étaient les actes impurs pour les Juifs ? Eux, ils avaient des règles très sévères, par exemple ils ne pouvaient pas manger de porc, ni même les bœufs tués d'une certaine façon et, m'a-t-on dit, les guignettes non plus. Alors les actes impurs sont toutes les choses que le pouvoir a interdites. Et lesquelles ? Toutes celles que le pouvoir a définies comme actes impurs. Il suffit d'inventer, la Grosse-Tête jugeait impur de parler mal du fascisme et il t'expédiait en relégation. Il était impur d'être célibataire, et tu payais l'impôt sur le célibat. Il était impur d'agiter un drapeau rouge. Et caetera et caetera et caetera. Et maintenant venons-en au dernier commandement, ne convoite pas le bien d'autrui. Ne t'es-tu jamais demandé pourquoi ce commandement, quand il y avait déjà ne vole pas ? Si tu désires avoir une bicyclette comme celle de ton ami, as-tu fait un péché ? Non, si tu ne la lui voles pas. Don Cognasso te dit que ce commandement interdit l'envie qui, certes, est une vilaine chose. Mais il y a une envie mauvaise, quand par exemple ton ami a une bicyclette et que tu n'en as pas, et toi tu voudrais qu'il se casse le cou lors d'une descente ; et il y a la bonne envie, quand tu désires toi aussi une bicyclette comme celle-ci et que tu te mets à travailler comme un fou pour pouvoir l'acheter ensuite, même d'occasion, et c'est la bonne envie, celle qui fait marcher le monde. Et puis il y a une autre envie, qui est l'envie de justice, quand tu ne peux pas te faire une raison que quelqu'un ait tout et que des gens meurent de faim. Et si tu ressens cette belle envie, qui est l'envie socialiste, tu te remues pour réaliser un monde où la richesse soit mieux distribuée. Mais c'est précisément ça que le commandement t'interdit : ne désire pas plus que tu n'as, respecte l'ordre de la propriété. En ce monde, il y a ceux qui ont deux champs de blé rien que pour en avoir hérité, et ceux qui y bêchent pour une bouchée de pain, et qui bêche ne doit pas convoiter le champ du maître, sinon l'État court à sa perte et nous en sommes à la révolution. Le dixième commandement interdit la révolution. Par conséquent, mon cher gars, ne tue pas et ne vole pas les pauvrets comme toi, oui, mais désire les biens que les autres t'ont soustraits. Voilà le soleil de l'avenir et c'est pour ça que nos camarades se trouvent là-haut dans la montagne, pour liquider la Grosse-Tête qui est allé au pouvoir payé par les propriétaires terriens, et les Boches d'un Hitler voulant conquérir le monde pour faire vendre plus de canons à ce Krupp qui construit des Berthas longues comme ça. Mais toi, que

comprendras-tu un jour de ces choses, toi qu'on a
élevé en te faisant apprendre par cœur je jure d'obéir
aux ordres du Duce ?

– Non, je comprends, même si je ne comprends
pas tout.

– Espérons. »

Cette nuit-là, j'ai rêvé du Duce.

Un jour nous sommes allés dans les collines. Je pensais que Gragnola me parlerait des beautés de la
nature, comme il avait fait une fois, mais ce jour-là il
ne me faisait voir que des choses mortes, bouse de
bœuf séchée où bourdonnaient les mouches, une
vrille avec du mildiou, une file de processionnaires
qui allaient faire crever un arbre, des pommes de terre
avec les germes plus gros que le tubercule, bonnes à
jeter désormais, la carcasse d'un animal abandonnée
dans un fossé, et on ne savait plus s'il s'agissait d'une
fouine ou d'un lièvre parce qu'il était déjà dans un
état de putréfaction avancée. Et il fumait une Milit
après l'autre, excellent pour la phtisie, disait-il, ça te
désinfecte les poumons.

« Tu vois, mon garçon, le monde est dominé par
le mal. Mieux, le Mal avec une majuscule. Et je ne
dis pas seulement le mal de qui assassine son voisin
pour lui voler deux sous, ou le mal des SS qui pen-
dent nos camarades. J'entends le Mal en soi, celui
par qui mes poumons sont devenus pourris, une
récolte tourne mal, une averse de grêle peut réduire
à la misère le propriétaire d'une petite vigne qui n'a
que ça pour vivre. Tu t'es jamais demandé pourquoi
il existe le Mal dans le monde, et d'abord la mort,
quand les gens aiment tellement vivre, et un beau
jour riches et pauvres, la mort les emporte, et même

enfants ? As-tu jamais entendu parler de la mort de
l'univers ? Moi qui lis, je le sais : l'univers, je veux
dire tout l'univers, les étoiles, le soleil, la Voie lactée, c'est comme une pile électrique qui marche,
marche mais en attendant se décharge, et un jour
s'épuisera. Fin de l'univers. Le Mal des maux est que
l'univers même est condamné à mort. Depuis sa naissance, pour ainsi dire. Mais est-ce là un beau monde,
un monde où existe le Mal ? N'était-ce pas mieux un
monde sans Mal ?

– Eh oui, philosophais-je.

– Certes, on dit que le monde est né par erreur, que
le monde est une maladie de l'univers qui déjà pour
sa part n'allait pas bien, et un beau jour lui pousse ce
bubon qu'est le système solaire, et nous avec lui. Mais
les étoiles, la Voie lactée et le soleil ignorent qu'ils doivent mourir et donc ils ne s'en font pas. Par contre,
de la maladie de l'univers nous sommes nés, nous qui
pour notre malheur sommes des grands malins et
avons compris qu'on doit mourir. Ainsi, non seulement nous sommes victimes du Mal, mais nous le
savons. Jouez trompettes !

– Mais que personne n'ait fait le monde, ce sont les
athées qui le disent, et toi tu dis que tu n'es pas athée…

– Je ne le suis pas parce que je n'arrive pas à croire
que toutes ces choses que nous voyons autour de
nous, et la façon dont poussent les arbres et les fruits,
et le système solaire, et notre cerveau seraient nés par
hasard. Elles sont trop bien faites. Et donc il doit y
avoir eu un esprit créateur. Dieu.

– Et alors ?

– Et alors, comment tu mets d'accord Dieu avec
le Mal ?

– Séance tenante, je ne sais pas, laisse-moi y
penser…

– Eh oui, laisse-moi y penser, qu'il dit, comme s'il n'y avait pas eu pendant des siècles et des siècles des têtes très subtiles qui y ont pensé…

– Et à quoi sont-ils arrivés ?

– À des clous ! Le Mal, ont-ils dit, a été introduit dans le monde par les anges rebelles. Mais comment ? Dieu voit et prévoit tout, et il ne savait pas que les anges rebelles se rebellaient ? Pourquoi les a-t-il créés s'il savait qu'ils se rebellaient ? Comme un qui fait les pneus d'automobile de façon qu'ils éclatent après deux kilomètres de route. Ce serait un con. En revanche non, lui les anges il les a créés, après il était heureux comme un roi, regarde un peu quel futé je suis, je sais aussi faire les anges… Puis il a attendu qu'ils se rebellent (qui sait comme il en bavait en attendant qu'ils fassent ce faux pas) et il les a précipités dans l'enfer. Mais alors c'est une hyène. D'autres philosophes ont sorti une autre pensée : le Mal n'existe pas en dehors de Dieu, il l'a au tréfonds de lui, comme une maladie, et il passe l'éternité à chercher de s'en libérer. Le pauvre, il est peut-être comme ça. Mais comme moi je sais que je suis tuberculeux, je ne mettrai jamais d'enfants au monde, afin de ne pas créer des malheureux, parce que la tuberculose passe de père en fils. Et un Dieu qui sait qu'il a cette maladie va te faire un monde qui, pour bien qu'il aille, sera dominé par le Mal ? C'est pure méchanceté. Et encore, l'un de nous peut faire un enfant sans le vouloir, parce qu'un soir il s'est laissé aller et n'a pas utilisé le gondom, mais Dieu, le monde, il l'a fait parce qu'il voulait vraiment le faire.

– Et si ça lui avait échappé, comme à quelqu'un son pipi ?

– Tu crois faire une plaisanterie, mais c'est précisément ce que d'autres cerveaux très subtils ont pensé. Le monde a échappé à Dieu comme pisser nous échappe. Le monde est un effet de son incontinence, comme un type dont la prostate a grossi.

– C'est quoi la prostate ?

– Peu importe, mettons que j'aie donné un exemple différent. Mais tu vois, que le monde lui ait échappé, que Dieu n'ait vraiment pas réussi à le retenir, et que tout ça soit l'effet du Mal qu'il traîne avec lui, c'est là l'unique manière pour excuser Dieu. Nous, nous sommes dans la merde jusqu'aux yeux mais lui non plus ne va pas mieux que nous. Alors tombent comme des poires toutes les belles choses qu'on te raconte à l'Oratoire, sur Dieu qui est le Bien, et qui est l'être de la plus haute perfection, créateur du ciel et de la terre. Il a été le créateur du ciel et de la terre précisément parce qu'il était si parfait. Et ainsi il a construit les étoiles comme une pile qui ne se recharge pas.

– Pardon, mais Dieu a dû aussi construire un monde où nous, nous sommes destinés à mourir, il l'a fait pour nous mettre à l'épreuve, et nous faire gagner le paradis, et donc le bonheur éternel.

– Ou jouir de l'enfer.

– Ceux qui cèdent aux tentations du diable.

– Tu parles comme un théologien, qui sont tous de mauvaise foi. Eux, ils disent comme toi, que le Mal existe, mais que Dieu nous a fait le plus beau cadeau du monde, notre libre arbitre. Nous pouvons librement faire ce que nous commande Dieu ou ce que nous suggère le diable, et si pour finir nous allons en enfer, c'est précisément parce que nous n'avons pas été créés comme des esclaves mais comme des hommes libres, sauf que nous avons mal utilisé notre liberté, et ça c'est notre affaire.

– Justement.

– Justement ? Mais qui t'a raconté que la liberté est un cadeau ? Autrement dit, fais attention à ne pas confondre les choses. Dans la montagne, nos camarades sont en train de combattre pour la liberté, mais c'est la liberté contre d'autres hommes qui voulaient tous nous transformer en autant de petites machines. La liberté est une belle chose entre homme et homme, toi tu n'as pas le droit de me faire penser ce que tu veux toi. Et puis nos camarades étaient libres de décider d'aller dans la montagne ou de s'embusquer quelque part. Mais la liberté que m'a donnée Dieu, c'est quelle liberté ? C'est la liberté d'aller ou au paradis ou en enfer, sans autre voie. Tu nais et tu es obligé de jouer cette partie de brisque, et si tu la perds tu souffres pour toute l'éternité. Et si moi cette partie je ne voulais pas la jouer ? La Grosse-Tête, qui au milieu de tant de mauvaises choses aura donc fait quelque chose de bon, avait interdit le jeu de hasard, car ce sont des lieux où les gens sont tentés et puis se ruinent. Et ça ne compte pas de dire qu'on est libre d'y aller ou pas. Mieux vaut ne pas induire les gens en tentation. En revanche, Dieu nous a créés libres et très faibles, exposés aux tentations. Mais c'est un cadeau, ça ? C'est comme si je te jetais du haut de cet escarpement et te disais t'inquiète, tu as la liberté de t'agripper à quelque arbuste et remonter, ou bien de débouler jusqu'à ce que tu sois réduit à de la viande hachée comme celle qu'on mange à Alba. Tu pourrais me dire : mais pourquoi tu m'as jeté en bas, j'étais si bien ici ? Et moi je te réponds : pour prouver que tu étais un brave. Belle plaisanterie. Toi, tu ne voulais pas prouver que tu étais un brave, tu étais satisfait si tu ne tombais pas.

– Maintenant tu m'embrouilles. Quelle est ton idée, alors ?

– Elle est simple, sauf que personne n'y avait
encore pensé. Dieu est méchant. Pourquoi les prêtres
te disent-ils que Dieu est bon ? Parce qu'il nous a
créés. Mais c'est bien la preuve qu'il est méchant.
Dieu n'a pas le Mal comme nous avons le mal de tête.
Dieu est le Mal. Peut-être, vu qu'il est éternel, n'était-
il pas méchant il y a des milliards d'années. Il l'est
devenu, comme ces enfants qui s'ennuient l'été et
commencent à arracher les ailes des mouches, pour
faire passer le temps. Tu vois que, si tu penses que
Dieu est méchant, tout le problème du Mal devient
très clair.

– Tous méchants, alors, Jésus aussi ?

– Ah non ! Jésus est l'unique preuve qu'au moins
nous les humains savons être bons. Pour tout dire, je
ne suis pas sûr que Jésus était le fils de Dieu, car comment pouvait naître une pareille bonne pâte d'un père
aussi méchant, je ne réalise pas. Je ne suis même pas
certain que Jésus ait vraiment existé. Peut-être
l'avons-nous inventé nous, mais c'est là le vrai
miracle : que nous soit venue à l'esprit une idée aussi
belle. Ou peut-être a-t-il existé, c'était le meilleur de
tous, et il se disait le fils de Dieu par bon cœur, pour
nous convaincre que Dieu était bon. Mais si tu lis bien
l'Évangile, tu t'aperçois que lui aussi à la fin s'était
rendu compte que Dieu était méchant : la peur le saisit au Jardin des Oliviers et il demande que s'écarte
de lui ce calice, et nib, Dieu ne l'écoute pas ; il crie
sur la croix père pourquoi m'as-tu abandonné et nib,
Dieu s'était tourné de l'autre côté. Pourtant Jésus
nous a appris ce que peut faire un homme pour remé-
dier à la méchanceté de Dieu. Si Dieu est méchant,
cherchons au moins à être bons, nous, à nous pardonner les uns les autres, à ne pas nous faire du mal,
à soigner les malades, et à ne pas nous venger des

offenses. Aidons-nous entre nous, vu que l'autre ne nous aide pas. Tu comprends combien a été grandiose l'idée de Jésus ? Et qui sait combien Dieu s'est irrité. Jésus a été le seul vrai ennemi de Dieu, autre chose que le diable, Jésus est le seul ami de nous autres pauvres chrétiens.

– Tu n'es tout de même pas un hérétique, comme ceux qu'on a brûlés…

– Je suis le seul qui a compris la vérité, seulement pour ne pas être brûlé je ne peux pas la raconter à la ronde et je ne l'ai racontée qu'à toi. Jure que tu ne le diras à personne.

– Je le jure. » Et j'avais craché par terre : « Croix de bois croix de fer – si je meurs je vais en enfer. »

Je m'étais aperçu que Gragnola portait toujours, sous sa chemise, un long étui en cuir suspendu à son cou.

« C'est quoi, Grêgnola ?

– Un bistouri.

– Tu étudiais pour être docteur ?

– J'étudiais la philosophie. Le bistouri, c'est le docteur de mon régiment en Grèce qui me l'a offert, avant de mourir. "À moi, il ne me sert plus, m'a-t-il dit, le ventre c'est cette grenade qui me l'a ouvert. Un nécessaire me servirait plutôt, de ceux qu'ont les femmes, avec fil et aiguille. Mais ce trou-là ne se coud plus. Prends ce bistouri en souvenir de moi." Et il me suit toujours.

– Pourquoi ?

– Parce que je suis un lâche. Avec ce que je fais et ce que je sais, si les SS ou les Brigades noires un jour s'emparent de moi, ils me torturent. S'ils me torturent, je parle, parce que le mal me fait peur. Et j'envoie à la mort mes camarades. Alors, s'ils me prennent, je me coupe la gorge avec le bistouri. Ça ne fait pas mal, une seconde, sguisss. Comme ça je les baise tous : les fascistes, qui n'en sauront pas plus qu'avant ; les prêtres, parce que je me suicide, et c'est un péché ; Dieu parce que je meurs quand je veux et pas quand lui l'a décidé. Comme ça, ils l'ont tous bien profond. »

Les propos de Gragnola m'inspiraient de la tristesse. Non pas parce que j'étais sûr qu'ils étaient mauvais, mais parce que je craignais qu'ils fussent bons. J'avais été tenté d'en parler avec mon grand-père, mais je ne savais pas comment il aurait pris l'histoire. Possible que lui et Gragnola ne se soient pas compris, même s'ils étaient antifascistes tous les deux. Grand-père avait réglé son problème avec le Merlo, et avec le Duce, d'une manière hilare. Grand-père avait sauvé les quatre jeunes dans la Chapelle, il s'était moqué des Brigades noires et voilà tout. Il ne fréquentait pas l'église, mais ça ne voulait pas dire qu'il fût athée, sinon il n'aurait pas fait la crèche. S'il croyait en Dieu, c'était un Dieu allègre, qui avait dû éclater d'un grand rire en voyant le Merlo qui essayait de gerber son âme – grand-père avait épargné à Dieu la peine d'envoyer le Merlo en enfer, à coup sûr après toute cette huile, il ne l'expédierait qu'au purgatoire afin de lui permettre de se libérer en paix. Gragnola vivait au contraire dans un monde étiolé par un Dieu méchant, et je l'avais vu sourire avec une certaine tendresse seulement quand il me parlait de Socrate et de Jésus. Au fond, me disais-je, deux qui avaient été assassinés, et par conséquent je ne voyais pas ce qu'il y avait de si drôle.

Et pourtant il n'était pas méchant, il aimait bien les gens qui se trouvaient autour de lui. Il n'en voulait qu'à Dieu, et ce devait être harassant car c'était comme jeter des pierres à un rhinocéros, qui ne s'en aperçoit même pas et continue de mener ses affaires de rhinocéros, alors que tu deviens rouge de rage et qu'ainsi te vient une attaque.

Quand est-ce qu'avec mes camarades j'ai commencé le Grand Jeu ? Dans un monde où tous se tiraient dessus, nous avions besoin d'un ennemi. Et nous avions choisi ceux de San Martino, le village sur le pic qui dégringolait dans le Vallon.

Le Vallon était encore pire que me l'avait décrit Amalia. Vraiment on ne pouvait y monter – pour ne rien dire de la descente – car à chaque pas on faisait un faux pas. Où il n'y avait pas de broussaille la terre s'éboulait sous tes pieds, tu voyais un fourré de robiniers ou un buisson de mûriers et juste au milieu s'ouvrait un trou, tu croyais t'être engagé dans un sentier, et c'étaient des amas de pierres surgis là par hasard, après dix enjambées tu commençais à glisser, tu t'écroulais sur un bord et tu tombais sur au moins vingt mètres. Même si tu arrivais vivant au fond parce que tu ne t'étais pas brisé les os, les ronces t'avaient crevé les yeux. En plus, on disait qu'il y avait des vipères.

Ceux de San Martino avaient une peur folle du Vallon, en raison des mâlesses aussi ; et des gens qui avaient installé San Antonino chez eux, une momie qui paraissait surgie du tombeau pour faire cailler le lait des femmes en couches, y croyaient dur aux mâlesses. C'étaient des ennemis idéaux, parce que pour nous ils étaient tous fascistes. En réalité, il n'en allait pas ainsi mais deux frères qui habitaient là avaient rejoint les Brigades noires, et dans le village restaient les deux frères plus jeunes, qui étaient les petits chefs de la bande de là-haut. En somme, le village était attaché à

ses fils en guerre et aux gens de San Martino, mur-
murait-on à Solara, il ne faut pas se fier.

Fascistes ou pas, nous disions que les garçons de
San Martino étaient mauvais comme des bêtes. Le fait
est qu'en grandissant dans un endroit aussi maudit
que San Martino tu dois en inventer une tous les jours,
si tu veux te sentir vivant. Pour l'école, il fallait qu'ils
descendent à Solara, et nous du bourg nous les regardions comme s'ils étaient des romanichels. Nombre
d'entre nous emportaient leur goûter, pain et confiture, et eux c'était bombance si on leur avait donné
une pomme avec son asticot. Bref, ils devaient tout de
même réagir et plus d'une fois ils nous avaient mas-
sacrés de pierres tandis que nous étions sur le seuil de
l'Oratoire. Il fallait le leur faire payer. On devait donc
grimper à San Martino et les attaquer quand ils
jouaient au ballon sur la place de l'église.

On ne montait à San Martino que par la route toute
droite, sans tournants, et depuis la place de l'église on
voyait si quelqu'un arrivait d'en bas. De sorte que
nous n'aurions jamais pu les prendre par surprise.
Jusqu'au moment où Durante, qui était un paysan à
la tête grosse et noire comme un Abyssin, avait dit
qu'on pouvait les prendre en montant par le Vallon.

Pour monter par le Vallon, il fallait s'entraîner.
Nous y avions mis une saison, le premier jour tu
essayais dix mètres, tu mémorisais chaque pas, chaque
anfractuosité, tu cherchais à descendre en plaçant tes
pieds où tu les avais placés en montant, et le lendemain tu t'exerçais sur les mètres suivants. De San
Martino on ne pouvait voir qui montait, et nous
avions tout le temps que nous voulions. On ne devait
pas improviser, nous devions devenir comme ces animaux qui dans le Vallon se trouvaient chez eux,
comme les couleuvres, et les lézards.

Deux d'entre nous s'étaient fait une entorse, pour un peu un autre se tuait et il s'était écorché vif les paumes pour freiner sa descente, mais à la fin nous étions les seuls au monde à savoir comment on montait par le Vallon. Un après-midi, nous nous y sommes risqués, nous avons escaladé pendant une heure et même plus, tant et si bien que nous sommes arrivés hors d'haleine, mais nous avons émergé d'une ronceraie juste à la base de San Martino, où, entre les maisons et le précipice, il y avait un sentier défendu par un muret, précisément pour que les habitants ne dégringolent pas la nuit en passant. Et juste au débouché de notre parcours le muret avait une fente, une brèche, par où on pouvait passer. Face à cette ouverture, une voie étroite donnait sur la porte du presbytère, et au bout de cette ruelle on débouchait directement sur la place de l'église.

Nous avons fait irruption sur la place au moment même où ils étaient en train de jouer à colin-maillard. Une belle attaque : un qui n'y voyait rien et les autres qui sautaient de-ci de-là, occupés à l'esquiver. Nous avons lancé nos munitions, nous en avons eu un juste au front, les autres se sont enfuis dans l'église, en demandant de l'aide au curé. Pour le moment, ça pouvait suffire, vite par la ruelle jusqu'au passage et zou dans le Vallon. Le curé a eu à peine le temps de voir nos têtes alors que nous disparaissions au milieu des arbustes, et il nous a lancé d'horribles menaces, tandis que Durante lui criait « tiens ! » en frappant sa main gauche sur son bras droit à demi plié.

Désormais ceux de San Martino s'étaient mis à ruser. Comprenant que nous montions par le Vallon, ils mettaient des sentinelles au passage. Il est vrai qu'on pouvait arriver presque sous le mur avant que les autres s'en aperçoivent, mais presque seulement : les derniers mètres étaient à découvert, au milieu d'épineux très bas qui entravaient la marche, et la sentinelle avait le temps de donner l'alarme. Les autres avaient préparé au fond de la ruelle des boules de boue séchée au soleil, et ils nous les tiraient d'en haut avant que nous puissions gagner le sentier.

C'était vraiment dommage d'avoir tant peiné pour apprendre comment on montait par le Vallon et puis devoir tout abandonner. Jusqu'au moment où Durante avait dit : «Apprenons à monter dans le brouillard. »

Comme l'automne débutait, du brouillard par là-bas il y en a autant qu'on veut. Les jours de brouillard, si c'était du meilleur, Solara disparaissait en bas, disparaissait aussi la maison de grand-père, et c'était tout juste si dans tout ce gris perçait le campanile de San Martino. Se trouver sur le campanile, c'était comme être dans un dirigeable qui va au-dessus des nuages.

Dans des cas pareils, on aurait pu déjà arriver jusqu'à la murette où le brouillard s'arrêtait, et les autres ne pouvaient rester toute la journée à regarder dans le néant, surtout quand venait l'obscurité. Mais, lorsqu'il s'entêtait, le brouillard dépassait aussi le muret et envahissait la place de l'église.

Apprendre à monter à travers le Vallon avec le brouillard était différent de la montée sous le soleil. Il fallait savoir vraiment tout par cœur, savoir dire qu'ici il y a tel gros caillou, là attention commence une ronceraie très dense, cinq pas (cinq, pas quatre ni six), plus à droite la terre s'éboule que c'est un plaisir, quand tu es parvenu au grand rocher juste à sa gauche commence le faux sentier et si tu le prends tu te paies le précipice. Et caetera.

On faisait donc des explorations par jours clairs, ensuite pendant une semaine on s'exerçait à répéter de mémoire les pas à faire. J'avais essayé de dessiner une carte, comme dans les livres d'aventures, mais la moitié de mes amis ne savaient pas comment on lit une carte. Tant pis pour eux, moi je l'avais imprimée dans ma tête, et j'aurais pu aller dans le Vallon les yeux fermés – et y aller par une nuit de brouillard revenait quasi au même.

Après que tous avaient appris le chemin, nous nous étions exercés pendant quelques jours, dans le brouillard épais, après le coucher du soleil, de façon à voir si nous réussissions à gagner la murette et quand les autres n'étaient pas encore allés souper.

Nombre d'essais plus tard, nous avons tenté la première expédition. Comment nous avons fait pour arriver là-haut, je l'ignore, mais nous y étions arrivés, précisément quand les autres, sur la place encore libre des vapeurs, se la coulaient douce – parce que dans un endroit comme San Martino, ou tu restes sur la place à ne rien faire ou tu vas au lit après avoir mangé une soupe de pain rassis et de lait.

Nous étions arrivés sur la place où nous les avions mitraillés bien comme il faut, nous les avions raillés alors qu'ils se réfugiaient dans les maisons, et nous étions redescendus. Descendre était pire que monter parce que si tu glisses en montant tu peux encore t'agripper à un arbuste, mais si tu glisses en descendant tu es fini, et avant de t'arrêter tu as les jambes en sang et le pantalon détruit à jamais. Mais nous sommes arrivés, victorieux et triomphants.

Depuis cette fois-là, nous avions risqué de nouvelles incursions, et les autres ne pouvaient placer des sentinelles dans l'obscurité, car la plupart d'entre eux en avaient peur, à cause des mâlesses. Nous, nous étions de l'Oratoire et des mâlesses nous n'avions vraiment rien à secouer, parce que nous savions qu'il suffisait de dire la moitié d'un Ave pour qu'elles restent comme paralysées. Ainsi avions-nous continué pendant quelques mois. Ensuite, nous nous étions lassés : désormais monter n'était plus un défi et nous savions le faire par n'importe quel temps.

Personne, chez moi, n'avait jamais su l'histoire du Vallon, on m'aurait copieusement rossé, et les fois où nous avions grimpé dans l'obscurité, j'avais dit que je descendais à l'Oratoire où se déroulaient les répétitions de la comédie. Mais à l'Oratoire ils le savaient tous, et nous nous rengorgions car nous étions les seuls de tout le bourg à nous être familiarisés avec le Vallon.

Il était midi, un dimanche. Il se passait quelque chose, tout le monde s'en était déjà aperçu : des Allemands dans deux camions étaient arrivés à Solara, ils avaient perquisitionné la moitié du village puis ils étaient allés vers la route qui mène à San Martino.

Un grand brouillard était descendu tôt le matin et le brouillard de jour est pire que celui de la nuit, parce qu'il fait clair et que tu dois te déplacer comme dans l'obscurité. On n'entendait même pas le son des cloches, comme si ce gris servait de silencieux. Même les voix des moineaux transis de froid dans la ramure des arbres nous parvenaient comme à travers de l'ouate. On devait procéder aux funérailles d'un quidam, ceux du corbillard ne voulaient pas s'engager le long de la route pour le cimetière et le croquemort avait envoyé dire que ce jour-là il n'enterrait personne parce qu'on aurait raté la descente de la caisse et c'est lui qui serait tombé dans la fosse.

Deux hommes du bourg avaient suivi les Allemands pour comprendre ce qu'ils voulaient, ils les avaient vus arriver à grand-peine, phares allumés, on y voyait à moins d'un mètre, jusqu'au début de la montée pour San Martino, et puis s'arrêter, sans oser poursuivre. Certes sans les camions, parce qu'ils ne savaient pas ce qu'il y avait des deux côtés de cette pente, et ils ne voulaient pas finir dans un précipice – sans doute croyaient-ils aussi qu'il y avait des tournants pleins de traîtrise. Mais à pied non plus ils ne s'y étaient pas risqués car ils ne connaissaient pas les lieux. Cependant quelqu'un leur avait expliqué qu'à San Martino on ne pouvait monter que par cette route et qu'avec ce brouillard personne ne parvenait à descendre par les autres côtés, à cause du Vallon. Alors ils avaient mis des chevaux de frise en bas de la route et ils restaient là, phares allumés, armes pointées, pour empêcher que quelqu'un passât, tandis que l'un d'eux hurlait dans un téléphone de campagne peut-être en demandant des renforts. Ceux qui épiaient avaient entendu répéter à maintes reprises *volsunde*, *volsunde*. Gragnola avait aussitôt expliqué qu'ils demandaient certainement des *Wolfshunde*, c'est-à-dire des chiens-loups.

Alors que les Allemands se trouvaient là, vers les quatre heures de l'après-midi, quand tout était encore épais mais clair, ils avaient entrevu quelqu'un qui descendait, à bicyclette. C'était le curé de San Martino, lequel faisait cette route depuis Dieu sait combien d'années, et savait descendre en freinant même avec les pieds. En voyant un prêtre, les Allemands n'avaient pas tiré parce que, comme nous l'aurions su plus tard, ils ne cherchaient pas des prêtres mais des cosaques. Le curé avait expliqué, en grande partie avec des gestes, qu'un quidam était en train de mourir dans une ferme près de Solara et voulait l'extrême-onction (il montrait tout le nécessaire dans une trousse suspendue au guidon), et les Allemands s'étaient fiés à lui. Ils l'avaient laissé passer, et le curé s'en était venu à l'Oratoire chuchoter en aparté avec don Cognasso.

Don Cognasso n'était pas de ceux qui faisaient de la politique, mais il savait le pourquoi du comment, et sans presque parler il avait dit de raconter ce qu'il y avait à dire à Gragnola et compagnie, parce que lui, dans ces histoires, il ne voulait et ne pouvait mettre le nez.

Il s'était tout de suite formé un groupe de jeunes autour de la table des parties de cartes, je m'étais glissé derrière les derniers, restant un peu recroquevillé pour ne pas me faire remarquer. Et j'écoutais le récit du curé.

Avec les troupes allemandes, il y avait un détachement de cosaques. Nous ne le savions pas, mais Gragnola était informé. Ils avaient été faits prisonniers sur le front russe, mais pour une raison à eux les Cosaques en voulaient à Staline, si bien que beaucoup d'entre eux s'étaient laissé convaincre (par l'argent, par haine envers les Soviétiques, pour ne pas pourrir dans un camp de prisonniers, ou même pour pouvoir quitter, et avec lui chariots, chevaux et famille, le paradis soviétique) de s'enrôler comme auxiliaires. La plupart d'entre eux combattaient dans les régions orientales, comme en Carnie, où on les craignait beaucoup car c'étaient des gens durs et féroces. Il y avait une division Turkestan même dans le Pavesan, et les gens les appelaient les Mongols. Des ex-prisonniers russes, encore que pas vraiment cosaques, il en circulait dans le Piémont aussi, avec les partisans.

Désormais tous savaient comment la guerre allait finir, et en outre les huit Cosaques dont on parlait

avaient leurs principes religieux. Après avoir vu brûler deux ou trois villages et pendre quelque douzaine
de pauvres gens, mieux, après que même deux d'entre
eux avaient été fusillés parce qu'ils avaient refusé de
tirer sur des vieux et des enfants, ils s'étaient dit
qu'avec les SS ils ne pouvaient plus rester. « Non seulement, expliquait Gragnola, mais si les Allemands
perdent la guerre, et désormais ils l'ont perdue, les
Américains ou les Anglais que font-ils ? Ils capturent
les Cosaques et les redonnent aux Russes, vu qu'ils
sont alliés. En Russie, ceux-là, *kaputt*. Ils cherchent
donc à se mettre avec les Alliés de sorte que, après la
guerre, ces derniers leur donnent un refuge quelque
part, hors des griffes de ce fasciste de Staline.

– En effet, disait le curé, ces huit-là ont entendu
parler des partisans, qui combattent avec les Anglais
et les Américains, et ils tentent de les rejoindre. Ils ont
leurs idées et ils se sont bien informés : ils ne veulent
pas aller avec les garibaldiens mais avec les badogliens. »

Ils avaient déserté je ne sais où, se dirigeant vers
Solara pour la seule raison que quelqu'un leur avait
dit que les badogliens se trouvaient dans le coin. Ils
avaient fait des kilomètres et des kilomètres à pied,
loin des routes, progressant uniquement de nuit et
employant donc le double de temps, mais les SS les
talonnaient de près et c'était un miracle s'ils avaient
réussi à arriver jusqu'à nous, mendiant de la nourriture dans quelque ferme, toujours en passe de tomber sur de potentiels espions, communiquant comme
ils pouvaient car tous baragouinaient un peu d'allemand, mais un seul savait l'italien.

Quand ils s'étaient aperçus que les SS les avaient
repérés et allaient les rejoindre, ils étaient montés la
veille à San Martino, se disant que de là ils pouvaient

tenir tête pendant quelques jours à un bataillon, et puis autant valait mourir en hommes courageux. Et aussi parce que quelqu'un leur avait dit que là-haut il y avait un certain Talino qui connaissait un autre qui pouvait les aider. Ils étaient désormais une bande de désespérés. À San Martino, ils étaient arrivés la nuit et ils avaient rencontré ce Talino qui cependant leur avait dit que là se trouvait une famille de fascistes, et dans un village de quelques maisons les choses venaient à se savoir tout de suite. La seule idée qui lui avait traversé l'esprit avait été de les faire se réfugier dans le presbytère. Le curé les avait écoutés, pas pour des raisons politiques, et non plus par pur bon cœur, mais parce qu'il avait compris qu'à les laisser dans la nature c'était pire que les cacher. Mais il ne pouvait les garder longtemps. Il n'avait pas assez pour donner à manger à huit personnes et il était jaune de peur car si les Allemands arrivaient, ils auraient tôt fait de perquisitionner chaque maison, presbytère compris.

« Les enfants, essayez de comprendre, disait le curé, vous avez lu vous aussi l'affiche de Kesselring, ils l'ont collée de partout. Si ceux-là, ils les trouvent chez nous, ils brûlent le village, et si ceux-là par malheur font feu, ils nous tuent tous. »

Malheureusement, l'affiche du Feld-Maréchal Kesselring nous l'avions vue nous aussi, et même sans l'affiche on savait que les SS n'y allaient pas avec le dos de la cuillère, et des villages ils en avaient déjà brûlé.

« Et alors ? avait demandé Gragnola.

– Alors, vu le brouillard qui, grâce à Dieu, nous est tombé dessus, vu que les Allemands ne connaissent pas les lieux, quelqu'un de Solara doit venir prendre

À la suite du célèbre appel adressé par le Feld-Maréchal Kesselring aux Italiens, le Feld-Maréchal en personne a donné les ordres suivants à ses propres troupes :

1. – Commencer sous la forme la plus énergique l'action contre les bandes armées de rebelles, contre les saboteurs et les criminels qui, dans tous les cas, par leurs œuvres nuisibles entravent la conduite de la guerre et troublent l'ordre et la sécurité publics.

2. – Constituer un pourcentage d'otages dans ces localités où il ressort qu'il existe des bandes armées et passer par les armes lesdits otages chaque fois que dans ces mêmes localités se produiraient des actes de sabotage.

3. – Accomplir des actes de représaille jusqu'à brûler les habitations placées dans les zones où auraient été tirés des coups d'arme à feu contre des divisions allemandes ou tout soldat en particulier.

4. – Pendre sur les places publiques ces éléments jugés responsables d'homicides ou chefs de bandes armées.

5. – Rendre responsables les habitants de ces villages où se vérifieraient des interruptions de lignes télégraphiques ou téléphoniques ainsi que des actes de sabotages concernant la circulation routière (dépôt de bris de verre, clous ou autre, sur les chaussées, endommagement de ponts, obstructions des routes).

Feld-Maréchal KESSELRING

ces sacrés Cosaques, les conduire en bas, et les emmener chez les badogliens.

– Et pourquoi nous de Solara ?

– *In primis*, pour tout vous dire, parce que si j'en parle à un de San Martino, le bruit commence à circuler et par les temps qui courent moins les bruits circulent mieux c'est. *In secundis*, parce que les Allemands tiennent la route et par là on ne passe pas. Il ne reste donc plus qu'à passer par le Vallon. »

À entendre nommer le Vallon tous s'étaient exclamés mais c'est de la pure folie, avec le brouillard qu'il y a, et pourquoi alors le Talino ne s'en charge pas, et des choses de ce genre. Mais le maudit curé, après avoir rappelé que le Talino avait quatre-vingts ans et que de San Martino il ne descendait même pas quand le soleil brillait, avait ajouté – et moi je dis : pour se venger des palpitations que nous lui avions données, nous les garçons de l'Oratoire : « Les seuls qui savent comment aller par le Vallon, même en temps de brouillard, ce sont vos petits gars. Vu qu'ils ont appris cette diablerie pour jouer les marioles, qu'au moins une fois ils mettent à juste profit leurs talents. Faites descendre les Cosaques avec l'aide d'un de vos jeunes.

– Sacrédié, avait dit Gragnola, admettons, mais ensuite quand ils sont en bas qu'est-ce qu'on fait, on les garde à Solara et lundi matin au lieu de les trouver chez vous on les trouve chez nous, comme ça c'est notre bourg qui flambe ? »

Dans le groupe, il y avait aussi Stivulu et le Gigio, les deux qui étaient allés avec mon grand-père et Masulu faire prendre son huile de ricin au Merlo, et donc eux aussi étaient en rapport avec les résistants. « Du calme, avait dit Stivulu, qui était le plus dégourdi, les badogliens sont en ce moment à Orbegno, et chez eux ni les SS ni les Brigades noires ne sont jamais arrivés, parce qu'ils se trouvent en hauteur et peuvent contrôler toute la vallée avec leurs mitrailleuses anglaises, qui sont du tonnerre. D'ici à Orbegno, même avec le brouillard, quelqu'un comme le Gigio, qui connaît la route, et avec la fourgonnette de Bercelli, qui nous a fait mettre des phares spéciaux pour le brouillard, il arrive en deux heures. Mettons même trois, parce qu'il commence déjà à faire sombre. Maintenant il est cinq heures, le Gigio est là-bas à huit heures, il les avertit, eux descendent un peu en bas et ils attendent au croisement pour Vignoletta. Ensuite la fourgonnette revient ici autour de dix heures, mettons même onze, on la cache dans le bosquet au pied du Vallon, où il y a la petite chapelle de la Madone. Quelqu'un d'entre nous, après onze heures, va par le Vallon prendre les Cosaques au presbytère, il les fait descendre, les charge dans la fourgonnette, et eux, avant le matin, ils sont déjà avec les badogliens.

– Et on fait tout ce bordel en risquant notre peau pour ces huit-là, qu'ils soient mamelouks ou kal-mouks ou mongols, et qui étaient avec les SS jusqu'à hier ? avait demandé un rouquin lequel, je crois, s'appelait Migliavacca.

– Eh, mon gars, ceux-ci ont changé d'idée, avait dit Gragnola, et c'est déjà une belle chose, mais ce sont aussi huit balèzes qui savent bien tirer et ils sont donc utiles, ça plaisante pas.

– Ils sont utiles aux badogliens, avait renchéri le Migliavacca.

– Badogliens ou garibaldiens, ce sont tous des com-battants de la liberté, et, comme on l'a toujours dit, les comptes on les fait après, pas avant. Il faut sauver les Cosaques.

– Tu as raison toi aussi. Et puis ils sont citoyens soviétiques et donc de la grande patrie du socialisme », avait dit un certain Martinengo, qui n'avait pas bien compris tout ce retournement de veste. Mais c'étaient des mois où tout pouvait arriver, comme l'histoire de Gino, qui était dans les Brigades noires, et parmi les plus fanatiques, puis il avait fui pour rejoindre les partisans et il s'était fait revoir à Solara avec le foulard rouge mais, comme c'était un fou, à cause d'une fille il était revenu quand il n'aurait pas dû, les Brigades noires l'avaient pris et ils l'avaient fusillé à Asti, un matin à l'aube.

« En somme, on peut le faire, avait dit Gragnola.

– Sauf qu'il y a un petit problème, avait dit le Migliavacca. Même le révérend l'a dit : monter par le Vallon, seuls les gamins savent, et je ne mettrais pas un petit gars dans une affaire aussi délicate. À part le bon sens, il est probable qu'après ils vont le raconter à la ronde.

– Non, avait dit le Stivulu. Par exemple il y a ici le Yambo, que vous en étiez pas aperçu mais il a déjà tout entendu. Si son grand-père sait que je dis ça, il me tue, mais le Yambo, par le Vallon, il y va comme si c'était chez lui et c'est un garçon non seulement bien prudent mais de ceux qui parlent pas, j'y mets ma main au feu, et puis chez lui en famille ils pensent comme nous et donc y a point de risques. »

J'ai eu des sueurs froides ; je me suis pris à dire qu'il était tard et qu'on m'attendait à la maison.

Gragnola m'a tiré à l'écart et il m'a dit un tas de belles choses. Que c'était pour la liberté et pour sauver huit pauvres malheureux, que même à mon âge on pouvait être un héros, qu'au bout du compte j'y avais été tant de fois dans le Vallon et cette fois n'aurait pas été différente des autres, sauf qu'il y avait huit

Cosaques à traîner derrière moi en faisant attention de ne pas les perdre en chemin, que de toute façon les Allemands se trouvaient en bas de la montée à attendre comme autant de couillons et le Vallon ils ne savaient même pas où il était, qu'il venait avec moi, tout malade qu'il fût, car face au devoir on ne recule pas, qu'on n'y allait pas à onze heures mais à minuit, quand les miens dormaient déjà tous et que je pouvais me glisser dehors sans me faire remarquer et le lendemain matin, ils me voyaient au lit comme si de rien n'était. Et ainsi de suite à m'hypnotiser.

À la fin, j'ai dit oui. Au fond, c'était une aventure qu'après je pourrais raconter autour de moi, digne d'un partisan, un de ces coups que pas même Gordon dans la forêt d'Arboria… Que pas même Tremal-Naïk dans la Jungle Noire… Mieux que Tom Sawyer dans la caverne mystérieuse… Que la Patrouille de l'Ivoire, qui ne s'était jamais aventurée à travers des jungles pareilles. Bref, ce serait devenu mon moment de gloire et c'était pour la Patrie, la bonne, pas la mauvaise. Et sans vadrouiller pour me pavaner avec bandoulières et Sten, sans armes, à mains nues comme Dick Fulmine. En somme, tout ce que j'avais lu tombait à pic maintenant. Et puis, si je devais mourir, je verrais enfin les brins d'herbe comme des poteaux.

Cependant, comme j'étais un garçon qui avait de la jugeote, j'ai mis aussitôt les choses au clair avec Gragnola. Il disait qu'à remorquer huit Cosaques on risquait de les perdre en chemin, il fallait donc une corde belle et longue pour s'attacher comme font les alpinistes, ainsi l'un suivait l'autre même s'il ne voyait pas où il allait. Moi je disais non, qu'avec une cordée si le dernier tombe il entraîne tous les autres. Par contre, il fallait emporter dix morceaux de corde : chacun tenait fermement et le bout de la corde de celui de devant et le bout de la corde de celui de derrière, mais au moins, si tu sentais que l'autre tombait, tu lâchais aussitôt de ton côté, car mieux vaut un seul que tous. T'es futé toi, disait Gragnola.

Je lui ai demandé, excité, s'il venait avec une arme et lui a dit que non, d'abord parce qu'il ne pouvait pas faire de mal à une mouche, ensuite parce que, à Dieu ne plaise, en cas d'accrochage, les Cosaques avaient des armes, et enfin, si par maudite hypothèse on le prenait, il serait sans arme et peut-être éviterait-on de le mettre tout de suite au mur.

Nous sommes allés chez le curé dire que nous étions d'accord, qu'il tînt prêts les Cosaques après une heure du matin.

Vers sept heures, je suis revenu à la maison pour souper. Le rendez-vous était pour minuit à la chapelle de la Madone, pour y arriver il fallait trois quarts d'heure d'un bon pas. « Tu as une montre ? » avait demandé Gragnola. « Non, mais à onze heures, quand ils vont tous se coucher, je me place dans la salle à manger où il y a une pendule. »

À la maison, souper la tête en feu ; après le souper, en faisant semblant d'écouter la radio et de regarder mes timbres. L'ennui, c'est qu'il y avait aussi papa : avec ce brouillard, il ne se risquait pas à retourner en ville, et il espérait pouvoir partir le lendemain matin. Cependant il est allé se coucher très tôt, et maman avec lui. Ils faisaient encore l'amour, mes parents, à cette époque, à quarante ans passés ? Ça, je me le demande à présent. La sexualité de son père et de sa mère, je crois, reste un mystère pour tout le monde, et la scène primitive est une invention de Freud. Tu parles s'ils se faisaient voir ! Mais je me souviens d'une conversation de ma mère avec quelques amies, au début de la guerre, quand

elle devait avoir dépassé de peu les quarante ans (je l'avais entendue, qui prononçait avec un optimisme forcé « au fond, la vie commence à quarante ans ») : « Ah, mon Duilio, en son temps il a été à la hauteur… » Quand ? Jusqu'à la naissance d'Ada ? Et après, mes parents ne copulaient plus ? « Dieu sait ce que me combine Duilio tout seul en ville, avec la secrétaire de son entreprise », plaisantait parfois ma mère, chez nous avec mon grand-père. Mais elle le disait pour rire. Mon pauvre papa a-t-il jamais serré la main de quelqu'un sous les bombardements, pour se donner du courage ?

À onze heures, la maison baignée de silence, je me trouvais dans la salle à manger, dans le noir. De temps en temps, je grattais une allumette pour voir la pendule. À onze heures et quart, je me glissais dehors, me dirigeant dans le brouillard vers la chapelle de la Madone.

Je prends peur. À présent ou alors ? Je vois des images qui n'ont rien à voir. Peut-être y avait-il vraiment les mâlesses. Elles m'attendaient derrière un soupçon de maquis, qu'avec le brouillard je ne pouvais distinguer : elles étaient là, d'abord insinuantes (qui a dit qu'elles apparaissaient comme des vieilles édentées ? elles avaient peut-être une jupe fendue), et puis elles auraient pointé contre moi leur mitraillette et me voilà dissous en une symphonie de trous rougeâtres. Je vois des images qui n'ont rien à voir…

Gragnola était là, et il se plaignait que je sois en retard. Je me suis aperçu qu'il tremblait. Moi pas. Moi j'étais maintenant dans mon milieu.

Gragnola m'a passé un bout de la corde, et nous avons commencé à grimper dans le Vallon.

J'avais la carte dans la tête, mais Gragnola à chaque pas disait dedieu je tombe, et moi je l'encourageais. J'étais le chef. Je savais bien comment on progresse dans la jungle si on est entouré des *thugs* de Suyodhana. J'avançais les pieds comme en suivant la partition d'une musique, je crois qu'il en va ainsi pour un pianiste – avec ses mains, bien sûr, pas avec ses pieds – et je ne ratais pas un pas. Mais lui, bien qu'il me suivît, achoppait souvent. Il toussait. Je devais me retourner et le tirer par la main. Le brouillard était épais, mais si on se plaçait à un demi-mètre l'un de l'autre on pouvait se voir. Je tirais la corde et Gragnola émergeait des vapeurs qui, d'épaisses qu'elles étaient, se raréfiaient presque d'un coup, et il m'apparaissait à l'improviste, tel un Lazare qui se libérerait de son suaire.

La montée avait duré une bonne heure, mais nous étions dans les temps. J'avais seulement recommandé à Gragnola de faire attention quand nous arriverions au rocher. Si au lieu de le contourner et de reprendre le chemin tout droit on se trompait en allant à gauche, parce qu'on sentait des cailloux sous les pieds, on finissait dans le ravin.

Nous sommes arrivés en haut, au passage du muret, alors que même San Martino était une seule chose invisible. Allons tout droit, je lui ai dit, et prenons la ruelle. Compte au moins vingt pas et nous sommes à la porte du presbytère.

À la porte nous avons frappé, comme convenu, trois coups, puis une pause, et puis trois autres coups. Le curé est venu nous ouvrir, d'une pâleur poussiéreuse comme les clématites le long d'une route, l'été. Les huit Cosaques étaient là, armés comme des brigands et effrayés comme des enfants. Gragnola a parlé avec celui qui connaissait l'italien. Il le savait assez bien, à part un accent bizarre mais, comme les gens le font avec les étrangers, Gragnola lui parlait à l'infinitif.

« Toi aller devant tes hommes et suivre moi et enfant. Toi dire à tes hommes ce que moi dire et eux faire ce que moi dire. Comprendre ?

– Je comprends, je comprends. Nous sommes prêts. »

Le curé, qui était sur le point de faire dans son froc, nous a ouvert la porte et nous a fait sortir dans la ruelle. Mais à cet instant précis on a entendu au loin, du côté où la route débouchait dans le village, des voix teutoniques et un jappement plaintif de chiens.

« Vingt dieux, a dit Gragnola, et le curé n'en a pas fait cas. Les Boches sont arrivés en haut, ils ont leurs clebs, et ceux-là, du brouillard, ils s'en tapent, ils y vont au flair. La vache de mistoufle, on fait quoi ? »

Le chef des Cosaques a dit : « Moi je sais comme ils font eux. Un chien-loup chaque cinq d'eux. Nous on va pareil, peut-être on rencontre ceux sans chien.

– Rien ne va plus, a dit en français Gragnola qui était instruit. Aller lentement. Et vous tirer seulement si moi dire. Préparer foulards ou chiffons, et autres cordes. » Puis il m'a expliqué à moi : « On se jette dans la ruelle et on s'arrête à l'angle. S'il n'y a personne, en un bond on est à la murette, et on y va. S'il arrive quelqu'un et avec les clébards, on l'a dans le cul. Au pire, on tire sur eux et sur les clébards, mais ça dépend de leur nombre. S'ils sont au contraire sans clebs, on les laisse passer, on arrive dans leur dos, on les attache et on leur bourre les chiffons dans la gueule, comme ça ils ne crient pas.

– Et puis on les laisse là ?

– Le gros malin. Non, on les emmène avec nous dans le Vallon, il n'y a rien d'autre à faire. »

Il a expliqué en hâte la chose au Cosaque et ce dernier l'a répétée à ses hommes.

Le curé nous a donné des chiffons, et des cordons d'habits sacerdotaux. Allez, allez, disait-il, et que Dieu vous protège.

On s'est engagés dans la ruelle. De l'angle on entendait les voix des Allemands provenir de la gauche, mais pas d'aboiements ni de jappements de chiens.

On s'est aplatis derrière l'angle. On en entendait deux qui s'approchaient, ils parlaient, lançaient probablement des imprécations parce qu'ils ne parvenaient pas à voir où ils allaient aboutir. « Ils ne sont que deux, a expliqué par signes Gragnola. On les laisse passer, et puis on leur tombe dessus. »

Les deux Allemands, qui avaient été envoyés en reconnaissance de ce côté tandis que les autres faisaient tourner les chiens sur la place, étaient en train d'avancer à tâtons, fusils pointés, mais ils n'avaient pas même vu l'angle de la ruelle et l'avaient dépassé. Les Cosaques s'étaient jetés vers ces deux ombres et ils avaient prouvé qu'ils savaient faire leur travail. Une seconde et les deux étaient à terre, un chiffon dans la bouche, tenus chacun par deux de ces énergumènes, alors qu'un troisième leur attachait les mains derrière le dos.

« Ça roule », a dit Gragnola. « À présent, toi, Yambo, balance leurs fusils par-dessus le muret, et vous pousser Allemands derrière nous deux, en bas par où nous aller. »

J'étais terrorisé, mais maintenant Gragnola était devenu le chef. Passer le muret a été facile, Gragnola a distribué les cordes. Sauf que, excepté le premier et le dernier, chacun devait avoir les deux mains occupées, une pour la corde de devant et l'autre pour la corde de derrière. Mais si tu dois pousser deux Allemands attachés, tu ne peux pas tenir ta corde, et pendant les dix premiers pas le groupe avait avancé par à-coups, jusqu'au moment où on s'était enfilés au milieu des premiers buissons. À ce point-là, Gragnola a tenté de réorganiser la cordée, les deux qui tiraient les Allemands avaient attaché chacun leur corde au ceinturon de son propre prisonnier, les deux qui les poussaient les tenaient par le col de la main droite, et de la gauche ils empoignaient la corde du camarade qui venait derrière. Mais, à peine avons-nous esquissé un nouveau départ, qu'un des Allemands a aussitôt trébuché et il est tombé sur son gardien qui le précédait, tirant derrière lui le gardien qui le tenait, et la chaîne s'est brisée. Les Cosaques sifflaient entre leurs dents des choses qui, chez eux, devaient être des jurons, mais ils avaient le bon sens de le faire sans crier.

Un Allemand, après la première chute, a cherché à se relever et à s'éloigner du groupe, deux Cosaques sont partis à l'aveuglette derrière lui et ils le perdaient – si ce n'était que lui aussi ne savait pas où mettre les bottes, et, après quelques pas, il avait glissé face en avant, ainsi l'avaient-ils repris. Dans la bousculade, son casque était tombé. Le chef des Cosaques a fait comprendre que nous ne devions pas le laisser ici car, si les chiens arrivaient, ils suivaient l'odeur, et ils nous trouvaient au flair. C'est alors seulement qu'on s'est aperçus que le deuxième Allemand était nu-tête. « Tudieu, a murmuré Gragnola, il a perdu son casque quand on les prenait dans la ruelle, s'ils arrivent là avec les chiens, ils ont une piste ! »

Rien à faire. En effet, nous avions encore parcouru une dizaine de mètres et d'en haut des voix nous étaient parvenues, et l'aboiement des chiens. « Ils sont arrivés, les bêtes ont mis le museau dans le casque, et elles leur dit que nous sommes passés par ici. Calme et contrôle. Primo, ils doivent repérer le passage, et si tu ne le connais pas c'est pas facile. Secundo, ils doivent descendre. Si les chiens se méfient et vont lentement, eux aussi vont lentement. Si les chiens se précipitent, eux n'arrivent pas à les suivre et ils s'affalent le cul par terre. Eux, ils ne t'ont pas toi. Yambo, avance le plus vite possible, courage.

– Je veux bien essayer, mais j'ai peur.

– Tu n'as pas peur, tu es seulement nerveux. Respire un bon coup et vas-y. »

J'étais sur le point de faire dans mon froc, comme le curé, mais je savais que tout dépendait de moi. Je serrais les dents, en cet instant j'aurais préféré être Girafon ou Jojo plutôt que Romano le légionnaire, Horace ou Clarabelle plutôt que Mickey dans la maison des fantômes, sieur Pampurio dans son appartement plutôt que Guy l'Éclair dans les marais d'Arboria, mais quand on a tiré le vin on ne peut que le boire. Je m'étais élancé dans le Vallon du plus vite que je pouvais, me répétant mentalement tous les pas.

Les deux prisonniers retardaient la marche, avec les chiffons dans la bouche ils avaient du mal à respirer et ils s'arrêtaient à chaque minute. Après un bon quart d'heure, nous étions arrivés au rocher, et je savais tellement qu'il devait être là que je l'avais touché, les mains tendues, encore avant de le voir. Il fallait tourner autour en se tenant près de lui, car si on prenait à droite on arrivait au talus et au précipice. On percevait encore distinctement les voix d'en haut, mais on ne comprenait pas si c'était parce que les Allemands criaient plus fort pour stimuler les chiens rétifs ou s'ils avaient franchi le muret et s'approchaient.

En entendant les voix de leurs camarades, les deux prisonniers cherchaient à donner des bourrades, quand ils ne tombaient pas naturellement ils faisaient semblant, essayant de rouler de côté, sans peur d'une mauvaise chute. Ils avaient compris que nous ne pouvions pas leur tirer dessus pour éviter de nous faire entendre et que, où qu'ils eussent dévalé, les chiens les auraient dénichés. Ils n'avaient plus rien à perdre et, comme ceux qui n'ont rien à perdre, ils étaient devenus dangereux.

Soudain, on a entendu des rafales. Ne parvenant pas à descendre, les Allemands avaient décidé de tirer. Mais, surtout, ils avaient devant eux le Vallon sur presque cent quatre-vingts degrés et ils ne savaient pas où nous étions allés, et donc ils tiraient dans toutes les directions. Et puis, ils ne savaient pas clairement combien le Vallon descendait à pic vers le fond, et ils canardaient presque à l'horizontale. Quand ils tiraient dans notre direction, nous entendions les balles siffler sur nos têtes.

« Allons-y, allons-y, disait Gragnola, de toute façon ils nous toucheront pas. »

Mais les premiers Allemands devaient avoir commencé à descendre, ils avaient évalué la pente du terrain, et les chiens tombaient en arrêt dans une direction précise. À présent, ils tiraient vers le bas, et plus ou moins de notre côté. On avait entendu dans les buissons les bruissements des balles qui s'abattaient près de nous.

« Pas peur, avait dit le Cosaque, je connais la *Reichweite* de *Maschinen* à eux.

– La portée de ces fusils-mitrailleurs, avait suggéré Gragnola.

– Ça, oui. Si eux ne viennent plus en bas et si nous nous allons vite, ensuite les balles n'arrivent plus sur nous. Donc presto.

– Grêgnola, ai-je dit en roulant de grosses larmes, en ressentant une grande envie de maman, moi je peux aller plus vite mais vous pas. Vous ne pouvez pas traîner derrière vous ces deux-là, il est inutile que j'aille devant comme une chèvre si, après, ils nous font perdre du temps. Laissons-les ici, sinon je jure que je prends pour mon propre compte mes jambes à mon cou !

– Si on les laisse ici, en moins de deux ils se libèrent, et appellent les leurs, a dit Gragnola.

– Moi je tue eux avec la crosse de la mitraillette, elle fait pas de bruit », a sifflé le Cosaque.

L'idée de tuer ces deux pauvres types m'avait glacé, et j'étais soulagé en entendant Gragnola qui grondait : « Ça ne sert à rien, vingt dieux, même si on les laisse morts ici, les clébards les dénichent, comme ça les autres savent le chemin qu'on a pris », et dans l'excitation il ne parlait plus à l'infinitif. « Il n'y a qu'une seule chose à faire, les précipiter en bas dans une direction qui n'est pas la nôtre, comme ça les clebs vont de leur côté et nous, on peut gagner dix minutes, et sans doute plus. Yambo, ici, à droite, il n'y a pas le faux sentier qui conduit à l'à-pic ? Bien, nous les balançons de là, tu as dit que celui qui va de ce côté ne s'aperçoit pas de l'escarpement et tombe en bas comme un rien, les clebs entraîneront les Allemands jusqu'au fond. Avant qu'eux se soient remis de cet écrabouillage, nous on est dans la vallée. Qui tombe d'ici se tue, pas vrai ?

– Non, je n'ai pas dit qu'en tombant on meurt à coup sûr. On se brise les os, et si ça se passe mal on se cogne la tête…

– Putain de merde, mais c'est quoi ça : d'abord tu dis une chose et puis une autre ? Comme ça, c'est peut-être même en tombant que ces deux-là dénouent leurs cordes, et, une fois arrivés en bas, ils ont encore

suffisamment de souffle pour crier et avertir leurs
camarades de faire gaffe !

– Donc eux doivent tomber quand ils sont déjà
morts », a commenté le Cosaque, qui savait comment
doivent aller les choses dans cette saleté de monde.

J'étais tout près de Gragnola et je pouvais voir son
visage. S'il avait jamais été pâle, il était plus pâle que
jamais. Les yeux chavirés, comme s'il cherchait son
inspiration au ciel. À cet instant, nous avons entendu
un frr frrr de balles qui nous frôlaient à hauteur
d'homme, un des Allemands a donné une bourrade à
son gardien, ils sont tombés à terre tous les deux et le
Cosaque a commencé à se plaindre parce que l'autre
le prenait à coups de boule sur les dents, jouant le tout
pour le tout et cherchant à faire du tapage. C'est à ce
moment-là que Gragnola s'est décidé, il a dit : « Ou
eux ou nous. Yambo, si je tourne à droite combien de
pas je dois faire avant le talus ?

– Dix pas, dix des miens, disons huit des tiens, et
puis si tu pousses ton pied en avant tu sens déjà la
pente. Du début de la pente au talus, il y a quatre pas.
Par prudence comptes-en trois.

– Alors, a dit Gragnola en s'adressant au chef, moi
je vais devant, deux d'entre vous poussent ces deux
Boches, tenez-les ferme par les épaules. Les autres restent ici et attendent.

– Qu'est-ce que tu veux faire ? ai-je demandé en
claquant des dents.

– Silence et tais-toi. Nous sommes en guerre.
Attends, toi aussi. C'est un ordre. »

Ils ont disparu à droite du rocher, absorbés par le
fumifugium. Nous avons attendu quelques minutes,
nous avons entendu un roulement de cailloux et des
bruits sourds, puis Gragnola et les deux Cosaques
sont réapparus, sans les Allemands.

« Allons, avait dit Gragnola, à présent on peut avancer plus vite. »

Il a mis une main sur mon bras, j'ai senti qu'il tremblait. À très courte distance, je le voyais : il était monté avec un gros pull ras du cou, et maintenant son étui au bistouri pendait sur sa poitrine, comme s'il l'avait sorti. « Qu'est-ce que t'as fait d'eux ? » ai-je demandé en pleurant.

« N'y pense pas, c'est juste comme ça. Les chiens sentiront l'odeur du sang et c'est là-bas qu'ils entraîneront les autres. On est saufs, continue. »

Et, voyant que j'avais les yeux écarquillés : « Ou eux ou nous. Deux contre dix. C'est la guerre. Continue. »

Presque une demi-heure après, nous entendions toujours là-haut des cris rageurs et des jappements, mais pas dans la direction où nous étions descendus, et de plus en plus lointains, nous sommes arrivés au fond du Vallon, sur la route. À une courte distance, la fourgonnette de Gigio attendait dans le bosquet. Gragnola a fait monter les Cosaques. « Moi je vais avec eux, pour être certain qu'ils parviennent jusqu'aux badogliens », a-t-il dit. Il essayait de ne pas me regarder, et il avait hâte de me voir partir. « Toi, tu prends par là, et tu rentres chez toi. Tu as été courageux. Tu mérites la médaille. Et ne pense pas au reste. Tu as fait ton devoir. Si quelqu'un doit être coupable de quelque chose, c'est moi et moi seulement. »

Je suis revenu à la maison tout transpirant, avec ce froid, et épuisé. Je me suis réfugié dans ma petite chambre et j'aurais voulu passer une nuit sans sommeil, mais ce fut pire, je m'assoupissais, exténué, seulement quelques minutes chaque fois, et je voyais des oncles Gaetano qui dansaient, la gorge coupée. Sans doute avais-je de la fièvre. Il faut que je me confesse, il faut que je me confesse, me disais-je.

Le pire a été le lendemain matin. J'ai dû me lever plus ou moins à l'heure des uns et des autres pour saluer papa qui partait, et maman ne comprenait pas pourquoi j'avais l'air si abruti. Quelques heures plus tard le Gigio est arrivé, qui a aussitôt confabulé avec grand-père et Masulu. Au moment où il sortait, je lui ai fait signe de me rejoindre dans la vigne, à moi il ne pouvait rien cacher.

Gragnola avait accompagné les Cosaques chez les badogliens et puis, avec le Gigio et la fourgonnette, il était rentré vers Solara. Les badogliens lui avaient dit qu'il ne pouvait aller, la nuit, désarmé : ils avaient su qu'à Solara un détachement des Brigades noires était arrivé pour prêter main-forte à leurs camarades. Ils lui avaient donné un mousqueton.

À partir du croisement de Vignoletta, entre l'aller et le retour ils avaient mis en tout trois heures. Ils avaient rapporté la fourgonnette à la ferme de Bercelli et puis ils s'étaient engagés sur la route de Solara. Ils pensaient que tout était fini, ils n'entendaient aucun bruit, et ils allaient tranquillement. Pour ce qu'on pouvait comprendre dans ce brouillard, l'aube se levait presque. Après toute cette tension, ils se redonnaient du cœur au ventre à tour de rôle, se flanquant des tapes dans le dos, et brisant le silence. Si bien qu'ils ne s'étaient pas aperçus qu'une poignée de Brigades noires se trouvaient tapis dans un fossé, et on les avait pincés juste à deux kilomètres du bourg. On les avait pris avec des armes sur eux et ils ne pouvaient pas raconter de bobards. On les avait flanqués dans une camionnette. Les Brigades noires n'étaient que cinq, deux assis devant, deux à l'intérieur qui les

gardaient à vue, et un, droit sur le marchepied anté-
rieur, pour mieux voir dans le brouillard.

On ne les avait même pas attachés, de toute façon
les deux qui les surveillaient se trouvaient assis avec
les mitraillettes sur les genoux et eux ils avaient été
jetés sur le fond comme des sacs.

À un certain point, le Gigio avait entendu un bruit
bizarre, comme si on avait lacéré un tissu, et il s'était
senti asperger le visage d'un liquide visqueux. Un des
fascistes avait entendu comme un râle, il avait allumé
une torche, et il avait vu Gragnola avec la gorge déchi-
rée, le bistouri à la main. Les deux fascistes s'étaient
mis à sacrer, ils avaient fait arrêter la camionnette et,
avec l'aide de Gigio, ils avaient traîné Gragnola sur le
bord de la route. Il était mort, maintenant, ou il allait
mourir, en répandant du sang partout. Les trois autres
étaient descendus eux aussi, et tous ensemble ils se
rejetaient la faute les uns sur les autres, ils disaient
qu'il ne devait pas crever comme ça parce que le commandement devait l'interroger, et ils les auraient tous
mis aux arrêts, imbéciles qu'ils avaient été de ne pas
attacher les prisonniers.

Tandis qu'ils hurlaient devant le corps de Gragnola,
un instant ils avaient oublié le Gigio et lui, dans cette
confusion, s'était dit à présent ou jamais. Il s'était jeté
de côté, au-delà du fossé, sachant qu'il y avait ici un
escarpement. Les autres s'étaient mis à tirailler, mais
lui il avait déjà roulé en bas telle une avalanche, et
plongé après dans un fourré. Avec ce brouillard, c'était
comme chercher une aiguille dans une meule de foin,
et les fascistes n'avaient pas intérêt à faire un grand
bordel, car il était évident que désormais ils devaient
aussi cacher le cadavre de Gragnola et retourner à leur
commandement en feignant n'avoir pris personne
cette nuit-là, pour éviter les ennuis avec leurs chefs.

Ce matin-là, une fois que les Brigades noires eurent rejoint les Allemands, Gigio avait conduit quelques amis sur le lieu de la tragédie, et, après avoir cherché un certain temps dans les fossés, ils avaient trouvé Gragnola. L'abbé de Solara ne voulait pas mettre la dépouille mortelle dans l'église, parce que Gragnola était un anarchiste et maintenant un suicidé, mais don Cognasso avait dit de l'emmener dans la petite église de l'Oratoire parce que le Seigneur, les bonnes règles, il les connaît mieux que ses prêtres.

Gragnola était mort. Il avait sauvé les Cosaques, il m'avait mis à l'abri, puis il était mort. Je savais très bien comment ça s'était passé, il me l'avait laissé prévoir trop de fois. C'était un lâche et il craignait, si on l'avait torturé, de tout dire, de donner des noms et envoyer au massacre ses camarades. Pour eux, il avait décidé de mourir. Ainsi, sguisss, comme j'étais sûr qu'il avait fait avec les deux Allemands, et peut-être au nom de la loi du talion. La mort courageuse d'un lâche. Il avait payé l'unique acte de violence de sa vie, de sorte qu'il s'était même purgé de ce remords qu'il supportait, et qui devait lui être insupportable. Il les avait tous baisés, fascistes, Allemands et Dieu d'un seul coup d'un seul. Sguisss.

Et moi j'étais vivant. Je n'arrivais pas à me le pardonner.

Même dans mes souvenirs, le brouillard s'éclaircit. Je vois à présent les partisans qui entrent victorieux à Solara, le 25 avril nous parvient la nouvelle de la libération de Milan. Les gens s'égaillent à travers les routes, les partisans tirent en l'air, ils arrivent perchés sur l'aile de leurs camionnettes. Quelques jours plus tard, je vois monter par l'allée de marronniers, à bicyclette, un soldat vêtu de vert olive. Il fait comprendre qu'il est brésilien, il s'en va joyeusement explorer cet endroit exotique. Les Brésiliens aussi étaient avec les Anglais et les Américains ? On ne me l'avait jamais dit. Drôle de guerre.

Une semaine passe, arrive le premier détachement américain. Tous des Noirs. Ils s'installent avec leurs tentes dans la cour de l'Oratoire et moi je me lie d'amitié avec un caporal catholique, qui me montre une image du Sacré-Cœur qu'il porte toujours dans sa poche poitrine. Il me donne des journaux avec des bandes dessinées de Li'l Abner et Dick Tracy, et quelques *chewing gums*, que je fais durer longtemps, ôtant le soir la boule de ma bouche et la mettant dans un verre, comme les vieux avec leur dentier. En échange, il me fait comprendre qu'il veut manger des spaghettis, et moi je l'invite à la maison, certain que Maria lui préparera même des agnolottis au jus de lièvre. Mais, comme nous arrivons, le caporal voit qu'un autre Noir est assis dans le jardin, d'un grade supérieur. Il s'excuse et s'en va, penaud.

Les Américains avaient cherché des logements décents pour leurs officiers, ils avaient demandé aussi à grand-père, et la famille avait mis à disposition une belle chambre dans l'aile gauche, précisément où Paola a fait ensuite notre chambre à coucher.

Le major Muddy est grassouillet, avec un sourire à la Louis Armstrong, et il parvient à se faire comprendre de mon grand-père ; pour le reste, il connaît quelques mots de français, la seule langue étrangère que les personnes bien éduquées, à l'époque, chez nous, connaissaient, et en français il parle avec maman et avec les autres dames du coin, qui viennent à l'heure du thé pour voir le libérateur – y compris la fasciste qui haïssait son métayer. Toutes autour d'une

table de jardin mise avec le beau service, près des dahlias. Le major Muddy répond « mersi bocou » et « oui,
màdam, moi ossi j'aime le champeign ». Il se comporte avec la complaisance accomplie d'un Noir enfin
reçu dans une maison de Blancs, et qui plus est de
bonne condition. Les dames se murmuraient regarde
quel gentleman, et dire qu'on nous les avait dépeints
comme des sauvages avinés.

Arrive la nouvelle que les Allemands se sont rendus. Hitler est mort. La guerre est finie. À Solara, on
fait une grande fête dans les rues, on s'embrasse, certains dansent au son d'un accordéon. Grand-père a
décidé qu'on retourne tout de suite en ville, même si
l'été commence, parce que de la campagne, désormais, tout le monde en a marre...

Je sors de la tragédie, au milieu d'une foule de personnes radieuses, avec l'image des deux Allemands
qui dégringolent dans le précipice et de Gragnola,
vierge et martyr, par peur, par amour et par rancœur.

Je n'ai pas le courage d'aller auprès de don
Cognasso et de confesser... quoi, au fond ? Ce que je
n'ai pas fait, et même pas vu, mais seulement deviné ?
N'ayant rien à me faire pardonner, je ne peux même
pas être pardonné. Assez pour se sentir damné à
jamais.

17. LE JEUNE HOMME AVISÉ

Oh comme j'éprouve tourment et douleur – à penser
que je vous ai offensé ô Seigneur... On me l'a apprise
à l'Oratoire, ou je l'ai chantée à mon retour en ville ?

En ville, on rallume les lumières nocturnes, les gens
se remettent à circuler dans les rues même le soir, à
boire de la bière ou à manger des glaces le long du
fleuve après le travail, on inaugure les premiers ciné-
matographes en plein air. Je suis seul, désormais sans
les amis de Solara, et je n'ai pas encore rencontré de
nouveau Gianni, que je ne reverrai qu'au début du
lycée. Je sors avec mes parents, le soir, et je me sens
mal à l'aise car je ne les tiens plus par la main sans
toutefois m'éloigner encore tout seul. À Solara, j'étais
plus libre.

On va souvent au cinéma. Je découvre de nouvelles
façons de se battre à la guerre avec *Le Sergent York*
et *La Parade de la gloire* où les claquettes de James
Cagney me révèlent l'existence de Broadway. *I'm a*
Yankee Doodle Dandy...

Les claquettes, j'étais tombé dessus dans les vieux films de Fred Astaire, mais celles de Cagney sont plus violentes, libératoires, affirmatives. Celles d'Astaire étaient divertissement, celles-ci je les ressens comme un engagement, et de fait elles sont même patriotiques. Un patriotisme qui s'exprime dans le *tap dancing* est une révélation, des claquettes au lieu de grenades explosives et de fleurs à la bouche. Et puis, la fascination de la scène comme modèle du monde et de l'inexorabilité du destin, *the show must go on.* Je m'éduque à un monde nouveau sur des *musicals* qui arrivent en retard.

Casablanca. Viktor Laszlo qui chante la *Marseillaise*… J'ai donc vécu ma tragédie du bon côté… Rick Blaine qui tire sur le major Strasser... Il avait raison Gragnola, la guerre c'est la guerre. Pourquoi Rick a dû abandonner Ilsa Lund ? On ne doit donc pas aimer ? Sam est certainement le major Muddy mais qui est Ugarte ? C'est Gragnola, couard égaré et malheureux qui à la fin sera pris par les Brigades noires ? Non, pour son ricanement sarcastique, ce devrait être le capitaine Renault, mais lui s'éloigne ensuite dans le brouillard avec Rick pour rejoindre la Résistance à Brazzaville et il va gaiement à la rencontre de son destin avec un ami...

Cependant, Gragnola ne pourra pas me suivre dans le désert. Avec Gragnola, j'ai vécu non pas le début mais la fin d'une belle amitié. Et pour sortir de mes souvenirs, je n'ai pas de lettres de transit.

Les kiosques sont pleins de journaux avec un nouveau titre et de revues provocantes, la couverture montre des petites femmes ou bien décolletées ou bien avec un chemisier tellement tendu qu'il leur

moule le téton. Des seins abondants envahissent les affiches de cinéma. Le monde renaît autour de moi en forme de mamelle. Mais aussi de champignon. Je vois la photo de la bombe qui tombe sur Hiroshima. Apparaissent les premières images de l'Holocauste. Pas encore les monceaux de cadavres qu'on a vus après, mais les photos des premiers libérés, les yeux caves, la poitrine squelettique qui montre toutes ses côtes, le coude énorme qui unit les deux baguettes du bras et de l'avant-bras. De la guerre j'ai eu jusqu'à présent des nouvelles indirectes, des chiffres, dix avions abattus, tant de morts et tant de prisonniers, des rumeurs sur les partisans de la région fusillés mais, sauf la nuit du Vallon, je n'ai jamais été exposé à la vision d'un corps avili – et pas même cette nuit-là, d'ailleurs, puisque la dernière fois que j'ai vu les deux Allemands, ils étaient encore en vie, et le reste je l'ai seulement vécu dans mes cauchemars nocturnes. Je cherche dans ces photos le visage de monsieur Levi, qui savait jouer aux billes, pourtant même s'il y était, je ne le reconnaîtrais plus. *Arbeit macht frei.*

Au cinéma, on rit des grimaces de Bud Abbott et Lou Costello. Bing Crosby et Bob Hope arrivent avec l'inquiétante Dorothy Lamour, en *saarong* d'ordonnance, voyageant vers Zanzibar ou Tombouctou (*Road to…*), et tout le monde pense, comme déjà en mille neuf cent quarante-quatre, que la vie est belle.

Je vais à bicyclette tous les midis chez un trafiquant du marché noir qui garantit pour nous les enfants, chaque jour, deux petites miches de pain blanc, le premier que nous recommençons à manger après ces baguettes jaunâtres et mal cuites que nous avons rongées pendant des années, faites d'une fibre filamenteuse (du son, disait-on) qui parfois contenait un morceau de ficelle ou même une blatte. Je vais à bicyclette prélever le symbole du bien-être qui est en train de renaître, et je m'arrête devant les kiosques. Mussolini pendu sur la piazza Loreto, et Claretta Petacci aussi, avec une épingle de nourrice piquée dans sa jupe, entre ses jambes, par une main charitable qui a voulu lui épargner la dernière honte. Célébrations de partisans tués. Je ne savais pas qu'ils en avaient tant fusillé et pendu. Apparaissent les premières statistiques sur les morts de la guerre à peine finie. Cinquante-cinq millions, dit-on. Qu'est-ce que la mort de Gragnola devant ce massacre ? Dieu serait-il vraiment méchant ? Je lis des nouvelles du procès de Nuremberg, tous pendus, sauf Goering qui s'empoisonne avec le cyanure que sa femme lui a passé en lui donnant un dernier baiser. Le carnage de Villarbasse marque le retour de la libre violence, maintenant on peut à nouveau tuer les gens par pur intérêt personnel. On les prend, tous fusillés à l'aube. On continue à fusiller, sous le signe de la paix. Condamnée, Leonarda Cianciulli qui, pendant la guerre, saponifiait ses victimes. Rina Fort massacre à coups de marteau la femme et les enfants de son amant. Un journal décrit la blancheur de son sein qui a bouleversé l'amant en question, un homme maigre aux dents cariées comme l'oncle Gaetano. Les premiers films qu'on m'emmène voir me montrent une Italie de l'après-guerre avec d'inquiétantes « mam'selles », tous les soirs sous la lanterne, comme avant. Seul dans la ville je m'en vais...

C'est lundi, matin de marché. Vers midi arrive le cousin Pieux. Comment s'appelait-il ? Pieux, c'est Ada qui l'avait inventé, elle disait que lui, au lieu de « peux », il prononçait « pieux », ce qui me semble impossible. Le cousin Pieux était un parent très éloigné, mais il nous avait connus à Solara et il ne pouvait passer en ville, disait-il, sans venir nous saluer. Nous savions tous qu'il attendait une invitation à déjeuner, car il ne pouvait pas se payer le restaurant. Je n'ai jamais compris quel genre de travail il faisait, il devait surtout en chercher un.

Je vois le cousin Pieux à table, qui sirote ses deux doigts de bouillon sans laisser perdre une goutte, le visage bronzé et creusé, ses rares cheveux soigneusement peignés en arrière, les coudes de sa veste élimés. « Tu comprends, Duilio, disait-il chaque lundi, moi je ne veux pas un travail particulier. Un emploi, dans un organisme semi-public, un salaire minimum. Une goutte me suffit. Mais chaque jour cette goutte, chaque mois trente gouttes. » Il faisait un geste genre pont des soupirs, il mimait la goutte qui tombait sur sa tête presque chauve, il se délectait à l'image de ce supplice bénéfique. Une goutte, répétait-il, mais chaque jour.

« Aujourd'hui, c'était presque fait : je suis allé parler à Carloni, tu sais celui du consortium agraire. Une autorité. J'avais une lettre de recommandation, tu sais que par les temps qui courent sans une lettre de recommandation tu es personne. Ce matin en partant, à la gare, j'ai acheté un journal ; Duilio, moi je ne fais pas de politique, j'ai demandé un journal quelconque, ensuite je l'ai pas même lu parce que dans le train on était debout et j'avais de la peine à me tenir droit. Je l'ai plié et je l'ai mis dans ma poche, comme on fait avec le journal, lu ou pas lu il est toujours bon le lendemain pour envelopper quelque chose. Je vais voir Carloni, il m'accueille tout aimable, il ouvre la lettre, mais je vois qu'il me lorgne par-dessus le feuillet. Puis il me liquide en quelques mots, il n'y a pas d'embauches en vue. Et moi, en sortant, je m'aperçois que

le journal que j'avais dans la poche était *L'Unità*. Tu
sais Duilio que je suis de l'avis du gouvernement, toujours, j'avais demandé un journal quelconque, je n'y
avais pas du tout prêté attention. L'autre a vu le journal du Parti communiste dans ma poche et il m'a
liquidé. Si j'avais plié le journal de l'autre côté, à cette
heure, peut-être… Quand on naît malchanceux…
C'est le destin. »

En ville, on a ouvert une salle de bal et le héros en
est mon cousin Nuccio, désormais réchappé du collège :
c'est maintenant un jeune homme, ou comme on dit, un
zazou (il me semblait déjà terriblement adulte quand il
fustigeait Angelo Orso). Il apparaît même en caricature
dans un hebdomadaire local, au grand orgueil des
parents, plié en mille contorsions (comme un oncle
Gaetano, mais plus articulé) dans la danse qui fait
fureur, le *boogie-woogie*. Je suis encore trop petit, je
n'ose et ne peux entrer dans cette salle, j'en ressens les
rites comme une offense à la gorge béante de Gragnola.

Nous sommes revenus juste au début de l'été, et je
m'ennuie. Je vais à bicyclette, à deux heures de
l'après-midi, dans la ville presque déserte. Je m'épuise
d'espaces, pour supporter l'ennui de ces jours étouf-
fants. Sans doute n'est-ce pas la touffeur, c'est une
grande mélancolie que je porte en moi, unique passion d'une adolescence fébrile et solitaire.

Je vais à bicyclette, sans pauses, entre deux et cinq
heures de l'après-midi. En trois heures on fait de
nombreuses fois le tour de la ville, il suffit seulement
de varier les parcours, foncer par le centre vers le
fleuve, puis prendre le boulevard de ceinture, rentrer
quand on traverse la départementale qui va vers le
sud, reprendre par la route du cimetière, obliquer à

gauche avant la gare, reparcourir le centre mais par des rues secondaires, droites et vides, entrer sur la grande place du marché, trop large, entourée de portiques toujours ensoleillés, où que tourne le soleil, lesquels, à deux heures de l'après-midi, sont plus déserts qu'un Sahara. La place est vide et on peut la traverser à bicyclette, avec la certitude que personne ne t'épie ni n'ébauche un salut de loin. C'est qu'aussi, s'il passait dans l'angle là au fond quelqu'un que tu connais, tu le verrais trop petit, comme il te voit lui, profil au halo de soleil. Et puis tu t'enroules dans la place en amples tours concentriques, comme un vautour sans charognes à viser.

Je n'erre pas au hasard, j'ai un but, mais je le manque souvent et exprès. J'ai vu au kiosque de la gare une édition, sans doute vieille de bien des années à en juger par le prix qui semble d'avant-guerre, de *L'Atlantide* de Pierre Benoit. Le livre a une couverture attirante, une vaste salle aux nombreux convives de pierre, qui me promet une histoire inouïe. Il coûte peu, mais dans ma poche j'ai juste la somme, et c'est tout. Parfois, je me risque jusqu'à la gare, je descends, je pose la bicyclette contre le trottoir, j'entre, je contemple le livre pendant un quart d'heure. Il se trouve dans une petite vitrine et je ne peux pas l'ouvrir pour entrevoir ce qu'il pourrait me donner. À la quatrième visite, le marchand de journaux me regarde avec soupçon, et il a tout le temps qu'il veut pour me surveiller parce que dans ce hall il n'y a personne, personne qui arrive, personne qui parte, personne qui attende.

La ville n'est qu'espace et soleil, piste pour ma bicyclette aux pneus troués, le livre à la gare n'est qu'une garantie que, à travers la fiction, je pourrais rentrer dans une réalité moins désespérée.

Vers les cinq heures, cette longue séduction – entre moi et le livre, entre le livre et moi, entre mon désir et la résistance de l'espace infini –, ces coups de pédale amoureux dans le vide estival, cette déchirante fugue concentrique, ont un terme : je me suis décidé, je tire de ma poche mon capital, j'achète *L'Atlantide*, je reviens à la maison et je me pelotonne pour le lire.

Antinéa, la très belle femme fatale, se présente vêtue d'un *klaft* égyptien (qu'est-ce qu'un *klaft* ? quelque chose de magnifique, sans doute, et de tentateur, qui voile et dévoile à la fois) descendant sur ses cheveux épais et ondulés, bleus à force d'être noirs, et les deux pointes de la lourde étoffe dorée atteignent ses frêles hanches.

« Elle avait une tunique de voile noir glacé d'or, très légère, très ample, resserrée à peine par une écharpe de mousseline blanche, brodée d'iris en perles noires. » Sous ces vêtements apparaît une jeune fille mince, aux longs yeux verts, avec un sourire comme on n'en a jamais vu aux Orientales. Le corps ne se discerne pas sous ces fastueux ornements diaboliques, mais la tunique est audacieusement fendue sur le côté (ah, la fente des robes), sa fine gorge est découverte, ses bras nus, et des ombres mystérieuses se devinent sous les voiles. Tentatrice et âprement virginale. Pour elle, on peut mourir.

Embarrassé, je ferme le livre quand à sept heures rentre mon père, mais lui pense simplement que je veux lui cacher le fait que j'étais en train de lire. Il observe que je lis trop et m'abîme la vue. Il dit à ma mère que je devrais sortir davantage, faire quelques beaux tours à bicyclette.

Je n'aime pas le soleil, et pourtant je le supportais bien à Solara. Ils observent que souvent je serre les yeux en plissant le nez : « On dirait que tu n'y vois pas, et ce n'est pas vrai », me grondaient-ils. J'attends les brouillards de l'automne. Pourquoi devrais-je aimer le brouillard, puisque c'est dans le brouillard du Vallon que s'est consommée ma nuit de terreur ? Parce que là aussi c'est le brouillard qui m'a protégé, me laissant encore l'extrême alibi. Il y avait du brouillard, moi je n'ai rien vu.

Avec les premiers brouillards, je retrouve mon ancienne ville, où s'effacent les espaces excessifs et somnolents. Les vides disparaissent ; et de la grisaille lentigineuse, à la lumière des réverbères, arêtes, angles, façades soudain émergent du néant. Confort. Comme dans le black-out. Ma ville a été faite, pensée, dessinée par des générations et des générations pour être vue entre chien et loup, en rasant les murs. Alors elle devient belle et protectrice.

C'est cette année-là, ou l'année suivante, qu'a paru la première bande dessinée pour adultes, *Grand Hôtel* ? La première image du premier roman-photos me tente, et me pousse à la fuite.

Rien en regard de quelque chose que j'ai découvert par la suite dans la boutique de mon grand-père, une revue française qui, en ouverture, m'a fait brûler de honte. Je l'ai soustraite, l'enfilant sous ma chemise, et zou !

Je suis à la maison, allongé sur mon lit et je la feuillette, ventre et pubis pressant contre le matelas, précisément comme le déconseillent les manuels de piété. Sur une page, assez petite mais immensément évidente, une photo de Joséphine Baker, seins nus.

Je fixe ces yeux bistrés pour ne pas voir les seins, puis mon regard se déplace, ce sont (je crois) les pre-

miers seins de ma vie, parce qu'elles n'étaient pas
comme ça, ces choses amples et flasques des femmes
kalmoukes à poil.

Une vague de miel me parcourt les veines, je sens
un arrière-goût âcre au fond de ma gorge, une pression sur le front, une pâmoison à l'aine. Je me relève,
épouvanté et moite, me demandant quel terrible mal
m'a frappé, pris dans le délice de cette liquéfaction en
un jus primordial.

Je crois que ce fut ma première éjaculation : je
pense que c'est une chose plus interdite que de couper la gorge à un Allemand. J'ai de nouveau péché, ce
soir-là dans le Vallon en étant le témoin muet du mystère de la mort, maintenant en étant l'intrus qui a
pénétré les mystères défendus de la vie.

Je suis dans un confessionnal. Un capucin ardent
m'entretient longuement sur la vertu de la pureté.

Il ne me dit rien que je n'avais déjà lu dans les petits
manuels de Solara, mais c'est peut-être après ses paroles
que je suis revenu au *Jeune Homme avisé* de don Bosco :

Même dans votre âge tendre le démon vous tend des lacs pour voler votre âme... Il sera fort utile pour vous préserver des tentations de demeurer loin des occasions, des conversations scandaleuses, des spectacles publics, où il n'y a rien de bon... Tâchez de rester toujours occupés ; quand vous ne savez pas quoi faire, ornez des calvaires, arrangez des images ou des tableautins... Et si la tentation perdure, faites le signe de la sainte croix, baisez quelque chose de bénit en disant : Louis saint, faites que je n'offense pas mon Dieu. Je vous nomme ce saint parce qu'il fut proposé par l'Église pour être le protecteur particulier de la jeunesse...

Avant tout fuyez la compagnie des personnes de sexe différent. Comprenez-moi bien : je veux dire que les jeunes hommes ne doivent jamais contracter aucun lien de familiarité avec les jeunes filles... Les yeux sont les fenêtres par où le péché fait son chemin dans notre cœur... raison pour quoi ne vous arrêtez jamais à contempler des choses qui seraient, fût-ce infimement, contraires à la modestie. Saint Louis Gonzague ne voulait même pas qu'on lui vît les pieds en se mettant au lit ou en se levant. Il ne s'autorisait pas de fixer sa mère au visage... Il demeura deux années durant avec la reine d'Espagne en qualité de page d'honneur, et il ne regarda jamais sa figure.

L'imitation de saint Louis n'est pas facile, autrement dit, le prix pour fuir les tentations paraît très élevé, vu que le jeune homme « s'étant flagellé jusqu'au sang, plaçait entre ses draps des morceaux de bois pour se tourmenter même dans le sommeil, sous ses vêtements il cachait des éperons car il n'avait pas de cilices ; il cherchait son incommodité debout, assis, en marchant… » Cependant, le confesseur me propose comme parangon de vertu Domenico Savio, au pantalon déformé à trop rester agenouillé, mais moins sanglant que saint Louis dans ses pénitences, et il m'exhorte à contempler, comme exemple de sainte beauté, le si doux visage de Marie.

Je cherche à m'enticher d'une féminité sublimée. Je chante au milieu du chœur des garçons, dans l'abside de l'église, et, pendant les promenades dominicales, dans quelque sanctuaire :

Tu te lèves plus belle que l'aurore
avec Tes rayons qui réjouissent la terre
et d'entre les astres que le ciel enserre
il n'est étoile plus belle que Toi.

Belle Tu es à l'égal du soleil,
blanche plus que la lune,
et les étoiles les plus belles
ne sont pas aussi belles que Toi.
Tes yeux sont plus beaux que la mer,
Ton front a la couleur du lys,
et Tes joues, baisées par le Fils,
sont deux roses et tes lèvres sont fleurs.

Peut-être suis-je en train de me préparer, mais je l'ignore encore, à ma rencontre avec Lila, qui devra être tout aussi inatteignable, splendide dans son Empyrée, beauté *gratia sui*, libre de la chair, capable d'occuper l'esprit sans solliciter les lombes, avec des yeux qui regardent ailleurs, vers un autre seigneur, et ne se fixent pas, malicieux, sur moi comme ceux de Joséphine Baker.

J'ai le devoir de payer dans la méditation, dans la prière et dans le sacrifice, mes péchés et les péchés de ceux qui m'entourent. De me dédier à la défense de la foi, tandis que les premières revues et les premières affiches murales commencent à me parler de la menace rouge, des Cosaques qui attendent d'abreuver leurs chevaux dans les bénitiers de Saint-Pierre de Rome. Je me demande, troublé, pourquoi donc les Cosaques, ennemis de Staline, qui avaient même combattu avec les Allemands, seraient devenus à présent ses messagers de mort, et voudraient un jour peut-être tuer aussi tous les anarchistes comme Gragnola. Je les vois très semblables au putain de nègre qui violait la Vénus de Milo, et il se peut que le dessinateur fût encore le même qui s'était recyclé pour une nouvelle croisade.

Exercices spirituels, dans un petit couvent en rase campagne. Odeur de rance du réfectoire, promenades dans le cloître avec le bibliothécaire, qui me conseille de lire Papini. Après le souper, on se rend dans le chœur de l'église, à la lumière d'un seul grand cierge, et tous ensemble on récite l'Exercice de la Bonne Mort.

Le directeur spirituel nous lit des morceaux sur la mort extraits du *Jeune Homme avisé* : nous ne savons pas où nous surprendra la mort – tu ne sais pas si elle te cueillera dans ton lit, dans ton travail, sur la route ou ailleurs, la rupture d'une veine, un catarrhe, un coup de sang, une fièvre, une plaie, un tremblement de terre, un éclair, cela suffit à te priver de vie et ce peut être d'ici à un an, à un mois, à une semaine, à une heure, et peut-être à peine terminée la lecture de cette considération. À ce moment-là, nous sentirons notre tête obscurcie, nos yeux endoloris, notre langue sèche, fermé notre gosier, notre poitrine oppressée, notre sang glacé, notre chair consumée, notre cœur transpercé. Une fois notre âme exhalée, notre corps vêtu de pauvres chiffons sera jeté pour mourir dans une fosse où les souris et les vers rongeront toutes nos chairs, et de nous il ne restera rien d'autre que quatre os dépulpés, et un peu de poussière fétide.

Ensuite la prière, une longue invocation où on énumère tous les derniers soubresauts d'un mourant, les spasmes de chaque membre, les premiers tremblements, l'apparition de la pâleur jusqu'à ce que se dessine le *facies* hippocratique et s'entende le râle final. À chaque description des quatorze phases du trépas (je ne me souviens vivement que de cinq ou six), une fois définies la sensation, la posture du corps, l'angoisse du moment, on finit par *Jésus miséricordieux, ayez pitié de moi.*

Quand mes pieds immobiles m'avertiront que ma carrière en ce monde touche à son terme, Jésus miséricordieux, ayez pitié de moi.

Quand mes mains tremblantes et engourdies ne pourront plus vous serrer, Crucifié mon bien, et que malgré moi je vous laisserai tomber sur le lit de ma douleur, Jésus miséricordieux, ayez pitié de moi.

Quand mes yeux vitreux et bouleversés par l'horreur de la mort imminente fixeront en Vous leurs regards alanguis et moribonds, Jésus miséricordieux, ayez pitié de moi.

Quand mes joues pâles et livides inspireront aux assistants la compassion et la terreur, et que mes cheveux mouillés par la sueur de la mort, se dressant sur ma tête, annonceront ma fin proche, Jésus miséricordieux, ayez pitié de moi.

Quand mon imagination agitée par d'horribles et d'épouvantables fantômes sera immergée dans de mortelles tristesses, Jésus miséricordieux, ayez pitié de moi.

Quand j'aurai perdu l'usage de tous mes sens, et que le monde entier aura disparu de moi, et que je gémirai dans les angoisses de l'extrême agonie et dans les tourments de mort, Jésus miséricordieux, ayez pitié de moi.

Psalmodier dans l'obscurité en pensant à ma mort. Ce qu'il fallait, pour ne plus penser à celle d'autrui. Je ne revis pas cet Exercice avec terreur mais avec la conscience sereine que tous les hommes sont mortels. Cette éducation à l'Être pour la Mort m'a préparé à mon destin, qui est à la fin celui de tous. En mai, Gianni a raconté l'histoire drôle de ce docteur qui conseillait des bains de sable à un malade en phase terminale. « Ils font du bien, docteur ? » « Ce n'est pas qu'ils fassent grand-chose, mais comme ça on s'habitue à demeurer sous terre. »

Maintenant, je m'habitue.

Un soir, le directeur spirituel s'est placé debout devant la sainte table, éclairé – lui, nous, la chapelle entière – d'un seul cierge qui l'auréole de lumière en lui laissant le visage dans l'obscurité. Avant de nous congédier, il a raconté un épisode. Une nuit, dans un couvent de novices, une des filles était morte, jeune, pieuse, très belle, et le lendemain matin, une fois allongée sur un catafalque dans la nef de l'église, on récitait pour elle les prières des défunts. Mais tout à coup le cadavre s'était levé, les yeux ouverts et l'index pointé vers l'officiant, et il avait prononcé d'une voix caverneuse : « Père, ne priez pas pour moi !

Cette nuit, j'ai conçu une pensée impure, une seule
– et maintenant je suis damnée ! »

Un frisson parcourt l'auditoire et se propage aux
bancs de l'église et aux voûtes, et paraît presque faire
osciller la flamme du cierge. Le directeur nous
exhorte à aller au lit, mais personne ne bouge. Une
longue file se forme devant le confessionnal, tous soucieux de ne s'abandonner au sommeil qu'après avoir
confessé fût-ce la moindre nuance de péché.

Dans le menaçant réconfort de nefs sombres,
fuyant les maux du siècle, je passe mes jours en
ardeurs glacées, où même les chants de Noël, et ce qui
avait été la crèche réconfortante de mon enfance,
deviennent la naissance de l'Enfant aux horreurs du
monde :

Dors, ne pleure pas, Jésus bien-aimé,
dors, ne pleure pas, mon Rédempteur…
Ces yeux aimables, bel enfant,
hâte-toi de les clore, dans la ténébreuse horreur.
Sais-tu pourquoi piquent la paille et le foin ?
C'est pour que veille encore la lumière de tes yeux.
Hâte-toi de les clore que le sommeil au moins
sera remède à chaque passage douloureux.
Dors, ne pleure pas, Jésus bien-aimé,
dors, ne pleure pas, mon Rédempteur.

Un dimanche, papa, mordu de foot, un peu déçu
par ce fils qui passe ses journées à s'abîmer les yeux
sur les livres, m'emmène à un match. C'est une rencontre secondaire, le stade est presque vide, moucheté
par les couleurs d'un public parsemé, taches sur les

gradins blancs brûlants sous le soleil. Le jeu s'est
arrêté à un coup de sifflet de l'arbitre, un des capi-
taines le conteste, les autres joueurs évoluent sans but
sur le terrain. Désordre de maillots de deux couleurs,
errance d'athlètes ennuyés sur le pré vert, éparpille-
ment désordonné. Tout stagne. Ce qui arrive passe
désormais au ralenti, comme dans un cinéma parois-
sial où soudain le son finit dans un miaulement, les
mouvements se font plus précautionneux, se termi-
nent en saccades sur un photogramme immobile, et
l'image se délite sur l'écran comme cire fondue.

En cet instant, je suis saisi d'une révélation.

À présent, je me rends compte que c'était la sensation douloureuse que le monde fût sans but, fruit
paresseux d'un malentendu, mais à ce moment-là j'ai
réussi à traduire ce que j'éprouvais par ces mots seulement : « Dieu n'existe pas. »

Je sors du match en proie à de lancinants remords
et je cours tout de suite me confesser. L'ardent confesseur de la dernière fois sourit maintenant, indulgent
et bienveillant, il me demande comment me peuvent
être venues des idées aussi insensées, il fait allusion à
la beauté de la nature, qui postule une volonté créa-
trice et ordonnatrice, puis il se répand sur le *consensus gentium* : « Mon enfant, d'éminents écrivains
comme Dante, Manzoni, Bernanos, Salvaneschi ont
cru en Dieu, de grands mathématiciens comme
Fantappié aussi, et toi tu veux être en reste ? » Le
consensus des gens pour l'instant me calme. Faute
devait en avoir été au match. Paola m'avait dit que je
n'avais jamais été aux matchs de foot, au maximum je
suivais à la télévision les rencontres décisives des
Mondiaux. Depuis ce jour-là, j'ai dû garder cette idée
fixe qu'à aller à un match on perd son âme.

Mais il y a d'autres façons de la perdre. Mes camarades de classe commencent à se raconter des histoires qu'ils susurrent en ricanant. Ils font des
allusions, se passent des revues et des livres qu'ils ont
dérobés chez eux, parlent de la mystérieuse Maison
Rouge où à notre âge on ne peut entrer, ils se saignent
aux quatre veines pour aller voir des films comiques
où apparaissent des femmes légères à demi vêtues. Ils
me montrent une photo d'Isa Barzizza dans tous les
détails, alors qu'elle défile pour la revue finale. Je ne
peux pas ne pas la regarder, pour qu'on ne me prenne
pas pour un bigot, je la regarde et, comme on sait, on
peut résister à tout sauf aux tentations. Furtif, j'entre
au cinéma, tôt dans l'après-midi, en espérant ne rencontrer personne de ma connaissance : dans *Les Deux
Orphelins* (avec Totò et Carlo Campanili), Isa Barzizza, accompagnée d'autres novices, au mépris des
exhortations de la mère supérieure, va prendre sa
douche, nue.

On ne voit pas les corps des novices, ce sont des
ombres derrière les rideaux de la douche. Les jeunes
filles s'adonnent à leurs ablutions comme s'il s'agissait d'une danse. Il faudrait que j'aille me confesser,

mais ces transparences me font revenir à l'esprit un
livre que j'avais aussitôt refermé à Solara, dans la
crainte de ce que je lisais. C'est *L'homme qui rit*, de
Hugo.

En ville, je ne l'ai pas, mais je suis sûr qu'il y en a
un exemplaire dans la boutique de mon grand-père.
Je le trouve et, tandis que grand-père parle à quelqu'un, je vais, blotti au pied des rayons, fébrile, à la
page interdite. Gwynplaine, horriblement mutilé par
les *comprachicos* qui en ont fait un mascaron de foire,
un rebut de la société, se voit d'un coup reconnu
comme Lord Clancharlie, héritier d'une immense
fortune, pair d'Angleterre. Avant même de comprendre tout à fait ce qui lui est arrivé, il se voit introduit, splendidement vêtu en gentilhomme, dans un
palais enchanté, et déjà la série des merveilles qu'il y
découvre (seul dans ce désert resplendissant), l'enfi-
lade des pièces et des cabinets, lui fait tourner la tête
non seulement à lui mais aussi au lecteur. Il erre de
pièce en pièce jusqu'à ce qu'il parvienne à une alcôve
où, sur le lit, à côté d'une baignoire prête pour un
bain virginal, il voit une femme nue.

Pas nue à la lettre, avertit malicieusement Hugo.
Elle était habillée. Mais d'une chemise très longue, si
impalpable qu'elle paraissait mouillée. Et ici suivent
sept pages de description de la manière dont apparaît
une femme nue, et de la manière dont elle apparaît à
l'Homme qui Rit, lequel jusqu'alors n'avait aimé chas-
tement qu'une fille aveugle. La femme lui donne l'impression d'une Vénus assoupie en l'immensité de son
écume, et se déplaçant mollement dans son sommeil
elle compose et décompose des courbes charmantes
avec les vagues mouvements de la vapeur d'eau qui,
dans le bleu du ciel, forme les nuages. Hugo commente : « La femme nue est la femme armée. »

Soudain la femme, Josiane, sœur de la reine, se réveille, reconnaît Gwynplaine, et elle commence une furibonde œuvre de séduction à quoi le malheureux ne sait désormais pas résister, sauf que la femme l'entraîne au comble du désir mais ne se donne pas encore. Elle fuse en une série de fantaisies plus chavirantes que sa nudité même, où elle se manifeste comme vierge et prostituée, impatiente de jouir non seulement des plaisirs de la tératologie que Gwynplaine lui promet, mais aussi du frisson que lui procurera le défi au monde et à la cour, perspective dont elle s'enivre, Vénus qui s'attend à un double orgasme, et de la possession privée et de l'exhibition publique de son Vulcain.

Alors que Gwynplaine est prêt à céder, arrive un message de la reine qui communique à sa sœur que l'Homme qui Rit a été reconnu comme le légitime Lord Clancharlie et lui est destiné comme mari. Josiane commente «Soit», elle se lève, elle tend la main et (passant du tu au vous) elle dit à celui avec qui elle voulait sauvagement s'unir : «Sortez.» Et elle ajoute : «Puisque vous êtes mon mari, sortez... Vous n'avez pas le droit d'être ici. C'est la place de mon amant.»

Sublime corruption – non pas de Gwynplaine, de Yambo. Non seulement Josiane me donne plus que ce que m'avait promis Isa Barzizza derrière son rideau de bain, mais elle me conquiert avec son impudeur : «... vous êtes mon mari, sortez, c'est la place de mon amant.» Possible que le péché soit si héroïquement bouleversant ?

Existent-elles, de par le monde, ces femmes comme Lady Josiane et Isa Barzizza ? M'arrivera-t-il de les rencontrer ? J'en resterai foudroyé – sguisss – juste punition pour mes imaginations ?

Elles existent, au moins à l'écran. Toujours l'après-midi, furtif, je suis allé voir *Arènes sanglantes*.

L'adoration avec laquelle Tyrone Power presse son visage contre le ventre de Rita Hayworth me persuade qu'il y a des femmes armées même si elles ne sont pas nues. À condition qu'elles soient effrontées.

Être intensément éduqué à l'horreur du péché et puis en être conquis. Je me dis que l'interdiction doit allumer l'imagination. Je décide donc que, pour fuir la tentation, il faut se soustraire aux suggestions d'une éducation à la pureté : l'une et l'autre sont des manœuvres du démon, et elles se soutiennent à tour de rôle. Cette intuition, sans doute hétérodoxe, m'a donné comme un coup de fouet.

Je me retire dans un monde tout à moi. Je cultive la musique, toujours collé à la radio dans les heures de l'après-midi, ou tôt le matin, mais parfois il y a un concert symphonique le soir. La famille voudrait écouter autre chose. « Suffit avec ces rengaines », se lamente Ada, imperméable aux muses. Un dimanche matin, je rencontre sur le corso l'oncle Gaetano, devenu vieux maintenant. Il a même perdu sa dent en or, peut-être l'a-t-il vendue pendant la guerre. Il prend avec bienveillance des nouvelles de mes études, papa lui dit que dans cette période je suis obsédé par la musique. « Ah, la musique, dit l'oncle Gaetano transporté, comme je te comprends Yambo, moi j'adore la musique. Et toute la musique, tu sais ? De n'importe quel type, il suffit que ce soit de la musique. » Il réfléchit un instant, et il ajoute : « À moins que ce soit de la musique classique. Alors j'éteins, c'est normal. »

Je suis un être exceptionnel exilé parmi les Philistins. Je m'enferme encore plus orgueilleusement dans ma solitude.

Je tombe sur l'anthologie de première au lycée, sur les vers de quelques poètes contemporains, je découvre qu'on peut s'illuminer d'immensité, rencontrer le mal de vivre, être transpercé par un rayon de soleil. Je ne comprends pas tout, mais j'aime l'idée que *cela seul nous pouvons te dire, ce que nous ne sommes pas, ce que nous ne voulons pas.*

Je trouve dans la boutique de mon grand-père une anthologie des symbolistes français. Ma tour d'ivoire. Je me fonds dans une ténébreuse et profonde unité, je cherche partout de la musique avant toute chose, j'écoute les silences, je note l'ineffable, je fixe les vertiges.

Mais pour affronter librement ces livres, il faut se libérer de beaucoup d'interdits, et je choisis le directeur spirituel dont m'avait parlé Gianni, le prêtre aux larges vues. Don Renato était allé voir *La Route semée d'étoiles*, avec Bing Crosby, où les prêtres catholiques américains sont habillés en clergymen et chantent au piano *Too-ra-loo-ra-loo-ral*, *Too-ra-loo-ra-li* à des jeunes filles en adoration.

Don Renato ne peut pas s'habiller à l'américaine, mais il appartient à la nouvelle génération des prêtres à béret, qui vont à cyclomoteur. Il ne sait pas jouer du piano mais il possède une petite collection de disques de jazz et il aime la bonne littérature. Je lui dis qu'on m'a conseillé Papini, et il me dit que le Papini le plus intéressant n'est pas celui d'après sa conversion, mais celui d'avant. Larges vues. Il me prête *Un homme fini*, sans doute en pensant que les tentations de l'esprit me sauveraient des tentations de la chair.

C'est la confession de quelqu'un qui n'a jamais été un enfant et a eu l'enfance malheureuse d'un vieux crapaud soucieux et revêche. Ce n'est pas moi, mon enfance a été (*nomen omen*) solaire. Mais je l'ai perdue, pour une seule nuit infernale. Le crapaud revêche, dont je suis en train de lire l'histoire, se sauve dans la rage de savoir, se consumant sur des volumes « avec leur côte verte et effilochée, leurs pages vastes, grand format, chiffonnées à maintes reprises, rougeâtres d'humidité, souvent déchirées à moitié ou souillées d'encre ». C'est moi, non seulement dans le grenier de Solara mais dans la vie que j'ai choisie après. Je ne suis jamais sorti des livres : je le sais à présent dans la veille continue de mon sommeil, mais je l'ai compris au moment dont j'ai à présent mémoire.

Cet homme, fini dès sa naissance, non seulement lit, mais écrit. Je pourrais écrire moi aussi pour ajouter mes monstres à ceux qui parcourent le fond des mers de leurs pattes silencieuses. Cet homme abîme ses yeux sur les pages où il couche ses obsessions avec l'encre vaseuse d'encriers au fond visqueux de cambouis, comme un café turc. Il les a abîmés depuis qu'il est gamin lisant à la lumière d'une bougie, il les a abîmés dans la pénombre des bibliothèques, les paupières rougies. Il écrit avec l'aide de verres forts, dans la crainte de devenir aveugle. Si ce n'est aveugle, il deviendra paralytique, ses nerfs sont gâtés, il ressent des douleurs et des engourdissements à une jambe, il a des mouvements involontaires des doigts, de grands élancements à la tête. Il écrit avec des lunettes épaisses qui effleurent la feuille de papier.

Moi j'y vois bien, je tourne à bicyclette, et je ne suis pas un crapaud – peut-être ai-je déjà mon sourire irrésistible, mais à quoi me sert-il ? Je ne me plains pas que les autres ne me sourient pas, c'est que je ne trouve pas de raisons pour sourire aux autres...

Je ne suis pas comme l'homme fini, mais je voudrais le devenir. Faire de sa furia bibliomaniaque ma possibilité d'une fuite non conventuelle du monde. Me construire un monde tout à moi. Mais moi je ne me dirige pas vers une conversion, plutôt j'en viens. Cherchant une foi alternative, je m'énamoure des décadents. Frères, tristes lys, je languis de beauté... Je deviens un eunuque byzantin qui regarde passer les grands Barbares blancs en composant des acrostiches indolents, j'installe, par la science, l'hymne des cœurs spirituels, dans l'œuvre de ma patience je parcours atlas, herbiers et rituels.

Je peux penser encore à l'éternel féminin, mais à la condition qu'il soit effaré par l'artifice et par quelque pâleur malade. Je lis, et je m'enflamme, tout dans la tête :

Cette mourante, dont il touchait le vêtement, le brûlait comme la plus ardente des femmes. Il n'y avait pas de bayadère aux bords du Gange, pas d'odalisque dans les baignoires de Stamboul, il n'y aurait point eu de bacchante nue dont l'étreinte eût fait plus bouillonner la

moelle de ses os que le contact, le simple contact de cette
main frêle et fiévreuse dont on sentait la moiteur à tra-
vers le gant qui la couvrait.

Je ne dois même pas le confesser à don Renato.
C'est de la littérature, et je peux la fréquenter, me par-
lât-elle de nudités perverses et d'ambiguïtés androgynes. Suffisamment loin de mon expérience pour
que je puisse céder à leur séduction. C'est du verbe,
pas de la chair.

Vers la fin des deux années de lycée, le hasard me
met entre les mains *À rebours* de Huysmans. Son
héros, des Esseintes, vient d'une ancestrale famille de
guerriers robustes et monotones, aux moustaches en
yatagan, mais par degrés les portraits des ancêtres laissent entrevoir un ultérieur appauvrissement de la race,
exténuée par de trop nombreux mariages consan-
guins : ses ancêtres apparaissent déjà imprégnés d'un
sang amoindri, ils montrent des traits efféminés, des
visages anémiés et nerveux. De ces maux ataviques,
des Esseintes naît marqué : il a une enfance funèbre
menacée de scrofule et de fièvres persistantes, sa mère,
longue, silencieuse et blanche, toujours ensevelie dans
une chambre sombre d'un de leurs châteaux, à la
lumière blafarde d'un abat-jour qui la défend d'un
excès de clarté et du bruit, meurt quand il a dix-sept
ans. Le garçon, abandonné à lui-même, feuillette des
livres et, dans les jours de pluie, erre à travers la campagne. «Sa grande joie était de descendre dans le vallon, de gagner Jutigny», un village planté au pied des
collines. Dans le Vallon. Il se couche au milieu des
prés, il écoute le bruit sourd des moulins à eau, puis

il grimpe sur les côtes d'où il voit la vallée de la Seine, qui fuit à perte de vue se confondant avec le bleu du ciel, les églises et la tour de Provins qui semblent trembler, au soleil, dans la pulvérulence dorée de l'air.

Il lit et rêve, il s'abreuve de solitude. Adulte, déçu par les plaisirs de la vie et par la mesquinerie des hommes de lettres, il rêve d'une thébaïde raffinée, d'un désert confortable, d'une arche immobile et tiède. Il construit ainsi son ermitage, tout à fait artificiel où, dans la pénombre aqueuse de vitraux qui le séparent du spectacle obtus de la nature, il transforme la musique en saveurs et les saveurs en musique, il s'extasie sur le latin bègue de la décadence, il effleure de ses doigts exsangues des dalmatiques et des pierres dures, il fait enchâsser sur la carapace d'une tortue vivante des saphirs, des turquoises d'Occident, des hyacinthes de Compostelle, rouge acajou, des aigues-marines, vert glauque, et des rubis de Sudermanie, ardoise pâle.

D'entre tous les chapitres, j'aime celui où des Esseintes décide de sortir pour la première fois de chez lui pour visiter l'Angleterre. Lui donne envie le temps brumeux qu'il voit alentour, la voûte céleste qui s'étend tout égale devant ses yeux comme une taie saumâtre. Pour se sentir en harmonie avec le lieu où il ira, il choisit une paire de chaussettes couleur feuille-morte, un complet gris souris, quadrillé de gris lave et pointillé de martre, il se coiffe d'un petit melon, prend une valise à soufflet, un sac de nuit, un carton à chapeaux, des parapluies et des cannes, et il se met en route pour la gare.

Mais arrivé déjà épuisé à Paris, il roule en voiture dans la cité pluvieuse en attendant l'heure du départ.

Les becs de gaz qui clignotent dans le brouillard au milieu d'un halo jaunâtre lui suggèrent déjà un Londres sous la même pluie, colossal, immense, au goût ferrugineux, fumant dans la brume, avec ses enfilades de *docks*, de grues, de cabestans, de ballots. Puis il passe le seuil d'une sorte de taverne, un pub fréquenté par des Anglais, entre des rangées de barriques armoriées d'un blason royal, aux tables couvertes de biscuits Palmers, de gâteaux salés et secs, de *mince pies* et de sandwichs, et il a un avant-goût de la théorie de vins exotiques que la salle lui offre, *Old Port, Magnificent Old Regina, Cockburn's Very Fine...* Autour de lui sont assis des Anglais : pâles ecclésiastiques, trognes de tripiers, colliers de barbe pareils à ceux de quelques grands singes, cheveux d'étoupe. Il s'abandonne, au son de voix étrangères, dans ce Londres fictif, en entendant les remorqueurs hurler sur le fleuve.

Il sort tout étourdi, le ciel s'est maintenant abaissé à toucher le corps des maisons, les arcades de la rue de Rivoli lui apparaissent comme un morne tunnel creusé sous la Tamise, il entre dans une autre taverne où, sur le comptoir, se dressent les pompes à tirer les bières, il observe de robustes Anglo-Saxonnes aux dents larges comme des palettes, aux mains et aux pieds très longs, qui s'acharnent sur un pâté de viande cuit dans une sauce aux champignons et revêtu d'une croûte, comme un gâteau. Il commande un *oxtail*, un *haddock*, du *roastbeef*, deux pintes d'*ale*, il chipote un bout de Stilton, termine par un verre de *brandy*.

Alors qu'il demande l'addition, la porte de la taverne s'ouvre et des gens entrent qui apportent avec eux une odeur de chien mouillé et de fumée de houille. Des Esseintes se demande pourquoi traverser la Manche : au fond, il a déjà été à Londres, il en a

flairé les parfums, goûté les nourritures, vu les ustensiles caractéristiques, il est saturé de vie britannique.
Il commande au cocher de le reconduire à la gare de
Sceaux, et il revient avec ses valises, ses paquets, ses
couvertures et ses parapluies dans son refuge habi-
tuel, « ressentant l'éreintement physique et la fatigue
morale d'un homme qui rejoint son chez soi, après un
long et périlleux voyage ».

C'est ainsi que je deviens : même par les jours de
printemps, je peux me déplacer dans un brouillard
utérin. Mais seule la maladie (et le fait que la vie me
refuse) pourrait pleinement justifier mon refus de la
vie. Je dois me prouver à moi-même que ma fuite est
bonne, et vertueuse.

Je me découvre donc infirme. J'ai entendu dire que
les maladies de cœur se révèlent à travers la couleur
violette des lèvres, et ma mère, précisément à cette
époque-là, accuse des troubles cardiaques. Sans doute
pas graves, mais elle y entretient plus qu'on ne doit la
famille entière, à la limite de l'hypocondrie.

Un matin, en m'observant dans la glace, je me vois
avec des lèvres violacées. Descendu dans la rue, je me
mets à courir comme un dératé : je halète, et je ressens des pulsations anormales dans la poitrine. Je suis
donc malade du cœur. Voué à la mort, comme
Gragnola.

Cette maladie cardiaque devient mon amertume.
J'en épie les progrès, voyant mes lèvres de plus en plus
sombres, mes joues de plus en plus amaigries, tandis
que les premières floraisons de l'acné juvénile donnent à mon visage des rougeurs morbides. Je mourrai
jeune, comme saint Louis Gonzague et Domenico
Savio. Mais, dans un sursaut de mon esprit, j'ai len-

tement reformulé mon Exercice de la Bonne Mort :
peu à peu j'ai abandonné le cilice pour la poésie.
   Je vis dans d'éblouissants crépuscules :

Un jour viendra : je sais
Où ce sang ardent
D'un coup manquera,
où ma plume aura
un craquement strident
… et alors je mourrai.

   Je suis en train de mourir, non plus parce que la vie
est méchante, mais parce que dans sa folie elle est
banale, et répète péniblement ses rituels de mort.
Pénitent laïc, mystique logorrhoïque, je me convaincs
que la plus belle de toutes est l'île non trouvée, qui
apparaît parfois, mais seulement de loin, entre
Ténériffe et Palma :

Ils rasent de leurs proues cette bienheureuse rive :
parmi des fleurs jamais vues, des hauts palmiers
debout,
embaume la divine forêt dense et vive
pleure la cardamome, suintent les caoutchoucs…
Telle une courtisane, avec son parfum elle s'annonce,
l'Île Non-Trouvée… Mais si le pilote avance,
vivement elle se dissipe comme vaine apparence,
elle se teint d'azur couleur de distance.

   La foi en l'insaisissable me permet de clore ma
parenthèse pénitentielle. Une vie de jeune homme

avisé m'avait promis, comme récompense, celle qui était belle à l'égal du soleil et pâle comme la lune. Mais une seule pensée impure pourrait me la soustraire à jamais. L'Île Non-Trouvée, par contre, demeure, en tant qu'hors d'atteinte, toujours mienne.

Je m'éduque à ma rencontre avec Lila.

18. BELLE TU ES À L'ÉGAL DU SOLEIL

Lila aussi est née d'un livre. J'allais entrer au lycée, au seuil de mes seize ans, et chez mon grand-père je suis tombé sur le *Cyrano de Bergerac* de Rostand. Pourquoi n'était-il pas à Solara, au grenier ou dans la Chapelle, je l'ignore. Peut-être l'ai-je tellement lu et relu qu'il aura fini en papillotes. Maintenant, je pourrais le réciter par cœur.

L'histoire, tout le monde la connaît, je crois que si on m'avait interrogé sur *Cyrano* même après l'accident, j'aurais su dire de quoi il s'agissait, un bon gros drame de romantisme exaspéré, que les compagnies en tournée reproposent de temps en temps. Mais j'aurais su dire ce que tout le monde sait. Le reste non, je ne le redécouvre qu'à présent, comme une chose liée à ma croissance, et à mes premiers tremblements amoureux.

Cyrano est un admirable bretteur, un poète génial, mais il est laid, accablé par son nez monstrueux (*On pouvait dire... par exemple, tenez : – Agressif : «Moi, monsieur, si j'avais un tel nez, – Il faudrait sur-le-champ que je me l'amputasse !» – Amical : «Mais il doit tremper dans votre tasse ! – Pour boire, faites-vous fabriquer un hanap !* » – Descriptif : «*C'est un roc ! c'est un pic ! c'est un cap ! – Que dis-je, c'est un cap ?… C'est une péninsule !* »).

Cyrano aime sa cousine Roxane, précieuse de divine beauté (*J'aime… mais c'est forcé !… la plus belle qui soit !*). Peut-être l'admire-t-elle pour son courage, mais lui il n'oserait jamais se déclarer, par crainte de sa laideur. Une seule fois, quand elle lui demande un entretien, il espère que quelque chose puisse advenir, mais la désillusion est cruelle : elle avoue être amoureuse du très beau Christian, à peine entré aux cadets de Gascogne, et elle prie son cousin de le protéger.

Cyrano accomplit l'extrême sacrifice et il décide d'aimer Roxane en lui parlant avec les lèvres de Christian. Il suggère à Christian, beau, hardi mais inculte, les plus douces déclarations d'amour, il écrit des lettres enflammées, une nuit il le remplace sous le balcon de Roxane pour murmurer à la belle le célèbre éloge du baiser : mais ensuite c'est Christian qui grimpe cueillir le prix d'une telle prouesse. *Eh bien ! montez cueillir cette fleur sans pareille… Ce goût de cœur… Ce bruit d'abeille… Cet instant d'infini !…* «Monte donc, animal !» fait Cyrano en poussant son rival, et tandis que les deux s'embrassent, il pleure dans l'ombre en savourant sa faible victoire, *puisque sur cette lèvre où Roxane se leurre – elle baise des mots que j'ai dits tout à l'heure !*

Cyrano et Christian vont à la guerre, Roxane de plus en plus amoureuse les rejoint, conquise par les lettres que Cyrano lui expédie chaque jour, mais elle confie à son cousin s'être rendu compte qu'elle aime, en Christian, non pas la beauté physique mais bien le cœur ardent et l'esprit exquis. Elle l'aimerait même s'il était laid. Cyrano comprend que c'est alors lui l'aimé, il est sur le point de tout révéler, mais à cet instant Christian, touché par une balle ennemie, meurt. Sur le cadavre du malheureux se plie Roxane en larmes, et Cyrano comprend qu'il ne pourra plus jamais parler.

Les années passent, Roxane vit retirée dans un monastère en pensant toujours à son aimé disparu et en relisant chaque jour sa dernière lettre, tachée par son sang. Cyrano, ami et cousin fidèle, lui rend visite tous les samedis. Mais, ce samedi-là, il a été agressé par des adversaires politiques ou des lettrés envieux, et il cache à Roxane que, sous son chapeau, il a un bandage ensanglanté. Roxane lui montre, pour la première fois, la dernière lettre de Christian, Cyrano lit à haute voix, mais Roxane s'aperçoit que l'obscurité est tombée, elle ne comprend pas comment il peut encore déchiffrer ces mots pâlis, en un éclair tout lui devient lumineux : il récite par cœur *sa* dernière lettre. Elle avait aimé, en Christian, Cyrano. *Et pendant quatorze ans, il a joué ce rôle – d'être le vieil ami qui vient pour être drôle !* Non, tente de nier Cyrano, ce n'est pas vrai, *non, non, mon cher amour, je ne vous aimais pas !*

Désormais, le héros chancelle, les amis fidèles arrivent pour lui reprocher d'avoir quitté son lit, ils révèlent à Roxane qu'il est sur le point de mourir. Cyrano, appuyé à un arbre, mime son ultime duel contre les ombres de ses ennemis, il tombe. Au moment où il dit qu'il n'y a qu'une chose qu'il emportera immaculée au ciel, son *panache* (et sur cette réplique se termine le drame), Roxane se penche sur lui et le baise au front.

Ce baiser est à peine nommé dans la didascalie, aucun personnage n'en parle, un metteur en scène insensible peut même l'ignorer, mais à mes yeux de garçon de seize ans il était devenu la scène centrale, et non seulement je voyais Roxane se pencher, mais avec Cyrano je sentais pour la première fois, tout proche de mon visage, son haleine parfumée. Ce baiser *in articulo mortis* dédommageait Cyrano de l'autre baiser, que Christian lui avait volé, et sur lequel tout le monde s'attendrit au théâtre. Ce dernier baiser était beau parce que, dans l'instant même où il le recevait, Cyrano mourait, et Roxane lui échappait donc une fois de plus, mais c'est précisément de cela que, m'identifiant au personnage, je m'enorgueillissais. J'expirais, heureux, sans avoir touché mon aimée, la quittant dans sa condition céleste de rêve sans tache.

Avec le nom de Roxane dans mon cœur, il ne me restait plus qu'à lui donner un visage. Ce fut celui de Lila Saba.

Comme je l'avais dit à Gianni, je l'ai vue un jour descendre l'escalier du lycée, et Lila est devenue mienne pour toujours.

Papini écrivait sur sa crainte de la cécité et sur sa gloutonne myopie : «Je vois tout confusément, comme dans un très léger brouillard, à présent, mais universel et continu. De loin, le soir, toutes les silhouettes se confondent pour moi : un homme dans sa cape peut me sembler une femme ; une petite flamme tranquille, un long rai de lumière rouge ; une barque qui descend le fleuve, une tache noire sur le courant. Les visages sont des taches claires ; les fenêtres, des taches sombres sur les maisons ; les arbres, des taches foncées et compactes qui s'élèvent de l'ombre et à peine trois ou quatre étoiles de première grandeur brillent dans le ciel pour moi. » C'est ce qui m'arrive, maintenant, dans mon très vigilant sommeil. Je sais tout, depuis que je me suis réveillé aux faveurs de la mémoire (il y a quelques secondes ? mille ans ?), de la physionomie de mes parents, de Gragnola, du docteur Osimo, du maître Monaldi et de Bruno, j'ai parfaitement vu leur visage à tous, j'ai senti leur odeur et entendu le son de leur voix. Je distingue absolument tout, autour de moi, sauf le visage de Lila. Comme dans ces photos où les faces sont floutées, pour sauvegarder la *privacy* du mineur inculpé, ou de l'épouse innocente du monstre. De Lila, je vois le profil élancé dans son tablier noir, l'allure souple alors que je la suis comme un sycophante, j'aperçois dans son dos l'ondoiement de ses cheveux, mais je ne réussis pas encore à discerner ses traits.

Je lutte encore contre un blocage, comme si j'avais peur d'accepter cette lumière.

Je me revois tandis que j'écris pour elle mes poésies, Créature Reclose en ce mystère labile, et je me consume de chagrin non seulement au souvenir de mon premier amour, mais pour la souffrance de n'en pouvoir reconnaître, à présent, le sourire, ces deux petites dents dont parlait Gianni – lui qui, ah ! le maudit, sait et se rappelle.

Allons-y doucement, laissons ses propres temps à notre mémoire. Pour le moment, ça me suffit comme ça, si j'avais une respiration, elle se ferait plus paisible parce que je sens que j'ai atteint mon lieu. Lila est à deux pas.

Je me vois entrer dans la classe des filles pour vendre les billets, je vois les yeux de furet de Ninetta Foppa, le profil un peu fade de Sandrina, et puis me voilà devant Lila, disant quelques boutades amusantes, alors que je cherche la monnaie et que je ne la trouve pas afin de prolonger ma station devant une icône qui encore se défait tel l'écran d'un téléviseur s'éteignant soudain.

Je sens dans mon cœur l'immense orgueil de la soirée théâtrale, à peine j'ai mis dans ma bouche la pastille de madame Marini. Le théâtre explose, j'éprouve un indicible sentiment de pouvoir sans bornes. Le lendemain, j'ai essayé de l'expliquer à Gianni. « Ce fut, lui disais-je, l'effet amplificateur, le prodige du mégaphone : avec un minimum de dépense d'énergie, tu provoques une déflagration, et tu te sens produire une immense force à peu de frais. Dans le futur, je pourrais devenir un ténor qui rend folles les foules, un héros qui entraîne dix mille hommes au massacre au son de la *Marseillaise*, mais je ne pourrais certainement plus éprouver une sensation enivrante comme hier soir. »

À présent, j'éprouve exactement ceci. Je suis là, avec ma langue qui passe et repasse contre ma joue, j'entends les hurlements provenir de la salle, j'ai la vague idée de l'endroit où Lila peut être, parce que, avant le spectacle, j'avais lorgné en entrouvrant le rideau, mais je ne peux tourner la tête dans cette direction car je gâcherais tout : madame Marini, tandis que la pastille voyage dans sa bouche, doit continuer à rester de profil. Je bouge la langue, je parle presque à tort et à travers d'une voix éraillée (au reste, madame Marini n'était pas plus cohérente), je suis concentré sur Lila que je ne vois pas, mais elle, elle me voit. Je vis cette apothéose comme une étreinte, en regard de quoi la première *ejaculatio praecox* sur Joséphine Baker avait été un insipide éternuement.

Ce doit être après cette expérience que j'ai décidé d'envoyer au diable don Renato et ses encouragements. À quoi sert de conserver ce secret au profond de son cœur si on ne peut pas s'en griser à deux ? Et puis, si tu es amoureux, tu veux qu'elle sache tout de toi. *Bonum est diffusivum sui.* Maintenant, je vais tout lui dire.

Il s'agissait de la rencontrer non pas à la sortie de l'école, mais quand elle revenait chez elle, toute seule. Le jeudi, elle avait l'heure de gym des filles, et elle rentrait vers quatre heures. J'avais préparé des jours et des jours l'entrée en matière. Je lui aurais dit quelque chose de spirituel, genre ne crains rien ceci n'est pas un hold-up, elle, elle aurait ri, je lui aurais dit qu'il m'arrivait une chose étrange, que je n'avais jamais éprouvée auparavant et que peut-être elle pouvait m'aider... Qu'est-ce que ça peut bien être, aurait-elle pensé, nous nous connaissons à peine, sans doute une de mes amies lui plaît et il n'a pas le courage.

Mais ensuite, comme Roxane, elle aurait tout compris en un éclair. Non, non, mon cher amour, je ne t'aimais pas. Voilà, c'était une bonne technique. Lui raconter que je ne l'aimais pas, et m'excuser pour cette étourderie. Elle aurait saisi le trait d'esprit (n'était-elle pas une « précieuse » ?) et peut-être se serait-elle penchée sur moi pour me dire, que sais-je, un ne-sois-pas-bête, mais avec une tendresse inespérée. En rougissant, de ses doigts elle m'aurait touché la joue. En somme, le début eût été un chef-d'œuvre de saillies et de finesse, irrésistible – car, l'aimant, je ne pouvais concevoir qu'elle n'éprouvât pas les mêmes sentiments que moi. Je me trompais, comme tous les amoureux, je lui prêtais mon âme et lui demandais de faire ce que j'aurais fait moi, mais ainsi en va-t-il, depuis des millénaires. Sinon, la littérature n'existerait pas.

Une fois le jour choisi, et l'heure, ayant créé toutes les conditions pour l'éclosion heureuse de l'Opportunité, à quatre heures moins dix j'étais devant la porte de son immeuble. À quatre heures moins cinq, j'avais pensé qu'il passait trop de gens, et j'avais décidé d'attendre à l'intérieur, au pied de l'escalier.

Quelques siècles plus tard, écoulés entre quatre heures moins cinq et quatre heures cinq, je l'avais entendue entrer dans le couloir. Elle chantait. Une chanson qui parlait d'une vallée, j'arrive à peine à me rechanter un vague motif, pas les paroles. En ces années-là, les chansons étaient horribles, pas comme celles de mon enfance, c'étaient des chansons idiotes pour cet idiot d'après-guerre, *Eulalia Torricelli da Forlì*, *I pompieri di Viggiù*, *Che mele che mele*, *I cadetti di Guascogna*, au mieux de moites déclarations d'amour comme *Va sérénade céleste* ou *M'endormir ainsi entre tes bras*. Je les haïssais. Au moins mon cousin Nuccio dansait sur les rythmes américains. L'idée qu'elle pût aimer ces choses m'avait sans doute refroidi un instant (elle *devait* être exquise comme Roxane), mais je ne sais pas si en ce court laps de temps j'ai beaucoup raisonné. De fait, je n'écoutais pas, simplement j'anticipais son apparition, et j'ai eu au moins dix bonnes secondes pour endurer une éternité d'anxiété.

Je me suis avancé vers elle juste au moment où elle arrivait à l'escalier. Si un autre me racontait cette histoire, j'observerais qu'à ce point-là il faut les violons, pour soutenir l'attente, et créer l'atmosphère. Mais à ce moment, la misérable chanson que mon oreille venait de capter me suffisait. Mon cœur battait avec une telle violence que cette fois, cette fois-là oui, j'aurais pu décider que j'étais malade. En revanche, je me sentais plein d'énergie sauvage, prêt au moment suprême.

Elle est apparue devant moi, elle s'est arrêtée, surprise.

Je lui ai demandé : « Il habite ici, Vanzetti ? »

Elle a répondu que non.

J'ai dit merci, excuse, je me suis trompé.

Et je suis parti.

Vanzetti (qui ça a bien pu être ?) était le premier nom, dans ma panique, qui me fût venu à l'esprit. Et puis, dans la soirée, je me persuadai qu'il était juste que cela se soit passé ainsi. Ça avait été la dernière astuce. Si elle se mettait à rire, si elle me disait qu'est-ce qui t'a pris, tu es chou, je te remercie, mais tu sais, j'ai d'autres idées en tête, qu'est-ce que je faisais après ? Je l'oubliais ? L'humiliation m'aurait porté à la juger sotte ? Je lui aurais collé aux talons comme du papier tue-mouches pour les jours et les mois à venir, en quémandant une seconde occasion, en devenant la risée du lycée ? En me taisant, par contre, j'avais conservé tout ce que j'avais déjà, et je n'avais rien perdu.

Il était certain qu'elle avait la tête ailleurs. Parfois, à la sortie de l'école venait l'attendre un étudiant, grand, blondasse. Il s'appelait Vanni – j'ignore si c'était son prénom ou son nom – et la fois où il s'est présenté avec un sparadrap sur le cou, il disait vraiment à ses amis, d'un air gaiement corrompu, que ce n'était qu'un syphilome. Mais un jour il est venu en Vespa.

La Vespa était apparue depuis peu. Seuls les garçons gâtés-pourris, comme disait mon père, en avaient une. Pour moi, avoir une Vespa, c'était comme aller au théâtre et voir les danseuses à la loupe. Elle se trouvait du côté du péché. Certains camarades l'enfourchaient à la sortie de l'école, ou bien ils arrivaient le soir dans la petite place où on délayait de longs bavardages, sur les bancs, face à une fontaine d'habitude maladive, quelques-uns d'entre nous racontant des choses qu'ils avaient entendu raconter sur les maisons de tolérance et sur les revues de Wanda Osiris – et ceux qui avaient entendu raconter se chargeaient aux yeux des autres d'un morbide charisme.

La Vespa était à mes yeux l'infraction. Ce n'était pas une tentation, car je ne parvenais pas à concevoir d'en posséder une moi aussi, c'était plutôt l'évidence solaire et brumeuse de ce qui aurait pu se passer quand tu t'éloignais avec une camarade assise en amazone sur le siège derrière toi. La Vespa n'était pas objet de désir, elle était le symbole de désirs insatisfaits, et insatisfaits par refus délibéré.

Ce jour-là, comme je revenais de la piazza Minghetti vers le lycée pour la croiser entourée de ses compagnes, elle ne se trouvait pas dans le groupe. Tandis que je hâtais le pas en craignant qu'une divinité jalouse me l'eût ravie, quelque chose d'horrible se passait, beaucoup moins sacré, ou – si c'était sacré – infernal. Elle était encore là, devant l'escalier du lycée, comme en attente. Et voilà qu'arrive (à Vespa) Vanni. Lui, il la faisait monter, elle, elle se collait à lui, selon l'usage, en lui passant les bras sous les aisselles et en le tenant à la poitrine, et zou !

C'était déjà l'époque où les jupes presque au-dessus du genou des années de guerre, et les jupes cloches, jusqu'au genou, qui enjolivaient les fiancées de Rip Kirby dans les premières bandes dessinées américaines de l'après-guerre, étaient remplacées par les jupes longues, amples, jusqu'au mollet.

Elles n'étaient pas plus honnêtes que les autres, au contraire, elles avaient une grâce perverse bien à elles, une élégance aérienne et prometteuse, davantage encore si elles faisaient soufflet en flottant tandis que la fille se volatilisait enlacée à son centaure.

Cette jupe était une ondulation pudique et malicieuse dans le vent, une séduction par ample étendard interposé. La Vespa s'éloignait, royale, comme un vaisseau qui laisserait dans son sillage une écume chantante, des bonds capricants de dauphins mystiques.

Elle s'éloignait ce matin-là sur la Vespa, et la Vespa devenait encore plus pour moi symbole d'un déchirement, d'une passion inutile.

Encore une fois, cependant, je vois la jupe, l'oriflamme de ses cheveux, et elle toujours de dos.

Gianni l'avait raconté. Pendant une représentation entière, à Asti, je n'avais regardé que sa nuque. Mais Gianni ne m'avait pas rappelé – ou je ne lui en ai pas laissé le temps – l'autre soirée théâtrale. Il était arrivé en ville une compagnie qui se produisait dans *Cyrano*. C'était la première fois que j'avais l'occasion de le voir mis en scène, et j'avais convaincu quatre de mes amis de réserver des places au balcon. À l'avance, je savourais le plaisir, et l'orgueil, d'anticiper les répliques dans les moments cruciaux.

Nous sommes arrivés en avance, nous étions au deuxième rang. Peu avant le début, s'est disposé au premier rang, juste devant nous, un groupe de filles. C'étaient Ninetta Foppa, Sandrina, deux autres, et Lila.

Lila s'était assise devant Gianni, qui était à côté de moi, j'avais donc encore une fois mes yeux sur sa nuque, mais, en déplaçant la tête, je pouvais distinguer son profil (à présent non, Lila est toujours et encore solarisée). Saluts rapides, oh vous aussi, mais le hasard fait bien les choses, point barre. Comme disait Gianni, nous étions trop jeunes pour elles, et si j'avais été le héros à la pastille en bouche, je l'avais été comme Bud Abbott et Lou Costello, dont on rit, dont on ne tombe pas amoureux.

En tout cas, pour moi, cela suffisait. Suivre *Cyrano*, réplique après réplique, avec elle devant, multipliait mon vertige. Je ne peux plus dire comment était la Roxane qui jouait sur la scène, parce que j'avais ma Roxane à moi de dos et de biais. J'avais l'impression de comprendre quand elle suivait le drame avec émotion (qui ne s'émeut à *Cyrano*, écrit pour faire pleurer même un cœur de pierre ?) et je décidais souverainement qu'elle était en train de s'émouvoir non pas avec moi, mais sur moi, et

pour moi. Je ne pouvais désirer davantage : moi,
Cyrano, et elle. Le reste était foule anonyme.

Quand Roxane s'est penchée pour baiser le front
de Cyrano, je ne faisais qu'un avec Lila. À cet instant,
même si elle ne le savait pas, elle ne pouvait pas ne
pas m'aimer. Et enfin, Cyrano avait attendu des
années et des années pour que finalement elle com-
prît. Je pouvais attendre moi aussi. Pour ce soir-là,
j'étais monté à quelques pas de l'Empyrée.

Aimer une nuque. Et la veste jaune. Cette veste
jaune qu'elle portait un jour à l'école, apparition
lumineuse dans le soleil printanier – et sur quoi j'ai
rimé. Depuis lors, je n'ai jamais pu voir une femme
avec une veste jaune sans ressentir un rappel, une
insupportable nostalgie.

C'est qu'à présent j'entends ce que me disait
Gianni : j'avais cherché pendant toute ma vie, dans
toutes mes aventures, le visage de Lila. Pendant toute
ma vie, j'ai attendu de déclamer la scène finale de
Cyrano. Le choc qui peut-être a entraîné mon accident a été la révélation que cette scène m'avait été
interdite à jamais.

Je comprends à présent que c'était Lila qui m'avait
donné à seize ans l'espoir d'oublier la nuit du Vallon,
m'ouvrant à un nouvel amour pour la vie. Mes
pauvres poésies avaient remplacé l'Exercice de la
Bonne Mort. Avec Lila près de moi, je ne dis pas à
moi, mais devant moi, j'aurais vécu – comment dire
– en montée les années du lycée, et lentement je me
serais réconcilié avec mon enfance. Lila brusquement
disparue, j'ai vécu jusqu'au seuil de l'université dans
des limbes incertaines et puis – une fois que les sym-
boles mêmes de cette enfance, grand-père et parents,

eurent définitivement disparu – j'ai renoncé à toute
tentative de relecture bienveillante. J'ai refoulé, et j'ai
recommencé à zéro. D'un côté, la fuite dans un savoir
confortable et prometteur (j'ai passé ma maîtrise
sur l'*Hypnerotomachia Poliphili*, pas sur l'histoire de
la Résistance) ; de l'autre côté, la rencontre avec
Paola. Mais, si Gianni avait raison, demeurait une
insatisfaction de fond. J'avais tout refoulé, sauf le
visage de Lila, et je le cherchais encore parmi la foule,
espérant le rencontrer sans aller en arrière, comme
on fait avec les choses défuntes, mais en avant, en une
recherche qu'à présent je sais vaine.

L'avantage de mon sommeil actuel, avec ses soudains courts-circuits, en labyrinthes – à telle enseigne
que, même si je reconnais la scansion d'époques
diverses, je peux les reparcourir dans les deux directions, ayant aboli la flèche du temps –, l'avantage,
c'est qu'à présent je peux tout revivre, sans qu'il n'y
ait plus un avant et un arrière, en un cercle qui pourrait durer des ères géologiques et, dans ce cercle, ou
spirale, Lila est toujours et de nouveau à côté de moi,
à chaque instant de ma danse d'abeille séduite,
timide autour du pollen jaune de sa veste. Lila est
présente comme Angelo Orso, ou le docteur Osimo,
ou monsieur Piazza, Ada, papa, maman, grand-père,
et, de ces années-là, j'ai retrouvé les parfums et les
odeurs de la cuisine, tout en comprenant avec équilibre et pitié la nuit du Vallon, et Gragnola.

Suis-je un égoïste ? Paola et les filles sont là dehors
à attendre, c'est grâce à elles que, pendant quarante
ans, j'ai pu me permettre ma recherche de Lila, en
sourdine, tout en vivant les pieds sur terre. Elles
m'ont fait sortir de mon monde clos, et même si j'ai

vadrouillé entre incunables et parchemins, j'ai cependant toujours généré de la vie nouvelle. Elles, elles
souffrent et moi je me déclare bienheureux. Mais
enfin, où est la faute, dehors je ne peux retourner, et
donc il est juste que je jouisse de cet état suspendu.
Tellement suspendu, que je peux même soupçonner
qu'entre maintenant et le moment de mon réveil ici
où je me trouve, bien que j'aie revécu presque vingt
ans, parfois moment par moment, ne sont passées
que quelques secondes – comme dans les rêves, où il
paraît qu'il suffit de s'assoupir un instant et, en un
éclair, on vit une très longue histoire.

Sans doute suis-je, oui, dans le coma, mais dans le
coma je ne me souviens pas, je rêve. Je sais qu'il y a
certains rêves où on a l'impression de se souvenir, et
on croit que ce dont on se souvient est vrai, puis on
se réveille et on doit conclure, à contrecœur, que ces
souvenirs n'étaient pas les nôtres. Nous rêvons à de
faux souvenirs. Par exemple, je me rappelle avoir plusieurs fois rêvé que je rentrais enfin dans un appartement où, depuis longtemps, je ne me rendais plus,
mais où j'aurais dû revenir de temps en temps : c'était
une sorte de pied-à-terre secret où j'avais vécu et laissé
beaucoup de mes affaires personnelles. Dans mon
rêve, je me rappelais parfaitement chaque meuble et
chaque pièce de cet appartement, et au pire je m'irri-
tais car je savais qu'il devait y avoir, après le salon,
dans le couloir allant vers la salle de bains, une porte
qui ouvrait sur une autre pièce, mais la porte n'était
plus là, comme si quelqu'un l'avait murée. Ainsi, je
m'éveillais plein de désir et de nostalgie pour mon
refuge caché mais, à peine m'étais-je levé, je me rendais compte que le souvenir appartenait au rêve, et je

ne pouvais me rappeler cette maison parce que – du moins dans ma vie – elle n'avait jamais existé. Tant et si bien que souvent j'ai pensé que dans les rêves on s'empare des souvenirs d'autrui.

Cependant, ne m'est-il jamais arrivé, dans un rêve, de rêver d'un autre rêve, comme je serais en train de le faire à présent ? Voilà la preuve que je ne rêve pas. Et puis, dans les rêves les souvenirs sont voilés, imprécis, tandis que je me rappelle à présent page après page, image après image, tout ce que j'ai feuilleté à Solara ces deux derniers mois. Je me souviens de choses qui se sont réellement passées.

Mais qui me dit que tout ce dont je me suis souvenu au cours de ce sommeil me soit réellement arrivé ? Peut-être mon père et ma mère n'avaient-ils pas ce visage, un docteur Osimo n'a-t-il jamais existé, Angelo Orso non plus, et n'ai-je jamais vécu la nuit du Vallon. Pire, j'ai aussi rêvé que j'avais une femme du nom de Paola, deux filles et trois petits-fils. Je n'ai jamais perdu la mémoire, je suis un autre – et Dieu sait qui – et cet autre, par quelque accident, se trouve dans cette situation (coma ou limbes) et tout le reste a été des images émergées, par illusion d'optique, du brouillard. Sinon, tout ce que j'ai cru me rappeler jusqu'à présent n'aurait pas été dominé par le brouillard, lequel n'était rien d'autre que le signe que ma vie était un rêve. J'ai fait une citation. Et si toutes les autres citations, celles que je faisais au docteur, à Paola, à Sibilla, à moi-même, n'étaient que le produit du même rêve persistant ? Ils n'auraient jamais existé Carducci ou Eliot, Pascoli ou Huysmans, ni tout le reste que je croyais souvenir encyclopédique. Tokyo n'est pas la capitale du Japon, Napoléon non seulement n'est pas mort à Sainte-Hélène mais il n'est même pas né, si quelque chose existe hors de moi, c'est un univers parallèle où Dieu sait ce qui arrive et est arrivé, peut-être mes semblables – et moi aussi – avons la peau recouverte d'écailles vertes et quatre antennes rétractiles au-dessus d'un œil unique.

Je ne peux décréter que les choses ne soient pas vraiment comme ça. Mais si j'avais, moi, conçu un univers entier de l'intérieur de mon cerveau, un univers où non seulement il y a Paola et Sibilla, mais où a été aussi écrite la *Divine Comédie* et inventée la bombe atomique, j'aurais mis en jeu une capacité d'invention qui dépasse les possibilités d'un individu – en admettant toujours que je sois un individu, et humain, et non pas un madrépore de cerveaux reliés entre eux.

Et si en revanche Quelqu'un était en train de me projeter un film directement dans le cerveau ? Je pourrais être un cerveau dans une solution quelconque, dans un bouillon de culture, dans le récipient de verre où j'ai vu les testicules de chien, dans le formol, et quelqu'un m'envoie des stimulations pour me faire croire que j'ai eu un corps, et que d'autres ont existé autour de moi – tandis que nous sommes seulement le cerveau et le Stimulant. Mais si nous étions des cerveaux dans le formol, pourrions-nous supporter d'être des cerveaux dans le formol ou affirmer que nous ne le sommes pas ?

S'il en allait ainsi, je n'aurais rien d'autre à faire qu'attendre d'autres stimulations. Spectateur idéal, je vivrais ce sommeil comme une interminable soirée cinématographique, en croyant que le film parle de moi. Ou bien non, ce que je suis en train de rêver n'est que le film numéro dix mille neuf cent quatre-vingt-dix-neuf, dix mille autres et des poussières j'en ai rêvé, dans l'un d'eux je m'identifiais à Jules César, je passais le Rubicon, je souffrais comme un bœuf à l'abattoir pour les vingt-trois coups de poignard, dans un autre j'étais monsieur Piazza et j'empaillais des belettes, dans un autre encore, Angelo Orso qui se demandait pourquoi on le brûlait après tant d'années de bons et loyaux services. Dans l'un, je pourrais avoir été Sibilla, qui cherchait anxieusement à savoir si j'avais réussi un jour à me rappeler notre histoire. En ce moment je serais un moi provisoire, demain je serai peut-être un dinosaure qui commence à souffrir à l'avènement de la glaciation qui le tuera, après-demain je vivrai la vie d'un abricotier, d'un moineau, d'une hyène, d'un fétu de paille.

Je n'arrive pas à m'abandonner, je veux savoir qui je suis. J'éprouve avec clarté une chose, tout de même. Les mémoires réaffleurées depuis le début de ce que je crois mon coma sont obscures, brumeuses, et se sont disposées en mosaïque, avec des solutions de continuité, des incertitudes, des lacérations, des morcellements (pourquoi je ne parviens pas à voir le visage de Lila ?). Celles de Solara, et celles de Milan après mon réveil à l'hôpital, sont par contre claires, elles filent selon une séquence logique, je peux en réordonner les phases temporelles, je peux dire que j'ai rencontré Vanna largo Cairoli avant d'acheter les testicules de chien à l'éventaire, au Cordusio. Je pourrais certes me trouver en train de rêver que j'ai des souvenirs imprécis et des souvenirs limpides, mais l'évidence de cette différence me pousse à une décision. Pour réussir à survivre (curieuse expression pour quelqu'un comme moi qui pourrait être déjà mort), je dois décider que Gratarolo, Paola, Sibilla, le cabinet, Solara tout entière avec Amalia et avec les histoires de l'huile de ricin de grand-père, sont des souvenirs de vraie vie. Ainsi faisons-nous dans la vie normale aussi : nous pouvons supposer être trompés par un malin génie, mais pour pouvoir continuer nous nous comportons comme si tout ce que nous voyons était réel. Si nous nous laissions aller, si nous doutions qu'il y ait un monde hors de nous, nous n'agirions plus, et dans l'illusion produite par le malin génie nous tomberions dans les escaliers, ou mourrions de faim.

C'est à Solara (qui existe) que j'ai lu mes poésies qui parlaient d'une Créature, et c'est à Solara que Gianni m'a dit au téléphone que la créature existait et s'appelait Lila Saba. Donc, même à l'intérieur de mon rêve, Angelo Orso peut être une illusion mais Lila Saba est réalité. Par ailleurs, si je rêvais seulement, pourquoi le rêve ne devrait-il pas être généreux au point de me restituer aussi le visage de Lila ? Même les défunts t'apparaissent dans les rêves pour te donner les bons numéros du loto, pourquoi précisément Lila doit-elle m'être refusée ? Si je ne parviens pas à me souvenir de tout c'est parce que, en dehors du rêve, il existe un poste de contrôle qui m'empêche pour quelque raison de passer outre.

Certes, aucun de mes raisonnements confus ne tient la route. Je peux très bien être en train de rêver que j'ai un blocage, il peut arriver que le Stimulant se refuse (par malignité ou par pitié) à m'envoyer l'image de Lila. Dans les rêves des personnes connues t'apparaissent, tu sais que ce sont elles, et pourtant tu ne vois pas leur visage… Aucune chose, dont je puisse me convaincre, ne tient à une preuve logique. Mais précisément le fait que je puisse en appeler à une logique prouve que je ne suis pas en train de rêver. Le rêve est illogique, et en rêvant tu ne te plains pas qu'il le soit.

Je décide donc que les choses sont d'une certaine façon, et je voudrais bien voir qui arrive ici pour me contredire.

Si je réussissais à voir le visage de Lila, je serais convaincu qu'elle était là. Je ne sais à qui demander de l'aide, je dois tout faire tout seul. Je ne peux implorer personne en dehors de moi, et aussi bien Dieu que le Stimulant – si toutefois ils existent – se trouvent en dehors du rêve. Les communications avec l'extérieur sont interrompues. Peut-être pourrais-je m'adresser à quelque divinité privée, dont je sais la gracilité, mais qui doit au moins m'être reconnaissante de lui avoir donné la vie.

À qui, si ce n'est à la reine Loana ? Je sais, je m'en remets de nouveau à ma mémoire de papier, mais je ne pense pas à la reine Loana de la bande dessinée, plutôt à la mienne, désirée sur des modes bien plus éthérés, la gardienne de la flamme de la résurrection, qui peut faire revenir des cadavres pétrifiés de n'importe quel passé lointain.

Suis-je fou ? C'est aussi là une hypothèse sensée : je ne suis pas dans le coma, je suis enfermé dans un autisme léthargique, je crois être dans le coma, je crois que ce dont j'ai rêvé n'est pas vrai, je crois avoir le droit de le faire devenir vrai. Mais comment un fou peut-il émettre une hypothèse sensée ? Et puis, on est fou toujours par rapport à la norme des autres, mais ici il n'y a pas les autres, l'unique aune c'est moi et l'unique chose vraie c'est l'Olympe de mes mémoires. Je suis incarcéré dans mon isolement cimmérien, dans ce féroce égotisme. Et alors, si telle est ma condition, pourquoi faire une différence entre maman, Angelo Orso, et la reine Loana ? Je vis une ontologie égueulée. J'ai la puissance souveraine de créer mes propres dieux, et mes propres Mères.

Et donc à présent je prie : « Ô bonne reine Loana, au nom de ton amour désespéré, je ne te demande pas de réveiller de leur sommeil de pierre tes victimes millénaires, mais seulement de me restituer un visage… Moi qui, de la basse lagune de mon sommeil forcé, ai vu ce que j'ai vu, je te demande à toi de m'exhausser un peu plus vers une apparence de santé. »

N'arrive-t-il pas aux miraculés que, pour avoir seulement exprimé leur foi dans le miracle, ils soient guéris ? Et donc je veux fortement que Loana puisse me sauver. Je suis si tendu vers cette espérance que, si je n'étais déjà dans le coma, j'aurais un ictus.

Et à la fin, grand Dieu, j'ai vu. J'ai vu comme l'apôtre, j'ai vu le centre de mon Aleph d'où transparaissait non pas le monde infini mais les fragments épars de mes souvenirs. Ainsi la neige sur le sol se descelle, et ainsi au vent dans les feuilles légères réaffleure la sentence de Sibylle.

Autrement dit, j'ai certainement vu, mais la première partie de ma vision a été tellement aveuglante que c'est comme si, après, j'avais replongé dans un sommeil brumeux. Je ne sais pas si dans un rêve on peut rêver qu'on dort, mais il est certain que, si je rêve, je rêve même que je me suis réveillé maintenant et que je me rappelle ce que j'ai vu.

J'étais devant l'escalier de mon lycée, qui montait, blanc, vers les colonnes néoclassiques encadrant la porte d'entrée. J'étais comme ravi en esprit et j'entendais comme une voix puissante qui me disait : « ce qu'à présent tu verras écris-le dans ton livre, car personne ne le lira, puisque tu rêves seulement que tu l'écris ! »

Et au sommet de l'escalier était apparu un trône et sur le trône était un homme à la face d'or, au sourire mongol et atroce, le chef couronné de flamme et d'émeraude, et tout le monde levait sa coupe pour lui rendre hommage à lui, Ming Seigneur de Mongo.

Et sur le trône et autour du trône se trouvaient quatre Vivants, Thun au visage de lion, et Vultan aux ailes de faucon, et Barin prince d'Arboria, et Azura reine des Hommes-Magiciens. Et Azura descendait l'escalier enveloppée de flammes, et elle avait l'apparence d'une grande prostituée couverte d'un manteau de pourpre et d'écarlate, ornée d'or, de pierres précieuses et de perles, ivre du sang des hommes venus de la Terre, et à la voir j'étais stupéfié d'une grande stupeur.

Et Ming assis sur son trône disait vouloir juger les hommes de la terre et il ricanait, lubrique, devant Camille, ordonnant qu'elle fût donnée en pâture à une Bête venue de la mer.

Et la Bête avait une horrible corne sur le front, la gueule grande ouverte et les dents pointues, les pattes de rapace et la queue comme mille scorpions, et Camille pleurait et elle appelait au secours.

Et au secours de Camille maintenant les cavaliers d'Ondine montaient les escaliers sur des monstres rostrés avec deux seules pattes et une longue queue de poisson marin…

Et les Hommes-Magiciens fidèles à Guy l'Éclair sur un char d'or et de corail traîné par des griffons verts au long cou crêté d'écailles…

Et les Lanciers de Fria sur les Oiseaux-des-Neiges aux becs tordus comme des cornes d'abondance dorées, et enfin sur un coche blanc, à côté de la Reine-des-Neiges, arrivait Guy l'Éclair et il criait à Ming que le grand tournoi de Mongo allait commencer et qu'il paierait pour tous ses crimes.

Et, à un signe de Ming, les Hommes-Faucons étaient descendus contre Guy l'Éclair, et ils offusquaient les nues comme des essaims de sauterelles, tandis que les Hommes-Lions, avec filets et tridents onglés, se répandaient sur la place, face à l'escalier, et cherchaient à capturer Vanni et d'autres étudiants arrivés avec un autre essaim, de Guêpes-Vespas ce dernier, et la bataille était incertaine.

Et incertain de cette bataille, Ming avait fait un autre signe et ses fusées célestes s'étaient élevées haut dans le soleil et s'élançaient maintenant sur la terre quand, à un signe de Guy l'Éclair, d'autres fusées célestes du Dr Zarkov avaient pris leur envol, et dans le ciel s'était embrasé un majestueux combat, au milieu de sifflements de rayons mortels et de langues de feu, et les étoiles du ciel paraissaient tomber sur la terre, et les fusées pénétraient dans le ciel et elles s'enroulaient, liquéfiées, comme un livre qu'on enroule, et le jour du Grand Jeu de Kim était venu, et, enveloppées d'autres flammes multicolores, les autres fusées célestes de Ming se fracassaient à présent sur le sol, écrasant sur la place les Hommes-Lions. Et les Hommes-Faucons tombaient en torches enflammées.

Et Ming, Seigneur de Mongo, poussait un hurlement de bête féroce et son trône se renversait et roulait dans l'escalier du lycée, ravageant ses vils courtisans.

Et, une fois le tyran mort, disparues les Bêtes venues de tous côtés, alors qu'un abîme béant s'ouvrait sous les pieds d'Azura ainsi précipitée dans un tourbillon de soufre, s'élevait maintenant bien haut, devant l'escalier du lycée et au-dessus du lycée, une Cité de Cristal et d'autres pierres précieuses, propulsée par des rayons de toutes les couleurs de l'arc-en-ciel, et sa hauteur était de douze mille stades, et ses murs de jaspe semblable à du verre pur étaient de cent quarante-quatre coudées.

Et à ce moment-là, après un temps qui avait été de flammes et de vapeurs en même temps, le brouillard se raréfiait, et maintenant je voyais l'escalier, libre de tout monstre, blanc dans le soleil d'avril.

Je suis revenu à la réalité ! Ils sonnent les sept trompettes, et ce sont celles de l'Orchestre Cithare du Maestro Pippo Barzizza, de l'Orchestre Mélodique du Maestro Cinico Angelini et de l'Orchestre Rythme Symphonique du Maestro Alberto Semprini. Les portes du lycée se sont grandes ouvertes et c'est le dottore moliéresque du Cachet Fiat qui tient les battants, frappant avec un bâton pour annoncer le défilé des Archontes.

Et voilà que défilent en descendant des deux côtés de l'escalier les garçons sortis les premiers, disposés comme une théorie d'anges pour la descente des sept ciels, tous les sept, en veste rayée et pantalon blanc, comme autant de prétendants de Diana Palmer.

Et, au pied de l'escalier, apparaît à présent Mandrake The Magician, qui fait voltiger sa canne avec désinvolture. Il monte en saluant avec son huit-reflets levé tandis que, à chaque pas, la base de chaque marche s'éclaire, et il chante I'll build a Stairway to Paradise, with a new step ev'ry day. I'm going to get there at any price, Stand aside, I'm on my way !

Mandrake pointe alors sa canne vers le haut, pour annoncer la descente de la Dragon Lady, moulée de soie noire, et à chaque marche les lycéens s'agenouillent et tendent leur canotier en un geste d'adoration, tandis qu'elle chante, d'une voix de saxophone en chaleur Sentimental cette nuit infinie, ce ciel automnal, cette rose fanée, tout parle d'amour à mon cœur qui espère, et attend ce soir la joie d'une heure d'une heure près de toi.

Et, derrière elle, descendent, enfin revenus sur notre planète, Guy l'Éclair, Camille et le Dr Zarkov, en entonnant Blue skies, smiling at me, nothing but blue skies do I see, Bluebirds, singing a song, nothing but bluebirds, all day.

Et Georges Formby les suit en grattant sur son ukulélé avec un sourire chevalin It's in the air this funny feeling everywhere, that makes me sing without a care today, as I go on my way, it's in the air, it's in the air… Zoom zoom zoom zoom high and low, zoom zoom zoom zoom here we go…

Descendent les sept nains en récitant rythmiquement le nom des sept rois de Rome, moins un, et puis Mickey et Minnie, au bras d'Horace et Clarabelle, chargée des diadèmes de son trésor, au rythme de *Pippo Pippo non lo sa*. Suivent Pippo, Pertica et Palla, et Cip et Gallina, et Alvaro plutôt corsaire avec Alonzo Alonzo dit Alonzo, naguère arrêté pour vol de girafe, et, bras dessus bras dessous comme autant de copains, Dick Fulmine, Zambo, Barreira, Maschera Bianca et Flattavion, gueulant *le partisan dans le bois*, et puis tous les jeunes du *Livre Cœur*, Derossi en tête, avec la Piccola Vedetta Lombarda et le Tamburino Sardo, et le père de Coretti avec sa main encore chaude de la caresse du roi, au chant de addio Lugano bella, chassés sans faute les anarchistes s'en vont, tandis que Franti, au dernier rang, repenti, murmure dors ne pleure pas Jésus bien-aimé.

Éclatent des feux d'artifice, le ciel battu par le soleil est une jubilation d'étoiles d'or, et du haut de l'escalier se précipitent l'homme Thermogène et quinze oncles Gaetano, la tête hérissée de crayons Presbitero, qui se désarticulent les membres en de furibondes cla-

quettes, I'm a yankee doodle dandy, s'égaillent grands et petits de la Bibliothèque de mes Enfants, Reinette de Bonnencontre, la tribu des Lapins Sauvages, mademoiselle Anne du Valmoit, Ginette Trévor, Charlie de Kernoël, Farfadette, Édith de Ferlac, Suzette Monenti, Hervé Letalouédic et Ralph de Sormèze, Jean d'Etchepar, Pépin-de-Pomme et Radirose, dominés par le fantôme aérien de Mary Poppins, tous avec les petits chapeaux militaires des jeunes de la via Paal, et des nez très longs à la Pinocchio. Tap dancing du Chat et du Renard et des gendarmes.

Puis, à un signe du psychopompe, apparaît Sandokan. Il est vêtu d'une tunique de soie indienne, serrée à la taille par une écharpe cramoisie ornée de pierres précieuses, le turban fixé par un diamant gros comme une noix. De sa ceinture dépassent les crosses de deux pistolets d'exquise facture, et un cimeterre au fourreau constellé de rubis. Il barytonne Maïlu, sous le ciel de Singapour, dans un manteau d'étoiles d'or, est né notre amor, et le suivent ses jeunes tigres, yatagan entre les dents, assoiffés de sang, qui glorifient Mompracem, toi qui bernas l'Angleterre, notre flottille victorieuse à Alexandrie, Malte, Suda et Gibraltar…

Voici à présent Cyrano de Bergerac, l'épée dégainée, qui, d'une voix barytonalement nasale et d'un ample geste, interroge la foule : « Tu connais ma cousine, genre originale, moderne, très mignonne, tu ne peux trouver son égale. Elle danse le boogie-woogie, connaît un peu l'anglais, d'une manière fort courtoise elle sait murmurer for you. »

Derrière lui, avec moelleuse souplesse, arrive Joséphine Baker, mais cette fois à poil, comme les Kalmoukes de *Races et Peuples de la terre*, sauf une jupette de bananes à la taille, et elle esquisse moelleusement Oh comme j'éprouve tourment et douleur, à penser que je vous ai offensé ô Seigneur.

Descend Diana Palmer en chantant il n'y a pas, il n'y a pas d'amour heureux, Yanez de Gomera roucoule, ibérique, O Maria la O, laisse-toi embrasser, o Maria la O, je te veux aimer, si tu me regardes toi je ne résiste pas, arrive le bourreau de Lille avec Milady de Winter, tout en pleurant il sanglote fils d'or sont tes cheveux blonds et ta boubouche adorée, ensuite il lui décolle la tête d'un seul coup, sguisss, et l'adorable tête de Milady, marquée par un lys gravé au feu sur son front, roule jusqu'au bas de l'escalier, presque jusqu'à mes pieds, tandis que les Quatre Mousquetaires esquissent en fausset she gets too hungry for dinner at eight, she likes the theater and never comes late, she never bothers with people she'd hate, that's why Milady is a tramp ! Descend Edmond Dantès en chantonnant cette fois mon ami, c'est moi qui paie c'est moi qui paie, et l'abbé Faria, qui le suit enveloppé dans son suaire de toile de jute, le montre du doigt et dit c'est lui, c'est lui, oui oui c'est vraiment lui, tandis que Jim, le docteur Livesey, Lord Trelawney, le capitaine Smollett et Long John Silver (travesti en Pat Hibulaire qui, à chaque marche, tape un coup de pied et trois de prothèse) lui contestent ses droits sur le trésor du pirate Flint, et Ben Gun avec le sourire du Faucon dit entre ses canines *cheese !* Avec un bruit retentissant de bottes teutonnes, descend le camarade Richard en faisant résonner ses claquettes au rythme de New York, New York, it's a wonderful town ! The Bronx is up and the Battery's down, et l'Homme qui Rit au bras de Lady Josiane, nue comme peut l'être seulement une femme armée, faisant au moins dix pas pour chaque

marche, scande I got rhythm, I got music, I got my girl, who could ask for anything more ?

Et, le long de l'escalier, se déploie maintenant, miracle scénique manigancé par le Dr Zarkov un long monorail scintillant, sur lequel arrive la Philotée, elle parvient au sommet, pénètre sous le porche du lycée et comme d'une joyeuse ruche en descendent, reparcourant l'escalier vers le bas, grand-père, maman, papa, qui tient Ada toute petite par la main, le docteur Osimo, monsieur Piazza, don Cognasso, le curé de San Martino et Gragnola, le cou enveloppé d'une armature qui lui soutient même la nuque, comme Erich von Stroheim, lui redressant presque le dos, et tous de moduler :

La famille chanteuse du soir au matin ô
chut chut, tout doux, en sourdine le Trio Lescano
qui veut toujours Boccaccini, qui l'orchestre d'Angelini,
qui ouvre grand les oreilles pour Alberto Rabagliati.
Maman veut la mélodie, mais la fille aux anges vole
quand le maestro Petralia fait un accord en sol.

Et, tandis que sur tous plane Meo, avec ses grandes oreilles au vent, superbement asinien, font irruption en un groupe désordonné tous les gars de l'Oratoire, mais en uniforme de la Patrouille d'Ivoire, poussant devant eux Fang, l'élastique panthère noire, et psalmodiant d'exotiques : elles vont les caravanes du Tigré.

Puis, après quelques *crack crack* sur des rhinocéros de passage, ils lèvent les armes et les chapeaux pour la saluer elle, la reine Loana.

Elle se montre avec son chaste soutien-gorge, une jupe qui lui couvre presque le nombril, le visage

caché par un voile blanc, trois aigrettes sur la tête et un ample manteau agité par un vent léger, se déhanchant avec grâce entre deux Maures vêtus en empereurs des Incas.

Elle descend vers moi comme une fille des Ziegfeld Follies, elle me sourit, me fait un signe d'encouragement, en me montrant l'embrasure de la porte de l'école, où se profile maintenant don Bosco.

Don Renato le suit en clergyman, qui entonne dans son dos, mystique et de larges vues, duae umbrae nobis una facta sunt, infra laternam stabimus, olim Lili Marleen, olim Lili Marleen. Le saint, visage hilare, robe éclaboussée et les pieds entravés par ses chaussures salésiennes à chaque claquette qu'il tente de marche en marche, porte tendu devant lui, comme s'il s'agissait du huit-reflets de Mandrake, *Le Jeune Homme avisé*, et il me paraît qu'il dit omnia munda mundis, et l'épouse est prête et il lui a été donné de se vêtir d'un byssus splendide et pur, sa splendeur sera semblable à une gemme des plus précieuses, je suis venu te dire ce qui doit arriver d'ici peu…

J'ai le consentement… Les deux religieux se disposent aux deux bouts opposés de la dernière marche et ils font un signe indulgent vers la porte, d'où sont en train de sortir les filles de la section féminine, portant un grand voile transparent dont elles s'enveloppent, disposées en forme de blanche rose, et, à contre-jour, nues, elles lèvent les mains, montrant de profil leurs seins virginaux. L'heure est venue. À la fin de cette radieuse apocalypse, Lila apparaîtra.

Elle sera comment ? Je tremble et anticipe.

Apparaîtra une jeune fille de seize ans, belle comme une rose qui s'épanouit dans toute sa fraîcheur aux premiers rayons d'un beau matin plein de rosée, une longue robe céruléenne, surmontée, de la ceinture jusqu'au genou, d'un filet d'argent, imitera la couleur de ses pupilles, bien loin d'égaler le bleu clair éthéré, la molle et langoureuse splendeur de celles-ci, et elle sera inondée par le volume diffus de sa toison blonde, souple et brillante, retenue seulement par une couronne de fleurs, ce sera une créature de dix-huit ans à la blancheur diaphane, l'incarnat qui s'anime d'une nuance rosée, prenant autour des yeux un pâle reflet d'aigue-marine, laissant entrevoir sur son front et à ses tempes de petites veines bleutées, ses fins cheveux blonds tomberont le long de sa joue, ses yeux, d'un bleu tendre, sembleront suspendus en un je ne sais quoi d'humide et de scintillant, son sourire sera celui d'une enfant mais quand elle devient sérieuse une ride ténue et vibrante lui marque les deux côtés de ses lèvres, ce sera une jeune fille de dix-sept ans, élancée et élégante, à la taille si fine qu'une seule main suffirait pour l'entourer, à la peau comme une fleur à peine éclose, à la chevelure qui descend en un désordre pittoresque telle une pluie d'or sur le blanc corselet qui lui couvre le sein, un front hardi dominera dans son visage à l'ovale parfait, son teint aura la blancheur opaque, la fraîcheur veloutée d'un pétale de camélia à peine éclairé par un rayon de soleil, la pupille, noire et brillante, laissera tout juste apercevoir, aux deux coins des paupières frangées de longs cils, la transparence azurée du globe oculaire.

Non. Sa tunique audacieusement ouverte de côté, les bras nus, les ombres mystérieuses devinées sous les voiles, lentement elle délacera quelque chose sous ses cheveux, et soudain les longues soies qui l'enveloppent

comme un suaire choiront à terre, mon regard par-
courra tout son corps, couvert seulement d'une moulante robe blanche, ceinte à la taille d'un serpent d'or
à deux têtes, tandis qu'elle tient les bras croisés sur son
sein, je deviendrai fou de ses formes androgynes, de
ses chairs blanches comme la moelle de sureau, sa
bouche aux lèvres de proie, ce nœud bleu, juste sous
le menton, ange de missel vêtu en vierge folle par
l'œuvre d'un enlumineur pervers, sur sa poitrine plate
les seins, petits mais précis, se dresseront distincts et
pointus, la ligne de sa taille s'élargira un peu aux
hanches, et se perdra dans les jambes trop longues
d'une Ève de Lucas de Leyde, les yeux verts au regard
ambigu, la bouche grande et le sourire inquiétant, les
cheveux à la flavescence de vieil or, toute la tête
démentira l'innocence du corps, chimère ardente,
effort suprême de l'art et de la volupté, monstre char-
meur, elle se révélera dans toute sa splendeur secrète,
des arabesques partaient de losanges en lazuli, sur des
marqueteries de nacre rampaient des lueurs d'arc-en-
ciel, des feux de prisme, elle sera comme Lady Josiane,
dans l'ardeur de la danse, les voiles se déferont, les
brocarts crouleront, elle ne sera vêtue que d'orfèvre-
ries, de minéraux chatoyants, un gorgerin lui serrera
la taille comme un corselet, et, superbe agrafe, un merveilleux joyau dardera ses éclairs dans la rainure de ses
deux seins, aux hanches une ceinture l'entourera, qui
cache le haut de ses cuisses que bat une gigantesque
pendeloque où coule une rivière d'escarboucles et
d'émeraudes, sur son corps désormais nu, le ventre
s'arquera, creusé d'un nombril dont le trou semblera
un cachet d'onyx aux tons laiteux, sous les lumières
ardentes qui irradieront autour de sa tête, toutes les
facettes des joailleries s'embraseront, les pierres s'ani-
meront, dessinant son corps en traits incandescents, la

piqueront au cou, aux jambes, aux bras, de points de
feu, vermeils comme la braise, violets comme des jets
de gaz, bleus comme des flammes d'alcool, blancs
comme des rayons d'étoiles, elle m'apparaîtra en me
priant de la flageller, tenant entre ses mains un cilice
d'abbesse, sept fines cordes de soie comme mépris des
sept péchés capitaux, et sept nœuds à chaque corde
pour les sept manières de tomber en état de péché
mortel, les roses seront les gouttes de sang qui fleuri-
ront sur sa chair, elle sera mince comme un cierge du
temple, l'œil transpercé par l'épée d'amour et moi en
silence je voudrai déposer mon cœur sur le bûcher, je
voudrai que plus pâle qu'une aube d'hiver, plus
blanche que cire, les mains recueillies sur sa poitrine
lisse, elle se tienne hastée dans sa robe rouge du sang
des cœurs morts qui saignent pour elle.

Non, non, par quelle mauvaise littérature je me laisse
séduire, je ne suis plus un adolescent prurigineux… Je
la voudrais simple comme elle était et comme je l'avais
aimée alors, rien qu'un visage sur une veste jaune. Je
voudrais la plus belle que j'aie jamais pu concevoir,
mais pas la très belle sur qui les autres se sont perdus.
Elle me suffirait même fluette et malade, comme elle
doit avoir été dans ses derniers jours au Brésil, et je lui
dirais encore tu es la plus belle des créatures, je ne
céderais pas tes yeux battus et ta pâleur pour la beauté
des anges du ciel ! Je voudrais la voir apparaître au
milieu du courant, seule et immobile, tandis qu'elle
regarde vers la mer, créature transformée par enchantement en un bizarre et bel oiseau marin, ses longues
jambes nues et fines, délicates comme celles d'un
héron, et, sans la troubler de mon désir, je la laisserais
dans sa distance de princesse lointaine…

Je ne sais pas si c'est la mystérieuse flamme de la reine Loana qui brûle dans mes lobes parcheminés, si quelque élixir essaie de laver les feuillets brunis de ma mémoire de papier, encore affectés de nombreuses rousseurs qui rendent illisibles cette partie du texte qui encore m'échappe, ou si c'est moi qui cherche à pousser mes nerfs à un effort insupportable. Si dans cet état je pouvais trembler, je tremblerais, au-dedans je me sens ballotté comme si dehors je flottais sur une mer démontée. Mais c'est en même temps comme l'annonce d'un orgasme, dans mon cerveau les corps caverneux se remplissent de sang, quelque chose est sur le point d'exploser – ou d'éclore.

À présent, comme ce jour-là sur le perron, je vais enfin voir Lila, qui descendra encore pudique et malicieuse dans son tablier noir, belle à l'égale du soleil, blanche comme la lune, agile et ignorant qu'elle est le centre, le nombril du monde. Je verrai son visage gracieux, son nez bien dessiné, sa bouche qui montrera à peine ses deux incisives supérieures, elle lapin angora, chatte Matou qui miaule à peine en secouant son si doux poil, colombe, hermine, écureuil. Elle descendra comme le premier givre, et elle me verra, et elle tendra légèrement la main, sans m'inviter, mais pour empêcher que je m'enfuie encore une fois.

Enfin, je saurai comment jouer à l'infini la scène finale de mon _Cyrano_, je saurai ce que j'ai cherché pendant toute ma vie, de Paola à Sibilla, et je me serai réuni. Je serai en paix.

Gaffe. Il ne faudra pas que je lui demande encore une fois « il habite ici Vanzetti ? ». Enfin, il faudra que je saisisse l'Occasion.

Mais un léger *fumifugium* couleur souris se répand au sommet de l'escalier, et voile l'entrée.

Je sens une rafale de froid, je lève les yeux.

Pourquoi le soleil devient-il noir ?

SOURCES DES CITATIONS
ET DES ILLUSTRATIONS

– Page 34, dessin de l'auteur
– Pages 83-84, Dante, *L'Enfer*, chant XXXI
– Pages 84-85, Giovanni Pascoli, *L'assiuolo* (in *Myricae*, Livourne, Giusti, 1891) ; *Il bacio del morto* (in *Myricae*, Livourne, Giusti, 1891) ; *Voci misteriose* (in *Poesie varie*, Bologne, Zanichelli, 1928)
– Page 86, Vittorio Sereni, *Nebbia* (in *Frontiera 1941*, in *Poesie*, Milan, Mondadori, 1995)
– Page 93, paroles de Giancarlo Testoni, *In cerca di te*, Metron, 1945
– Pages 97-98, couverture et deux images tirées de *Il tesoro di Clarabella*, Milan, Mondadori, 1936. © Walt Disney
– Pages 123-124, Giovanni Pascoli, *Nella nebbia* (in *Primi poemetti*, Bologne, Zanichelli, 1905)
– Page 125, *Escala de la vida*, gravure catalane du XIXe siècle (c.a.)
– Page 128, gravures extraites de *Zur Geschichte der Kostüme*, München, Braun et Schneider, 1961 (c.a.)
– Page 130, Riva, *La Filotea*, Bergame, Institut italien d'art graphique, 1886 (c.a.)
– Page 134, *Imagerie d'Épinal* (Pellerin) (c.a.)
– Page 137, partition de *Vorrei volare*, Milan, Carisch, 1940 (c.a.)
– Page 140, Renée Vivien, *À la femme aimée* (in *Poèmes I*, Paris, Lemerre, 1923)
– Page 142 (de gauche à droite) :
    Alex Pozeruriski, *Après la danse*, illustration pour la revue *La Gazette du Bon Ton*, v. 1915 (*in* Patricia Frantz Kery, *Grafica Art Déco*, Milan, Fabbri, 1986)
    Janine Aghion, *The Essence of the Mode in the Day*, 1920 (*in* Patricia Frantz Kery, *Grafica Art Déco*, Milan, Fabbri, 1986)
    Anonyme, *Candee*, publicité et affiche, 1929 (*in* Patricia Frantz Kery, *Grafica Art Déco*, Milan, Fabbri, 1986)
    Julius Engelhard, *Mode Ball*, affiches, 1928 (*in* Patricia Frantz Kery, *Grafica Art Déco*, Milan, Fabbri, 1986). D.R.
– Page 143 (de gauche à droite) :
    Georges Barbier, *Shéhérazade*, illustrations pour la revue *Modes et Manières d'aujourd'hui*, 1914 (*in* Patricia Frantz Kery, *Grafica Art Déco*, Milan, Fabbri, 1986)
    Charles Martin, *De la pomme aux lèvres*, illustration pour la revue *La Gazette du Bon Ton*, v. 1915 (*in* Patricia Frantz Kery, *Grafica Art Déco*, Milan, Fabbri, 1986)
    Georges Barbier, *Incantation*, illustration pour *Falbalas et*

    Fanfreluches, 1923 (*in* Patricia Frantz Kery, *Grafica Art Déco*, Milan, Fabbri, 1986)

    Georges Lepape, *Vogue*, couverture, 15 mars 1927. © ADAGP, Paris 2006

– Page 145, extrait du *Nuovissimo Melzi*, Milan, Vallardi, 1905 (c.a.)
– Page 150, extrait de J. Verne, *Vingt Mille Lieues sous les mers*, Paris, Hetzel, 1869
– Page 152, couverture de A. Dumas, *Il conte di Monte-Cristo*, Milan, Sonzogno, 1927 (c.a.). © RCS
– Page 153, illustrations de H. Clérice pour L. Jacolliot, *Les Ravageurs de la mer*, Paris, Librairie Illustrée, s.d. (c.a.)
– Page 159, boîte de cacao Talmone
– Page 160, boîte de comprimés effervescents Brioschi (c.a.)
– Page 162, paquets de cigarettes (dans M. Thibodeau et J. Martim, *Smoke gets in your eyes*, New York, Abbeville Press, 2002). © Elliot Morgan / Blink Studio
– Page 166, *Sprazzi e bagliori*, calendrier de coiffeur, 1929 (c.a.)
– Page 167, calendriers de coiffeur d'Ermanno Detti, *Le carte povere*, Florence, La Nuova Italia, 1989
– Page 170 (de gauche à droite) :
    Couverture de *Nick Carter*, Milan, Casa Editrice Americana, 1908
    Couverture de E. De Amicis, *Cuore*, Milan, Treves, 1878
    Couverture de Domenico Natoli pour A. de Angelis, *Curti Bo e la piccola tigre bionda*, Milan, Sonzogno, 1943. © RCS
    Couverture de Tancredi Scarpelli pour A. Manzoni, *I promessi sposi*, Florence, Nerbini, s.d.
    Couverture de *New Nick Carter Weekly*, édition italienne, Casa Editrice Americana, s.d.
    Couverture de Léo Fontan pour M. Leblanc, *L'Aiguille creuse*, Paris, Lafitte, 1909
    Couverture de Carolina Invernizio, *Il treno della morte*, Turin, 1905 (c.a.)
    Couverture d'Edgar Wallace, *Il consiglio dei quattro*, Milan, Mondadori, 1933 (c.a.)
    Couverture de M. Mario et L. Launay, *Vidocq*, Milan, La Milano, 1911
– Page 171 (de gauche à droite) :
    Couverture de Filiberto Mateldi pour V. Hugo, *I miserabili*, Turin, Utet, La Scala d'oro, 1945 (c.a.)
    Couverture de G. Amato pour E. Salgari, *I corsari delle Bermude*, Milan, Sonzogno, 1938 (c.a.). © RCS
    Couverture de Robida, *Viaggi straordinari di Saturnino*

Farandola, Milan, Sonzogno, s.d. © RCS

Couverture de Domenico Natoli pour J. Verne, *I figli del capitano Grant*, Milan, Sacse, 1936 (c.a.)

Couverture de Tancredi Scarpelli pour E. Sue, *I misteri del popolo*, Florence, Nerbini, 1909 (c.a.)

Couverture de S.S. van Dine, *La strana morte del signor Benson*, Milan, Mondadori, 1929

Couverture de H. Malot, *Senza famiglia*, Milan, Sonzogno, s.d. © RCS

Couverture de Tabet pour A. Morton, *Il barone alle strette*, Milan, Il romanzo mensile, 1938 (c.a.). © RCS

Couverture de Domenico Natoli pour G. Leroux, *Il delitto di Rouletabille*, Milan, Sonzogno, 1930 (c.a.). © RCS

– Page 173, couverture de Souvestre et Allain, *Fantomas*, Florence, Salani, 1912

– Page 175, couverture de Ponson du Terrail, *Rocambole*, Paris, Rouff, s.d.

Illustration de Tabet extraite de A. Morton, *I sosia del barone*, Il romanzo mensile, 1939 (c.a.). © RCS

–Page 177, illustration d'Attilio Mussino extraite de Collodi, *Pinocchio*, Florence, Bemporad, 1911 (c.a.)

– Page 178, couverture de Yambo, *Le avventure di Ciuffettino*, Florence, Vallecchi, 1922 (c.a.)

– Page 180, couverture du *Giornale Illustrato dei Viaggi e delle Avventure di terra e di mare*, Milan, Sonzogno, 1917-1920 (c.a.). © RCS

– Page 182, couverture de la *Biblioteca dei miei ragazzi*, Florence, Salani (c.a.)

– Page 185, image extraite de *Otto giorni in una soffitta*, Florence, Salani (c.a.)

– Page 187, couverture de Tancredi Scarpelli pour *Buffalo Bill, Il medaglione di brillanti*, Florence, Nerbini, s.d. (c.a.)

– Page 188, couverture de Pina Ballario, *Ragazzi d'Italia nel mondo*, Milan, La Prora, 1938 (c.a.)

– Page 189, images de N.C. Wyeth pour L. Stevenson, *Treasure Island*, London, Scribner's Sons, 1911

– Page 191 (de gauche à droite) :

Couverture de G. Amato pour E. Salgari, *Sandokan alla riscossa,* Florence, Bemporad, 1907

Couvertures d'Alberto Della Valle pour E. Salgari, *I misteri della giungla nera* (Gênes, Donath, 1903), *Le tigri di Mompracem* (Gênes, Donath, 1906) ; *Il corsaro nero* (Gênes, Donath, 1908)

Alberto Rabagliati, D.R.; paroles de Giovanni D'Anzi et Alfred Bracchi, *Non dimenticar le mie parole*; paroles de Giovanni D'anzi et Michele Galdieri, *Ma l'amore no*; Giovanni D'Anzi et Alfredo Bracchi, *Bambina innamorata*, Milan, Curci. © IDM Music, Ltd.

Pippo Barzizza, D.R.; paroles de Vittorio Mascheroni et Peppino Mendes, *Fiorin, Fiorello*, Éditions musicales Mascheroni; paroles de *La gelosia non è più di moda*

– Pages 273-274, extrait de *Bertoldo*, 27 août 1937

– Page 291, illustration de Pat Sullivan, extraite du *Corriere dei Piccoli,* 29 novembre 1936 (c.a.). © RCS

– Page 292, couverture de Bruno Angoletta du *Corriere dei Piccoli*, 15 octobre 1939 (c.a.). © RCS

– Page 293, couverture de Benito Jacovitti, *Alvaro il Corsaro*, Éditions Ave, 1942 (c.a.). © Archivio Benito Jacovitti

– Page 294, couverture de Sebastiano Craveri, *Il Carro di Trespoli*, Éditions Ave, 1938 (c.a.)

– Page 296, illustration de Kurt Caesar, "Verso A.O.I.", *Il Vittorioso*, 7 juin 1941 (c.a.)

– Page 299, première page de *L'Avventuroso*, numéro 1, 1934, Florence, Nerbini, avec illustrations de *Flash Gordon* d'Alex Raymond (c.a.). © King Features Syndicate Inc.

– Page 302 (de gauche à droite):

   Illustration de Benito Jacovitti, *Pippo e il dittatore*, *Intervallo,* 1945 (c.a.). © Archivio Benito Jacovitti

   Illustration de Lyman Young, extraite de *La pattuglia dell'avorio*, Florence, Nerbini, 1935. © King Features Syndicate, Inc. 1934

   Illustration extraite d'une bande dessinée non identifiée

   Illustration d'Elzie C. Segar extraite de la série des *Popeye*. © King Features Syndicate, Inc.

   Illustration de Lyman Young, *Lo spirito di Tambo*, *Il giornale di Cino e Franco*, Florence, Nerbini, 22 mars 1936. © King Features Syndicate, Inc.

   Illustration de Benito Jacovitti, *Pippo e il dittatore*, *Intervallo*, 1945 (c.a.). © Archivio Benito Jacovitti

   Illustration de Lyman Young, *Il coccodrillo sacro*, *Il giornale di Cino e Franco*, Florence, Nerbini, 19 septembre 1937 (c.a.). © King Features Syndicate, Inc.

   Illustration de Walt Disney, *Topolino nel paese dei califfi*, Milan, Mondadori, 10 décembre 1934. © Walt Disney 1970

   Illustration de Walt Disney, *Topolino nella valle infernale*, Milan, Mondadori, 31 mai 1930. © Walt Disney 1970

   Illustration d'Elzie C. Segar, extraite de la série des *Popeye*.

© King Features Syndicate, Inc.

- Page 304, illustration de Lee Falk et Ray Moore, *Il Piccolo Toma*, Florence, Nerbini, 1er juillet 1938. © King Features Syndicate, Inc.
- Page 306, couverture de Giove Toppi, *Il mago 900*, Florence, Nerbini, s.d.
- Page 307, couverture de Walt Disney, *Topolino giornalista*, Milan, Mondadori, 1936. © Walt Disney
- Page 308, Chester Gould, détail de *Dick Tracy*. © Chicago Tribune-New York News Syndicate Ins.
- Page 310, couverture de Vittorio Cossio, extraite de *La camera del terrore*, Milan, Albogiornale Juventus, 1939 (c.a.) ; couverture de Carlo Cossio, extraite de *L'infame tranello*. Albogiornale, 1939 (c.a.)
- Page 311, Milton Caniff, *Terry and the Pirates*. © Chicago Tribune-New York News Syndicate Ins.
- Page 314 (de gauche à droite) :
    Illustration de Pier Lorenzo De Vita extraite de *L'Ultimo ras*, in *Corriere dei, Piccoli*, 20 décembre 1936 (c.a.). © RCS
    Illustration de Lee Falk et Ray Moore, *Nel regno dei Sing*, Florence, Nerbini, 1er août 1937 (c.a.). © King Features Syndicate, Inc.
    Illustration d'Alex Raymond, *Agente segredo X9* de Dashiell Hammett, dans *l'Avventuroso,* 14 octobre 1934. © King Features Syndicate, Inc.
    Illustration d'Alex Raymond, *Flash Gordon*, 1938. © King Features Syndicate, Inc.
- Page 316, Photographie de Braschi en couverture de *Novella*, 8 janvier 1939, Milan, Rizzoli (c.a.). © RCS
- Page 319, couverture italienne de Lyman Young, *La Misteriosa Fiamma della Regina Loana*, Florence, Nerbini, 1935. © King Features Syndicate, Inc., 1934
- Page 323, timbres divers (collection privée). D.R.
- Page 334, photogramme de Ginger Rogers et Fred Astaire, source inconnue, D.R. ; photogramme d'Elsa Merlini, extrait de *Ultimo ballo* de Camillo Mastrocinque, © Enich, 1941
- Page 340, *Corriere della Sera*, 26 juillet 1943. © RCS
- Pages 346-347, paroles de Lelio Luttazzi, *Il giovanotto, matto*, Milan, Casiroli, 1945 ; paroles de Libero Bovio, *Signorinella*, Santa Lucia
- Page 349, photo (collection privée)
- Page 352, illustration de Domenico Pilla, *Piccoli martiri*, s.d. (c.a.)
- Pages 372-373, Cesare Pavese, *Sono solo...*, 1927 (*Le poesie*, Turin, Einaudi, 1998)
- Pages 375-376, Augusto de Angelis, *L'albergo delle tre rose*, 1936

(Palerme, Sellerio, 2002)
- Page 377, page de titre de l'édition in-folio de Shakespeare, 162
- Page 383, réélaboration par l'auteur de détails de publicités pou. Fernet Branca, 1908, les crayons Presbitero, 1924, et Thermogène, 1909, de Leonetto Cappiello, © ADAGP, Paris 2006
- Page 385, illustration d'Attilio Mussino pour Giovanni Bertinetti, *Le orecchie di Meo*, Turin, Lattes, 1908 (c.a.)
- Page 386, illustrations d'Angelo Bioletto, d'Angelo Nizza et de Riccardo Morbelli, pour la marque de chocolats Perugina-Buitoni, 1935 (c.a.). D.R.
- Page 392, illustration du *Comte de Monte-Cristo*, Milan, Sonzogno, 1927 (c.a.). © RCS
- Page 398, publicité pour Mineraria, dessin de Dinelli, v. 1934. D.R.
- Page 411, montage de l'auteur à partir de couvertures de *Novella*, 1939, Milan, Rizzoli (c.a.). © RCS
- Page 414, publicité pour Cachet Fiat, dessin de Mario Cussino, 1926. D.R.
- Page 416, affiche pour Borsalino de Marcello Dudovich, v. 1930. © ADAGP, Paris 2006. Photographies de camps de concentration allemands, 1945. D.R.
- Page 421, affiche de propagande de la République sociale italienne, 1944. D.R.
- Page 423, *L'Italia libera*, 30 octobre 1943, et *Avanti !*, 3 mars 1944 (c.a.)
- Page 426, timbres des îles Fidji (collection privée). D.R.
- Page 430, paroles de Nino Rastelli, *Tornerai*, Éditions Leopardi
- Page 439, photomontage pour le dixième anniversaire de la révolution fasciste, Rome, Institut Luce, 1932. Avec l'aimable autorisation de l'Institut Luce
- Page 457, affiche S.S., 1944. D.R.
- Page 463, montage de l'auteur à partir d'affiches de propagande de la République sociale italienne, de photogrammes de films et d'images publicitaires des années 40. D.R.
- Page 480 (de haut en bas) :
    Affiche de *Yankee Doodle Dandy,* de Michael Curtiz (Warner Bros.), 1942. D.R.
    Photogramme de *Casablanca* de Michael Curtiz. © Warner Bros., 1942
- Page 481, *Corriere Lombardo*, 8 août 1945 (c.a.) ; affiche de *Road to Zanzibar*, de Victor Schertzinger. © Universal, 1941
- Page 489, Joséphine Baker. D.R.
- Page 491, *Bella tu sei qual sole*, chant religieux populaire
- Pages 493-494, Giovanni Bosco, *Il giovane provveduto*, *Opere edite*

VII, Rome, Libreria Ateneo Salesiano

Page 495, Lorenzo Perosi, *Dormi non piangere*

- Page 497, photogramme de *I due orfanelli* de Mario Mattoli. © Excelsa, 1947

– Page 499, illustration de V. Hugo, *L'homme qui rit*, Milan, Sonzogno, s.d. (c.a.). © RCS

– Page 500, photogramme de Rita Hayworth et Tyrone Power dans *Blood and Sand* de Robert Mamoulian. © 20th Century Fox, 1941

– Page 502, photogramme de Bing Crosby et Frank McHugh, *Going my Way* de Leo McCarey. © Paramount, 1944

– Page 504, Jules Barbey d'Aurevilly, *Léa*, 1832 (*Œuvres romanesques complètes 1*), Paris, La Pléiade, Gallimard, 2002

– Page 505, Gustave Moreau, *L'Apparition* (détail), 1876, Paris, Musée du Louvre

– Page 510, Sergio Corazzini, *Il mio cuore* (in *Dolcezze*), 1904 ; Guido Gozzano, *La più bella!* (in *Tutte le poesie*, Milan, Mondadori, 1980)

– Page 522, montage de l'auteur : image d'Alex Raymond, *Rip Kirby*, © King Features Syndicate, Inc. ; modèle Schubert années 50, Parme, Centre d'études et d'archives de la communication ; publicité Vespa extraite de M. Boldrini et O. Calabrese, *Il libro della comunicazione*, Piaggio Veicoli Europei S.p.A., 1995

– Page 534, montage de l'auteur à partir d'Alex Raymond, *Flash Gordon*. © King Features Syndicate, Inc.

– Page 535, idem
– Page 536, idem
– Page 539, idem
– Page 540, idem
– Page 542, idem
– Page 544, idem

– Page 546, montage de l'auteur à partir de Lee Falk et Phil Davis, *Mandrake*. © King Features Syndicate, Inc.

– Page 549, montage de l'auteur à partir de Milton Caniff, *Terry and the Pirates*. © Chicago Tribune-New York News Syndicate

– Page 550, montage de l'auteur à partir d'Alex Raymond, *Flash Gordon*. © King Features Syndicate, Inc.

– Page 552, montage de l'auteur à partir de divers livres italiens. D.R.

– Page 555, montage de l'auteur à partir de Lyman Young, *La Misteriosa Fiamma della Regina Loana*, Florence, Nerbini, 1935. © King Features Syndicate, Inc., 1934

– Page 556, paroles de Bixio Cherubini, *La famiglia canterina*, Milan, Éditions Bixio, 1929

– Page 557, montage de l'auteur. Image pieuse anonyme. D.R.

TABLE

Du même auteur :

L'ŒUVRE OUVERTE, Seuil, 1965.

LA STRUCTURE ABSENTE, Mercure de France, 1972.

LA GUERRE DU FAUX, traduction de Myriam Tanant avec la collaboration de Piero Caracciolo, Grasset, 1985.

LECTOR IN FABULA, traduction de Myriem Bouzaher, Grasset, 1985.

PASTICHES ET POSTICHES, traduction de Bernard Guyader, Messidor, 1988. 10/18, 1996.

SÉMIOTIQUE ET PHILOSOPHIE DU LANGAGE, traduction de Myriem Bouzaher, PUF, 1988.

LE SIGNE : HISTOIRE ET ANALYSE D'UN CONCEPT, adaptation de J.-M. Klinkenberg, Labor, 1988.

LES LIMITES DE L'INTERPRÉTATION, traduction de Myriem Bouzaher, Grasset, 1992.

DE SUPERMAN AU SURHOMME, traduction de Myriem Bouzaher, Grasset, 1993.

LA RECHERCHE DE LA LANGUE PARFAITE DANS LA CULTURE EUROPÉENNE, traduction de Jean-Paul Manganaro. Préface de Jacques Le Goff, Le Seuil, 1994.

SIX PROMENADES DANS LES BOIS DU ROMAN ET D'AILLEURS, traduction de Myriem Bouzaher, Grasset, 1996.

ART ET BEAUTÉ DANS L'ESTHÉTIQUE MÉDIÉVALE traduction de Maurice Javion, Grasset, 1997.

COMMENT VOYAGER AVEC UN SAUMON, traduction de Myriem Bouzaher, Grasset, 1998.

KANT ET L'ORNITHORYNQUE, traduction de Julien Gayrard, Grasset, 1999.

CINQ QUESTIONS DE MORALE, traduction de Myriem Bouzaher, Grasset, 2000.

DE LA LITTÉRATURE, traduction de Myriem Bouzaher, Grasset, 2003.

SÉMIOTIQUE ET PHILOSOPHIE DU LANGAGE, traduction de Myriem Bouzaher, PUF, 2006.

Romans :

LE NOM DE LA ROSE, traduction de Jean-Noël Schifano ;
  édition augmentée d'une Apostille traduite par Myriem
  Bouzaher, Grasset, 1985.
LE PENDULE DE FOUCAULT, traduction de Jean-Noël Schifano,
  Grasset, 1990.
L'ÎLE DU JOUR D'AVANT, traduction de Jean-Noël Schifano,
  Grasset, 1996.
BAUDOLINO, traduction de Jean-Noël Schifano, Grasset, 2002.

Achevé d'imprimer en octobre 2006 sur les presses de
l'Imprimerie Moderne l'Est à Baume-les-Dames (Doubs)
Dépôt légal 1ʳᵉ publication : octobre 2006
Numéro d'éditeur : 76014
Librairie Générale Française – 31, rue de Fleurus – 75278 Paris Cedex 06

31/1536/7